Haider-Strutz

Anatomie
Biologie
Physiologie

4., überarbeitete Auflage

Zusätzliche Übungsfragen zum Download!

Unter diesem QR-Code finden Sie Übungen, um Ihr Wissen zu testen und sich ideal auf die Prüfungen vorzubereiten.

Hier einfach downloaden!

Isabel Haider-Strutz

Anatomie
Biologie
Physiologie
für Gesundheitsberufe

4., überarbeitete Auflage

facultas

Dr.in Isabel Haider-Strutz

Medizinstudium in Graz, Ausbildung zur Ärztin für Allgemeinmedizin am Kaiser-Franz-Josef-Spital (Klinik Favoriten) und am Wilhelminenspital (Klinik Ottakring) in Wien. Langjährige Lehrtätigkeit an der Schule für allgemeine Gesundheits- und Krankenpflege am Kaiser-Franz-Josef-Spital (Klinik Favoriten), FH-Lektorin an der Hochschule Campus Wien.

Eine geschlechtergerechte Schreibweise wird in diesem Buch vorwiegend durch die abwechselnde Nennung der männlichen und weiblichen Form realisiert. Es sind stets alle Geschlechter gemeint.

Bibliografische Information der Deutschen Nationalbibliothek

Die Deutsche Nationalbibliothek verzeichnet diese Publikation in der Deutschen Nationalbibliografie; detaillierte bibliografische Angaben sind im Internet über http://dnb.d-nb.de abrufbar.

4. Auflage 2026

facultas Verlag, Wien, Österreich
www.facultas.at, office@facultas.at
Abbildungen und Umschlagbild: Marianne Pataki
Satz: Florian Spielauer, Wien
Lektorat: Laura Hödl, Susanne Müller-Posch
Druck: finidr
Printed in the EU
ISBN: 978-3-7089-2540-0
E-ISBN 978-3-99111-992-0

Inhalt

Teil III
Anatomie und Physiologie...........89

Hinweise zum Gebrauch des Buches

Wichtige Worte im Text sind **fett** gedruckt.

Kernaussagen und **Merksätze** sind orange hinterlegt.

Am Ende jedes Kapitels findest du Fragen zur Wissensüberprüfung.

1 Einleitung

Die Anatomie beschreibt den Aufbau des menschlichen Körpers und seiner Organe, die Physiologie beschäftigt sich mit den Funktionsabläufen eines gesunden Organismus. Das Verständnis für die Inhalte dieser Fachgebiete erfordert einige physikalische, chemische und biologische Grundlagen. Dieses Buch befasst sich zuerst mit diesen Grundlagen und baut darauf die Inhalte der folgenden Kapitel auf. In jedem Kapitel werden zuerst die anatomischen Grundlagen und danach die physiologischen Funktionen der jeweiligen Organsysteme besprochen. Die kurze Besprechung pathophysiologischer Inhalte am Ende des jeweiligen Kapitels, die die krankhaften Veränderungen der Funktionsabläufe zum Inhalt hat, ist der aktuellen österreichischen Handreichung des Bundesministeriums für die Pflegeausbildung geschuldet.

Inhaltlich orientiert sich dieses Lehrbuch an den Lehrinhalten sowohl für das Bachelorstudium der Gesundheits- und Krankenpflege, das Bachelorstudium für die Ausbildung zur Hebamme als auch für die Pflegefachassistenz und Pflegeassistenz. Es obliegt den jeweiligen Lehrenden, inwieweit sie in den einzelnen Kapiteln in die Tiefe gehen können und wollen bzw. wo die jeweiligen Schwerpunkte der einzelnen Institutionen liegen.

Anatomie und Physiologie sind Grundlagenfächer, auf deren Inhalte im weiteren Verlauf der Ausbildung aufgebaut werden muss. Deshalb sehe ich ein fundiertes Wissen, welches sich an den Anforderungen des Curriculums orientiert, als die Basis für einen erfolgreichen Wissenserwerb in vielen Unterrichtsfächern der höheren Semester. Meine langjährige Unterrichtstätigkeit sowohl in der Bachelorausbildung der Gesundheits- und Krankenpflege und der Hebammen als auch in der Ausbildung zum Krankenpflegediplom ist die Grundlage für dieses Buch.

Teil I
Medizinische Terminologie

2 Medizinische Terminologie

Der Begriff Terminologie leitet sich vom lateinischen **Terminus (Fachausdruck)** ab und bedeutet so viel wie die **„Lehre von den Fachausdrücken“**. Unter **Nomenklatur** (lat. nomen = Name) versteht man hingegen eine systematische Sammlung von Fachbegriffen zu einem bestimmten Fachgebiet.

Die medizinische Terminologie ist die Grundlage der Fachsprache aller Menschen, die in medizinischen Berufen arbeiten. Diese einheitliche Sprache erleichtert die Verständigung untereinander und zwischen den verschiedenen Berufsgruppen im Gesundheitswesen. Sie ermöglicht aber auch das Verstehen von Fachliteratur.

Die anatomische Terminologie leitet sich in erster Linie aus dem Lateinischen ab, einige Begriffe wurden auch aus dem Altgriechischen übernommen. Die organspezifischen Fachausdrücke werden in den spezifischen Organkapiteln gelehrt. Am Ende dieses Kapitels sind die wichtigsten Ausdrücke geordnet nach Organsystemen in Tabellen zusammengefasst.

Ich empfehle dringend, sich beim Studium der Anatomie von Anfang an die lateinischen Fachausdrücke anzueignen!

2.1 Deklinationen

Im folgenden Kapitel werden die wichtigsten Deklinationen, also die Abwandlungen von Wörtern nach Geschlecht, Zahl und Fall, besprochen. Im Lateinischen werden sechs Fälle (Nominativ, Genitiv, Dativ, Akkusativ, Vokativ und Ablativ) unterschieden, für die Bezeichnungen von anatomischen Begriffen reichen der erste und der zweite Fall Singular und Plural aus.

a-, o- und konsonantische Deklination

Substantive der a-Deklination sind meist feminin, jene der o-Deklination, welche im Nominativ Singular auf -us enden, sind meist maskulin, und jene Substantive, die auf -um enden, sind meist neutrum. Es gibt jedoch zahlreiche Ausnahmen. Die Endungen der Adjektive werden an jene des Substantivs angepasst.

Tab. 1: **a-, o- und konsonantische Deklination**

	a-Deklination	**o-Deklination**	**konsonantische Deklination**
	Singular / Plural	**Singular / Plural**	**Singular / Plural**
Nominativ	-a / -ae	-us, -um / -i, -a	-or, -os, -er (m.) -o, -s, -x (f.) / -es / -a - us, -men (n.)
Genitiv	-ae / -arum	-i / -orum	-is / -um

Beispiele

a-Deklination:

vesic***a/-ae*** (f.): Blase

trigonum vesicae: Dreieck der Blase, Blasendreieck

o-Deklination:
uter***us/-i*** (m.): Gebärmutter
cervix uteri: Hals der Gebärmutter, Gebärmutterhals

coll***um/-i*** (n.): Hals
pterygium colli: Flügelfell des Halses

Konsonantische Deklination:
dol***or/-oris*** (m.): Schmerz

p*es*/ped*is* (m.): Fuß
dorsum pedis: Rücken des Fußes, Fußrücken

i-, u- und e-Deklination
Substantive der i Deklination, die im Nominativ Singular auf -is enden, sind in der Regel maskulin oder feminin, jene, die auf -e enden, sind neutrum. In der u- und e-Deklination enden alle Nominative auf -us bzw. -es.

Tab. 2: **i-, u- und e-Deklination**

	i-Deklination	**u-Deklination**	**e-Deklination**
	Singular / Plural	**Singular / Plural**	**Singular / Plural**
Nominativ	-is, -e / -es, -ia	-us / -us, -ua	-es / -es
Genitiv	-is / -ium	-us / -uum	-ei / -erum

Beispiele

i-Deklination:
mens***is/-is*** (m): Monat
menses (Plural): Monatsblutung

u-Deklination:
man***us/-us*** (f.): Hand
palma manus: Fläche der Hand, Handfläche

e-Deklination:
car***ies/-ies*** (f.): Fäulnis

2.2 Achsen und Ebenen durch den Körper

Zur besseren Orientierung im menschlichen Körper werden die in den Körper projizierten Achsen-, Ebenen- und Richtungsbezeichnungen an den Anfang dieses Kapitels gestellt.

Achsen durch den Körper
Entsprechend den drei Raumrichtungen lassen sich drei Achsen durch den Körper bestimmen, welche jeweils im rechten Winkel aufeinander stehen. Die **Längsachse oder Longitudinalachse** zieht von oben nach unten durch den Körper, die **Pfeilachse oder Sagittalachse** durchdringt den Körper von vorne nach hinten und die **Querachse oder Transversalachse** zieht von rechts nach links.

Ebenen durch den Körper

Ebenen werden jeweils zwischen zwei Achsen aufgespannt, dementsprechend werden folgende Ebenen unterschieden:

Die **Frontalebenen** liegen zwischen Longitudinalachse und Transversalachse. Sie „zerteilen“ den Körper von vorne nach hinten in Schichten. Alle Frontalebenen sind parallel zum Os frontale, dem Stirnbein.

Die **Sagittalebenen** werden von jeweils einer Longitudinalachse und einer Sagittalachse aufgespannt. Sie teilen den Körper in Längsrichtung von rechts nach links in Schichten. Eine besondere Sagittalebene ist die **Medianebene** genau durch die Körpermitte, die einzige Ebene, die den Körper in zwei spiegelgleiche Hälften teilt.

Die **Transversalebenen oder Horizontalebenen** liegen zwischen Transversalachse und Sagittalachse, sie teilen den Körper in horizontale Schichten von oben nach unten.

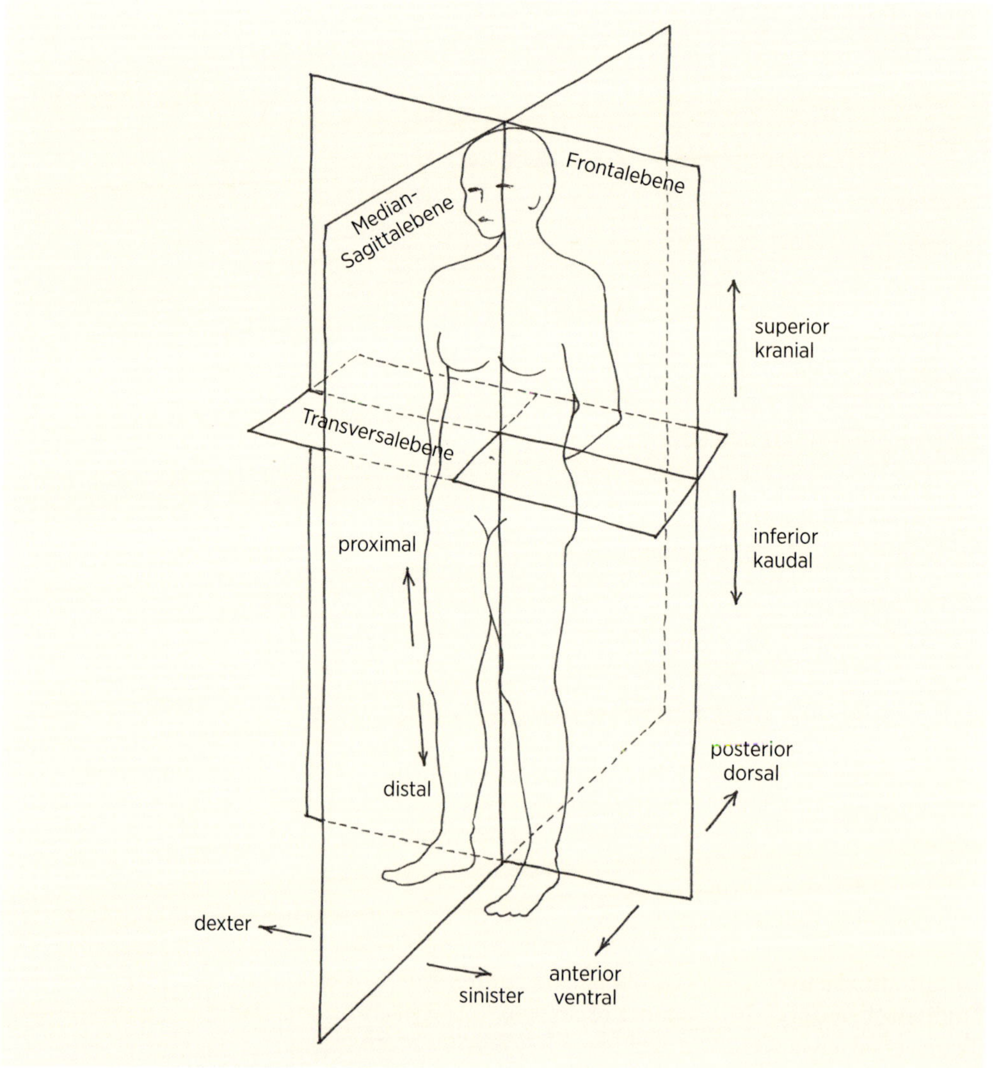

Abb. 1: **Achsen und Ebenen durch den Körper**

2.3 Richtungen im Raum

Zur besseren Orientierung und zur Beschreibung der Lage von Körperteilen werden folgende Richtungsbezeichnungen verwendet:

Tab. 3: **Richtungen im Körper**

anterior: vorne liegend	**posterior:** hinten liegend
superior: oben liegend	**inferior:** unten liegend
ventral: bauchseitig	**dorsal:** rückseitig
kranial: zum Schädel hin (beim Menschen also oben)	**kaudal:** zum Steiß hin (beim aufrecht stehenden Menschen unten)
lateral: zur Seite hin gelegen	**medial:** zur Mitte hin gelegen
dexter: rechts	**sinister:** links
proximal: zum Körper hin gelegen (an einer Extremität)	**distal:** vom Körper entfernt gelegen (an einer Extremität)
nasal: zur Nase hin gelegen	**okzipital:** zum Hinterkopf hin gelegen

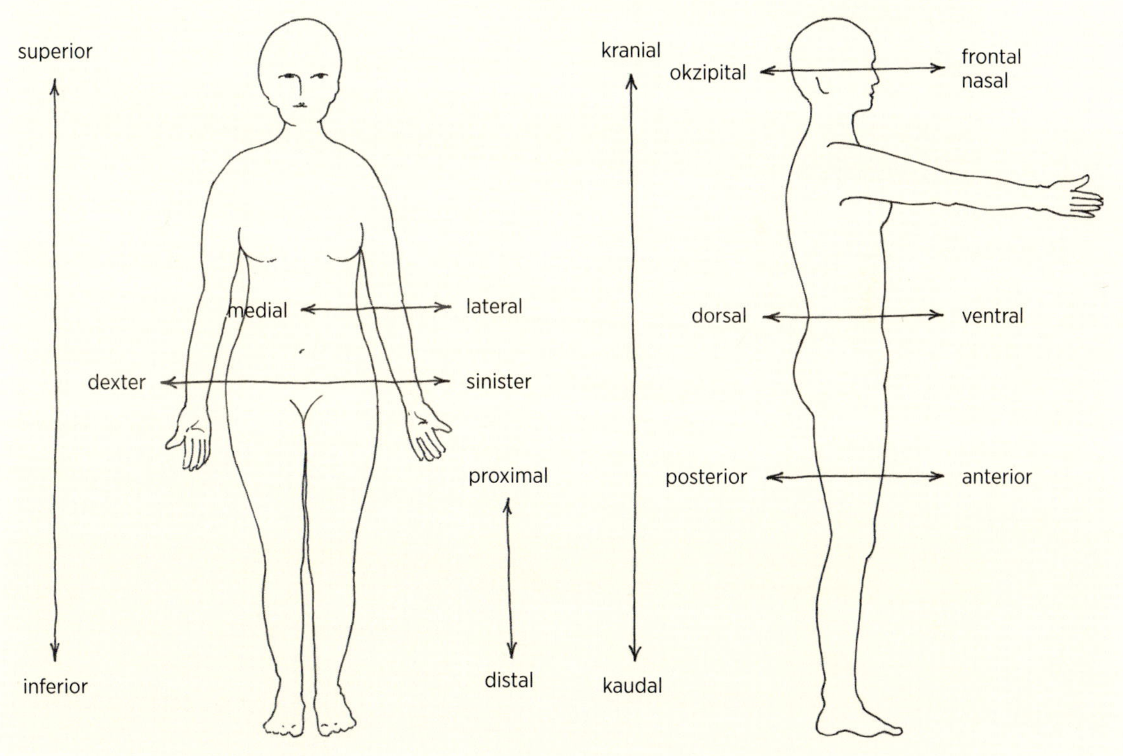

Abb. 2: **Bezeichnungen am Körper**

Es sei ausdrücklich darauf hingewiesen, dass sich die Richtungsbezeichnungen immer auf den Körper selbst beziehen und nicht auf den Betrachter! Rechts ist dort, wo sich der rechte Arm des Individuums befindet. Das gilt auch für die Organe – der rechte Vorhof des Herzens ist jener, der zum rechten Arm seiner Besitzerin weist.

Tab. 4: **Richtungen an den Extremitäten**

ulnar: zur Elle hin	**radial:** zur Speiche hin
palmar: zur Handfläche	**dorsal:** zum Handrücken
tibial: zum Schienbein	**fibular:** zum Wadenbein
plantar: zur Fußsohle	**dorsal:** zum Fußrücken

2.4 Bewegungsrichtungen der Extremitäten in den Gelenken

In den Gelenken, vor allem in den großen Gelenken der Extremitäten, lassen sich je nach Freiheitsgraden unterschiedliche Bewegungen durchführen.

Tab. 5: **Bewegungsrichtungen**

Flexion: Beugen (z. B. Kniegelenk)	**Extension:** Strecken
Abduktion: Wegführen vom Körper (z. B. Hüftgelenk)	**Adduktion:** Heranführen an den Körper
Innenrotation: Drehen nach innen (z. B. Hüftgelenk)	**Außenrotation:** Drehen nach außen
Anteversion: Bewegung nach vorne (z. B. Schultergelenk)	**Retroversion:** Bewegung nach hinten
Supination: Auswärtsdrehen von Handfläche oder Fußsohle	**Pronation:** Einwärtsdrehen von Handfläche oder Fußsohle

2.5 Farbbezeichnungen

Die Bezeichnungen für Farben werden in der Medizin sowohl aus dem Lateinischen als auch aus dem Altgriechischen übernommen. Da in der lateinischen Sprache die Artikel in den Wortendungen stecken, sind die lateinischen Farbadjektive sowohl mit männlicher (maskuliner) als auch mit weiblicher (femininer) und sächlicher (neutraler) Endung angegeben.

Tab. 6: **Farbbezeichnungen**

Farbe	Lateinische Bezeichnung	Griechische Bezeichnung	Beispiele
weiß	albus, -a, -um	leukos	▸ Albinismus (Pigmentstörung) ▸ Leukozyt (weiße Blutzelle)
schwarz	niger, nigra, -um	melas	▸ Substantia nigra (pigmentiertes Areal im Gehirn) ▸ Melanozyt (Pigmentzelle)
rot	ruber, rubra, -um	erythros	▸ Nucleus ruber (roter Kern im Gehirn) ▸ Erythrozyt (rote Blutzelle)
grün	viridis, -e	glaukos chloros	▸ Streptokokkus viridans (vergrünendes Bakterium) ▸ Glaukom (grüner Star)

blau	caeruleus, -a, -um	kyaneos	▸ Locus caeruleus (Struktur im Gehirn)
gelb	flavus/luteus	xanthos	▸ Corpus luteum (Gelbkörper) ▸ Xanthom (Fettablagerung in der Haut)
bleich, blass	pallidus, -a, -um		▸ Globus pallidus (blasser Kern im Gehirn)
grau	griseus, -a, -um / cinereus, -a, -um	polios	▸ Substantia grisea (graue Substanz im Nervensystem) ▸ Poliomyelitis (Entzündung der grauen Substanz)

2.6 Zahlen

Auch die Zahlen werden sowohl aus dem Lateinischen als auch aus dem Griechischen entlehnt. Die 12 Hirnnerven werden mit römischen Ziffern bezeichnet.

Tab. 7: **Zahlen**

Zahl	Lateinischer Wortstamm	Griechischer Wortstamm	Römische Ziffern
eins	uni-	mon-	I
zwei	bi-	di-	II
drei	tri-	tri-	III
vier	quadr-	tetra-	IV
fünf	quint-	pent-	V
sechs	sex-	hexa-	VI
sieben	septem-	hept-	VII
acht	octem-	oct-	VIII
neun	novem-	non-	IX
zehn	deci-	deka-	X

2.7 Wichtige Abkürzungen

Einige Strukturen im Körper werden im Zusammenhang mit ihren Bezeichnungen (Namen) abgekürzt. Wird nur eine Struktur bezeichnet, verwendet man nur den Anfangsbuchstaben, handelt es sich um mehrere Strukturen, verwendet man den Anfangsbuchstaben doppelt.

Arterie(n): A., Aa.
Vene(n): V., Vv.
Nerv(en): N., Nn.
Muskel(n): M., Mm.
Lymphknoten: Ln., Lnn.

2.8 Vokabeln

Am Ende des Kapitels „Medizinische Terminologie“ soll anhand einiger Tabellen das Erlernen der lateinischen Fachausdrücke erleichtert werden. Im Lateinischen ist es üblich, dass der zweite Fall als Endung an das Substantiv abgehängt wird (caput, -itis). Dies dient dazu, das Wort der richtigen Deklination zuordnen zu können. Im folgenden Kapitel soll jedoch davon Abstand genommen werden und auch die lateinische Bezeichnung nur im 1. Fall erscheinen.

Tab. 8: **Skelett**

Deutsche Bezeichnung	Lateinische Bezeichnung
Kopf	Caput
Stirnbein	Os frontale
Scheitelbein	Os parietale
Schläfenbein	Os temporale
Hinterhauptsbein	Os occipitale
Keilbein	Os sphenoidale
Jochbein	Os zygomaticum
Siebbein	Os ethmoidale
Oberkiefer	Maxilla
Unterkiefer	Mandibula
Pflugscharbein	Vomer
Augenhöhle	Orbita
Nasenhöhle	Cavum nasi
Wirbel	Vertebra
1. Halswirbel	Atlas
2. Halswirbel	Axis
7. Halswirbel	Vertebra prominens
Brustbein	Sternum
Brustbeinhandgriff	Manubrium sterni
Schwertfortsatz	Processus xiphoideus
Schlüsselbein	Clavicula
Schulterblatt	Scapula
Schulterblattgräte	Spina scapulae
Schulterblatthöhe	Acromion
Gelenkfläche des Schulterblattes	Facies glenoidalis
Rippe	Costa
Oberarmknochen	Humerus
Oberarmkopf	Caput humeri
Gelenkrolle	Trochlea
Speiche	Radius
Speichenköpfchen	Capitulum radii
Griffelfortsatz der Speiche	Processus styloideus radii
Elle	Ulna
Ellbogenhaken	Olecranon
Griffelfortsatz der Elle	Processus styloideus ulnae

Handwurzelknochen Kahnbein, Mondbein, Dreiecksbein, Erbsenbein Großes Vieleckbein, kleines Vieleckbein, Kopfbein, Hakenbein	Ossa carpi Os scaphoideum, Os lunatum, Os triquetrum, Os pisiforme Os trapezium, Os trapezoideum, Os capitatum, Os hamatum
Fingerglieder	Phalangen
Becken Hüftbein Darmbein Schambein Sitzbein	Pelvis Os coxae Os ilium Os pubis Os ischii
Oberschenkelknochen Oberschenkelkopf Oberschenkelhals Großer und kleiner Rollhügel Oberschenkelknorren	Femur Caput femoris Collum femoris Trochanter major et minor Epicondylus
Kniescheibe	Patella
Schienbein Innenknöchel	Tibia Malleolus medialis
Wadenbein Außenknöchel	Fibula Malleolus lateralis
Fußwurzelknochen Sprungbein Fersenbein Kahnbein Keilbeine I–III Würfelbein	Ossa tarsi Talus Calcaneus Os naviculare Ossa cuneiformia I–III Os cuboideum
Zehenglieder	Phalangen

Tab. 9: **Nervensystem und Sinnesorgane**

Deutsche Bezeichnung	Lateinische Bezeichnung
Schädel	Cranium
Gehirn **Großhirn** Stirnlappen Scheitellappen Schläfenlappen Hinterhauptslappen Balken Längsfurche Kranzfurche **Zwischenhirn** **Hirnstamm** **Mittelhirn** Brücke Hirnschenkel Verlängertes Mark	Cerebrum **Telencephalon** Lobus frontalis Lobus parietalis Lobus temporalis Lobus occipitalis Corpus callosum Sulcus longitudinalis Sulcus coronarius **Diencephalon** **Truncus cerebri** **Mesencephalon** Pons Crus cerebri Medulla oblongata

Kleinhirn Harte Hirnhaut Spinngewebshaut Weiche Hirnhaut Hirnflüssigkeit	**Cerebellum** Dura mater Arachnoidea Pia mater Liquor cerebrospinalis
Auge Lederhaut Hornhaut Aderhaut Ziliarkörper Strahlenkörper Sehloch Linse Netzhaut Blinder Fleck Gelber Fleck Sehgrube Sehnerv	**Oculus** Sklera Cornea Chorioidea Corpus ciliare Iris Pupille Lens Retina Papilla nervi optici Macula lutea Fovea centralis Nervus opticus
Ohr Ohrmuschel Äußerer und innerer Gehörgang Trommelfell Hammer Amboss Steigbügel Schnecke Gleichgewichtsorgan Hör- und Gleichgewichtsnerv	**Auris** Auricula auris Meatus acusticus externus et internus Membrana tympani Malleolus Incus Stapes Cochlea Organon vestibulare N. vestibulocochlearis
Nase	Nasus
Mund Lippe Zunge Gaumen Zahn	Os Labium Lingua Palatum Dens

Tab. 10: **Blut und lymphatisches System**

Deutsche Bezeichnung	**Lateinische Bezeichnung**
Blut	Sanguis
Weiße Blutzelle	Leukozyt
Rote Blutzelle	Erythrozyt
Blutplättchen	Thrombozyt
Knochenmark	Medulla ossium
Mandel	Tonsille
Bries	Thymus
Milz	Lien

Tab. 11: **Herz-Kreislauf-System**

Deutsche Bezeichnung	Lateinische Bezeichnung
Herz	Cor
Herzinnenhaut	Endokard
Herzmuskel	Myokard
Herzaußenhaut	Epikard
Herzbeutel	Perikard
Herzscheidewand	Septum cordis
Rechter und linker Vorhof	Atrium dextrum et sinistrum
Rechte und linke Kammer	Ventriculus dexter et sinister
Herzklappe	Valva
Zusammenziehen des Herzens	Systole
Ausdehnen des Herzens	Diastole

Tab. 12: **Atemorgane**

Deutsche Bezeichnung	Lateinische Bezeichnung
Lunge	Pulmo
Rippenfell	Pleura parietalis
Lungenfell	Pleura visceralis
Kehlkopf Schildknorpel Ringknorpel Stellknorpel Kehldeckel	Larynx Cartilago thyreoidea Cartilago cricoidea Cartilago arytaenoidea Epiglottis
Luftröhre	Trachea
Hauptbronchus	Bronchus principalis
Lappenbronchus	Bronchus lobaris
Segmentbronchus	Bronchus segmentalis
Lungenbläschen	Alveolen
Zwerchfell	Diaphragma
Mittelfellraum	Mediastinum

Tab. 13: **Verdauungsorgane**

Deutsche Bezeichnung	Lateinische Bezeichnung
Speiseröhre	Oesophagus
Magen	Gaster, Ventriculus
Dünndarm Zwölffingerdarm Leerdarm Krummdarm	**Intestinum tenue** Duodenum Jejunum Ileum

Dickdarm Blinddarm Wurmfortsatz Aufsteigender, querverlaufender, absteigender Grimmdarm S-förmiger Grimmdarm Mastdarm After Äußerer und innerer Afterschließmuskel	**Intestinum crassum** Caecum Appendix vermiformis Colon ascendens, transversum, descendens Colon sigmoideum Rectum Anus Mm. sphincter ani externus et internus
Leber	Hepar
Gallenblase	Vesica fellea
Bauchspeicheldrüse	Pankreas

Tab. 14: **Harnorgane**

Deutsche Bezeichnung	Lateinische Bezeichnung
Niere	Ren
Nierenrinde	Cortex renalis
Nierenmark	Medulla renalis
Nierenarterie Zwischenlappenarterie Bogenarterie Zwischenläppchenarterie	Arteria renalis Arteria interlobaris Arteria arcuata Arteria interlobularis
Nierenbecken	Pelvis renalis
Harnleiter	Ureter
Harnblase	Vesica urinaria
Harnröhre	Urethra
Innerer und äußerer Harnröhrenschließmuskel	Mm. sphincter urethrae internus et externus

Tab. 15: **Geschlechtsorgane**

Deutsche Bezeichnung	Lateinische Bezeichnung
Große und kleine Vulvalippen	Labia majora et minora
Schamberg	Mons pubis
Weibliche Scham	Vulva
Kitzler	Clitoris
Gebärmutter Gebärmutterhals Innerer und äußerer Muttermund Scheidenteil der Gebärmutter	Uterus Cervix uteri Ostium uteri internum et externum Portio
Eierstock	Ovarium
Eileiter	Tuba uterina
Anhangsgebilde	Adnexe
Scheide	Vagina

Glied Penisschwellkörper Harnröhrenschwellkörper Eichel Vorhaut	Penis Corpus cavernosum penis Corpus spongiosum penis Glans penis Praeputium
Hodensack Hoden Nebenhoden	Skrotum Testis Epididymis
Samenleiter	Ductus deferens
Vorsteherdrüse	Prostata
Bläschendrüse	Vesicula seminalis

Übungsfragen

1. Benenne die Achse, die von oben nach unten durch den Körper zieht. Welche Ebene teilt den Körper in zwei spiegelgleiche Hälften?
2. Übersetze ins Deutsche:
   - anterior, posterior, superior, inferior
   - ventral, dorsal, kranial, kaudal
   - lateral, medial, dexter, sinister, proximal, distal
   - nasal, okzipital
   - ulnar, radial, palmar, dorsal
   - tibial, fibular, plantar, dorsal
3. Um welche Bewegungsrichtungen handelt es sich bei einer Flexion, Extension, Adduktion, Abduktion?
4. Wie heißen folgende Begriffe auf Lateinisch?
   - vorne liegend, hinten liegend, oben liegend, unten liegend
   - bauchseitig bzw. am Bauch gelegen
   - zum Schädel hin, beim aufrecht stehenden Menschen oben
   - steißwärts, beim aufrecht stehenden Menschen unten
   - zur Mitte hin gelegen
   - rechts, links
   - an einer Extremität vom Körper entfernt gelegen
   - zum Hinterkopf hin gelegen
   - zur Elle hin, zur Speiche hin
   - zur Handfläche, zum Handrücken

Teil II
Biologie

3 Grundlagen der Chemie, Biochemie und Biophysik

Der menschliche Organismus besteht aus zahlreichen Elementen, die in unterschiedlichen Mengen vorkommen. 21 dieser Elemente spielen im Organismus eine bekannte Rolle, vier davon sind Schlüsselelemente, die etwa 96 % der Körpermasse ausmachen, sieben sind Mengenelemente, zehn sind Spurenelemente, die tatsächlich nur in geringen Spuren vorkommen, aber dennoch wichtige Funktionen innehaben. Auch andere Elemente können im menschlichen Organismus nachgewiesen werden, viele haben keine Auswirkungen auf den Körper, einige davon sind toxisch. Diese Elemente sind die Grundbausteine jeder Materie, sie sind im **Periodensystem der Elemente** entsprechend der steigenden Anzahl ihrer positiven Ladungen (Protonen) im Atomkern der Reihe nach angeordnet.

3.1 Element, Atom und Molekül

Unter einem **Element** versteht man einen Reinstoff, der aus einer einzigen Atomsorte besteht. So sind zum Beispiel reiner Sauerstoff und reiner Wasserstoff Elemente. Wasser hingegen ist eine chemische Verbindung (H_2O), die sich aus den beiden Elementen Wasserstoff (H) und Sauerstoff (O) zusammensetzt. Die Elemente sind, wie bereits erwähnt, im sogenannten Periodensystem der Elemente aufgelistet, zurzeit sind 118 Elemente bekannt. Aus Verbindungen dieser Elemente besteht die gesamte Materie.

> Ein Element ist ein Reinstoff, der aus nur einer Atomsorte besteht.

Ein **Atom** (griech. atomos) ist wörtlich übersetzt das „unteilbare Teilchen", was impliziert, dass Atome die kleinsten Bausteine der Materie sind. Wie wir heute wissen, ist dem aber nicht so, denn Atome sind aus noch viel kleineren Teilchen, den Elementarteilchen, aufgebaut.

Um den Aufbau eines Atoms und seine Möglichkeiten, sich mit anderen Atomen verbinden zu können, zu erklären, bedienen wir uns eines einfachen Atommodells.

Atommodell, Schalenmodell

Ein Atom besteht aus einem Atomkern und einer Elektronenhülle, in denen sich unterschiedliche Elementarteilchen befinden. Der Kern besteht aus positiv geladenen Teilchen, den **Protonen**, und ungeladenen **Neutronen**; in der Hülle findet man wiederum gleich viele negativ geladene **Elektronen** wie Protonen im Kern. Da in einem Atom die Anzahl der Protonen und der Elektronen immer gleich ist, heben sich diese Ladungen auf und das Atom ist in seiner Gesamtheit ungeladen oder neutral.

> Die Anzahl der Protonen im Kern entspricht der Ordnungszahl, die Summe der Protonen und Neutronen ergibt die Massenzahl, also das Gewicht eines Atoms.

Die **Elektronen** befinden sich in bestimmten Abständen zu den positiven Kernen auf Elektronenschalen. Diese Schalen werden der Reihe nach mit Elektronen besetzt, erst wenn eine Schale voll besetzt ist, ordnen sich weitere Elektronen in der nächsten Schale an. Die erste Elektronenschale ist schon mit **zwei** Elektronen vollständig, jede weitere Schale kann **acht** Elektronen aufnehmen. Atome, die eine volle äußere Elektronenschale besitzen, haben keine Ambitionen, mit anderen Atomen Verbindungen einzugehen. Diese Atome sind im Periodensystem ganz außen rechts untereinander angeordnet, sie heißen Edelgase und sind reaktionsträge.

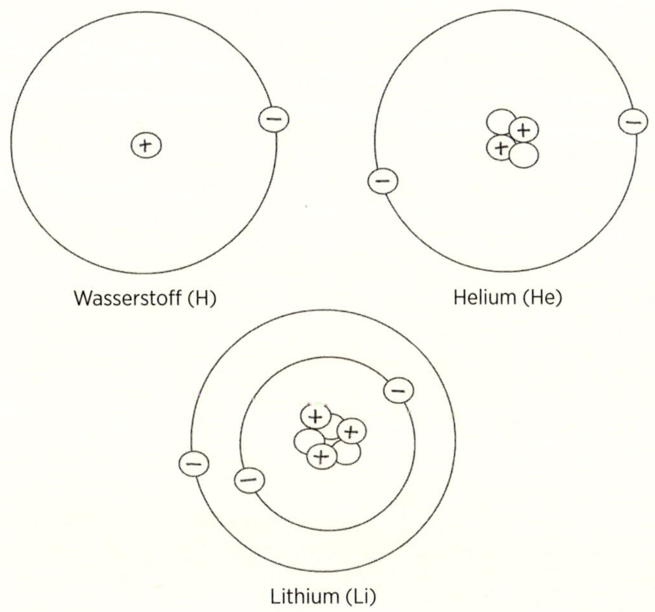

Abb. 3: **Atommodell**

Ion

Ionen sind **geladene Atome oder Moleküle.** Sie entstehen, wenn Atome zusätzliche Elektronen aufnehmen oder welche abgeben, um eine volle äußere Elektronenhülle zu erhalten. Gibt ein Atom negativ geladene Elektronen an ein anderes Atom ab, dann überwiegen seine positiven Ladungen und es ist in seiner Gesamtheit positiv geladen. Ein solches positives Ion heißt Kation. Jenes Atom, welches zusätzliche Elektronen in seine Schale aufgenommen hat, wird negativ geladen, es wird zum Anion. Atome, welche links im Periodensystem angeordnet sind, besitzen nur wenige Elektronen in ihrer äußersten Schale (Außenelektronen), sie geben deshalb Elektronen leicht ab und werden dadurch zu positiv geladenen **Kationen.** Atome, welche weit rechts im Periodensystem stehen, besitzen eine annähernd volle äußere Elektronenhülle und nehmen gerne die fehlenden Elektronen in ihre äußere Schale auf, um sie zu vervollständigen. Sie werden zu **Anionen.** Atome mit einer vollen äußeren Elektronenschale, wie die Edelgase, nehmen weder Elektronen auf, noch geben sie welche ab. Solche Atome sind chemisch träge, sie nehmen in der Regel an keinen Reaktionen teil.

Molekül

Moleküle sind Verbindungen aus gleichen oder unterschiedlichen Atomen. Sie bestehen aus mindestens zwei Atomen, wie O_2 oder H_2, oder aus mehreren Atomen, wie zum Beispiel Wasser (H_2O) oder Schwefelsäure (H_2SO_4). Große Bedeutung im Organismus haben auch riesige Makromoleküle mit mehr als 1.000 Bausteinen, wie Mehrfachzucker, Eiweiße oder Nukleinsäuren (DNA, RNA).

Isotop

Isotope sind Atome eines Elements, welche in ihrem Atomkern zwar gleich viele Protonen wie das ursprüngliche Atom, aber eine abweichende Zahl an Neutronen enthalten. Sie haben also die gleiche Ordnungszahl und stellen dadurch das gleiche Element dar, unterscheiden sich aber in ihrer Massenzahl. Einige Isotope zerfallen sehr schnell und geben bei ihrem Zerfall Energie in Form von **radioaktiver Strahlung** ab. Radioaktive Isotope finden in der Medizin Anwendung in der Diagnose (Szintigrafie) oder in der Therapie von Tumoren.

3.2 Periodensystem der Elemente

Im Periodensystem sind die unterschiedlichen Atomsorten (Elemente) nach steigender Ordnungszahl angeordnet. Die Ordnungszahl entspricht der Anzahl der Protonen im Atomkern.

Das erste Element im Periodensystem ist **Wasserstoff (H)** mit einem positiv geladenen Proton in seinem Kern und einem negativ geladenen Elektron in seiner Elektronenhülle. Es besitzt die **Ordnungszahl** 1, entsprechend der Anzahl seiner Protonen. Eine Besonderheit des Wasserstoffatoms ist das Fehlen eines Neutrons. **Helium** am 2. Platz hat die Ordnungszahl 2, es besitzt also zwei Protonen im Kern. Im Heliumkern findet man jedoch zusätzlich zwei Neutronen und in seiner ersten Elektronenschale zwei Elektronen. **Lithium** mit der Ordnungszahl 3 besitzt demnach drei Protonen im Kern und drei Elektronen in seiner Elektronenhülle, zwei in seiner ersten und ein Elektron in seiner zweiten Schale, und **Neon** mit der Ordnungszahl 10 besitzt bereits zehn Protonen und Elektronen. Im Periodensystem lassen sich **waagrechte Reihen, die Perioden,** und **senkrechte Spalten, die Gruppen,** unterscheiden. In der ersten Reihe stehen all jene Elemente, deren Atome nur eine Elektronenschale; besitzen. Das Atom auf Platz eins dieser Reihe, Wasserstoff (H), besitzt ein Proton im Kern und dementsprechend auch ein Elektron in dieser ersten Elektronenschale, das letzte Element dieser Periode, Helium (He), hat zwei Elektronen, da die erste Schale mit zwei Elektronen schon besetzt ist.

Das erste Element der zweiten Reihe, Lithium (Li), besitzt wiederum zwei Elektronen in seiner vollen ersten Schale und ein Elektron in seiner äußersten Schale, also insgesamt drei Elektronen, da die erste Schale ja mit zwei Elektronen schon voll ist. Das letzte Element in dieser Reihe ist Neon (Ne) mit acht Elektronen in seiner äußersten Schale (Außenelektronen) und zwei Elektronen in der ersten Schale, insgesamt also zehn Elektronen. Die Elemente der dritten Periode besitzen schon Elektronen in drei Elektronenschalen, wovon die ersten beiden vollständig sind und sich die dritte zunehmend füllt, die Atome der vierten Periode in vier Schalen usw.

Den Elementen ein und derselben Periode ist die Anzahl der Elektronenschalen gemeinsam. Alle Atome der ersten Reihe haben eine Schale, alle der zweiten besitzen zwei Schalen und so fort.

Die Elemente einer Gruppe sind untereinander angeordnet und haben ähnliche chemische Eigenschaften. Die Elemente, die untereinanderstehen, besitzen die gleiche Anzahl an Außenelektronen. D.h. alle, die ganz links untereinanderstehen, haben ein Elektron in der äußersten Elektronenschale, jene rechts daneben besitzen zwei und jene, die in der äußersten Gruppe ganz rechts stehen, besitzen eine volle Schale, also, mit Ausnahme von Helium (He), acht Außenelektronen. Die äußerste Schale, Valenzschale genannt, bestimmt durch ihre Elektronenzahl das chemische Verhalten des Elements.

An letzter Stelle des Periodensystems befindet sich zurzeit das Element Oganesson auf Platz 118. Sogenannte superschwere Atome, welche die letzten Plätze des Periodensystems füllen, kommen in der Natur nicht vor. Sie sind radioaktiv, kurzlebig und zerfallen sehr schnell, nachdem sie im Labor erzeugt werden konnten.

Die Zahl der Periode nennt die Anzahl der Elektronenschalen, die Zahl der Gruppe spiegelt die Anzahl der Außenelektronen wider.

Tab. 16: **Periodensystem der Elemente, Elemente der Hauptgruppen** (die Nebengruppen wurden ausgespart)

	GRUPPE								
	1. Gruppe	**2. Gruppe**	**3. Gruppe**	**4. Gruppe**	**5. Gruppe**	**6. Gruppe**	**7. Gruppe**	**8. Gruppe**	
PERIODE	1 H Wasserstoff							2 He Helium	**1.**
	3 Li Lithium	4 Be Beryllium	5 B Bor	6 C Kohlenstoff	7 N Stickstoff	8 O Sauerstoff	9 F Fluor	10 Ne Neon	**2.**
	11 Na Natrium	12 Mg Magnesium	13 Al Aluminium	14 Si Silicium	15 P Phosphor	16 S Schwefel	17 Cl Chlor	18 Ar Argon	**3.**
	19 K Kalium	20 Ca Calcium	31 Ga Gallium	32 Ge Germanium	33 As Arsen	34 Se Selen	35 Br Brom	36 Kr Kreon	**4.**
	37 Rb Rubidium	38 Sr Strontium	49 In Indium	50 Sn Zinn	51 Sb Antimon	52 Te Tellur	53 I Jod	54 Xe Xenon	**5.**
	55 Cs Caesium	56 Ba Barium	81 Tl Thallium	82 Pb Blei	83 Bi Bismut	84 Po Polonium	85 At Astat	86 Rn Radon	**6.**
	Alkali-metalle	**Erdalkali-metalle**	**Erdmetalle**	**Kohlen-stoffgruppe**	**Stickstoff-gruppe**	**Chalko-gene**	**Halogene**	**Edelgase**	

Alkalimetalle besitzen nur ein Elektron in ihrer äußersten Schale; sie geben dieses Elektron gerne ab, um eine volle Außenschale zu bekommen. Sie werden dadurch zu positiv geladenen Kationen, sind sehr reaktiv und verbinden sich gerne mit den Halogenen (1 Elektron der Alkalimetalle + 7 Elektronen der Halogene = 8 Außenelektronen); diese Art der Bindung heißt Ionenbindung. Beispiel: NaCl (Kochsalz).

Halogene besitzen sieben Außenelektronen und nehmen daher gerne ein Elektron auf, um eine volle äußere Schale mit acht Elektronen zu bekommen; dadurch werden sie zu negativ geladenen Anionen.

Erdalkalimetalle besitzen zwei Außenelektronen und verbinden sich gerne mit den Chalkogenen; auch sie werden dabei zu Kationen, die Atome der 6. Gruppe zu Anionen.

Edelgase besitzen bereits acht Elektronen in ihrer vollen Außenschale und sind mit diesem Zustand sehr zufrieden. Sie zeigen keine Tendenzen, sich mit anderen Atomarten zu verbinden.

Einige Elemente kommen in der Natur nur in Form von Molekülen vor, sie verbinden sich mit einem zweiten Atom ihrer Art und teilen sich so einige Elektronen ihrer äußersten Schale. Da beide dieser Atome die geteilten Elektronen als die ihren beanspruchen, bekommen sie eine volle Außenschale. Das machen zum Beispiel Wasserstoff und Sauerstoff. Diese Art der Bindung heißt kovalente Bindung.

Teilen sich zwei Atome ein Elektronenpaar, spricht man von einer Einfachbindung. Teilen sie sich zwei Elektronenpaare, von einer Doppelbindung; bei drei Paaren von einer Dreifachbindung.

3.3 Bedeutung der Elemente, Ionen und Moleküle im menschlichen Organismus

3.3.1 Schlüsselelemente, Mengenelemente, Spurenelemente

Insgesamt spielen 21 Elemente im menschlichen Organismus eine Rolle, nur vier davon sind Schlüsselelemente, sieben haben Bedeutung als Mengenelemente und zehn als Spurenelemente. Schlüsselelemente machen in ihrer Gesamtheit 96 % der Körpermasse aus, Mengenelemente kommen im menschlichen Organismus deutlich seltener als die Schlüsselelemente, aber in größerer Zahl als die Spurenelemente vor.

Schlüsselelemente

Die vier Schlüsselelemente sind **Wasserstoff (H), Sauerstoff (O), Kohlenstoff (C) und Stickstoff (N).** Der menschliche Organismus besteht zu etwa 60 % aus Wasser (H_2O). Kohlenhydrate, Eiweiße und Fette beinhalten als Bausteine ebenfalls Wasserstoff, Sauerstoff, Kohlenstoff und teilweise auch Stickstoff. Da diese Elemente in so großer Zahl im Körper vorkommen, werden sie unter dem Begriff **Schlüsselelemente oder Grundelemente** zusammengefasst.

Mengenelemente

Der Anteil der Mengenelemente an der Körpermasse liegt bei mehr als 50 mg/kg Körpergewicht. Sie liegen in wässriger Lösung als Ionen vor und werden auch als Elektrolyte bezeichnet. Elektrolyte kommen im Blut eines gesunden Menschen in bestimmten Konzentrationen vor, einige von ihnen werden routinemäßig im Blutserum bestimmt. Natrium (Na^+), Calcium (Ca^+), Kalium (K^+) und Magnesium (Mg^{++}) liegen als positiv geladene **Kationen**, Chlor (Cl^-), Schwefel (S^-) als Sulfat (SO^-) und Phosphor (P^-) als Phosphat (PO^-) kommen als negativ geladene **Anionen** vor.

Tab. 17: **Wichtige Mengenelemente und ihre Funktionen im Organismus**

Mengenelement	Normalwert im Serum	Funktion
Natrium (Na^+)	135–148 mmol/l	Erregung von Nervenzellen und Muskelzellen, Aufrechterhalten des Wasser- und Elektrolythaushalts und des Blutdrucks
Calcium (Ca^+)	2,2–2,65 mmol/l	Notwendig für Knochenaufbau, Muskelerregung und Blutgerinnung
Kalium (K^+)	3,6–5,2 mmol/l	Erregung von Nervenzellen und Muskelzellen
Magnesium (Mg^{++})	0,7–1,1 mmol/l	Muskelerregung, Bestandteil vieler Enzyme
Chlor (Cl^-)	95–110 mmol/l	Wasser- und Elektrolythaushalt, Säure-Basen-Haushalt (HCl – Salzsäure)
Phosphor (P^-)	0,84–1,45 mmol/l	Bestandteil von Knochen, ATP und ADP
Schwefel (S^-)	---	Bestandteil einiger Aminosäuren und B-Vitamine

Spurenelemente

Spurenelemente kommen, mit Ausnahme von Eisen, in wesentlich geringeren Mengen vor als Mengenelemente. Zu den essenziellen (nicht vom Organismus gebildeten) Spurenelementen zählen Eisen (Fe), Jod (J), Fluor (F), Chrom (Cr), Kupfer (Cu), Zink (Zn), Selen (Se), Mangan (Mg), Kobalt (Co) und Molybdän (Mo).

Tab. 18: **Bedeutung der wichtigsten Spurenelemente**

Spurenelement	Bedeutung
Eisen (Fe)	Als Bestandteil des Hämoglobins der roten Blutkörperchen für den Sauerstofftransport verantwortlich
Jod (J)	Bestandteil der Schilddrüsenhormone T3 und T4
Fluor (F)	Bestandteil der Zähne, härtet den Zahnschmelz

3.3.2 Kohlenhydrate

Kohlenhydrate sind chemische Verbindungen, die Kohlenstoff (C), Wasserstoff (H) und Sauerstoff (O) in einem Verhältnis von 1:2:1 beinhalten. Es sind also immer doppelt so viele Wasserstoffatome wie Kohlenstoff- und Sauerstoffatome vorhanden. Man kann auch sagen, dass das Verhältnis von Kohlenstoff (C) und Wasser (H_2O) 1:1 beträgt.

Die allgemeine Summenformel der Kohlenhydrate lautet also: $C_n(H_2O)_n$ (n = natürliche Zahlen). Da Kohlenhydrate Kohlenstoff beinhalten, sind sie organische Verbindungen (Kohlenstoffchemie = organische Chemie).

Die Kohlenhydrate werden nach der Anzahl der C-Atome im Molekül als **Triosen** (3 C-Atome), **Tetrosen** (4 C), **Pentosen** (5 C) oder **Hexosen** (6 C) bezeichnet. Nach der Anzahl der Grundbausteine, aus denen sie zusammengesetzt sind, unterscheidet man Monosaccharide (Einfachzucker – 1 Grundbaustein), Disaccharide (Zweifachzucker – 2 Grundbausteine), Oligosaccharide (Mehrfachzucker) oder Polysaccharide (Vielfachzucker, aus vielen einzelnen Zuckermolekülen aufgebaute Riesenmoleküle).

Bedeutung für den Menschen
Kohlenhydrate sind die wichtigste Energiequelle des menschlichen Organismus. Die **Glukose** (Traubenzucker), ein Einfachzucker, wird im Verdauungstrakt aus Kohlenhydraten unserer Nahrung gewonnen und gelangt als Blutzucker zu den Zellen des Körpers. Von den Zellen wird die Glukose unter Mitwirkung des Hormons **Insulin** aus der Bauchspeicheldrüse aufgenommen und in den Mitochondrien zu Energie in Form von **ATP** (Adenosintriphosphat) umgewandelt. Glukose ist quasi der Treibstoff der Zellen. Überschüssige Glukose kann in der Leber und in der Muskulatur als Glykogen gespeichert werden.

Tab. 19: **Einige wichtige Kohlenhydrate**

Zuckerart	Bedeutung
Einfachzucker (Monosaccharide)	
Glukose	Traubenzucker; wird als Blutzucker in die Zellen zur Energiegewinnung aufgenommen
Fruktose	Fruchtzucker
Galaktose	Schleimzucker
Zweifachzucker (Disaccharide)	
Laktose	Milchzucker, besteht aus Glukose und Galaktose
Saccharose	Haushaltszucker, besteht aus Glukose und Fruktose

Vielfachzucker (Polysaccharide)	
Stärke	Pflanzliche Speicherform der Kohlenhydrate, kommt z. B. in Kartoffeln und Hülsenfrüchten vor
Glykogen	Tierische Speicherform der Kohlenhydrate in der Leber und Muskulatur; Zuckerreserve, die bei Bedarf in Glukose umgewandelt und ins Blut abgegeben wird

Energiegewinnung aus Kohlenhydraten

Je kleiner die Kohlenhydratmoleküle in der Nahrung sind, umso schneller können sie im Darm aufgespalten werden und ins Blut gelangen.

Poly- und Disaccharide werden mit der Nahrung aufgenommen, im Magen-Darm-Trakt in die Einfachzucker **Glukose, Fruktose und Galaktose** aufgespalten und über die Dünndarmschleimhaut ins Blut aufgenommen. Das Blut aus dem Darm fließt in die Pfortader (Vena portae), über das Pfortaderblut gelangen die resorbierten Kohlenhydrate in die Leber, wo Fruktose und Galaktose ebenfalls zu **Glukose (Blutzucker)** umgebaut und wieder ins Blut abgegeben werden. Über den Blutweg wird die Glukose zu den Körperzellen transportiert. Überschüssige Glukose wird in der Leber in Form von Glykogen gespeichert und bei Bedarf in Glukose umgewandelt und dem Organismus als Energiequelle zur Verfügung gestellt.

Glukose wird von den Zellen im sogenannten **Citratzyklus** (Zitronensäurezyklus, Krebszyklus) in Energie (ATP) umgewandelt. **Glykogen** ist die menschliche (tierische) Speicherform der Glukose, in der Leber und im Skelettmuskel. Die pflanzliche Speicherform der Glukose wird als Stärke bezeichnet. **Glykogenolyse** ist die Umwandlung des Glykogens in Glukose, die dann wieder den Zellen zur Verfügung gestellt werden kann.

Die **Glykolyse** ist hingegen die Aufspaltung und Umwandlung der Glukose in der Zelle zu Energie. Unter **Glukoneogenese** versteht man die im Bedarfsfall ablaufende Umwandlung von Eiweißen und Fetten zu Glukose.

3.3.3 Fette

Im menschlichen Organismus spielen Fette als hochwertige Energiequelle, als Energiespeicher, als Baustein von Zellmembranen, als Ausgangsprodukt für Steroidhormone und Gallensäuren und als Lösungsmittel der fettlöslichen Vitamine (A, D, E, K) eine große Rolle. Wir unterscheiden Triglyceride und Cholesterin, welche im Blutplasma bestimmt werden und bestimmte Grenzwerte nicht überschreiten sollten. Befinden sich zu viele Fette im Blut, kann es zu Ablagerungen in den Blutgefäßen, einer Arteriosklerose (Gefäßverkalkung), mit gravierenden Folgeerkrankungen (Schlaganfall, Herzinfarkt) kommen.

3.3.3.1 Triglyceride

Triglyceride sind chemisch Ester des dreiwertigen Alkohols Glycerin mit drei (tri) Fettsäuren. Nach dem jeweiligen Aggregatzustand können feste, halbfeste und flüssige Fette (Öle) unterschieden werden, nach den Anteilen **gesättigter** und **ungesättigter** Fettsäuren wirken sie sich auf den Organismus günstig oder ungünstig aus. Je höher der Anteil an ungesättigten Fettsäuren, umso gesünder ist das jeweilige Fett.

Flüssige Fette (Öle) enthalten meist einen hohen Anteil an ungesättigten Fettsäuren und sind fast immer pflanzlicher Herkunft. Ungesättigte Fettsäuren kann der menschliche Organismus nicht selber herstellen. Sie müssen mit der Nahrung aufgenommen werden, da sie vom Körper als Baustoff benötigt werden.

Tierische Fette beinhalten in der Regel einen großen Anteil an gesättigten Fettsäuren, ihre Konsistenz ist bei Zimmertemperatur meist fest.

Gesättigte und ungesättigte Fettsäuren unterscheiden sich in der Anzahl ihrer Doppelbindungen: Einfach ungesättigte Fettsäuren besitzen nur eine Doppelbindung, zweifach ungesättigte Fettsäuren zwei und mehrfach ungesättigte Fettsäuren mehrere Doppelbindungen. (Unter einer Doppelbindung versteht man eine kovalente Bindung, bei der sich zwei Atome Elektronenpaare teilen.) Ungesättigte Fettsäuren nehmen an chemischen Reaktionen teil und sind am Aufbau lebensnotwendiger Strukturen im Organismus beteiligt. Sie sind essenziell, das heißt, sie müssen mit der Nahrung zugeführt werden. Reich an ungesättigten Fettsäuren sind zum Beispiel Rapsöl, Olivenöl, Leinöl, Avocados und einige Kaltwasserfische wie Lachs oder Hering.

Verbindungen mit gesättigten Fettsäuren enthalten keine Doppelbindungen, sie sind chemisch träge und reagieren nicht mit anderen Molekülen zu wertvollen Verbindungen. Deshalb werden sie in Fettdepots gespeichert oder in Blutgefäßen abgelagert. Zu den Fetten mit einem hohen Anteil an gesättigten Fettsäuren gehören alle gehärteten Fette wie Butter, Schmalz, Palmfett und Kokosfett. Gesättigte Fettsäuren werden vor allem durch fette Wurstwaren, Fleisch und Milchprodukte zugeführt. Sie wirken sich eher ungünstig auf den Organismus aus.

Funktion der Triglyceride: Triglyceride dienen vor allem in Form von Depotfett als Energiespeicher, in Form von Baufettgewebe bilden sie Organfettkapseln, Druckpolster an den Fußsohlen und am Gesäß und den Fettkörper hinter dem Auge. Sie sind auch notwendig als Lösungsmittel für die Vitamine A, D, E und K. Fette haben den doppelten Nährwert von Kohlenhydraten und Eiweißen.

3.3.3.2 Cholesterin

Chemisch ist Cholesterin ein polyzyklischer Alkohol (polyzyklisch: besteht aus mehreren Ringen) und ist streng genommen gar kein Fett wie die Triglyceride.

Funktion des Cholesterins: Cholesterin gilt als wichtiger Bestandteil aller Zellmembranen und bildet die Vorstufe der Gallensäuren, des Vitamin D und der Steroidhormone. Zu den Steroidhormonen zählen die männlichen und weiblichen Geschlechtshormone Androgene und Östrogene sowie die Nebennierenrindenhormone Cortisol und Aldosteron.

Cholesterin wird vom Körper selbst, vor allem in der Leber, synthetisiert, aber auch mit der Nahrung aufgenommen. Der Bedarf des Körpers an Cholesterin, seine Bildung und die Aufnahme über die Nahrung sollten ausgewogen sein, da erhöhte Blutwerte zu Cholesterinablagerungen in den Blutgefäßen führen (Arteriosklerose).

Cholesterin wird als sogenanntes Lipoprotein an Eiweiße gebunden im Blut transportiert. Nach ihrer Zusammensetzung und ihrer Dichte werden Lipoproteine niedriger Dichte (Low Density Lipoproteins, kurz LDL) und Lipoproteine hoher Dichte (High Density Lipoproteins, kurz HDL) unterschieden. **LDL** transportieren das Cholesterin zu den Körperzellen und Organen, wo es weiterverarbeitet wird. Überschüssiges LDL lagert sich jedoch in den Blutgefäßen ab und führt zu Arterienverkalkung. **HDL** transportieren auch jenes Cholesterin, das von den Zellen nicht mehr benötigt wird, wieder zur Leber zurück, wo es zu Gallensäuren abgebaut wird. Aus diesem Grund wird das HDL als „gutes" Cholesterin bezeichnet. Ein hoher Blutspiegel an HDL sorgt dafür, dass LDL nicht in den Gefäßen abgelagert wird, und beugt deshalb einer Arterienverkalkung vor. Daher gilt: Je höher der HDL-Wert im Blut, desto günstiger, je höher das LDL, desto ungünstiger für die Gesundheit.

3.3.3.3 Pathophysiologie der Blutfette

Ein Zuviel an Cholesterin im Blut bedeutet meist auch ein Zuviel an schädlichem LDL-Cholesterin. Das LDL-Cholesterin wird im Körper mithilfe spezieller Rezeptoren (Andockstellen) in die Zellen eingeschleust. Befindet sich zu viel LDL im Blut, wird dieses Cholesterin von Fresszellen (Makrophagen) aufgenommen, welche sich in den Gefäßwänden ablagern. Diese Ablagerungen werden **arteriosklerotische Plaques** genannt, sie führen zu einer Verengung der betroffenen Arterie. Die Oberfläche dieser Plaques kann aufbrechen und zu Rauigkeiten der Gefäßinnenwand führen, wodurch sich Blutplättchen aus dem vorbeiströmenden Blut anlagern und ein **Thrombus** (Blutgerinnsel) entsteht. Dieser Vorgang hat einen Gefäßverschluss mit Durchblutungsstörungen des betroffenen Gewebes zur Folge. So kann es zu einem Herzinfarkt, Schlaganfall oder Verschlüssen von Blutgefäßen in den Extremitäten und anderen Organen kommen.

> Ein wichtiger Parameter ist der LDL/HDL-Quotient, der möglichst niedrig sein sollte; das heißt, ein hoher HDL- und ein niedriger LDL-Wert wirken sich günstig auf die Gesundheit aus.

3.3.4 Eiweiße (Proteine)

Proteine bestehen aus **Aminosäuren**, die untereinander zu langen Ketten in vorgegebener Reihenfolge verbunden sind. Menschliche Eiweiße besitzen 20 unterschiedliche Aminosäuren, von denen acht essenziell sind. Das bedeutet, dass der Mensch diese acht nicht selbst synthetisieren kann und mit der Nahrung zuführen muss.

> Die essenziellen Aminosäuren sind Isoleucin, Leucin, Lysin, Methionin, Phenylalanin, Threonin, Tryptophan und Valin.

Aminosäureketten, die aus weniger als 100 Aminosäuren bestehen, werden als **Peptide** bezeichnet, längere Ketten bilden Proteine. **Proteine** werden nach einem in der DNA, also in den Genen, festgeschriebenen „Rezept" an den Ribosomen im Zytoplasma gebildet. Chemisch haben Aminosäuren alle dieselbe Grundstruktur, sie unterscheiden sich nur durch einen unterschiedlichen „Rest", welcher an dieser Struktur hängt. Aminosäuren bestehen demnach aus einem zentralen Kohlenstoffatom, an dem eine Carboxylgruppe (COOH), eine Aminogruppe (NH_2) und eben der erwähnte unterschiedliche Rest hängen.

Struktur der Proteine: Im Aufbau der Proteine unterscheidet man eine Primär-, Sekundär-, Tertiär- und Quartärstruktur. Die **Primärstruktur** beschreibt die Anzahl und Reihenfolge der unterschiedlichen Aminosäuren in der Polypeptidkette, sie entspricht einer Kette aus zahlreichen Aminosäuren. Die **Sekundärstruktur** beschreibt die räumliche Form dieser Aminosäurekette, sie kann gefaltet (Faltblattstruktur) oder spiralig verdreht sein (Helix). Die **Tertiärstruktur** erhält das Eiweißmolekül, indem das Faltblatt oder die Spirale eine dreidimensionale Raumform bekommt, und die **Quartärstruktur** entspricht einem Gebilde aus zwei oder mehreren Eiweißketten, einem Proteinkomplex (z. B. Hämoglobin).

Die Tertiärstruktur der Proteine kann durch Hitze oder Säure zerstört werden. Dieser Vorgang wird als Denaturierung bezeichnet. Beispiele für Eiweißdenaturierung sind das Verändern des Eiweißes beim Zubereiten eines Spiegeleies in der heißen Pfanne (durchsichtiges Eiweiß wird weiß) oder das „Stocken" von Eiweiß beim Kontakt mit der Salzsäure des Magens bei der Verdauung.

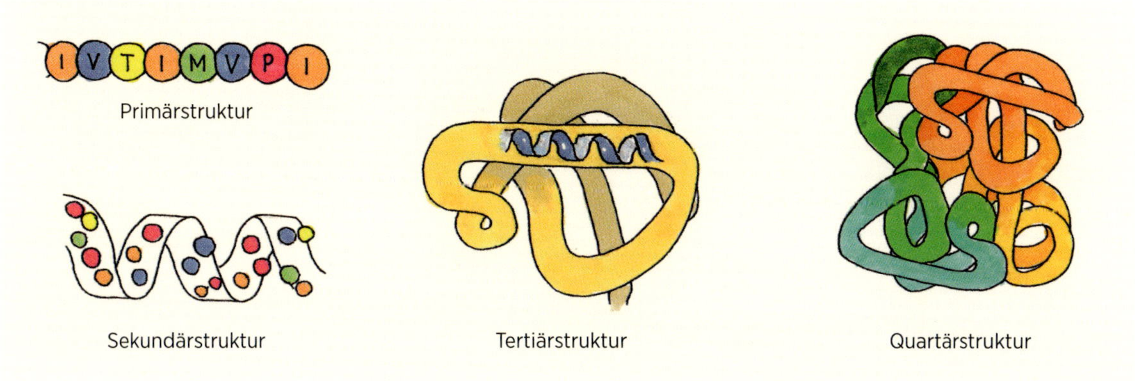

Abb. 4: **Proteinstruktur**

Funktionen der Proteine: Proteine spielen im menschlichen Organismus als Strukturproteine wie Kollagen im Bindegewebe und im Knochen, als Keratin in Haaren und Nägeln oder als kontraktile (zusammenziehende) Elemente in der Muskulatur (Aktin und Myosin) eine wichtige Rolle. Als Antikörper dienen sie der Abwehr von Krankheitserregern, als Hämoglobin dem Sauerstofftransport in den roten Blutkörperchen, als Gerinnungsfaktoren dem Wundverschluss und als Enzyme sind sie an zahlreichen Reaktionen im Körper beteiligt. Proteine sind neben Kohlenhydraten und Fetten eine der drei Säulen unserer Ernährung.

3.4 Wasser

Chemisch besteht ein Wassermolekül (H_2O) aus zwei Wasserstoffatomen (H) und einem Sauerstoffatom (O). Der menschliche Körper besteht zu etwa 60 % aus Wasser, wobei jüngere und muskulöse Menschen mehr Wasser im Körper gebunden haben als alte und adipöse Menschen. Wasser spielt eine entscheidende Rolle als Lösungsmittel im Körper und ist auf die unterschiedlichen Räume im Organismus verteilt. Etwa zwei Drittel des Gesamtkörperwassers befinden sich innerhalb der Zellen, im sogenannten **Intrazellularraum (IZR)**, ein Drittel befindet sich außerhalb der Zellen, im **Extrazellularraum (EZR)**. Das extrazelluläre Wasser lässt sich wieder aufteilen in die **intravasale Flüssigkeit** innerhalb der Blutgefäße (sie macht etwa ein Viertel des extrazellulären Wassers aus), der Rest befindet sich als **interstitielle Flüssigkeit** zwischen den Zellen und in den Körperhöhlen.

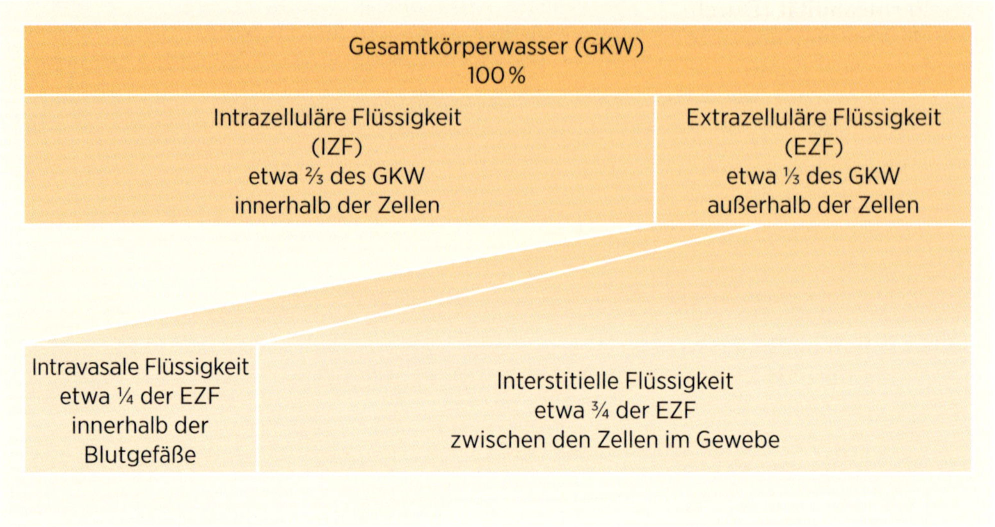

Abb. 5: **Verteilung des Körperwassers**

Die unterschiedlichen Flüssigkeitsräume sind durch halbdurchlässige (semipermeable) Membranen (Basalmembranen, Zellmembranen) voneinander getrennt, in den Flüssigkeiten herrschen unterschiedliche Konzentrationen zahlreicher Elektrolyte. Durch diese Membranen können unterschiedliche Milieus aufrechterhalten werden.

Ein erwachsener Mensch nimmt etwa 2,5 Liter Wasser pro Tag auf. Ca. 1–1,5 Liter werden über zugeführte Flüssigkeiten von den Darmzotten des Verdauungstraktes in das Blut aufgenommen, der Rest setzt sich aus dem Wasseranteil in der festen Nahrung und dem Oxidationswasser, welches bei Stoffwechselvorgängen entsteht, zusammen. Genauso viel Wasser wird über die Nieren, den Darm und durch Schwitzen über die Haut wieder ausgeschieden. Den größten Anteil macht mit etwa 1,5 Litern der Urin aus, etwa 100 ml Wasser verlassen den Körper über den Stuhl, der Rest wird über die Schleimhäute abgegeben, etwa während des Atmens und über die Haut.

Im Körperwasser sind Ionen in einer ganz bestimmten Zusammensetzung gelöst. Blutplasma und Zellflüssigkeit sind 0,9 %-ige Salzlösungen, das bedeutet, in einem Liter Wasser sind 9 Gramm NaCl (Kochsalz) gelöst.

3.4.1 Pathophysiologie des Wasser- und Elektrolythaushaltes

Im Organismus kann sowohl ein Mangel als auch ein Überschuss von Wasser und/oder Salzen vorliegen, wodurch es zu gravierenden Störungen der Zellphysiologie kommen kann. Ein Mangel an Körperwasser wird als Dehydratation (Hypohydratation) bezeichnet, beim Wasserüberschuss handelt es sich um eine Hyperhydratation. Bei beiden Zuständen kann es zusätzlich zu einem Salzmangel oder zu einem Salzüberschuss im extrazellulären Wasser kommen. Dementsprechend werden folgende Formen von **Störungen des Wasser- und Elektrolythaushaltes** unterschieden:

3.4.1.1 Dehydratation (Wassermangel)

Unter einer Dehydratation versteht man einen Wassermangel im Extrazellularraum, der aber, abhängig vom Salzgehalt des verbliebenen extrazellulären Wassers, auch Auswirkungen auf den Intrazellularraum hat. Die Zellwände haben nämlich eine unterschiedliche **Permeabilität** (Durchlässigkeit) für Wasser und Elektrolyte (Salze, Ionen). Wasser kann viel leichter durch Zellwände hindurch diffundieren als Elektrolyte. Der Durchtritt von Flüssigkeit durch eine semipermeable (halbdurchlässige) (Zell-)Wand vom Ort niedriger Konzentration zum Ort hoher Konzentration heißt **Osmose**. Osmose bedeutet also, dass durch eine Membran, die zwar für Wasser durchlässig, aber für Elektrolyte undurchlässig ist, Wasser durchtritt, wenn die Konzentration der Lösungen auf beiden Seiten dieser Membran unterschiedlich ist. Das Wasser bewegt sich aus der unkonzentrierten Lösung in die konzentrierte, bis beide Lösungen die gleiche Konzentration aufweisen.

Isotone Dehydratation bedeutet, dass der Organismus gleich viel Wasser wie Salz verloren hat. Isoton heißt, dass eine Flüssigkeit dieselbe Konzentration an Salzen hat wie das Blut. Es kommt zu keiner Flüssigkeitsverschiebung zwischen dem Extrazellularraum und dem Intrazellularraum, der Flüssigkeitsverlust betrifft ausschließlich den Extrazellularraum. Eine isotone Dehydratation tritt zum Beispiel bei Nierenversagen auf.

Hypertone Dehydratation heißt, dass mehr Wasser als Salz aus dem EZR verloren geht und die verbleibende Flüssigkeit salziger, also konzentrierter ist. In diesem Fall wird Flüssigkeit aus den Zellen (IZR) in den Extrazellularraum gesaugt, um die Konzentration zwischen den beiden Räumen wieder auszugleichen. Die Zellen schrumpfen. Es resultiert also ein Flüssigkeitsmangel sowohl im EZR als auch im IZR, wobei die Konzentration an Salz erhöht ist. Die hypertone Dehydratation tritt zum Beispiel beim Schwitzen und nach Durchfällen auf.

Hypotone Dehydratation bezeichnet ein Wasserdefizit mit übermäßigem Salzverlust. Es geht also eine sehr salzige Flüssigkeit aus dem EZR verloren. Nun besteht ein Salzüberschuss innerhalb der Zellen gegenüber dem EZR, wodurch Flüssigkeit aus dem EZR in die Zellen hineingesaugt wird. Das Volumen der Zellen steigt an, sie verändern ihre Form und können platzen. Die hypotone Dehydratation tritt beim Erbrechen hypertonen Mageninhaltes auf oder wenn im Durst nur hypotone Flüssigkeit zugeführt wird.

3.4.1.2 Hyperhydratation (Wasserüberschuss)

Unter einer Hyperhydratation versteht man einen Wasserüberschuss im Extrazellularraum, der wiederum mit einer Verschiebung des Salzgehaltes einhergehen kann.

Isotone Hyperhydratation bedeutet einen Wasserüberschuss bei normalem Salzgehalt des Plasmas. Es besteht also ein Wasser- und Salzüberschuss im gleichen Ausmaß. Eine isotone Hyperhydratation kommt vor, wenn zu viel isotone Flüssigkeit in den Blutkreislauf infundiert wird.

Hypertone Hyperhydratation heißt, dass ein Zuviel einer zu salzigen Flüssigkeit im EZR vorhanden ist. Da die extrazelluläre Flüssigkeit eine höhere Salzkonzentration aufweist als die intrazelluläre Flüssigkeit, verschiebt sie sich vom IZR in den EZR, die Zellen schrumpfen, aber insgesamt besteht ein Wasserüberschuss im Körper. Eine hypertone Hyperhydratation würde auftreten, wenn zu salzige Flüssigkeit, etwa Meerwasser von einem Schiffbrüchigen, getrunken wird.

Hypotone Hyperhydratation bezeichnet einen Wasserüberschuss bei gleichzeitigem Salzmangel im EZR. In diesem Fall wird Flüssigkeit in den höher konzentrierten IZR aufgenommen, die Zellen schwellen an. Eine hypotone Hyperhydratation könnte entstehen, wenn übermäßig viel salzarme Flüssigkeit, etwa destilliertes Wasser, getrunken wird.

3.5 Säure-Basen-Haushalt

Säuren sind chemische Verbindungen, die bei chemischen Prozessen positiv geladene H-Ionen (= Protonen) abgeben. Sie sind also Protonendonatoren („Protonenabgeber"). Das Wasserstoffion H^+ ist also das charakteristische Ion der Säuren. Wasserstoffionen sind Wasserstoffatome, die ein Elektron abgegeben haben; übrig bleibt die positive Ladung im Wasserstoffatomkern, eben das Proton.

Basen sind chemische Verbindungen, die bei chemischen Reaktionen Protonen aufnehmen. Sie sind Protonenakzeptoren. Auch Basen besitzen ein charakteristisches Ion, das Hydroxidion (OH^-).

Mischt man eine Säure mit einer gleich starken Base, dann neutralisieren sich die beiden, die so entstandene Verbindung ist chemisch neutral, weder sauer noch basisch. Verbinden sich das H^+-Ion der Säure und das OH^--Ion der Base, dann entsteht H_2O, neutrales Wasser. Auf diesem Prinzip beruhen Mechanismen im Körper, die den Säure-Basen-Haushalt regeln.

Die Stärke von Säuren und Basen wird durch den **pH-Wert** bestimmt, er ergibt sich aus der Konzentration der H^+-Ionen (sauer) oder OH^--Ionen (basisch) einer Lösung. Ein pH-Wert von 7 bedeutet, dass eine Lösung neutral, also weder sauer noch basisch ist. Je weiter dieser Wert gegen 0 absinkt, umso saurer wird eine Lösung, je weiter er sich 14 nähert, umso alkalischer (basischer) ist die Lösung.

Der pH-Wert hat im Körper einen wesentlichen Einfluss auf Stoffwechselfunktionen und unterscheidet sich in den verschiedenen Körpersäften erheblich. So herrscht im nüchternen Magen ein pH-Wert von 1,0–1,5 – also sehr sauer –, im Dünndarm liegt hingegen ein Milieu mit einem pH-Wert von 6–8 vor. Ganz wesentlich für den Ablauf von Körperfunktionen ist der pH-Wert im Blut. Dieser muss sich in engen Grenzen bewegen, ein Blut-pH-Wert von 7,36–7,44 ist physiologisch. Ein Absinken des Blut-pH-Wertes unter 7,36 wird als Azidose (Übersäuerung), ein Ansteigen auf über 7,44 als Alkalose (zu basisches Milieu) bezeichnet. Der menschliche Organismus verfügt über Steuersysteme, sogenannte Puffersysteme, um diesen physiologischen pH-Wert möglichst konstant zu halten. Das wichtigste Puffersystem im Körper ist der Kohlensäure-Bikarbonat-Puffer.

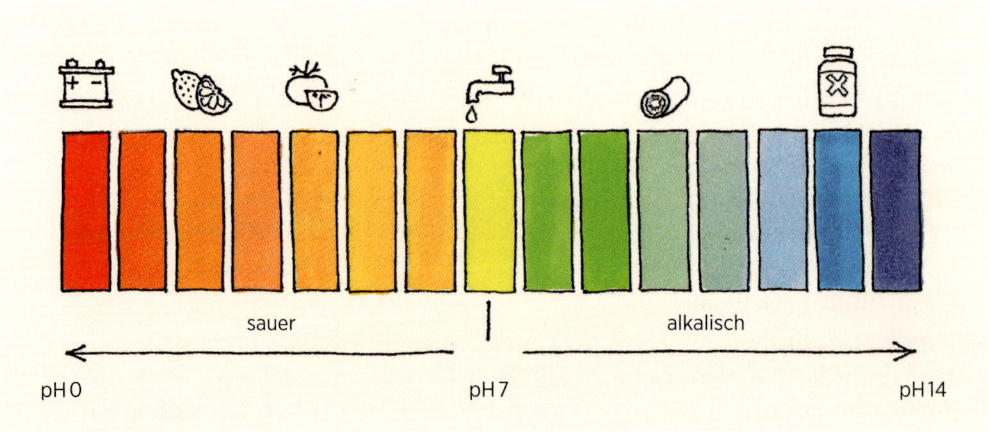

Abb. 6: **pH-Werttabelle**

3.5.1 Puffersysteme

Puffersysteme halten den physiologischen pH-Wert in den Körperflüssigkeiten konstant. Sie bestehen aus einer schwachen Säure und ihrer korrespondierenden (dazugehörenden) Base.

Kohlensäure-Bikarbonat-Puffer

Im Kohlensäure-Bikarbonat-Puffer ist die schwache Säure die **Kohlensäure (H_2CO_3)**, die korrespondierende Base das **Bikarbonat (HCO_3)**. Sieht man sich die beiden chemischen Formeln genauer an, fällt auf, dass Kohlensäure ein Wasserstoffion (H^+-Ion) mehr besitzt als Bikarbonat, sonst gleichen sie sich. Kohlensäure kann ein H^+-Ion freisetzen, während Bikarbonat H^+-Ionen aufnehmen kann. Durch einen Austausch dieses Wasserstoffions kann einmal die Säure und einmal eine Base entstehen.

Die chemische Gleichung sieht so aus: $H_2CO_3 \leftrightarrow H^+ + HCO_3^-$. Sie sagt aus, dass Kohlensäure in Wasserstoff und Bikarbonat zerfallen kann und dass aus der Verbindung von Wasserstoff und Bikarbonat Kohlensäure entsteht.

Kohlensäure kann aber auch in andere Bestandteile zerfallen, nämlich: $H_2CO_3 \leftrightarrow CO_2 + H_2O$. Diese Gleichung sagt aus, dass Kohlensäure auch in das Atemgas CO_2 und in neutrales Wasser zerfallen kann. Über diese beiden Wege können unterschiedliche Zerfallsprodukte der Kohlensäure entstehen, die aus dem Organismus je nach Bedarf entfernt oder im Körper zurückgehalten werden.

H^+ und HCO_3^- können über die Niere ausgeschieden werden und CO_2 wird über die Lungen abgeatmet. Sinkt der pH-Wert im Blut, wird der Organismus also zu sauer, kann Säure in Form von H^+-Ionen über die Niere ausgeschieden oder in Form von CO_2 über die Lungen abgeatmet werden, und der pH-Wert steigt. Ist das Körpermilieu zu basisch, werden weniger saure Anteile, dafür aber vermehrt das basische Bikarbonat über den Harn ausgeschieden. So reguliert der Körper durch seine Puffersysteme den pH-Wert.

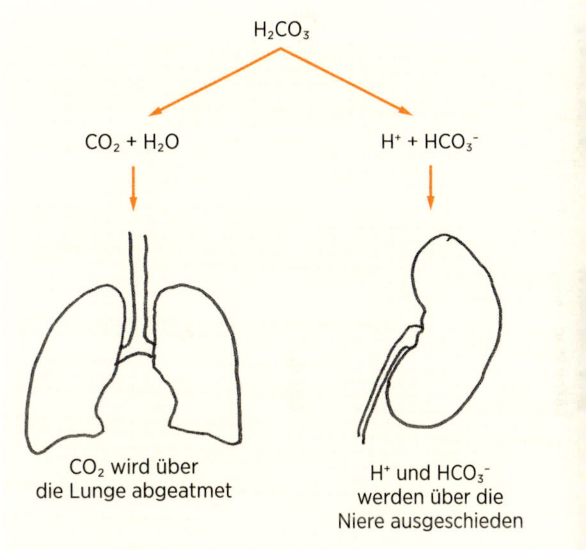

Abb. 7: **Kohlensäure-Bikarbonat-Puffer**

Weitere wichtige Puffer im menschlichen Blut stellen der Hämoglobin- und der Albumin-Puffer dar. Sowohl beim roten Blutfarbstoff Hämoglobin als auch beim Albumin handelt es sich um Eiweiße, welche in der Lage sind, saure H^+-Ionen zu binden und auch wieder abzugeben. So kann der Blut-pH-Wert in physiologischen Grenzen gehalten werden.

3.5.2 Pathophysiologie des Säure-Basen-Haushaltes

Nachdem sowohl die Atmung als auch der Stoffwechsel Einfluss auf den pH-Wert haben, kann über diese Wege der Säure-Basen-Haushalt nicht nur reguliert, sondern auch empfindlich gestört werden.

Ein Absinken des Blut-pH-Wertes unter 7,36 wird als Azidose (Übersäuerung), ein Anstieg über 7,44 als Alkalose (Anhäufung von Basen) bezeichnet. Eine Azidose, die durch eine Störung der Atmung auftritt, bezeichnet man als respiratorische Azidose. Entsteht sie durch eine Stoffwechselentgleisung, heißt sie metabolische Azidose. Genauso kann es auch zum Auftreten einer zu stark basischen Stoffwechsellage, einer respiratorischen oder metabolischen Alkalose, kommen.

Eine **respiratorische (atmungsbedingte) Azidose** tritt auf, wenn zu wenig „saures" Kohlendioxid über die Lungen abgeatmet werden kann und sich die Säuren im Organismus anreichern. Sie tritt bei verschiedenen Lungenfunktionsstörungen wie dem Asthma bronchiale oder dem Lungenemphysem (Lungenüberblähung) auf, da bei diesen Krankheitsbildern vor allem das Ausatmen behindert ist. Auch eine herabgesetzte Atemtätigkeit (Atemdepression) durch Medikamente (Narkose) oder Drogen führt in der Folge zu einer respiratorischen Azidose, einer atmungsbedingten Übersäuerung.

Eine **respiratorische Alkalose** kommt zustande, wenn zu viel saures Kohlendioxid abgeatmet wird. Dies tritt bei der sogenannten Hyperventilation, dem zu schnellen Ein- und Ausatmen, auf. Dabei kommt es zum Absinken des CO_2-Anteils im Blut und zu einem Ansteigen des pH-Wertes. Eine Hyperventilation tritt häufig durch psychische Einflüsse wie Angst oder Stress, aber auch beim Aufenthalt in großer Seehöhe auf, da die Atmung durch den geringen Sauerstoffgehalt der Atemluft beschleunigt wird. Bei einer respiratorischen Alkalose kann es zu Muskelkrämpfen, besonders in den Händen (Pfötchenstellung), und zu Schwindelgefühlen sowie Benommenheit bis zur Bewusstlosigkeit kommen.

Eine **metabolische (stoffwechselbedingte) Azidose** kommt vor allem beim Krankheitsbild der diabetischen Ketoazidose bei absolutem Insulinmangel oder im Rahmen eines Nierenversagens vor, wenn nicht mehr genügend Säuren über den Urin ausgeschieden werden. Eine Diabetikerin gewinnt bei Insulinmangel die Energie durch verstärkte Verbrennung von Fettsäuren, da die Glukose aus dem Kohlenhydratstoffwechsel den Zellen nicht zur Energiegewinnung zur Verfügung steht. Bei diesem verstärkten Fettabbau entstehen als Abbauprodukte saure Ketonkörper, die zur Übersäuerung des Blutes führen. Ein Patient mit metabolischer Ketoazidose fällt auch durch seine verstärkte, tiefe und beschleunigte Atmung (sogenannte Kußmaul'sche Atmung) auf, durch die er versucht, die überschüssigen Säuren über die Lunge abzuatmen. Auch im Urin steigen die Ketonkörperwerte an. In der Atemluft machen sich die sauren Ketonkörper durch einen fruchtigen Geruch (Acetongeruch) bemerkbar. Die diabetische Ketoazidose ist eine lebensbedrohliche Stoffwechselentgleisung, die schnelles therapeutisches Handeln erfordert.

Eine **metabolische Alkalose** tritt auf, wenn zu viel Säure aus dem Körper verloren geht. Das kann etwa durch heftiges Erbrechen von zu viel Magensaft passieren. Aus diesem Grund ist bei der Durchführung von Magenspülungen Vorsicht geboten.

Bei einem Entgleisen des Säure-Basen-Haushaltes versucht der menschliche Organismus sowohl über die Atmung als auch über die Ausscheidung von Säuren oder Basen durch die Nieren das Gleichgewicht wiederherzustellen.

Übungsfragen

1. Woraus bestehen Moleküle?
2. Was versteht man unter einem Element (Elementsubstanz)?
3. Nenne die 4 Schlüsselelemente des menschlichen Körpers.
4. Woraus sind Atome aufgebaut, welche Ladung haben die einzelnen Elementarteilchen und die Atome selbst?
5. Beschreibe das Schalenmodell.
6. Was versteht man unter einem Isotop?
7. Definiere eine Säure und eine Base; welches Ion ist jeweils charakteristisch?
8. Wieso kann man ein Wasserstoffion als Proton bezeichnen?
9. Was misst der pH-Wert? Welchen pH-Wert hat Blut?
10. Welche Funktion haben Puffersysteme?
11. In welche Anteile kann Kohlensäure zerfallen?
12. Unterscheide die respiratorische und die metabolische Azidose.
13. Wie lautet die Summenformel der Kohlenhydrate?
14. Wo wird von der Zelle Energie aus Zucker gewonnen?
15. Unterscheide die Begriffe Glukose und Glykogen.
16. Woraus bestehen Triglyceride?
17. Definiere gesättigte und ungesättigte Fettsäuren.
18. Nenne die Funktionen des Cholesterins, unterscheide HDL- und LDL-Cholesterin.
19. Woraus bestehen Proteine? Wie viele Aminosäuren sind essenziell und was bedeutet das?
20. Wie heißen die drei Hauptbestandteile unserer Nahrung? Welcher Nährstoff hat die meisten Kalorien?
21. Wie ist das Körperwasser im Organismus verteilt?

4 Biologie der Zelle

Die Zelle ist die kleinste lebende Einheit. Nicht jede Einzelzelle kann aber auch tatsächlich allein überleben. Einzeller wie Bakterien besitzen die notwendigen Eigenschaften wie Stoffwechsel und Teilung, um am Leben zu bleiben, menschliche Zellen überleben nur in ihrer gewohnten Umgebung im Verband mit anderen Zellen oder unter bestimmten Laborbedingungen.

Der menschliche Organismus besteht aus etwa **100 Billionen (10^{14}) Zellen**, die sich in Aussehen und Funktion stark unterscheiden, aber alle die gleiche Grundstruktur besitzen. Viele menschliche Zellen, wie die Blutzellen und die Haut- und Schleimhautzellen, unterliegen einer ständigen Erneuerung, sie werden auch bei Erwachsenen aus Stammzellen regeneriert. Andere Zellen wiederum, wie die Nervenzellen oder die Herzmuskelzellen, müssen ein ganzes Menschenleben ohne wesentliche Erneuerung überdauern, ihre Anzahl wird im Laufe des Lebens immer geringer.

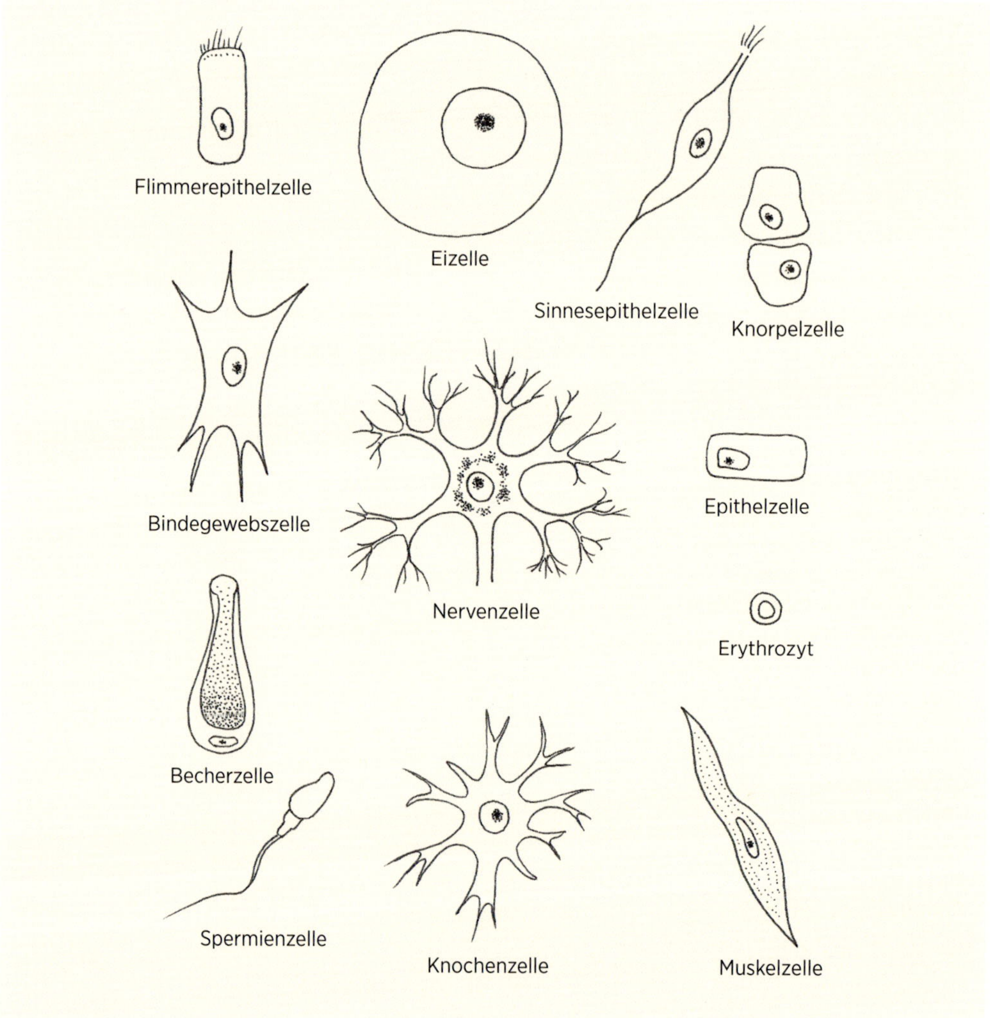

Abb. 8: **Zellen**

Stammzellen haben zwei wesentliche Eigenschaften: Sie können sich durch Mitose teilen und sie können sich differenzieren. Differenzierung bedeutet, dass sie sich in unterschiedliche Zellen weiterentwickeln können. Diesen Vorgang finden wir im Organismus in weniger differenzierten Epithelzellen und Blutzellen. So entstehen im roten Knochenmark durch Teilung und Differenzierung aus einer gemeinsamen Knochenmarkstammzelle alle Blutzellen, die roten, die weißen und die Blutplättchen. Epithelzellen differenzieren sich manchmal in andere, widerstandsfähigere Epithelzellen, wenn sie sehr beansprucht werden.

Menschliche Organismen sind **Eukaryoten**, sie besitzen Zellen, die sowohl einen membranbegrenzten Zellkern als auch Zellorganellen, also Mitochondrien, endoplasmatisches Retikulum, Golgi-Apparat und Ribosomen, besitzen. Die Erbinformation findet man in der DNA des Zellkerns jeder vollständigen Körperzelle, sie wird während der Zellteilung als Chromosomen sichtbar.

Prokaryoten besitzen im Gegensatz zu den Eukaryoten keinen abgegrenzten Zellkern und auch keine Zellorganellen, zu ihnen gehören die Bakterien und die Archaeen (Urbakterien). Ihre DNA liegt frei in einem begrenzten Areal der Zelle, dem sogenannten Kernäquivalent.

Eine große Ausnahme sind menschliche **Erythrozyten (rote Blutzellen)**, sie besitzen weder einen Zellkern noch Zellorganellen, trotzdem handelt es sich um Eukaryoten. Reife Erythrozyten sind nämlich aus eukaryoten Vorläuferzellen im roten Knochenmark entstanden und haben während ihrer Reifung Zellkern und Zellorganellen verloren, um möglichst viel Hämoglobin zum Sauerstofftransport einlagern zu können. Es handelt sich demnach um Fragmente eukaryoter Zellen, wie auch die **Thrombozyten (Blutplättchen)**, die durch den Zerfall großer Zellen entstehen.

Menschliche Zellen haben einen Durchmesser von 2–150 µm (Mikrometern), ein Mikrometer sind 0,001 mm. Im **Lichtmikroskop** können die Zellmembran, allerdings nur als einfache Schicht, der Zellkern und die Chromosomen während der Zellteilung sichtbar gemacht werden. Die Zellorganellen können im Lichtmikroskop jedoch nicht dargestellt werden, sie sind zu klein. Im **Elektronenmikroskop** sind wesentlich kleinere Strukturen erkennbar. Mit dieser Methode erscheint die Zellmembran mehrschichtig und die Strukturen der Zellorganellen sind deutlich sichtbar, es können sogar einzelne Moleküle dargestellt werden. Da diese aufwendige Methode jedoch nur im Vakuum funktioniert, können im Elektronenmikroskop keine lebenden Zellen untersucht werden. Das **STED-Mikroskop** (Stimulated-Emission-Depletion-Mikroskop), eine Weiterentwicklung des Lichtmikroskops (Prof. Stefan Hell, Chemienobelpreis 2014), ermöglicht eine Darstellung von Strukturen unter 10 nm am lebenden Objekt und gibt somit einen Einblick in die kleinsten Strukturen lebender Zellen. Ein nm (Nanometer) ist 0,001 µm (Mikrometer), ein Millionstel mm (Millimeter).

4.1 Aufbau der Zelle

Menschliche Zellen besitzen eine Zellmembran, die die Zelle vollständig umgibt. Der Zellkern, die Mitochondrien, der Golgi-Apparat, das endoplasmatische Retikulum, die Ribosomen und Lysosomen befinden sich innerhalb dieser Zellmembran, eingebettet in eine Flüssigkeit, das Zytoplasma.

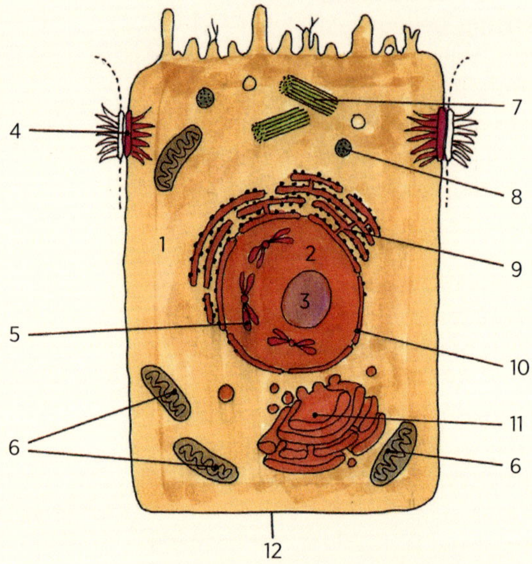

1 Zytoplasma, 2 Zellkern (Nucleus), 3 Kernkörperchen (Nucleolus), 4 Zellkontakt, 5 Chromosom, 6 Mitochondrium, 7 Zentriol, 8 Lysosom, 9 raues endoplasmatisches Retikulum mit Ribosomen, 10 Kernmembran, 11 Golgi-Apparat, 12 Zellmembran (Plasmalemma)

Abb. 9: **Zelle**

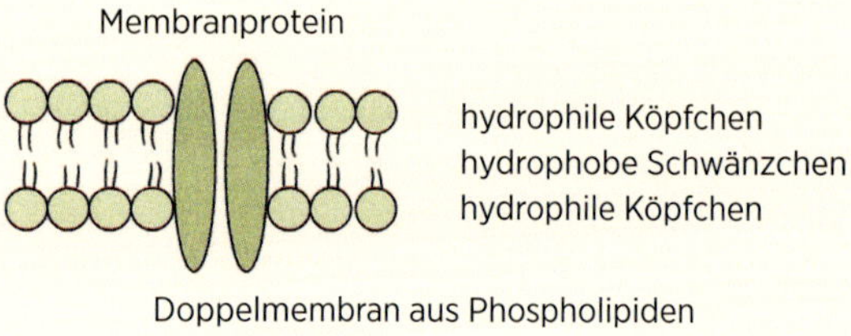

Abb. 10: **Zellmembran**

4.1.1 Zellmembran (Plasmalemma)

In hochauflösenden Mikroskopen wird deutlich, dass Zellmembranen aus einer doppelten Schicht von **Lipiden (Fetten)** und **Proteinen (Eiweißen)** in unterschiedlichen Mengenverhältnissen bestehen. In Zellmembranen von Nervenzellen überwiegen zum Beispiel die Lipidanteile, die Membranen der roten Blutzellen bestehen jeweils etwa zu 50 % aus Lipiden und Proteinen. Die Zusammensetzung der Bausteine der Zellmembran bestimmt ihre unterschiedliche Durchlässigkeit für verschiedene Stoffe (= Permeabilität).

Zellwandproteine haben vielseitige Funktionen. Manche Proteine durchziehen die Zellmembran in ihrer gesamten Wandstärke und dienen als **Transportproteine** dem ungehinderten Durchschleusen von Stoffen durch die Zellmembran. Andere Eiweißmoleküle bilden **Rezeptorproteine** in der Zellmembran, an denen Hormone andocken und ihre Information an die Zelle weitergeben können. Schließlich dienen Proteine noch als sogenannte **Adhäsionsmoleküle** der Verbindung benachbarter Zellen untereinander.

Die **Lipiddoppelschicht** besteht wiederum aus einer außen liegenden und einer dem Zytoplasma zugewandten Schicht hydrophiler (wasserliebender) Köpfchen und zwei einander zugewandten Schichten lipophiler (fettliebender) Schwänzchen. Durch diesen speziellen Aufbau sind Zellmembranen halbdurchlässig (semipermeabel) oder selektiv durchlässig. Nur ungeladene und kleine Moleküle können ungehindert durch die Zellmembran durchtreten, größere und geladene Teilchen benötigen Transportproteine, um die Zellmembran zu überwinden. Dieser spezielle Aufbau garantiert die Trennung von Lösungen unterschiedlicher Konzentrationen (z. B. mehr oder weniger salzig) innerhalb und außerhalb der Zelle oder der Zellorganellen innerhalb des Zytoplasmas und ermöglicht unter anderem die Erregungsleitung entlang von Nerven- und Muskelzellen. Eine weitere Besonderheit menschlicher Zellmembranen ist, dass sie nicht nur die äußeren Zellhüllen bilden, sondern auch die Begrenzungen aller Organellen innerhalb der Zelle. Von ihnen können sich Vesikel (kleine Bläschen) abschnüren, um aktiv Stoffe in die Zelle zu transportieren oder diese aus der Zelle auszuschleusen. Bei diesen Vorgängen der Endo-, Exo- oder Phagozytose verschmelzen die Zellmembranen miteinander (siehe Kap. 4.3.3 „Transportvorgänge durch Zellmembranen“).

Oberflächendifferenzierung der Zellmembran

Die Zelloberfläche beinhaltet Glykolipide und Glykoproteine, das ist eine Mischung aus Zuckermolekülen, Eiweißen und Fetten. Diese sogenannte **Glykokalix** besitzt Informationen, die vom Immunsystem erkannt werden, auf diese Weise können körpereigene von körperfremden Zellen unterschieden werden. So beinhaltet die Glykokalix der roten Blutkörperchen zum Beispiel die Blutgruppenantigene des ABo-Systems und den Rhesusfaktor.

In Organen, die eine hohe Resorptionsleistung haben, also viele Stoffe aus der Umgebung aufnehmen müssen, findet man Epithelzellen, deren freie Oberfläche von **Mikrovilli** besetzt ist. Mikrovilli sind Zytoplasmaausstülpungen, die aussehen wie die Finger eines Handschuhs, und die der Oberflächenvergrößerung dieser Zellen dienen. So tauchen Darmepithelzellen mit ihrer vergrößerten Oberfläche in den Speisebrei und Epithelzellen der Nierenkanälchen in den Primärharn ein, um möglichst viele verwertbare Stoffe aufnehmen zu können. Zellen anderer Organe besitzen wiederum an ihrer Oberfläche **Kinozilien**, feinste bewegliche Härchen, welche durch ihre Bewegung in eine bestimmte Richtung den Transport von Partikeln und Flüssigkeiten unterstützen. So transportieren diese **Flimmerhärchen** in den Atemwegen Schmutz und Schleim aus den Bronchien in den Rachen und unterstützen im Eileiter und im Nebenhoden den Transport der Eizelle oder der Spermien in die richtige Richtung.

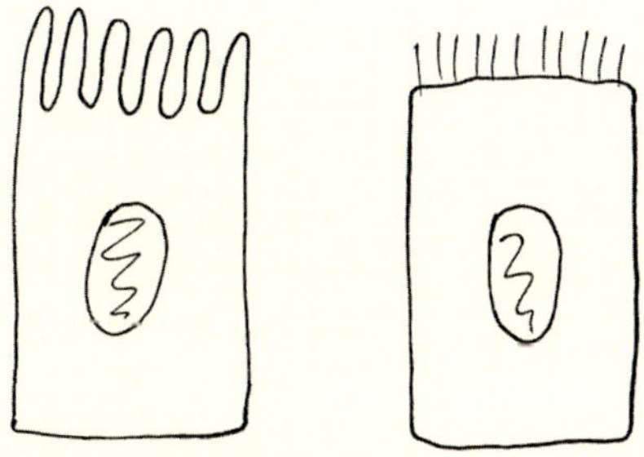

Abb. 11: **Mikrovilli, Kinozilien**

Zellkontakte

Gap Junctions (gap = Spalt) sind Verbindungen zwischen Zellen, die sich wie kleine Kanälchen, die sich öffnen oder verschließen können, verhalten. Bei Bedarf können Ionen zwischen den benachbarten Zellwänden fließen, wie dies zum Beispiel bei der synchronen Erregung des Herzmuskels der Fall ist.

Tight Junctions (tight = fest) sind sehr kompakte Verbindungen zwischen Zellwänden, sodass quasi kein Spalt zwischen Zellen mehr besteht. Sie verhindern den Übertritt von Stoffen, die nicht durch Blutgefäße oder Darmwände in bestimmte Gewebe durchtreten sollten. So kann zum Beispiel die „Blut-Hirn-Schranke" aufrechterhalten werden.

Desmosomen sind punktförmige Verbindungen zwischen Zellen, die der Stabilisierung von Zellverbänden dienen. So bleiben auch Zellen in stark dehnbaren Organen, wie etwa der Haut, in einer stabilen Verbindung zueinander.

4.1.2 Zytoplasma

Das Zytoplasma oder Zellplasma ist der gesamte Inhalt einer Zelle, der nach außen hin von der Zellmembran umschlossen wird. Das Zytoplasma besteht aus der **Zellflüssigkeit (Zytosol)**, also hauptsächlich aus Wasser und darin gelösten Eiweißen, Fetten und Kohlenhydraten (Zucker). Stabilere Eiweißstrukturen geben der Zelle als ihr **Zellskelett (Zytoskelett)** eine gewisse Festigkeit. Die Organe der Zelle, die Zellorganellen, befinden sich ebenfalls im Zytoplasma und werden im folgenden Kapitel besprochen.

4.1.3 Zellorganellen

Die Zellorganellen kann man als die Organe einer Zelle bezeichnen, die der Energiegewinnung, der Protein- und Fettbiosynthese (Bildung von Eiweißen und Fetten) und dem Stofftransport dienen. Die Begrenzungen menschlicher Zellorganellen haben im Wesentlichen denselben Aufbau wie die Zellmembran, kommen jedoch auch als Doppelmembranen vor, zum Beispiel beim Zellkern und den Mitochondrien. Zellen, die keinen Kern besitzen (Prokaryonten), haben auch keine Zellorganellen.

Abb. 12: **Mitochondrium**

4.1.3.1 Mitochondrien

Mitochondrien sind bohnenförmige Organellen im Zytoplasma. Sie bestehen aus einer außen glatt begrenzten und einer nach innen stark gefalteten Doppelmembran, wodurch eine große Oberfläche erzielt wird. An diesen inneren Membranen befinden sich Enzyme, die in zahlreichen Syntheseschritten der Energiegewinnung (ATP = Adenosintriphosphat) aus Glukose dienen. Dieser Vorgang wird **Zitronensäurezyklus**, **Citratzyklus** oder, nach seinem Entdecker, auch **Krebszyklus** genannt. Deshalb spricht man bei den Mitochondrien von den **Kraftwerken der Zelle**. Zellen, die einen großen Bedarf an Energie aufweisen (Skelettmuskelzellen, Herzmuskelzellen), besitzen entsprechend viele Mitochondrien.

Den Mitochondrien kommt allerdings noch eine zweite interessante Bedeutung zu, da sie auch die Träger der sogenannten **maternalen (mütterlichen) DNA** sind. Sie besitzen also genetische Informationen, die nur von mütterlicher Seite weitervererbt werden, sich deshalb auch über Generationen nicht stetig durchmischen und sich so nur langsam verändern. Diese Tatsache spielt eine Rolle bei der Erforschung von Abstammungslinien und wurde zum Beispiel eingesetzt, um die Abstammung von „Ötzi“ zu erforschen. Wird die mitochondriale DNA immer nur von der Mutter weitervererbt, bleibt sie, abgesehen von den Mutationen, die sie durchmacht, wesentlich unverfälschter erhalten als die DNA des Zellkerns, die sich bei jeder Befruchtung einer Eizelle mit der DNA einer zweiten Zelle, der Spermienzelle, vermischt.

Energiegewinnung: In den Mitochondrien laufen die chemischen Reaktionen der inneren Atmungskette ab. Die in die Zelle aufgenommene Glukose (Blutzucker) wird zur Synthese von Adenosintriphosphat (ATP) verwendet. Adenosintriphosphat besitzt eine energiereiche Bindung des 3. Phosphatrestes an das Molekül. Wird dieses Phosphat abgespalten, wird Energie frei und es entsteht das energiearme Adenosindiphosphat (ADP). ADP kann durch die Verwertung der Glukose wieder in ATP umgewandelt werden. ATP wird im Intermembranraum (zwischen den beiden Membranen der Doppelmembran) synthetisiert und kann von dort ins Zytoplasma der Zelle abgegeben werden.

4.1.3.2 Endoplasmatisches Retikulum

Auch das endoplasmatische Retikulum (ER) ist nichts anderes als ein weit verzweigtes Röhrensystem, das aus den schon bekannten Biomembranen besteht. Es durchzieht das Zytoplasma und steht mit der Membran des Zellkerns in offener Verbindung. Kernmembran und endoplasmatisches Retikulum gehen also fließend ineinander über.

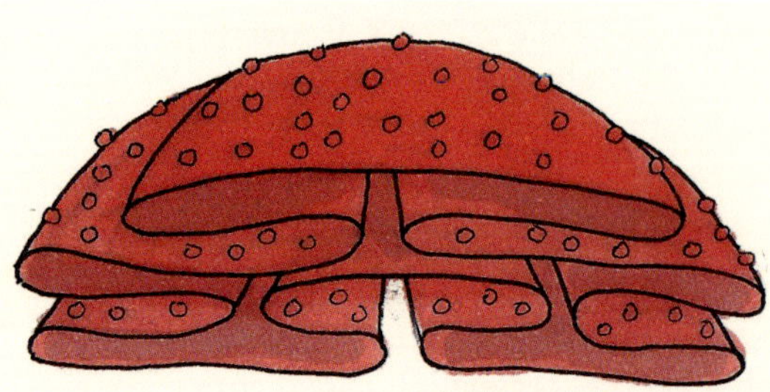

Abb. 13: **Endoplasmatisches Retikulum**

Man findet das endoplasmatische Retikulum wiederum in allen kernhaltigen Zellen, jedoch in unterschiedlicher Menge und in zwei unterschiedlichen Erscheinungsformen, die auch gemeinsam in einer Zelle vorkommen und sogar ohne sichtbare Grenze ineinander übergehen können.

Das **granulierte oder raue ER** weist an seiner Außenseite kleine Körner, die Ribosomen, auf. Da Ribosomen der Proteinbiosynthese dienen, werden am rauen ER Proteine (Eiweiße) gebildet, die einerseits dem Aufbau der eigenen Zellmembranen dienen, andererseits für die Produktion von Stoffen notwendig sind, die aus der Zelle ausgeschleust werden, wie Hormone oder Enzyme.

Das **ungranulierte oder glatte ER** besitzt diese Körnchen nicht. Es dient der Fettsynthese (Lipidsynthese) und findet sich daher besonders in Organen, die fetthaltige Substanzen, wie etwa Steroidhormone (z. B. Geschlechtshormone), bilden. Es ist aber auch für die Synthese der Lipide der eigenen Zellmembranen von großer Bedeutung.

4.1.3.3 Golgi-Apparat

Der Golgi-Apparat besteht aus mehreren übereinander gestapelten, schälchenförmigen Doppelmembranen. Diese Stapel werden als Golgi-Felder oder Diktyosomen bezeichnet. Von den Enden dieser Membransäckchen können Bläschen oder Vesikel abgeschnürt werden, in die Stoffe, die in der Zelle gebildet wurden, verpackt werden und durch Verschmelzen mit der Zellmembran aus der Zelle ausgeschleust werden.

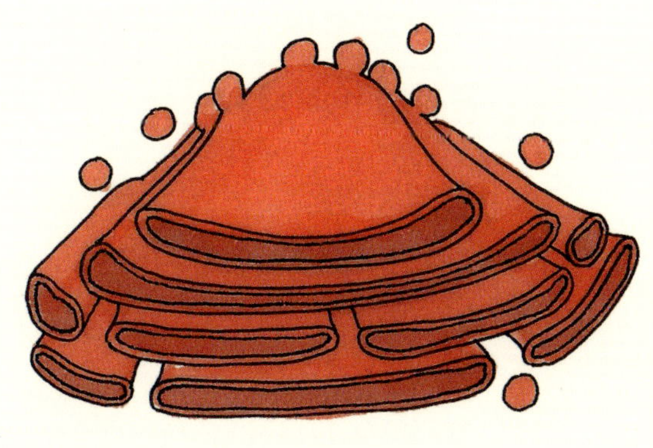

Abb. 14: **Golgi-Apparat**

4.1.3.4 Lysosomen

Lysosomen sind kleine membranumhüllte, kugelige Gebilde im Zytoplasma, die Verdauungsenzyme enthalten. Diese Enzyme spalten Eiweiße, Fette, Kohlenhydrate sowie Nukleinsäuren und können ihre Wirkung, zum Schutz der Zelle, nur im sauren Milieu ihres Inneren entfalten. Sollten sie platzen, werden die Enzyme im basischen Zellplasma unwirksam. Die Enzyme werden im endoplasmatischen Retikulum gebildet und vom Golgi-Apparat in Vesikel verpackt.

Lysosomen verdauen einerseits zellfremdes Material, welches durch Phagozytose in die Zelle aufgenommen wurde, aber auch zelleigenes Material, welches bei Zellerneuerungsprozessen abgebaut werden soll. Sie spielen auch eine wesentliche Rolle beim programmierten Zelltod, der Apoptose.

4.1.3.5 Ribosomen

Ribosomen sind die einzigen Zellorganellen, die nicht von einer Zellmembran begrenzt sind. Sie kommen frei im Zytoplasma und gebunden an der Oberfläche des endoplasmatischen Retikulums vor. Die freien Ribosomen produzieren Eiweiße, die der Zelle und ihren Organellen als Bausteine von Enzymen dienen. Die Ribosomen am ER sind für die Eiweißsynthese von Bausteinen der Zellwand oder für Eiweiße, die aus der Zelle ausgeschleust werden, verantwortlich.

4.1.3.6 Zentrosom

Jede Zelle besitzt ein Paar Zentrosomen, welche wiederum aus zwei kreuzförmig angeordneten Zentriolen bestehen. Während der Zellteilung wandert jeweils ein Zentrosom an die Zellpole und ist an der Ausbildung der Zellteilungsspindel beteiligt.

4.1.3.7 Zellkern (Nucleus)

Fast alle menschlichen Zellen besitzen einen Zellkern. Einzige Ausnahmen sind die roten Blutzellen (Erythrozyten), deren Aufgabe es ist, Sauerstoff und CO_2 zu transportieren, sowie die Thrombozyten, die im Dienste der Blutstillung stehen und eigentlich nur

Zellfragmente darstellen. Quergestreifte Muskelzellen besitzen sogar mehrere Zellkerne. Da der Zellkern die DNA, also das genetische Material, beherbergt, sind nur Zellen mit Zellkern zur Teilung und zur Eiweißbiosynthese fähig. Der Zellkern ist im Lichtmikroskop sichtbar, er ist durch eine zweischichtige Kernmembran vom Zytoplasma getrennt, welche mit dem endoplasmatischen Retikulum in Verbindung steht.

Die DNA ist nur während der Zellteilung in Form der **Chromosomen** sichtbar. In Zellen, die sich gerade nicht teilen, liegt die DNA als lange fadenförmige Doppelhelix (DNA-Spirale) vor. Im Zellkern findet sich außerdem das **Kernkörperchen**, der **Nukleolus**, der einen Teil der **RNA (Ribonukleinsäure)** enthält und zur Bildung der Ribosomen dient. DNA und RNA sind komplexe Strukturen, welche nach ihren Bausteinen, den Nukleotiden, als Nukleinsäuren bezeichnet werden.

4.1.4 Nukleinsäuren (DNA und RNA), Chromosomen

In einer menschlichen Zelle findet man zwei Arten von Nukleinsäuren, die Desoxyribonukleinsäure (DNS oder DNA – acid für Säure) und die Ribonukleinsäure (RNS oder RNA). Der überwiegende Anteil der DNA befindet sich im Zellkern, ein kleiner Anteil in den Mitochondrien. Die RNA findet man sowohl im Zellkern als auch im Zytoplasma und an den Ribosomen, welche frei im Zytoplasma und am rauen endoplasmatischen Retikulum vorkommen.

4.1.4.1 DNA (Desoxyribonukleinsäure)

Die DNA besteht aus einer doppelten Kette von Nukleotiden, die in Form einer Doppelhelix (Doppelspirale aus zwei zusammenhängenden Nukleotidsträngen) spiralig angeordnet sind. Ein **Nukleotid** setzt sich aus einem Zuckermolekül, einem Phosphatrest und einer der **4 Basen Adenin, Thymin, Guanin oder Cytosin** zusammen. Im Falle der DNA handelt es sich beim Zuckermolekül um eine Desoxyribose, von der sich der Name der Desoxyribonukleinsäure ableitet. Da die DNA als Doppelstrang zweier zusammenhängender Nukleotidketten vorliegt, sind jeweils zwei Nukleotide an den korrespondierenden (zusammenpassenden) Basen miteinander verbunden. Adenin korrespondiert mit Thymin, Guanin mit Cytosin.

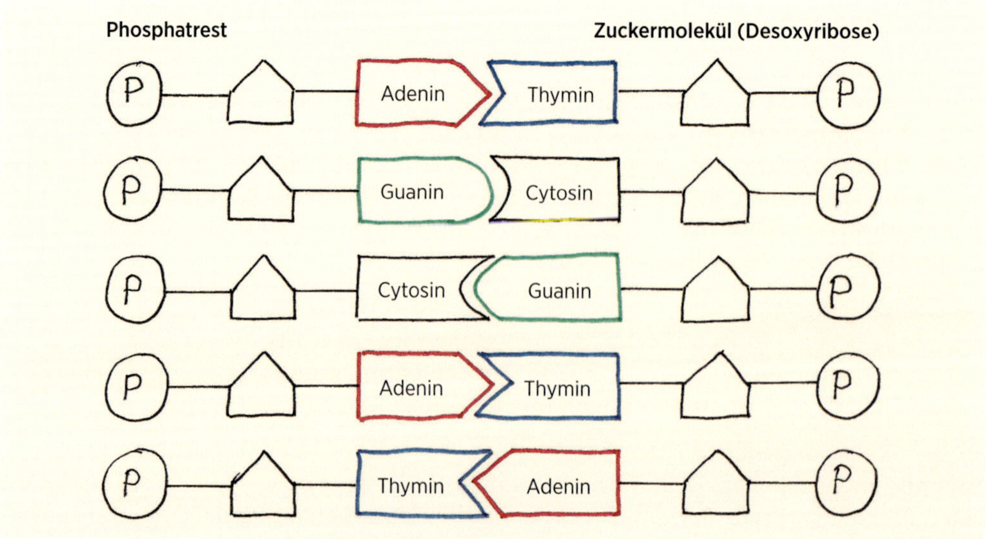

Abb. 15: **DNA: Doppelstrang aneinandergereihter Nukleotide**

Korrespondierende Basen passen haargenau wie der Schlüssel in sein Schloss **(Schlüssel-Schloss-Prinzip)** zusammen und verbinden sich nicht mit einer anderen Base. Die DNA enthält die gesamte genetische Information, die Gene. Diese sind in jeder Zelle eines Menschen im Zellkern vorhanden! Ein Gen ist ein definierter Abschnitt der DNA von etwa 1.000 Nukleotidpaaren entlang der DNA-Doppelhelix. Die menschliche DNA beinhaltet etwa 30.000 Gene (über die genaue Zahl herrscht aber nach wie vor große Uneinigkeit), die Gesamtheit der Gene eines Menschen heißt Genom. In der Anordnung der Basen in der DNA-Kette stecken die „Kochrezepte" für alle Eiweiße, die in der Zelle synthetisiert werden können.

4.1.4.2 RNA (Ribonukleinsäure)

Die RNA besteht nur aus einem einzelnen Strang aneinandergereihter **Nukleotide**, ihr Zuckermolekül heißt Ribose und ihre Basen sind **Adenin**, **Cytosin**, **Guanin** und anstatt des Thymins **Uracil**. Die kleinste Informationseinheit der RNA setzt sich aus drei Nukleotiden (Basentriplett) zusammen, das sind drei untereinander angeordnete Abschnitte, die jeweils aus einer Base, einer Ribose und einem Phosphatrest bestehen. Ein Triplett ist der Code für eine Aminosäure und heißt dementsprechend **Codon**. Ein Codon besteht also aus drei zusammenhängenden Nukleotiden, die Information für eine bestimmte Aminosäure steckt in der Anordnung der drei Basen dieser Nukleotide. Aminosäuren sind die Grundbausteine der Proteine (Eiweiße).

Die RNA erfüllt unterschiedliche Aufgaben, man unterscheidet mehrere Arten:

Die **m-RNA (messenger-RNA oder Boten-RNA)** liest während der Proteinbiosynthese im Zellkern die Informationen (also die Reihenfolge der aneinandergereihten Basen) der DNA ab und bringt diese Information ins Zytoplasma zu den Ribosomen, wo die Eiweißsynthese stattfindet. Die m-RNA fertigt von der Information der DNA des Zellkerns eine Negativkopie an, indem sie die Basenfolge der DNA durch Anlagerung ihrer korrespondierenden Basen abliest.

Die **t-RNA (transfer-RNA oder „Übersetzer"-RNA)** übersetzt quasi den Code der m-RNA für die richtigen Aminosäuren. Ihre Basentripletts heften die richtige Aminosäure, welche sich schon im Zytoplasma befindet, an sich an und transportieren diese zu den Ribosomen, den Bildungsstätten der Eiweiße.

Die **r-RNA (ribosomale RNA)** ist der wesentlichste Baustein der Ribosomen.

4.1.4.3 Chromosomen

Chromosomen bestehen aus der Erbsubstanz, also der DNA eines Individuums. Sie werden nur während der Zellteilung sichtbar, indem sich der doppelspiralige DNA-Faden erst knapp vor der Zellteilung verdichtet.

> Eine menschliche Körperzelle, das sind alle Zellen mit Ausnahme der Geschlechtszellen, besitzt 23 Chromosomenpaare, also 46 Chromosomen. Darin befindet sich die gesamte Erbsubstanz, die durch Verschmelzung der väterlichen Spermienzelle mit der mütterlichen Eizelle während der Befruchtung an das Kind weitergegeben wurde. Man spricht von einem **doppelten** oder **diploiden Chromosomensatz**.

Das genetische Material der Zelle verdoppelt sich vor jeder Zellteilung, deshalb werden die Chromosomen immer als **Zwei-Chromatid-Chromosomen** sichtbar. Dabei handelt es sich um das für die Teilung bereits verdoppelte Genmaterial. Wäre die DNA auch in Zellen, die sich nicht gerade teilen, als Chromosomen sichtbar, dann würde man **23 Paare Ein-Chromatid-Chromosomen** sehen.

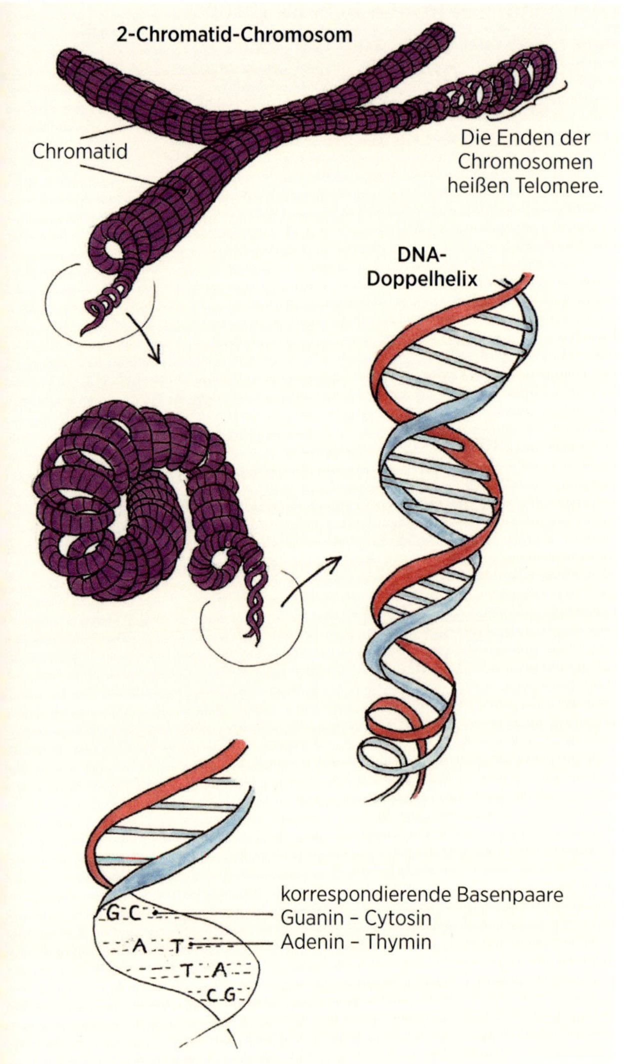

Abb. 16: **Chromosom**

Das letzte, also das 23. Chromosomenpaar (Geschlechtschromosomen) jeder Körperzelle unterscheidet sich bei Mann und Frau: Bei der Frau besteht das letzte Chromosomenpaar der Körperzellen aus zwei X-Chromosomen, beim Mann aus einem X- und einem Y-Chromosom.

Der Chromosomensatz einer reifen **Eizelle** und einer **Spermienzelle** unterscheidet sich von jenem der Körperzellen in einem wesentlichen Punkt. Reife Geschlechtszellen entstehen durch meiotische Teilung aus diploiden Vorläuferzellen (Frau 46 XX, Mann 46 XY) und besitzen demnach einen **einfachen** oder **haploiden Chromosomensatz**, also 23 einzelne Chromosomen (KEINE Paare!), da Eizelle und Spermienzelle bei der Befruchtung miteinander verschmelzen und die erste Zelle des neu entstandenen Lebewesens, die Zygote (befruchtete Eizelle), mit diploidem Chromosomensatz entsteht. Durch Teilung dieser Zelle entsteht der neue Mensch.

Eine Eizelle besitzt demnach 23 Chromosomen, das letzte Chromosom ist ein X-Chromosom. Spermienzellen besitzen ebenfalls 23 Chromosomen, das letzte Chromosom kann ein X- oder ein Y-Chromosom sein. Verschmilzt bei der Befruchtung eine Eizelle mit einer Spermienzelle, welche ein X-Chromosom besitzt, dann darf man sich auf eine Tochter freuen. Besitzt die Spermienzelle ein Y, erwarten die stolzen Eltern einen Sohn.

4.2 Stammzellen

Stammzellen sind undifferenzierte oder wenig differenzierte Zellen, welche sich durch Mitose teilen und so vermehren und sich noch in verschiedene Richtungen differenzieren können.

Stammzellen findet man natürlich beim Embryo, der sich ursprünglich aus einer einzigen Stammzelle, der Zygote, entwickelt. Aber auch beim Erwachsenen sind in den unterschiedlichen Geweben mehr oder weniger zahlreich aktive Stammzellen vorhanden. Erwachsene Stammzellen sind vor allem in jenen Geweben aktiv, deren Zellen einer regen Erneuerung unterliegen. Von ihnen gehen Wachstums- und Regenerationsvorgänge aus.

4.2.1 Embryonale Stammzellen – totipotente und pluripotente Stammzellen

Embryonale Stammzellen findet man wenig überraschend beim Embryo, wobei totipotente (omnipotente) von pluripotenten Stammzellen unterschieden werden können.

Totipotente Stammzellen sind die befruchtete Eizelle (Zygote) und die Zellen, die sich nach den ersten Teilungsschritten aus dieser Zelle entwickeln. Teilt sich die Zygote einmal, dann entstehen zwei Zellen, teilen sich diese noch einmal, dann sind bereits vier Zellen entstanden. Totipotente Stammzellen existieren maximal bis zum 16-Zell-Stadium, das sind maximal vier Teilungen. Aus totipotenten Stammzellen können sich noch alle Gewebezellen eines Menschen einschließlich der Plazenta differenzieren, das bedeutet, aus einer totipotenten Zelle kann ein vollständiger menschlicher Organismus entstehen.

Beispiel: Eineiige Zwillinge entstehen dadurch, dass sich totipotente Zellen vollständig voneinander trennen und zwei „idente“ Individuen entstehen.

Pluripotente Stammzellen sind bereits etwas differenziertere Zellen, die nach weiteren Teilungsschritten entstanden sind. Diese Zellen der Blastozyste (Zellhaufen), die sich in die Gebärmutterschleimhaut einnistet, sind bis einige Tage nach der Befruchtung vorhanden. Aus pluripotenten Stammzellen können unterschiedliche Gewebe oder Organe entstehen, aber kein vollständiger Organismus.

4.2.2 Fetale und adulte Stammzellen – multipotente und unipotente Stammzellen

Ab der 9. Schwangerschaftswoche, nachdem alle Organe des kindlichen Organismus angelegt sind, nennt man das Ungeborene Fetus. **Fetale Stammzellen** haben die gleiche Fähigkeit zur Differenzierung wie erwachsene Stammzellen, aber sie haben eine deutlich höhere Teilungsrate. Sie sind **multipotent**.

Beispiel: Fetale Blutstammzellen können aus dem Nabelschnurblut gewonnen werden.

Adulte Stammzellen oder Erwachsenenstammzellen findet man im ausgereiften Organismus so gut wie in allen Organen. Sie können sich durch Mitose teilen und haben teilweise auch noch die Möglichkeit, sich innerhalb ihrer Gewebegruppe zu differenzieren. So entwickeln sich aus den multipotenten Knochenmarkstammzellen unterschiedliche Blutzellen, aber eben **nur** Blutzellen. Von adulten Stammzellen geht die Regeneration aus, sie ersetzen verloren gegangene Zellen der Haut und Schleimhäute oder Blutzellen und ermöglichen Heilungsvorgänge. Im Gehirn und im Herzmuskel laufen jedoch so gut wie keine Zellteilungen mehr ab.

Als **unipotente Stammzellen** bezeichnet man jene, aus denen sich nur mehr ein Zelltyp differenzieren kann. So sind die Vorläuferzellen der Spermienzellen (spermatogoniale Stammzelle) in der Lage, sich sehr erfolgreich zu vermehren, es können jedoch ausschließlich männliche Samenzellen daraus entstehen.

Beispiel: Adulte Knochenmarkstammzellen kommen bei einigen bösartigen Erkrankungen des blutbildenden Systems für Transplantationen zum Einsatz.

4.2.3 Gewinnung von Stammzellen

Embryonale Stammzellen können durch künstliche Befruchtung im Reagenzglas gewonnen werden, fetale Stammzellen stammen von abgetriebenen Föten. Unmittelbar nach der Geburt können Stammzellen aus dem Nabelschnurblut entnommen werden. Stammzellen des Nabelschnurblutes können sich nur zu unterschiedlichen Blutzellen weiterentwickeln.

Ein Meilenstein in der Erforschung von Stammzellen war die Rückführung adulter Hautstammzellen in pluripotente Stammzellen. Shinya Yamanaka erhielt 2012 den Nobelpreis für Medizin, nachdem es ihm gelungen war, durch Veränderung von vier Genen im Labor sogenannte **induzierte pluripotente Stammzellen (IPS)** herzustellen.

Stammzelltherapien tragen immer die Möglichkeit der Entstehung von Krebszellen oder die Gefahr von Abstoßungsreaktionen in sich. Zumindest die Gefahr einer Gewebsabstoßung wäre bei der Therapie mit körpereigenen induzierten Stammzellen gebannt und es könnte auf die sehr belastende immunsuppressive Therapie verzichtet werden. Folgende Krankheiten kann man vielleicht in naher Zukunft durch Stammzellen wirkungsvoll bekämpfen: Diabetes mellitus Typ I („Zuckerkrankheit"), M. Parkinson („Schüttellähmung"), Herzinfarkt, Querschnittslähmungen, senile Makuladegeneration (Netzhauterkrankung, die zur Erblindung führen kann). Bei zahlreichen Bluterkrankungen und zur Neubildung von Hautzellen nach Verbrennungen werden Stammzelltherapien bereits erfolgreich angewandt.

4.3 Physiologie der Zelle

4.3.1 Zellteilung

Im menschlichen Organismus werden ständig Zellen durch Teilung neu gebildet, um einerseits Wachstumsvorgänge zu ermöglichen und abgestorbene Zellen zu erneuern, andererseits um aus Keimzellen befruchtungsfähige Geschlechtszellen (Eizelle, Spermienzelle) zu erhalten. Den Vorgang der Teilung von Körperzellen bezeichnet man als **Mitose**, die Teilung der Geschlechtszellen als **Meiose**.

Wichtig für das Verständnis von Teilungsvorgängen ist die Unterscheidung zwischen Ein-Chromatid-Chromosom und Zwei-Chromatid-Chromosom. Befindet sich die Zelle nicht in Teilung, liegt die Erbsubstanz in Form einer langen DNA-Doppelhelix, welche dem genetischen Material von 23 Ein-Chromatid-Chromosomenpaaren (2n) entspricht, im Kernplasma vor. Ein-Chromatid-Chromosomen sind nur im letzten Schritt der Zellteilung sichtbar, nachdem sich die Zwei-Chromatid-Chromosomen in Längsrichtung geteilt haben. Zwei-Chromatid-Chromosomen sind die)(-förmigen Chromosomen, welche kurz vor und während der Zellteilung sichtbar sind. Da das genetische Material bereits vor der Zellteilung verdoppelt wird, also in dem Stadium, in dem die DNA-Doppelhelix noch nicht zu sichtbaren Chromosomen verdichtet wurde, sind während der Zellteilung eben diese Zwei-Chromatid-Chromosomen darstellbar.

)	Ein-Chromatid-Chromosom
)(	Zwei-Chromatid-Chromosom (verdoppelter Chromosomensatz während der Zellteilung)

Unter einem einfachen Chromosomensatz versteht man, dass Erbinformationen in einer Zelle nur **einfach (haploid – 1n)** vorliegen (entweder in Form väterlicher oder mütterlicher Gene), wie das in reifen Eizellen und Spermienzellen vorkommt. Ein **doppelter**

(diploider – 2n) Chromosomensatz bedeutet hingegen, dass die genetische Information doppelt vorliegt (sowohl vom Vater als auch von der Mutter). Die Chromosomen gibt es in diesen Zellen also paarweise. Alle Körperzellen besitzen einen doppelten Chromosomensatz.

))) oder)( )( )(	einfacher Chromosomensatz (nicht verdoppelt und verdoppelt) in Eizellen und Spermienzellen
)))))) oder)()( )()( )()(	doppelter Chromosomensatz (nicht verdoppelt und verdoppelt) in allen Körperzellen, ausgenommen Eizelle und Spermienzelle

Während eines Zellzyklus laufen verschiedene Phasen ab. Den weitaus größten Zeitabschnitt im Leben einer Zelle macht die Interphase, die Zeitspanne zwischen zwei Zellteilungen, aus. Während dieser Phase geht die Zelle ihren eigentlichen Aufgaben nach, es werden aber auch die Voraussetzungen für die Zellteilung geschaffen. Die Interphase wird in drei Abschnitte, eine G1-Phase, eine S-Phase und eine G2 Phase, unterteilt. Ist die Interphase abgeschlossen, tritt die Zelle in die eigentliche Zellteilungsphase ein. Diese besteht aus vier Phasen: Prophase, Metaphase, Anaphase und Telophase.

Wie bereits erwähnt, verbringen Zellen jedoch die meiste Zeit in der Interphase. In dieser Phase sind die Chromosomen nicht sichtbar, die DNA liegt fadenförmig im Zytoplasma vor und wird nun als Chromatin bezeichnet. Schon gegen Ende der Interphase, also noch vor der eigentlichen Zellteilung, verdoppelt sich das genetische Material der Zelle, die Chromatinfäden liegen nun als paarige Fäden der DNA-Doppelhelix vor (verdoppelter diploider Chromosomensatz).

Will man den Chromosomensatz eines Menschen zu Diagnosezwecken sichtbar machen (Karyogramm), muss in der verwendeten Zelle die Zellteilung eingeleitet werden.

Interphase
G1-Phase/Gap-Phase:
Während dieser Phase des Zellzyklus nimmt die Zelle nach einer vorangegangenen Zellteilung wieder ihre ursprüngliche Größe an, sie erhöht ihre Eiweißsynthese und es kommt zur Ausbildung der Histone. Histone sind Proteine, um die sich der DNA-Faden spiralisiert, um als Chromosomen sichtbar werden zu können. Die DNA besteht in der G1-Phase aus 23 Paaren (2n) Ein-Chromatid-Chromosomen, die jedoch während der gesamten Interphase nicht sichtbar sind. Es liegt ein diploider (2n) Chromosomensatz vor.

S-Phase/Synthese-Phase:
In der folgenden S-Phase kommt es zur Vervielfältigung (Replikation) der DNA. Das heißt, während dieser Phase wird das genetische Material verdoppelt und am Ende verfügt der Zellkern über 23 Paare (2n) Zwei-Chromatid-Chromosomen. Jedes Chromosom verfügt nun über zwei identisch aufgebaute Untereinheiten (Chromatiden), es liegt ein „verdoppelter" diploider Chromosomensatz vor. Während der darauffolgenden Mitose werden sich die beiden identen Schenkel (Chromatiden) der Chromosomen trennen und gleichmäßig auf die beiden Tochterzellen verteilen.

G2-Phase:
In der G2-Phase kommt es zum Zellwachstum und zur weiteren Eiweißvermehrung, die Zelle löst ihre Zellkontakte zu benachbarten Zellen und die Zellteilung kann beginnen.

4.3.1.1 Mitose

Die Mitose ist die Teilung der Körperzellen mit dem Ziel, aus einer Zelle zwei idente, das heißt erbgleiche, Tochterzellen zu erhalten. Prinzipiell können sich Zellen jeden Gewebes teilen, jedoch weisen wenig differenzierte Gewebe eine deutlich höhere Teilungsrate auf als höher differenzierte. Die Mitose dient dem Wachstum der Gewebe des Körpers und seiner Organe sowie der Regeneration zugrunde gegangener Körperzellen bei der Zellmauserung (Erneuerung von Zellen) oder nach Verletzungen.

Die Mitose läuft in vier Schritten ab.

Die Phasen der Mitose:

1. Phase – Prophase: In dieser Teilungsphase kondensieren die bereits verdoppelten Chromatinfäden im Zellkern, sie falten und winden sich zu kompakten Strukturen zusammen, wickeln sich um die Histone und werden schließlich als Chromosomen sichtbar. Die Chromosomen weisen eine)(-Form auf, sie bestehen aus jeweils zwei Chromatiden, die am Zentromer zusammengehalten werden. Die beiden Chromatiden sind Ausdruck der bereits verdoppelten DNA, also der verdoppelten diploiden (2n) Erbsubstanz. Insgesamt werden 46 Chromosomen sichtbar, die sich als 23 Chromosomenpaare (jeweils ein Chromosom mit dem Erbmaterial von der Mutter und eines vom Vater des Individuums) darstellen.

Durch diese kompakte Form des Erbmaterials wird ein Ablesen der genetischen Information während des Teilungsvorganges nicht möglich, die Erbinformation ist so geschützt.

In der **Prometaphase** löst sich die Kernhülle auf und es lagern sich die ebenfalls doppelten Zentrosomen an den gegenüberliegenden Polen der Zelle an. Von den Zentrosomen bilden sich sternförmig Spindelfasern (Mitosespindel) zu den Zentromeren der Chromosomen aus.

2. Phase – Metaphase: Die Spindelfasern, die nun die Zentrosomen an den Polen mit den Zentromeren der Chromosomen verbinden, ordnen durch Zug die Chromosomen nahe des Zelläquators an. Durch diese Positionierung können in der Folge die einzelnen Schwesterchromatiden voneinander getrennt und auf die beiden neu entstehenden Zellen verteilt werden. Dadurch wird die Verteilung der Gene in die neu entstehenden Zellen erst möglich.

3. Phase – Anaphase: Nun werden die zusammengehörigen Chromatiden durch Zug der sich verkürzenden Spindelfasern getrennt und jeweils ein Chromatid jedes Zwei-Chromatid-Chromosoms in Richtung der beiden Pole gezogen. Insgesamt erhält nun jede der beiden neu entstehenden Tochterzellen 46 Ein-Chromatid-Chromosomen, das genetische Material beider Tochterzellen ist ident. Es liegt in jeder Tochterzelle wieder ein diploider Chromosomensatz (2n) mit 23 Paaren Ein-Chromatid-Chromosomen vor.

4. Phase – Telophase: Sind die Chromatiden weit genug getrennt, bilden sich zum Teil aus den alten Kernmembranbruchstücken neue Zellkerne aus und die Chromosomen entspiralisieren sich wieder zu Chromatinfäden. Gleichzeitig schnürt sich auch die Zellmembran ab, die zwei vollkommen identen Tochterzellen gehen wieder in ihre Arbeitsform über.

Die **Mitose** ist die Teilung der Körperzellen. Das Ziel der Mitose ist die erbgleiche Verteilung der Gene (im Zellkern) von der Mutterzelle auf zwei genetisch idente Tochterzellen. Vor Beginn der Mitose wird das Genmaterial verdoppelt, um dann geteilt zu werden. Es entstehen also aus einer Zelle mit diploidem (2n) Chromosomensatz (Erbinformationen sowohl vom Vater als auch von der Mutter) zwei idente (erbgleiche) Tochterzellen mit diploidem (2n) Chromosomensatz.

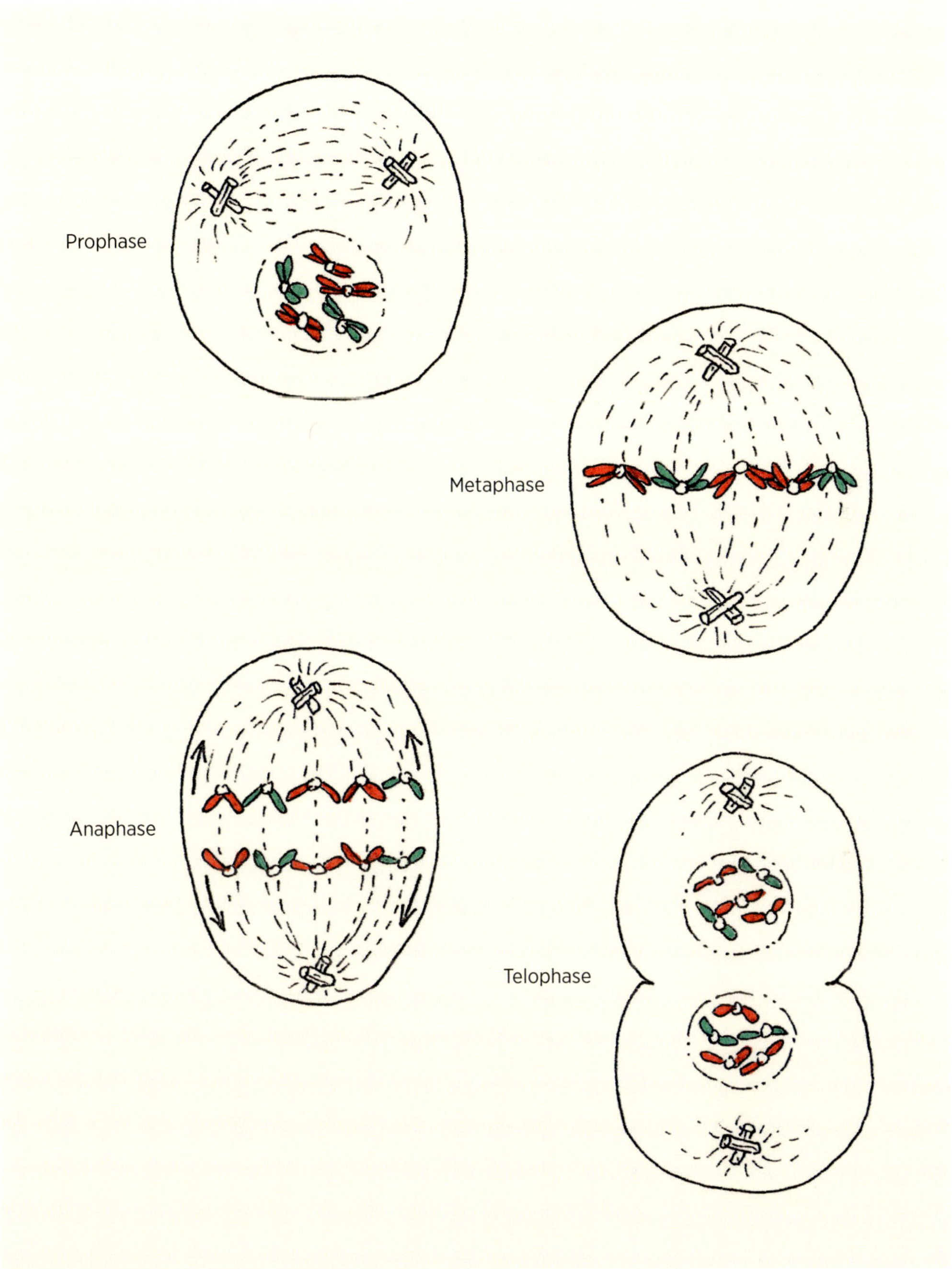

Abb. 17: **Mitose**

4.3.1.2 Symmetrische und asymmetrische Zellteilung

Viele Körperzellen sowie die Stammzellen sind in der Lage, eine symmetrische Teilung zu vollziehen. Dabei entstehen aus einer Mutterzelle zwei genetisch idente Tochterzellen. Bei differenzierten Zellen sind die Teilungsschritte begrenzt, es kann nur eine bestimmte Anzahl neuer Zellen auf diesem Wege entstehen. Aus einer Stammzelle entstehen jedoch zwei Stammzellen, die sich jeweils wieder in zwei Stammzellen teilen können. Es ist dies der Vorgang, der Stammzellen so „unsterblich" macht: Sie haben das Potenzial, sich quasi unendlich zu vermehren.

Nur Stammzellen sind jedoch außerdem in der Lage, sich asymmetrisch zu teilen. Dabei entstehen aus einer Stammzelle eine Stammzelle, die sich weiter teilen kann, sowie eine Zelle, die sich in eine bestimmte Gewebezelle differenziert. Damit wird ein doppeltes Ziel erreicht: zum einen, dass Stammzellen dem Organismus neue differenzierte Zellen zur Verfügung stellen, zum anderen wird ein Vorrat an Stammzellen erhalten.

4.3.1.3 Meiose

Die Meiose ist der Teilungsvorgang der Keimzellen, aus dem die reife Eizelle und die reife Spermienzelle hervorgehen. Das Ziel der Meiose ist es, die genetische Information zu durchmischen und zu halbieren, also einen haploiden Chromosomensatz zu erzielen, da sich bei der Befruchtung eine Eizelle und eine Spermienzelle vereinigen und wiederum eine Zelle mit doppeltem (diploidem) Chromosomensatz entsteht. Diese **Zygote** genannte Zelle ist die erste Körperzelle des neu entstandenen Lebewesens, die sich in der Folge wieder durch Mitose teilt.

Das Ziel der Meiose ist demnach die Entstehung **erbungleicher** Zellen mit **einfachem (haploidem – 1n)** Chromosomensatz.

Die Meiose erfolgt, im Gegensatz zur Mitose, in zwei Teilungsschritten, einer ersten und einer zweiten Reifeteilung. Bevor diese unreifen Keimzellen jedoch in Teilung gehen, um sich zu reifen Eizellen oder Spermienzellen zu entwickeln, besitzen auch sie einen diploiden (doppelten) Chromosomensatz mit Informationen sowohl vom Vater als auch von der Mutter. Die Erbsubstanz wird auch in diesem Fall vor der Teilung während der Interphase dupliziert, die Zelle besitzt nun wiederum einen „verdoppelten" diploiden (doppelten – 2n) Chromosomensatz, der in zwei Teilungsschritten zu einem haploiden (einfachen – 1n) Chromosomensatz reduziert wird.

1. Reifeteilung: Reduktionsteilung

Während der Reduktionsteilung werden die zusammengehörigen (homologen) Chromosomen der Chromosomenpaare voneinander getrennt. Aus einer diploiden Mutterzelle (2n) entstehen zwei haploide (1n) Tochterzellen, welche jeweils 23 Zwei-Chromatid-Chromosomen besitzen. Die Teilung läuft in folgenden Schritten ab:

1. Phase – Prophase I: Am Beginn dieser Phase lagern sich die zusammengehörigen mütterlichen und väterlichen Chromosomen aneinander. Es liegen also 23 Chromosomenpaare mit jeweils zwei Chromatiden vor. Die Chromatiden der Chromosomenpaare können sich in dieser Phase überlagern, abbrechen und Platz tauschen. Dieser Vorgang wird als **crossing over** bezeichnet und dient der Durchmischung des genetischen Materials. Am Ende der Prophase löst sich die Kernmembran auf.

2. Phase – Metaphase I: In der Metaphase I ordnen sich die homologen Chromosomen in der Äquatorialebene an, die Spindelfasern bilden sich von den Zentrosomen an den Zellpolen aus und verbinden sich mit den Zentromeren der einzelnen Chromosomen.

3. Phase – Anaphase I: Die homologen Chromosomenpaare (!) werden durch das Verkürzen der Spindelfasern getrennt und zu den Polen gezogen. Im Unterschied zur Mitose wird hier jeweils ein ganzes Chromosom eines Paares an die Pole gezogen und nicht die einzelnen Chromatiden. Die Verteilung der Chromosomen eines Paares erfolgt zufällig und dient wie das crossing over ebenfalls zur Durchmischung des Erbgutes. So entstehen Tochterzellen mit neuen Genvarianten.

4. Phase – Telophase I: Die Kernmembranen werden wieder gebildet, die Zellmembran schnürt sich ab und die beiden entstandenen, erbungleichen Zellen trennen sich voneinander. Es liegen nun zwei haploide Zellen mit jeweils 23 Zwei-Chromatid-Chromosomen (1n) vor.

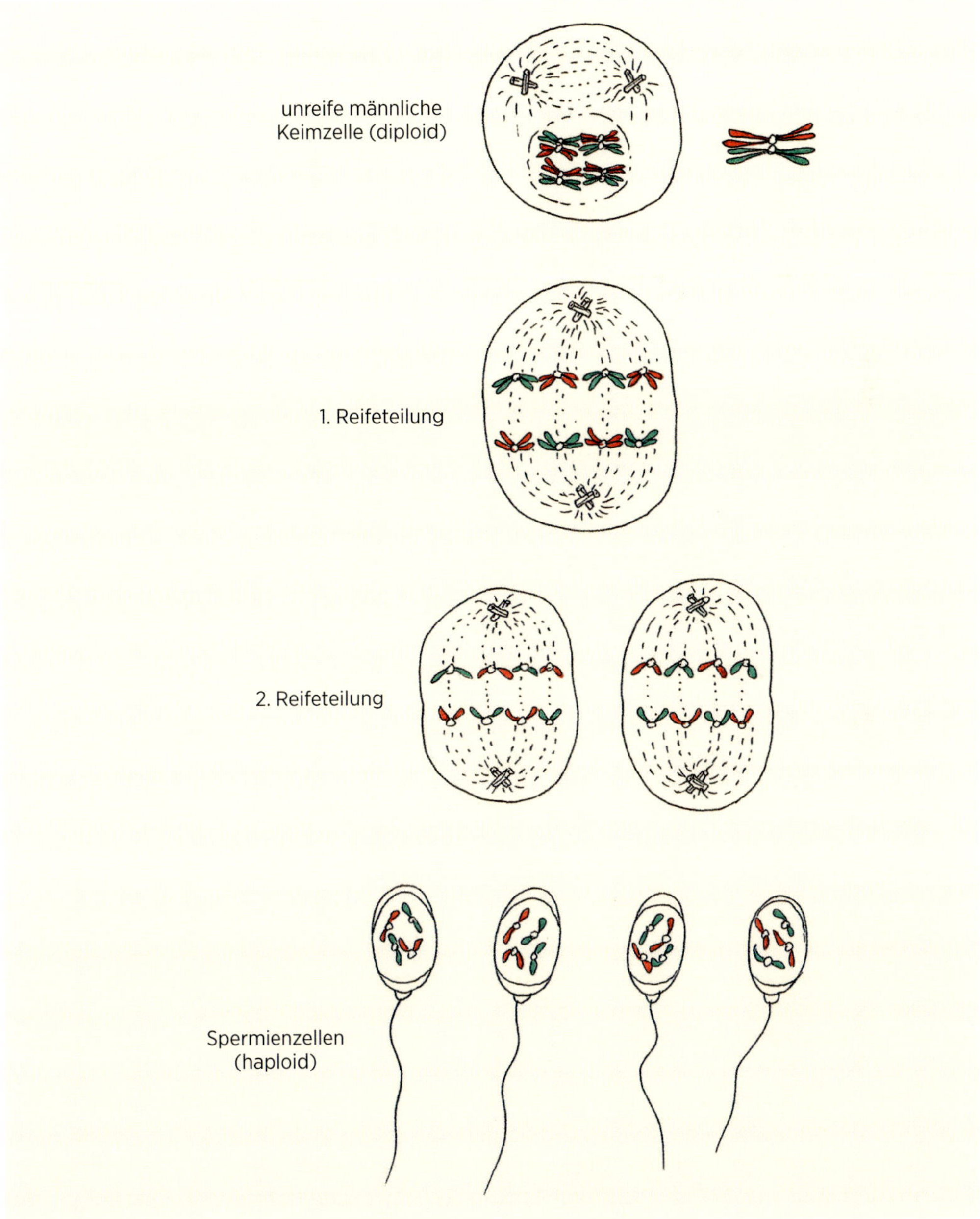

Abb. 18: **Meiose**

Nach der Reduktionsteilung durchlaufen die beiden neu entstandenen Tochterzellen einen weiteren Teilungsschritt, bei dem die bereits verteilten (halb so vielen) Chromosomen nochmals ihre einzelnen Chromatiden auf zwei Zellen aufteilen.

2. Reifeteilung: Äquationsteilung
Es kommt nun in einem zweiten Schritt zu einer neuerlichen Teilung der beiden Tochterzellen. Dabei werden von den aufgeteilten 23 Zwei-Chromatid-Chromosomen die einzelnen Chromatiden getrennt und wiederum auf jeweils zwei, also insgesamt vier Tochterzellen verteilt. Dieser Schritt läuft ähnlich der Mitose ab, wobei allerdings am Ende nur mehr 23 Chromosomen (1n) vorhanden sind (haploid).

Da bei der Meiose nach einer Verdoppelung des Chromosomensatzes der Mutterzelle zwei Teilungsschritte durchlaufen werden, liegen nach der abgeschlossenen Meiose **vier haploide erbungleiche Tochterzellen** mit jeweils 23 Ein-Chromatid-Chromosomen (1n) vor.

Aus einer männlichen Keimzelle entstehen vier erbungleiche Spermienzellen, aus einer weiblichen Keimzelle entstehen jedoch nur eine reife haploide Eizelle und drei Polkörperchen, die sich nicht weiterentwickeln.

Bei der Verschmelzung zweier haploider Geschlechtszellen (Spermienzelle vom Vater, Eizelle von der Mutter) entsteht dann wieder eine Zelle mit diploidem Chromosomensatz. Diese verschmolzene Zelle ist die Zygote, aus ihr entsteht das neue Lebewesen; sie teilt sich wieder durch Mitose.

Die **Meiose** ist die Teilung der Geschlechtszellen. Das **Ziel** der Meiose ist die erbungleiche Verteilung der Gene (im Zellkern) von der Mutterzelle auf vier nicht idente Tochterzellen. Vor Beginn der Meiose wird das Genmaterial einmal verdoppelt, um dann im Verlauf der Teilung zweimal geteilt zu werden. Es entstehen also aus einer Zelle mit diploidem Chromosomensatz vier erbungleiche Tochterzellen mit haploidem Chromosomensatz.

4.3.2 Eiweißsynthese (Proteinbiosynthese)

Die Informationen über den Aufbau der körpereigenen Proteine (Eiweiße) sind in der DNA im Zellkern „niedergeschrieben“. Proteine bestehen aus **Aminosäuren**, deren Reihenfolge die Struktur eines Proteins bestimmt. Insgesamt gibt es 20 für den menschlichen Organismus relevante Aminosäuren, die Information ihrer Anordnung in einem bestimmten Eiweiß ist in unseren Genen verankert. Eine Aminosäure wird durch drei aufeinanderfolgende Basen, das sogenannte Basentriplett, kodiert. Die wichtigsten Voraussetzungen für die Proteinbiosynthese sind die „Kochrezepte“ in der DNA sowie die Möglichkeit, diese Rezepte abzuschreiben und die Kopie an jenen Ort zu bringen, an dem neue Proteine gebildet werden können, indem die Rezepte übersetzt werden.

Um die genetische Information für ein Protein kopieren zu können, wird der doppelte DNA-Strang an diesem entsprechenden Abschnitt entspiralisiert und geöffnet, damit die Basen frei sichtbar und ablesbar werden. Nun beginnt das Abschreiben dieser Information, die **Transkription.** Dazu lagern sich komplementäre Basentripletts, die **Codone**, an die DNA an, bis ein ganzer Strang mit kopierter Information entstanden ist. Dieser Strang ist die **m-RNA**, welche nun die Negativkopie der DNA-Information enthält. Die fertige m-RNA verlässt den Zellkern und gelangt ins Zytoplasma zu den Ribosomen, den Bildungsorten der Proteine. Dort beginnt nun die **Translation**, die Übersetzung der Information und die Anlagerung der Aminosäuren in der richtigen Reihenfolge. Auf der m-RNA befindet sich zu jedem Basentriplett der DNA ein komplementäres Basentriplett (ein Negativabdruck), das Codon. Nun lagern sich an diese Kopie wiederum **t-RNA-Basentripletts**, Anticodone, an, an deren gegenüberliegendem Ende jene Aminosäure anhaftet, die der Reihenfolge dieser drei Basen entspricht. Lagern sich nun diese Anticodone der t-RNA an die Codone der m-RNA in der richtigen Reihenfolge an, dann lagern sich auch die Aminosäuren im Schlepptau dieser Anticodone in der richtigen Reihenfolge aneinander. Diese koppeln sich von der RNA ab und es entsteht eine Kette von Aminosäuren, das neue Protein.

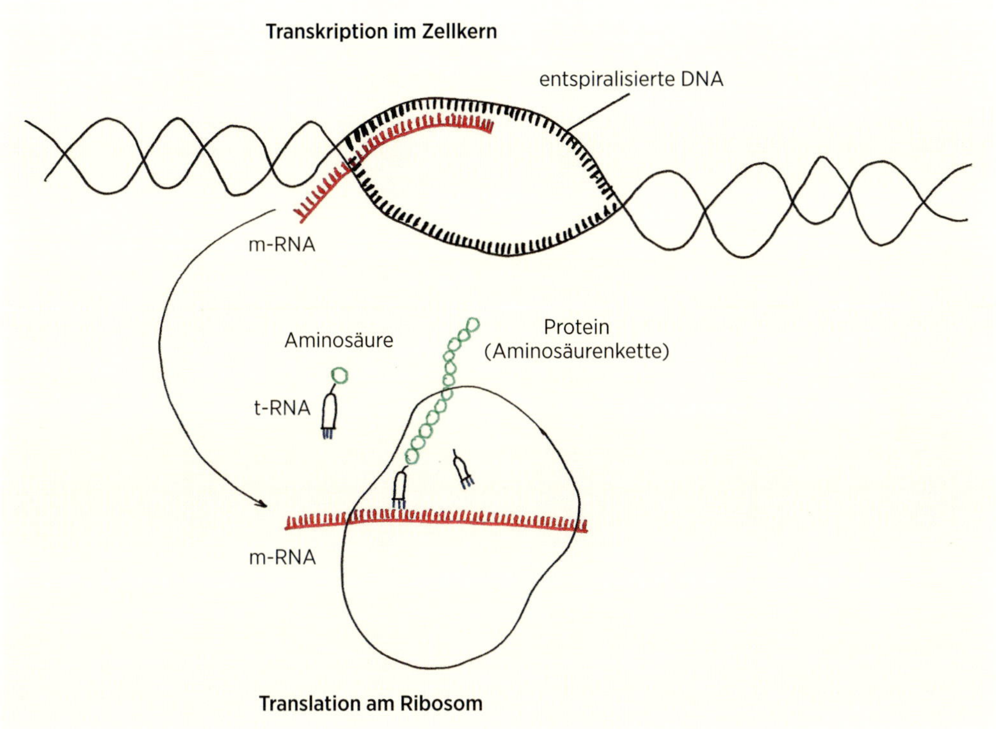

Abb. 19: **Proteinbiosynthese**

4.3.3 Transportvorgänge durch Zellmembranen

Zwischen Intrazellularraum und Extrazellularraum besteht ein reger Stoffaustausch, der von der Beschaffenheit der Zellmembran, der chemischen Struktur und der Größe der zu transportierenden Moleküle bestimmt wird. Zellmembranen sind semipermeabel (halbdurchlässig), das heißt, sie sind für lipophile (fettlösliche) Stoffe und sehr kleine Moleküle gut durchlässig. Hydrophile (wasserlösliche) Stoffe und größere Moleküle bedürfen Hilfsmechanismen, um die Zellwand passieren zu können.

4.3.3.1 Diffusion

Kleine und fettlösliche Moleküle können eine Zellwand durch Diffusion überwinden, wenn die Öffnungen der Zellwand für diese Moleküle groß genug sind und wenn auf beiden Seiten der Membran eine unterschiedliche Konzentration (Anzahl der gelösten Teilchen pro Flüssigkeitsvolumen) herrscht. Bei der Diffusion bewegen sich die Teilchen entlang eines Konzentrationsgefälles aus der höher konzentrierten Lösung in die niedriger konzentrierte Lösung, bis beide Flüssigkeiten dieselbe Konzentration aufweisen. Die Teilchen der höher konzentrierten Lösung wandern also durch die Zellmembran, bis sich auf beiden Seiten gleich viele Teilchen in den Flüssigkeiten des Extra- und des Intrazellularraumes befinden, d.h. ein Konzentrationsausgleich hergestellt ist. So gelangen zum Beispiel Lipidhormone, fettlösliche Medikamente oder fettlösliche Vitamine ungehindert durch Zellmembranen.

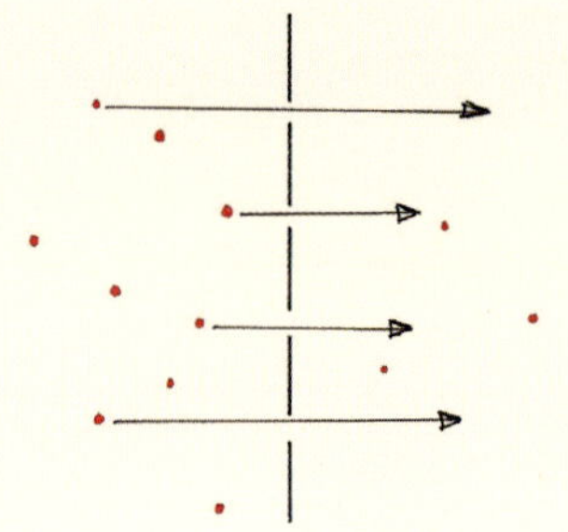

Abb. 20: **Diffusion**

Carrierproteine sind Eiweiße, welche Stoffe, die allein die Zellmembranen nicht überwinden können, durch Zellwände transportieren. Sie bewegen sich mittels Diffusion durch die Zellmembran und nehmen diese Stoffe mit. Dieser Vorgang wird als **erleichterte Diffusion** bezeichnet. Diffusionsvorgänge durch Carrierproteine funktionieren auch gegen ein Konzentrationsgefälle, also vom Ort niederer Konzentration in das Milieu mit höherer Konzentration.

4.3.3.2 Transport durch Membrantransportproteine

Wasserlösliche Substanzen oder auch Wassermoleküle und geladene Teilchen können nur durch bestimmte Transportmoleküle die Wand von Zellen überwinden. Für Wasser existieren sogenannte Aquaporine, für geladene Teilchen (Ionen) Ionenkanälchen. Diese werden durch Signalstoffe aktiviert und öffnen und schließen sich nach Bedarf. Diese Vorgänge laufen zum Beispiel bei der Erregung von Nervenzellen ab, die auf einer Wanderung von geladenen Atomen, also Ionen, durch die Zellmembran basieren. Hydrophile Stoffe können sich nicht ungehindert durch Zellmembranen bewegen, sie scheitern an den „hydrophoben Schwänzchen" der Doppelmembranen von Zellen.

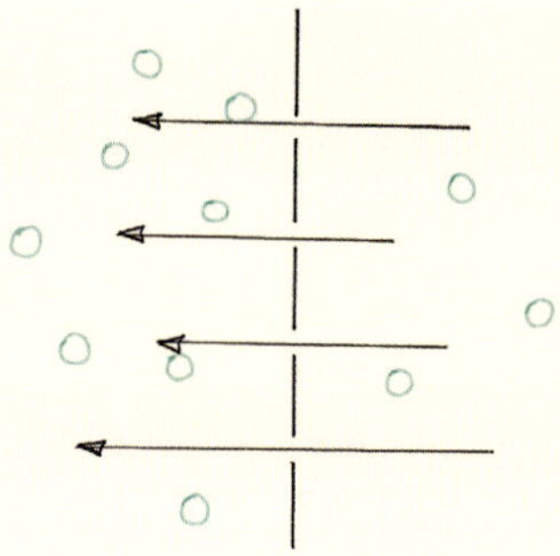

Abb. 21: **Osmose**

4.3.3.3 Osmose

Unter Osmose versteht man die Wanderung von Flüssigkeit durch halbdurchlässige Membranen. Dieser Vorgang läuft auch beim Transport von Wassermolekülen durch Zellwände ab. Dazu muss wiederum ein Konzentrationsunterschied von gelösten Teilchen zwischen den Flüssigkeiten auf beiden Seiten der Zellmembran herrschen. Die Teilchen selbst dürfen die Poren der Zellmembran nicht überwinden können. Besteht ein Konzentrationsgefälle von geladenen Teilchen (Ionen), Salzen oder großen Teilchen, dann bewegt sich das Wasser aus der niedrig konzentrierten Flüssigkeit (wenige gelöste Teilchen pro Flüssigkeitsvolumen) in die hoch konzentrierte Flüssigkeit (viele gelöste Teilchen pro Flüssigkeitsvolumen). Die Flüssigkeit „wandert" so lange, bis die Konzentration auf beiden Seiten gleich ist, es also zu einem **Konzentrationsausgleich** gekommen ist. Wird der osmotische Druck, das ist jener Druck, der die Flüssigkeit in die höher konzentrierte Flüssigkeit zieht, durch große Eiweißmoleküle erzeugt, wird er **onkotischer Druck** oder **kolloidosmotischer Druck** genannt. Kolloide sind Eiweißmoleküle.

> Bei der **Diffusion** wandern die gelösten Teilchen vom Ort höherer Konzentration zum Ort niedriger Konzentration. Bei der **Osmose** wandert die Flüssigkeit vom Ort niedriger Konzentration zum Ort hoher Konzentration, bis ein Konzentrationsausgleich erreicht ist. Osmose und Diffusion sind passive Transportvorgänge, sie verbrauchen keine Energie.

4.3.3.4 Exozytose, Endozytose, Phagozytose

Durch diese Vorgänge können Teilchen von der Zelle aufgenommen oder aus der Zelle aktiv ausgeschleust werden. Grundvoraussetzung ist, dass die äußere Zellmembran und auch die inneren Membranen der Zellorganellen denselben Aufbau haben und dass sie kleine Bläschen, in denen Stoffe verpackt werden, sogenannte Vesikel, abschnüren können.

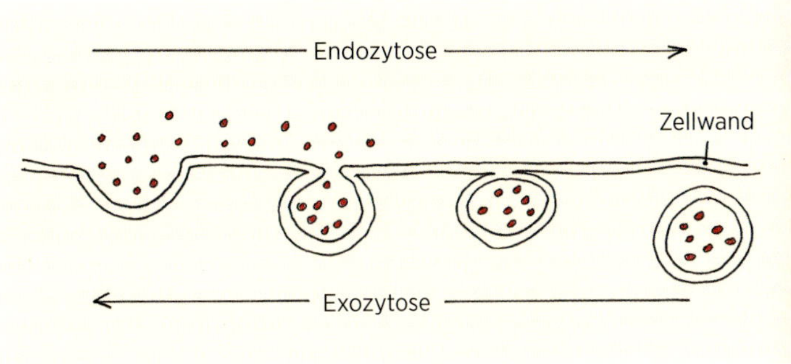

Abb. 22: **Endozytose, Exozytose**

Bei der **Exozytose** werden Stoffe aus den Zellorganellen (Hormone, Eiweiße, Neurotransmitter) in Vesikel, welche vom Golgi-Apparat abgeschnürt werden, verpackt und gelangen an die Innenseite der Zellmembran. Das Vesikel heftet sich an die Zellmembran an und verschmilzt mit dieser, die Membranen gehen ineinander über. Dadurch werden die verpackten Stoffe frei und gelangen aus der Zelle. Auf diesem Weg werden zum Beispiel bei der Nervenerregung die Überträgersubstanzen (Neurotransmitter) an der präsynaptischen Membran in den Synapsenspalt abgegeben.

Die **Endozytose** ist der umgekehrte Vorgang. Stoffe, die in die Zelle hineintransportiert werden sollen, werden durch Ausstülpung der Zellmembran umfasst und so in Vesikel verpackt und in das Zellinnere geschleust.

Beim Vorgang der **Phagozytose** werden durch Endozytose Mikroorganismen oder Partikel, welche abgebaut werden sollen, in das Zellinnere von Immunzellen aufgenommen. Dort verschmelzen die eingeschleusten Bläschen **(Phagosomen)** mit Vesikeln, welche Enzyme enthalten **(Lysosomen)**, und die phagozytierten Krankheitserreger oder Partikel werden verdaut und aus der Zelle wieder ausgeschleust. Immunzellen, welche phagozytieren können, sind **Fresszellen oder Phagozyten**; können sie große Teile aufnehmen (zum Beispiel entartete Körperzellen), heißen sie **Makrophagen**, können sie nur kleinere Teile (Bakterien) fressen, spricht man von **Mikrophagen**.

Exozytose, **Endozytose** und **Phagozytose** sind aktive Transportvorgänge, sie verbrauchen Energie, die von der Zelle bereitgestellt werden muss.

4.3.3.5 Energiegewinnung der Zelle

Wir führen unserem Körper Energie in Form von Kohlenhydraten, Fetten und Eiweißen zu. Um diese großen Moleküle verwerten zu können, müssen sie im Verdauungstrakt zu Glukose, Fettsäuren und Aminosäuren abgebaut werden. In den Körperzellen laufen mehrere Abbau- und Syntheseschritte hintereinander ab, um aus diesen Bausteinen Energie zu gewinnen. Das Ziel ist Adenosintriphosphat (ATP) zu erzeugen. Der Energielieferant unserer Zellen ist also das ATP, welches auch als „volle Batterie" bezeichnet wird und letztlich für energieverbrauchende Abläufe wie Muskelkontraktion, Erregungsleitung, Transportvorgänge durch Zellwände, Hormonsynthese usw. zur Verfügung steht.

ATP (Adenosintriphosphat) besteht aus der Aminosäure Adenin, einem Zuckermolekül in Form einer Ribose und drei Phosphatresten.

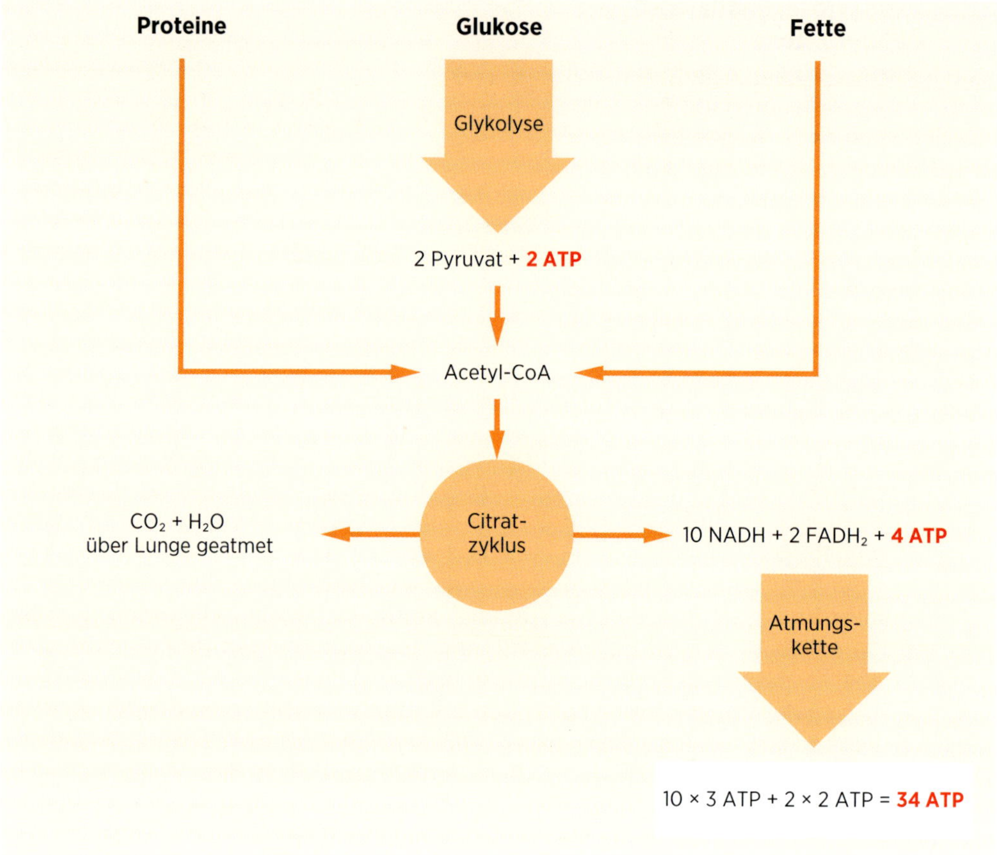

Abb. 23: **Gewinnung von ATP in der Zelle**

Die Bindung des dritten Phosphates an das Molekül ist sehr energiereich. Wird dieser Phosphatrest abgespalten, wird die Energie freigesetzt und steht der Zelle zur Verfügung. Das nun entstandene **ADP** (Adenosindiphosphat) besitzt nur mehr zwei Phosphatreste und wird gerne als „leere Batterie" bezeichnet. Diese kann wieder aufgeladen werden, indem in den Mitochondrien, den Kraftwerken der Zelle, ein drittes Phosphat angehängt wird.

Kohlenhydrate sind die Quelle, aus der schnell Energie gewonnen werden kann. Die Umwandlung der Kohlenhydrate zu ATP läuft in drei Schritten, der Glykolyse, dem Zitronensäurezyklus und der inneren Atmungskette, ab.

Glykolyse: Kohlenhydrate werden im Verdauungstrakt zu Glukose abgebaut, welche dann von der Zelle aufgespalten und in ATP umgewandelt wird. Der erste Schritt der Glukoseverwertung ist die Glykolyse, das Aufspalten des Glukosemoleküls. Der Einfachzucker Glukose ist jener Zucker, der als Blutzucker den Zellen zur Verfügung steht und mithilfe des Hormons Insulin in die Zelle aufgenommen werden kann. Die Glykolyse ist ein anaerober Vorgang, er findet ohne die Anwesenheit von Sauerstoff im Zytoplasma statt. Die Glukose ist ein Einfachzucker mit 6 Kohlenstoffatomen, sie wird beim Vorgang der Glykolyse in mehreren Schritten zu 2 Molekülen Pyruvat aufgespalten, welche jeweils nur mehr 3 Kohlenstoffatome besitzen. Bei diesem Vorgang wird Energie im Ausmaß von 2 **ATP**-Molekülen erzeugt. Die beiden Pyruvatmoleküle werden in der Folge in ein Mitochondrium transportiert und im sogenannten Zitronensäurezyklus (Citratzyklus, Krebszyklus) weiter verwertet, wobei zusätzliches ATP entsteht.

Zitronensäurezyklus: In den Mitochondrien werden die Pyruvatmoleküle zu Acetat umgewandelt und an Coenzym A gebunden. Das nun entstandene Acetyl-CoA wird im Citratzyklus unter Verbrauch von Sauerstoff (aerob) verwertet und es entstehen 4 Moleküle ATP.

Bei diesem Vorgang entstehen neben dem ATP zwei energiereiche Verbindungen, nämlich 10 Moleküle **NADH** (Nicotinamid-Adenin-Dinucleotid-Hydrid) und 2 Moleküle **$FADH_2$** (Flavin-Adenin-Dinukleotid). Diese werden im nächsten Schritt, der Atmungskette, zu weiteren Molekülen ATP umgewandelt.

Fettsäuren werden durch ß-Oxidation und Proteine durch Proteinmetabolismus ebenfalls in Acetyl-CoA umgewandelt, welches wiederum im Citratzyklus der Energiegewinnung dient. Fette und Eiweiße liefern wesentlich mehr Energie als Kohlenhydrate, Kohlenhydrate stellen jedoch die am schnellsten verfügbare Energiequelle dar.

Steht kein Sauerstoff für den Citratzyklus zur Verfügung, erfolgt die Energiegewinnung anaerob im sogenannten Cori-Zyklus. Aus dem Pyruvat wird dann nicht Citrat, sondern Laktat (Milchsäure) gebildet.

Atmungskette: Der dritte Schritt der zellulären Energiegewinnung ist die Atmungskette, es wird ADP zu ATP synthetisiert. Aus einem NADH-Molekül entstehen **3 ATP** und aus einem $FADH_2$-Molekül entstehen **2 ATP**. Nachdem 10 NADH-Moleküle und 2 FADH2-Moleküle zur Verfügung stehen, wird im Verlauf der Atmungskette Energie im Wert von insgesamt 34 ATP gewonnen. Der Großteil (etwa 60 %) der während der Atmungskette frei werdenden Energie entsteht allerdings in Form von Wärme. Das anfallende ATP wird von der Zelle für ihre Stoffwechselaktivitäten verwendet. So erklärt sich, dass Zellen, die viel Energie benötigen, eine große Zahl an Mitochondrien besitzen.

4.4 Pathophysiologie der Zelle

Die genetische Information des Zellkerns kann während der Zellteilung falsch abgelesen oder nicht richtig an die Tochterzellen verteilt werden. Diese genetischen Veränderungen heißen Mutationen und können an nachfolgende Zellgenerationen weitervererbt werden.

4.4.1 Mutation

Unter einer Mutation versteht man eine bleibende Veränderung der genetischen Information einer Zelle. Mutationen haben nicht nur negative Folgen, sie können auch zur Weiterentwicklung einer Art beitragen, oder sie können stumm bleiben, also keine sichtbaren Auswirkungen haben. Nicht selten sind Mutationen aber Ursache von Krankheiten und Fehlbildungen.

Tritt eine Mutation während der **Mitose** auf, spricht man von einer **somatischen Mutation**, die die genetische Information der betroffenen Körperzellen und der durch Teilung dieser Zelle entstandenen Zellen verändert. Somatische Mutationen spielen bei der Krebsentstehung und bei Alterungsvorgängen des Organismus eine Rolle. Betrifft eine Mutation aber die **Keimzellen**, aus denen sich während der **Meiose** die Eizellen und die Spermienzellen entwickeln, spricht man von einer **Keimbahnmutation**. Diese Änderungen der genetischen Information betreffen nicht den Organismus, in dem die Mutation stattgefunden hat, sondern seine Nachkommen. Keimbahnmutationen können die Anzahl von Chromosomen (numerische Chromosomenaberrationen) verändern, wie das bei der Trisomie 21, dem Down-Syndrom, geschieht. Auch kann sich die Struktur der Chromosomen bei normaler Chromosomenzahl ändern (strukturelle Chromosomenaberrationen). Ein Beispiel ist das Katzenschrei-Syndrom, bei dem ein Abschnitt des Chromosoms 5 und somit einige Gene verloren gehen, was zu körperlichen Fehlbildungen und geistigen Defiziten führt.

4.4.2 Apoptose und Nekrose

Unter **Apoptose** versteht man einen programmierten, eingeleiteten Zelltod. Dieser Zelltod kann durch äußere Einflüsse gesteuert werden, etwa wenn veränderte Zellen vom Immunsystem erkannt werden und deshalb der Zelltod eingeleitet wird (animierter Zelltod). Die Signale, die zur Selbstzerstörung der Zelle führen, werden von den T-Zellen gesteuert. Bei der programmierten Apoptose eliminieren sich Zellen selbst, entweder nach einem genetisch festgelegten Ablaufdatum oder um die Zellzahl in Geweben mit hoher Zellteilungsrate konstant zu halten.

Im Gegensatz zur Apoptose ist die **Nekrose** der Untergang von Zellen durch schädigende Einflüsse wie Krankheitserreger, Hitze, Kälte, Strahlung oder andere chemische oder physikalische Ursachen. Die Nekrose bewirkt eine Entzündungsreaktion im betroffenen Gewebe.

Übungsfragen

1. Definiere den Begriff Zelle und nenne die Grundbausteine einer Zelle.
2. Wie ist die Zellmembran aufgebaut und welche Funktionen erfüllt sie?
3. Wie sind die Zellorganellen aufgebaut und welche Funktionen erfüllen sie?
4. Welche menschliche Zelle hat weder Zellkern noch Organellen? Warum hat diese Zelle keinen Zellkern und welche Funktionen fehlen ihr deshalb?
5. Was versteht man unter Chromosom, Chromatin, Chromatid und Zentromer?
6. Was ist ein Gen?
7. Beschreibe den Aufbau der DNA. Wo findet man sie und welche Funktion hat sie?
8. Beschreibe den Aufbau der RNA. Wo findet man sie und welche Funktion hat sie? Unterscheide m-RNA und t-RNA.
9. Erkläre die Abläufe während der Mitose und der Meiose. Was sind die Ziele der Mitose und der Meiose, welche Zellen teilen sich durch Mitose, welche durch Meiose?
10. Erkläre den Ablauf der Proteinbiosynthese.
11. Unterscheide die passiven Transportvorgänge Diffusion und Osmose und die aktiven Transportvorgänge Endozytose, Exozytose und Phagozytose.

5 Genetik und Evolution

Wie bereits im vorigen Kapitel erwähnt, besitzt jede menschliche Körperzelle 46 Chromosomen bzw. 23 Chromosomenpaare, wovon 22 Paare Autosomen und das letzte Paar die Geschlechtschromosomen oder Gonosomen sind. Bei Frauen besteht dieses letzte Paar aus zwei X-Chromosomen, beim Mann aus einem X- und einem Y-Chromosom. Körperzellen besitzen also einen doppelten Chromosomensatz, sie sind diploid. Dies ist der Ausdruck dafür, dass bei der Befruchtung einer Eizelle durch eine Spermienzelle die einzelnen Chromosomen in der Zygote paarweise zusammengeführt werden. Eizellen und Spermienzellen besitzen nur 23 Chromosomen, also einen einfachen, haploiden Chromosomensatz, welcher durch Meiose entsteht.

> Beachte den Unterschied zwischen Geschlechtszelle und Geschlechtschromosom. Eizellen und Spermienzellen sind Geschlechtszellen (Keimzellen, Gameten), sie besitzen als 23. Chromosom ein Geschlechtschromosom, die Eizelle ein X, die Spermienzelle ein X oder ein Y. Körperzellen besitzen sogar zwei Geschlechtschromosomen, weibliche zwei X, männliche ein X und ein Y.

5.1 Chromosomen, Gene, Allele

Chromosomen findet man in jedem Zellkern, sie bestehen aus DNA und stellen die Gesamtheit unserer Gene, also unsere Erbinformation, dar. Chromosomen kommen in den Zellen, mit Ausnahme der Ei- und Spermienzellen, immer paarweise vor. Ein Chromosom eines Paares haben wir von unserer Mutter, das andere von unserem Vater geerbt. Gene sind Abschnitte auf der DNA, die an einem bestimmten Platz liegen. Da die Chromosomen doppelt vorhanden sind, sind auch die Gene und damit die Erbinformationen doppelt vorhanden. Diese doppelten Gene bezeichnet man als **Allele.** Allele können erbgleich sein, sie können sich aber auch unterscheiden. So können wir von einem Elternteil braune Haare und vom anderen Elternteil blonde Haare vererbt bekommen haben.

Genotyp und Phänotyp
Als **Genotyp** bezeichnen wir die Erbinformationen, welche in den Allelen unserer Gene vorhanden sind. Ist in beiden Allelen dieselbe Information vorhanden, ist das Individuum in Bezug auf dieses Merkmal **reinerbig oder homozygot.** Sind die beiden Allele unterschiedlich, ist das Individuum bezüglich dieser Information **gemischterbig oder heterozygot.** Je nach Erbgang kann eines dieser Merkmale oder auch eine Mischform beider Merkmale nach außen hin zur Ausprägung kommen. Dieses sichtbare Erscheinungsbild unserer Erbinformation nach außen heißt **Phänotyp.**

> Als Genotyp wird die gesamte genetische Ausstattung in der DNA eines Individuums bezeichnet, als Phänotyp das Erscheinungsbild des Organismus.

Erbgänge
Es gibt unterschiedliche Erbgänge, die das äußere Erscheinungsbild, den Phänotyp, bei einem bestimmten Genotyp bestimmen. So werden einige Merkmale, welche an den Allelen der Gene vorhanden sind, sichtbar, andere bleiben aber verborgen.

Bei einem **dominanten Erbgang** wird nur eine Information zweier unterschiedlicher Allele, nämlich die des dominanten Allels, im Phänotyp sichtbar. Das andere Allel ist gegenüber dem dominanten **rezessiv**. Merkmale können auch rezessiv vererbt werden, die Voraussetzung dafür ist, dass diese Information auf beiden Allelen, also homozygot, vorliegt.

Beispiel: Ein Allel beherbergt die Information Blutgruppe A, das andere Blutgruppe 0. Da A gegenüber 0 dominant ist, wird im Phänotyp die Blutgruppe A zur Ausprägung kommen.

Besitzen beide Allele die rezessive Information 0, dann wird im Phänotyp die Blutgruppe 0 zur Ausprägung kommen.

Unter einem **gemischten (intermediären) Erbgang** versteht man die gemischte Ausprägung zweier heterozygoter Erbmerkmale. Keines dominiert das andere, keines ist unterlegen.

Beispiel: Der gemischte Erbgang lässt sich am besten an den roten und weißen Blütenfarben der Erbsen erklären, wie dies schon Gregor Mendel tat. Befruchtet man eine weiße Erbsenpflanze mit den Pollen einer roten, dann können bei ihren Nachkommen auch Erbsenpflanzen mit rosa Blüten auftreten. Die Allele rot und weiß zeigen sich in diesem Fall im Phänotyp in ihrer gemischten Ausprägung rosa.

Ein **kodominanter Erbgang** bedeutet, dass beide Merkmale heterozygoter Allele im Phänotyp gleich stark ausgeprägt in Erscheinung treten.

Beispiel: Kodominanz sehen wir vor allem wieder bei den Blutgruppen. Sind im Genotyp die beiden Blutgruppen A und B vorhanden, welche beide gegenüber 0 dominant sind, aber nicht zueinander, dann wird der Träger dieser Gene die Blutgruppe AB aufweisen.

Evolution

Unter Evolution versteht man Veränderungen des Erbmaterials, welche auf die nächsten Generationen weitergegeben werden, kombiniert mit Selektion. Selektion ist ein Vorgang, bei dem die am besten an die jeweiligen Lebensbedingungen Angepassten einer Art überleben und sich fortpflanzen. Die Änderungen der Gene können während der Meiose durch Mutationen auftreten.

5.2 Vererbung von Krankheiten

Merkmale können also dominant oder rezessiv vererbt werden. Wesentlich bei der Vererbung von Krankheiten ist jedoch auch, ob die krankmachende Information auf den Autosomen oder am X-Chromosom, also den Gonosomen, lokalisiert ist. Wir unterscheiden folgende Möglichkeiten bei der Vererbung von Krankheiten:

Autosomal-dominante Vererbung von Krankheiten

Wird eine Erkrankung autosomal-dominant vererbt, dann ist das Krankheitsmerkmal an einem der 22 Autosomen lokalisiert und es führt bereits **ein** krankhaftes Allel zur Erkrankung. Auch ein zweites gesundes Merkmal am zweiten Allel kann die Krankheit nicht verhindern.

Beispiele: Marfan-Syndrom (Bindegewebserkrankung), familiäre Hypercholesterinämie (Fettstoffwechselstörung)

Autosomal-rezessive Vererbung von Krankheiten

Ist das krankmachende Merkmal nur auf einem Allel eines Autosoms vorhanden und ist dieses Merkmal gegenüber einem zweiten, gesunden, rezessiv, dann kommt die Krankheit bei diesem Individuum nicht zur Ausprägung. Menschen, die ein krankhaftes rezessives autosomales Gen besitzen, bezeichnet man als Träger einer Erkrankung. Die Krankheit kommt jedoch zur Ausprägung, wenn beide Allele die krankmachende Information tragen.

Beispiele: Mukoviszidose (Stoffwechselerkrankung), Phenylketonurie (Enzymdefekt), Sichelzellanämie (Erkrankung der roten Blutzellen)

X-chromosomal-dominante Vererbung von Krankheiten

Ist ein dominantes krankhaftes Gen am X-Chromosom lokalisiert, dann erkrankt sein Träger. Auch Frauen, die ja zwei X-Chromosomen besitzen, erkranken in diesem Fall.

Beispiel: Rett-Syndrom (schwerwiegende Entwicklungsstörung)

X-chromosomal-rezessive Vererbung von Krankheiten

Ist das krankhafte Gen rezessiv und ist es nur an einem Allel, also nur an einem X-Chromosom vorhanden, dann macht es einen wesentlichen Unterschied, ob es sich um einen Mann oder eine Frau handelt. Besitzt ein Mann ein rezessives Krankheitsgen am X-Chromosom, dann wird er erkranken, da kein zweites X-Chromosom und dadurch auch kein zweites, gesundes Allel vorhanden ist. Weibliche Individuen sind bei dieser Konstellation nur Trägerinnen und gesund. Sie erkranken nur, wenn beide X-Chromosomen homozygot betroffen sind.

Beispiele: Hämophilie (Blutererkrankung), Rot-Grün-Blindheit

Übungsfragen

1. Wie viele Chromosomen besitzt eine menschliche Körperzelle? Wodurch unterscheiden sie sich bei Mann und Frau?
2. Welchen Chromosomensatz besitzen eine reife Eizelle und eine Spermienzelle? Wie können die Geschlechtschromosomen der Eizelle und der Spermienzelle aussehen?
3. Erkläre die Begriffe Chromosom, Gen und Allel.
4. Unterscheide Genotyp und Phänotyp, homozygot von heterozygot.
5. Worin unterscheiden sich ein dominanter, ein rezessiver und ein kodominanter Erbgang?
6. Was bedeutet autosomal-dominant und X-chromosomal-dominant vererbt? Warum erkranken Knaben bei X-chromosomal-rezessiv vererbten Erkrankungen wesentlich häufiger als Mädchen?

6 Gewebe

Gewebe sind Zellverbände gleichartig differenzierter Zellen, also Zusammenschlüsse von Zellen gleicher Funktion. Einige Gewebe bestehen nur aus dicht aneinander gelagerten Zellen, andere werden durch mehr oder weniger Zwischenzellsubstanz (Interzellularsubstanz) zwischen den Zellen, in die unterschiedliche Fasern eingelagert sein können, ergänzt.

Wir unterscheiden lediglich vier Gewebearten: **Epithelgewebe, Binde- und Stützgewebe, Muskelgewebe und Nervengewebe**, die sich allerdings noch in Untergruppen unterteilen lassen. Fügt man unterschiedliche Gewebe zusammen, dann entstehen **Organe**. In Organen unterscheidet man das **Funktionsgewebe** oder **Parenchym** vom **Organbindegewebe** oder -stützgewebe, dem **Stroma**, das dem Organ auch die lebensnotwendigen Strukturen, wie Arterien, Venen und Nerven, zuführt.

Die Reihenfolge, in der die Gewebe im Folgenden aufgezählt werden, entspricht ihrer Fähigkeit zur Regeneration. So besitzt das Epithelgewebe wesentlich mehr teilungsfähige Zellen als das Muskelgewebe oder gar das Nervengewebe. All diese Gewebearten bestehen aus vollständig differenzierten Zellen, beinhalten jedoch eine unterschiedliche Anzahl weniger ausgereifter Zellen, wie adulte Stammzellen und Blasten. Am teilungsfreudigsten sind die Wechselgewebe (rotes Knochenmark, Oberflächenepithelien der Haut und Schleimhäute). Weniger Zellteilungen findet man in den Dauergeweben (Drüsenepithelien, Bindegewebe und glatte Muskulatur). In den Ruhegeweben (Herzmuskel, Skelettmuskeln, Nervengewebe) findet kaum Regeneration statt.

6.1 Epithelgewebe

Dieser Gewebetyp besteht ausschließlich aus Epithelzellen ohne Interzellularsubstanz, ohne Fasern und ohne Blutgefäße. Die unterste Zellschicht sitzt einer zarten bindegewebigen Basalmembran auf, welche das Epithel vom darunterliegenden Gewebe abgrenzt. Diese basalen Zellen sind die teilungsfähigen **Stammzellen**, von denen die Erneuerung des Gewebes ausgeht.

Epithelzellen können nach ihrer Form als **platte**, **kubische** (isoprismatische) oder **zylindrische** (hochprismatische) Zellen erscheinen. Die Zellform entspricht der Funktion des jeweiligen Epithelgewebes. So haben Epithelien, die etwa Blutgefäße auskleiden oder Organoberflächen begrenzen, ein plattes Aussehen. Zellen, die Stoffe aufnehmen oder abgeben können, besitzen ein wesentlich größeres Volumen und eine würfelige oder zylindrische Form.

Epithelgewebe treten im menschlichen Organismus in Form von **Oberflächenepithelien**, **Drüsenepithelien** und **Sinnesepithelien** auf. Zu ihren vielfältigen Funktionen gehören der Schutz vor äußeren schädigenden Einflüssen, der Schutz vor Verdunstung von Körperwasser, die Resorption von Nährstoffen, die Sekretion von Körpersäften, Enzymen, Hormonen und die Wahrnehmung von Sinnesreizen.

6.1.1 Epithel, Mesothel, Endothel

Epithelgewebe ist der Überbegriff für einen Gewebetyp, welcher sich nach seinem Ursprung und seiner Lage in Epithel im engeren Sinne, Mesothel und Endothel unterscheiden lässt.

Epithelzellen können sich aus dem embryonalen äußeren Keimblatt (Ektoderm), dem mittleren Keimblatt (Mesoderm) und dem inneren Keimblatt (Entoderm) entwickeln.

Aus den **äußeren und inneren Keimblättern (Ektoderm und Entoderm)** entwickeln sich die Oberflächenepithelien der Haut und der Schleimhäute, welche die inneren Oberflächen des Verdauungstraktes, der Atemwege und des Urogenitaltraktes auskleiden, die Drüsenepithelien, bei denen es sich um in die Tiefe verlagerte Epithelzellen handelt, und die Sinnesepithelien unserer Sinnesorgane. Aus dem **mittleren Keimblatt (Mesoderm)** entwickeln sich das Mesothel und das Endothel.

Unter **Mesothel** versteht man das platte unverhornte Epithel der serösen Häute, welche diverse Körperhöhlen (Lungenfell, Bauchfell, Herzbeutel) auskleiden und freie Organoberflächen überziehen. Es ist zur Sekretion einer serösen Flüssigkeit fällig.

Unter **Endothel** versteht man die zarte Schicht platter Zellen, welche die Innenseite von Blut- und Lymphgefäßen auskleidet. Auch die Innenseite des Herzens und die Herzklappen haben einen Überzug aus glatten, einschichtigen Endothelzellen, welcher auch als **Endokard** bezeichnet wird.

Alle Epithelien, die Oberflächen überziehen, werden im Folgenden unter dem Überbegriff Oberflächenepithel abgehandelt.

6.1.2 Oberflächenepithel

Oberflächenepithelien überziehen die gesamten inneren und äußeren Oberflächen des Körpers. Die eine (basale) Seite der Zellschicht sitzt einer Basalmembran auf, die die Epithelzellen vom darunterliegenden Bindegewebe abgrenzt. Die andere Seite der Zellschicht begrenzt freie Oberflächen nach außen oder im Körperinneren. Beispiel hierzu ist das Epithel der Haut, der Schleimhäute an der Innenseite von Hohlorganen wie Magen oder Darm, das Epithel an Organoberflächen, wie Leber oder Milz, oder die Auskleidung von Blut- und Lymphgefäßen. Oberflächenepithelien, die die Innenseite von Blut- und Lymphgefäßen auskleiden, werden wie erwähnt als **Endothel** bezeichnet, jene, die die Organe als seröse Häute überziehen, als **Mesothel**. Untereinander stehen die Epithelzellen je nach Lokalisation in mehr oder weniger engem Kontakt. Epithelgewebe besitzen keine Blutgefäße und werden vom darunterliegenden Bindegewebe durch Diffusion ernährt.

Oberflächenepithelien können **einreihig**, **mehrreihig** oder **mehrschichtig** angeordnet sein. Die apikale, der Basalmembran abgewandte, Zellseite kann verschiedene Einrichtungen wie Kinozilien (Flimmerhärchen) oder Mikrovilli zur Oberflächenvergrößerung tragen.

6.1.2.1 Unterteilung der Oberflächenepithelien nach Form und Schichtung

Nach der Form der obersten Zellschicht kann man **platte Epithelien, würfelförmige oder kubische (isoprismatische) und zylindrische oder hochprismatische Epithelien** unterscheiden. Je höher die Zellen sind, umso größer ist ihre Resorptions- oder Sekretionsleistung. Unter Resorption versteht man die Aufnahme von Substanzen aus der Umgebung, wie etwa im Darm bei der Verdauung. Unter Sekretion versteht man das Absondern oder Ausschleusen von Stoffen aus der Zelle.

Neben der Form der Epithelzellen spielt auch ihre Schichtung für die Funktion eine nicht unwesentliche Rolle. **Einschichtige Epithelien** besitzen eine einzige Zellschicht, wobei alle Zellen mit einer Seite der bindegewebigen Basalmembran aufsitzen und mit der gegenüberliegenden Seite eine Oberfläche begrenzen. **Mehrschichtige Epithelien** zeigen viele übereinandergeschichtete Lagen von Epithelzellen, wobei nur die unterste Zellschicht der Basalmembran aufliegt und die oberste Zelllage eine Oberfläche begrenzt.

Die Zellform der obersten Schicht wird für die Bezeichnung des Epitheltyps herangezogen. So zeigen nur die obersten Zellen eines mehrschichtigen platten Epithels wirklich eine platte Form. Mehrschichtige Epithelien haben aufgrund ihrer Dicke eine gewisse Schutzfunktion. **Mehrreihige Epithelien** unterscheiden sich von den mehrschichtigen dadurch, dass alle Zellen mit der einen Seite der Basalmembran aufliegen, aber nicht alle bis zur Oberfläche reichen, da sie unterschiedliche Höhen besitzen.

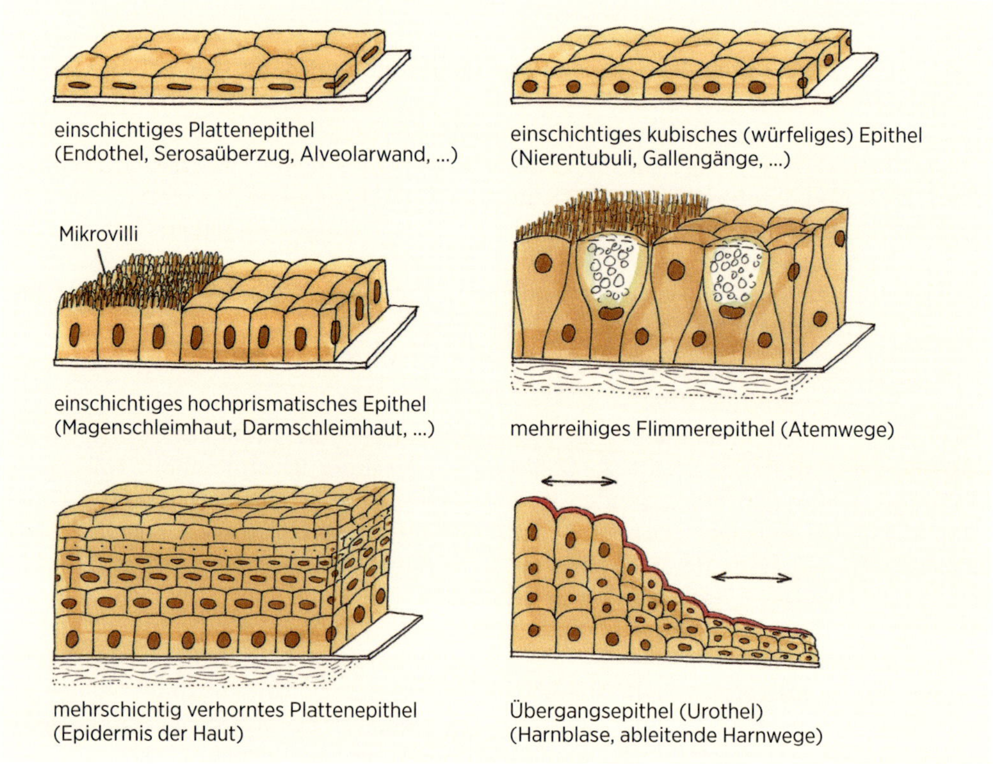

Abb. 24: **Oberflächenepithel**

6.1.2.2 Oberflächendifferenzierung

Das mehrschichtige Plattenepithel der Haut zeigt an seiner äußersten Zellschicht eine **Verhornung**. Dadurch wird es widerstandsfähiger gegen mechanische, chemische und physikalische Einwirkungen. Die verhornte Zellschicht wird durch Beanspruchung in Form von Hautschüppchen abgeschilfert und ständig neu gebildet. Damit dieses Epithel nicht an Höhe verliert, entstehen in der untersten Zellreihe durch Teilung ständig neue Zellen.

Zellen mit einer hohen Resorptionsleistung zeigen am apikalen Zellpol häufig fingerförmige Zytoplasmaausstülpungen, **Mikrovilli**, um ihre resorptive Oberfläche zu erhöhen. Diese auch als **Bürstensaum** bezeichneten Mikrovilli findet man zum Beispiel an den Zellen der Dünndarmschleimhaut, um die Nährstoffe aus dem Speisebrei aufzunehmen.

An der Schleimhautoberfläche der Atemwege sitzen mikroskopisch kleine Flimmerhärchen, die **Kinozilien**, die durch schlagende Bewegungen Schleim und Schmutzpartikel aus den unteren Atemwegen nach oben befördern. Kinozilien dienen im Eileiter dem Weitertransport des befruchteten Eies in die richtige Richtung und in den Samenwegen der Weiterbewegung der Spermien.

Tab. 20: **Epithelien**

Epitheltyp	Aussehen und Anordnung der Zellen	Lokalisation und Funktion	
Plattenepithel			
Einschichtiges Plattenepithel	Geschlossene, dünne Zelllage platter Zellen, die alle der Basalmembran aufsitzen	Auskleidung der Lungenbläschen (Alveolen), innere Zellschicht der Bowman-Kapsel der Nierenkörperchen	Diffusion der Atemgase, Filtration des Primärharns
		Endothel der Blutgefäße, Endokard im Herzen, Mesothel der serösen Häute (Perikard, Pleura, Peritoneum)	Zarte, glatte Abdeckung von Oberflächen, Feuchthalten dieser Oberflächen
Mehrschichtiges unverhorntes Plattenepithel	Mehrere übereinander angeordnete Zellschichten, nur die unterste Zellschicht sitzt der Basalmembran auf, die oberste besteht aus platten Zellen	Innere Auskleidung der Mundhöhle, des Rachens, der Speiseröhre, der Scheide, der Harnröhre, äußerste Zellschicht der Hornhaut des Auges	Mechanische Schutzfunktion
Mehrschichtiges verhorntes Plattenepithel	Die obersten Zellschichten sind zusätzlich verhornt	Oberste Schicht der Haut	Schützt vor äußeren Einwirkungen und vor Wasserverlust
Kubisches (isoprismatisches) Epithel			
Einschichtiges kubisches Epithel	Geschlossene einfache Zelllage würfelförmiger Zellen, welche alle einer Basalmembran aufsitzen	Drüsenepithel, Ausführungsgänge von Drüsen, Nierenkanälchen	Sekretion (Absondern) und Resorption (Aufnahme) von Stoffen
Mehrschichtiges kubisches Epithel	Mehrere übereinander angeordnete Lagen kubischer Zellen	Follikelepithel der Sekundär- und Tertiärfollikel im Eierstock (kein Oberflächenepithel, da es innerhalb des Ovars liegt!)	Sekretion des Hormons Östrogen
Hochprismatisches Zylinderepithel			
Einschichtiges Zylinderepithel	Hohe Zellen, die in einfacher Zelllage der Basalmembran aufsitzen	Mit Mikrovilli ausgestattet als oberste Schleimhautschicht des Darms	Sekretion von Verdauungsstoffen und Resorption von Nährstoffen
		Mit Kinozilien (Flimmerhärchen) ausgestattet im Eileiter	Transport der Eizelle in Richtung Gebärmutter
Mehrreihiges hochprismatisches Epithel	Eine Zelllage zylindrischer Zellen sitzt der Basalmembran auf, die Zellen erreichen jedoch nicht alle die Oberfläche (sind unterschiedlich hoch)	Als Flimmerepithel (mit Kinozilien) als Auskleidung der Atemwege, Auskleidung von Tränensack und Tränenkanälchen	Abtransport von Schleim und Schmutzpartikeln aus den Atemwegen
Übergangsepithel (Urothel)	Mehrschichtiges (!) Epithel mit einer obersten Zelllage großer kubischer Zellen, welche mehrere Zellen der unteren Zellschicht bedecken	Nierenbecken, Harnblase, Harnleiter	Sehr dehnbar bei Füllung der Blase, Barriere gegen aggressiven Harn

6.1.3 Sinnesepithel

Sinnesepithelzellen nehmen unterschiedliche Reize aus der Umwelt auf und leiten diese über Nervenfasern weiter zum zentralen Nervensystem, wo sie verarbeitet werden. Zu ihnen zählen die Sinneszellen in der Haut, die Zellen der Netzhaut (Retina) des Auges, das Riechepithel der Nasenschleimhaut, die Sinneszellen im Innenohr und die Geschmackszellen des Zungenrückens. Sie werden eingehend im Kapitel „Sinnesorgane" besprochen.

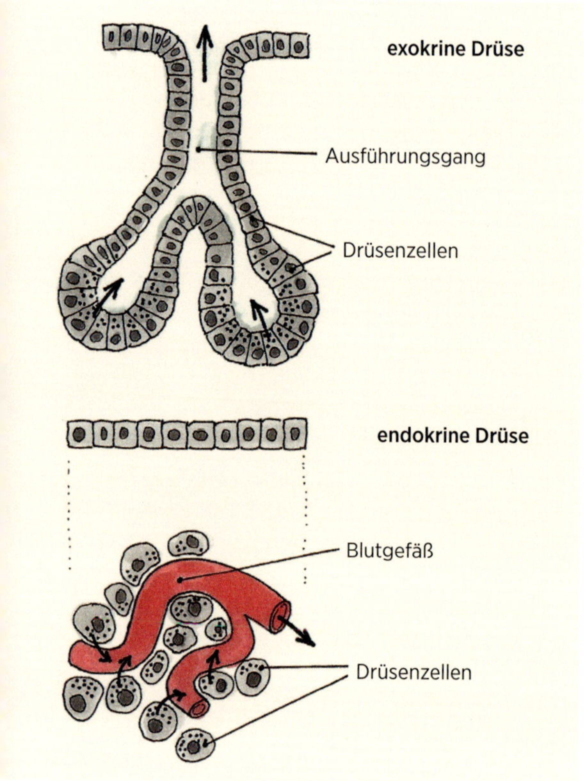

Abb. 25: **Drüsen**

6.1.4 Drüsenepithelien

Drüsenzellen sind spezialisierte Epithelzellen, die Sekrete produzieren, speichern und sezernieren können. Drüsenepithelzellen können als einzelne Zellen, wie schleimproduzierende **Becherzellen**, im Verband von Oberflächenepithelien wie der Darmschleimhaut oder der Bronchialschleimhaut vorkommen oder als größere Zellansammlungen, welche das Funktionsgewebe (Parenchym) drüsiger Organe bilden. Dabei handelt es sich um in die Tiefe verlagerte Epithelzellen, die teilweise einen Ausführungsgang als Verbindung zur Oberfläche behalten haben oder keine Verbindung mehr nach außen besitzen. Nach ihrem Ausscheidungsverhalten unterscheiden wir exokrine von endokrinen Drüsen.

Exokrine Drüsen geben ihre Sekrete durch einen Ausführungsgang an eine innere oder äußere Körperoberfläche (nach außen = exokrin) ab. Beispiele sind die Magen-Darm-Drüsen, Schweißdrüsen, Talgdrüsen, Speicheldrüsen, die Drüsenzellen der Leber und der exokrine Anteil der Bauchspeicheldrüse, der Verdauungssäfte in den Dünndarm abgibt.

Endokrine Drüsen geben ihre Produkte ohne Ausführungsgang direkt ins Blut, in die Lymphe oder in das unmittelbar benachbarte Gewebe (nach innen = endokrin) ab. Endokrine Drüsen produzieren Hormone, daher werden die Begriffe endokrine Drüse und Hormondrüse synonym verwendet. Als Beispiele seien die Schilddrüse, der Hoden, der Eierstock und auch der insulinproduzierende endokrine Anteil der Bauchspeicheldrüse (Langerhans-Inseln) genannt.

Nach der Zusammensetzung der Sekrete können wir **seröse Drüsen** mit einem wässrigen Sekret, **muköse Drüsen** mit schleimigem Sekret und **seromuköse Drüsen** (gemischte Drüsen) unterscheiden. Viele Schleimdrüsen der Atemwege sind gemischte Drüsen, was sich in den unterschiedlichen Phasen von Erkältungen mit teilweise dünnflüssigen, dann wieder zähen Sekreten sichtbar äußert.

Drüsen werden aber auch nach ihrem Ausscheidungsverhalten unterschieden, wodurch folgende Einteilung möglich wird: **Merokrine Sekretion** nennt man das Absondern des Drüsensekrets aus der Zelle durch **Exozytose**. Dabei verschmelzen die Oberflächen der Vesikel, die das Sekret beinhalten, mit der Zelloberfläche und geben ihren Inhalt nach außen frei. Die Drüsenzelle bleibt so zur Gänze erhalten. Merokrine Sekretion findet man zum Beispiel an den Speicheldrüsen. **Apokrine Sekretion** bedeutet das Abstoßen der gesamten mit Sekret gefüllten Zellspitze (Apex), es geht ein Teil des Zytoplasmas und der Zellmembran verloren. Diese Sekretionsart findet man bei Milchdrüsen, den Duftdrüsen um die Brustwarzen oder im Schambereich und den Cerumendrüsen (Ohrschmalzdrüsen) in der Haut des äußeren Gehörgangs. **Holokrine Drüsen** füllen den gesamten Zellraum mit ihrem Sekret aus und sondern die Zelle samt ihrem Inhalt ab. Die Drüsenzellen müssen danach wieder neu gebildet werden. Holokrine Sekretion kommt zum Beispiel bei den Talgdrüsen vor.

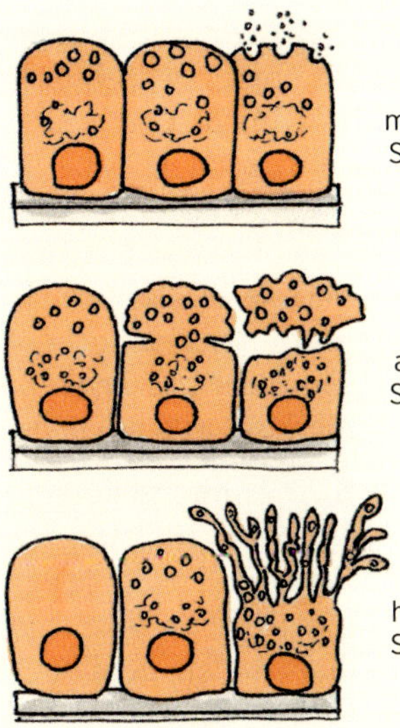

Abb. 26: **Sekretion von Drüsenzellen**

6.2 Binde- und Stützgewebe

Die Binde- und Stützgewebe bestehen im Gegensatz zu den Epithelgeweben nicht nur aus kompakten Zellschichten. Sie setzen sich zusätzlich zu den fixen Bindegewebszellen aus freien Zellen, Interzellularsubstanz unterschiedlicher Zusammensetzung und Bindegewebsfasern zusammen.

Die **Bindegewebe** haben zahlreiche unterschiedliche Funktionen und bieten daher ein vielfältiges Bild. So dient zum Beispiel das lockere Bindegewebe als Füllgewebe zwischen oder innerhalb von Organen als Leitstruktur für Gefäße und Nerven. Straffes Bindegewebe schützt und umhüllt Organe in Form von Organkapseln und bildet Sehnen und Bänder. Die **Stützgewebe** haben wesentlich mehr Festigkeit und ermöglichen die Stabilisierung des Körpers in Form von Knochen und Knorpeln.

Entsprechend ihrer Zusammensetzung werden die Bindegewebe in zellreiche, faserreiche und interzellularsubstanzreiche Bindegewebe unterteilt. Zu den **zellreichen Bindegeweben** gehören das mesenchymale Bindegewebe des Embryos, das Fettgewebe und das retikuläre Bindegewebe der lymphatischen Organe und des Knochenmarks. Die **faserreichen Bindegewebe** lassen sich in das lockere Bindegewebe, welches als Füllgewebe dient, in das straffe kollagene Bindegewebe der Sehnen, Bänder sowie der Organkapseln und in das elastische Bindegewebe unterteilen. Zu den **interzellularsubstanzreichen Geweben** zählen Knorpel und Knochen, die als Stützgewebe zusammengefasst werden.

6.2.1 Aufbau der Binde- und Stützgewebe

Binde- und Stützgewebe haben einen unterschiedlich hohen Anteil an fixen Bindegewebszellen, die für die einzelnen Gewebearten typisch sind und spezifische Funktionen erfüllen. Zusätzliche freie Zellen sind aus dem Blut in die Gewebe eingewandert und übernehmen nun Abwehrfunktionen bei entzündlichen Prozessen oder sind an Heilungsvorgängen beteiligt.

6.2.1.1 Zellen der Binde- und Stützgewebe

Unter **fixen Bindegewebszellen** versteht man Zellen, die typisch für die unterschiedlichen Gewebearten sind und dort immer vorhanden sind. Je nach Funktion und Gewebetyp tragen diese Zellen spezifische Namen. Als **Blasten** bezeichnet man junge, aktive Zellformen, die sich gut teilen können und Bindegewebsfasern sowie Interzellularsubstanz bilden und abscheiden. Es handelt sich durchwegs um große, runde Zellen als Ausdruck ihrer Aktivität. **Zyten** sind ältere, inaktive Formen, welche ihre Teilungsfähigkeit weitgehend verloren haben und keine Syntheseleistungen mehr erbringen. Sie haben häufig eine schmale, spindelige Form und ruhen einfach in den Geweben. Im Stützgewebe kommen zusätzlich Fresszellen, die **Klasten**, vor. Klasten bauen das Gewebe bei Umbauvorgängen ab, sie zeigen häufig mehrere Kerne innerhalb einer Zelle.

Im Bindegewebe heißen die fixen Zellen **Fibroblasten** und **Fibrozyten**. Im Knorpel findet man **Chondroblasten, Chondrozyten** und **Chondroklasten**, im Knochen die fixen **Osteoblasten, Osteozyten** und **Osteoklasten**.

Freie Bindegewebszellen sind aus dem Blut eingewanderte Zellen, die bei Abwehr- und Entzündungsvorgängen und bei allergischen Reaktionen aktiv werden; es handelt sich um Histiozyten, Mastzellen, Lymphozyten und große Fresszellen (Makrophagen), die Monozyten. Die freien Zellen werden im Kapitel „Blut" ausführlich besprochen.

6.2.1.2 Interzellularsubstanz

Die Substanz zwischen den Zellen besteht aus einer Grundsubstanz unterschiedlicher Festigkeit, in die Fasern eingelagert sein können. Die Grundsubstanz ist eine homogene, je nach Flüssigkeitsgehalt sol- oder gelartige Masse, die von fixen Bindegewebszellen, den Blasten, gebildet wird. Solartig bedeutet eher dünnflüssig, gelartig eher dickflüssig. In den Stützgeweben können zusätzlich Salze zur Erhöhung der Festigkeit eingelagert sein. Zu den Aufgaben der Grundsubstanz zählen der Stoffaustausch zwischen dem Blut und den Zellen und die Formgebung des Gewebes.

Wir können drei Arten von Fasern mit sehr unterschiedlichen Eigenschaften und Aussehen unterscheiden. Die zarten **retikulären Fasern** bilden das dreidimensionale netzartige Stützgerüst der sogenannten retikuloendothelialen Organe, wie Leber, Milz, Lymphknoten und Knochenmark. Zwischen diesen retikulären Fasern sind die Parenchymzellen des jeweiligen Organs angesiedelt. **Kollagene Fasern** sind zugfeste Fasern mit geringer Dehnbarkeit, aber starker Belastbarkeit. Sie kommen in Geweben mit hohen mechanischen Aufgaben wie der Lederhaut des Auges, Sehnen und Bändern oder in Organkapseln vor. Man findet sie aber auch im Knochen und im hyalinen Knorpel. **Elastische Fasern** sind gut dehnbar und finden sich in Geweben mit hoher Dehnungsbeanspruchung. Sie kommen in elastischen Bändern, im elastischen Knorpel und in gut dehnbaren Blutgefäßen, wie der Aorta, vor.

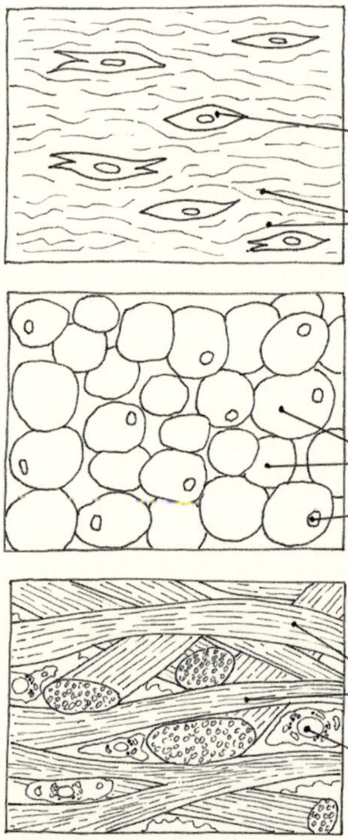

Abb. 27: **Bindegewebe**

6.2.2 Arten von Bindegeweben

Je nach dem Verhältnis von Zellen zur Grundsubstanz und den eingelagerten Fasern unterscheidet man zwischen zellreichen und faserreichen Bindegeweben. **Faserreiche** Bindegewebe besitzen eine Eigenform, **zellreiche** verändern ihre Form, sobald sie aus ihrem Verband im Körper gelöst werden. Sehnen, Bänder oder die harte Hirnhaut behalten auch außerhalb des Körpers ihre Form, lockeres Bindegewebe oder Fettgewebe eben nicht.

Die folgende Tabelle gibt eine Übersicht über die unterschiedlichen Bindegewebe:

Tab. 21: **Arten von Bindegeweben**

Gewebetyp	Eigenschaften	Vorkommen und Aufgaben
Mesenchymales Bindegewebe	Embryonales Gewebe; Mesenchymzellen sind pluripotent und können sich gut teilen und in andere Gewebszellen differenzieren	Erstes Gewebe, das zwischen den 3 Keimblättern beim Embryo entsteht
Gallertiges Bindegewebe (Wharton'sche Sulze)	Die Grundsubstanz bindet durch ihren hohen Anteil an Hyaluronsäure reichlich Wasser, wodurch es eine stabile Struktur erhält.	Nabelschnur (durch die gallertige Struktur knicken die Nabelschnur und ihre Blutgefäße nicht ab)
Kollagenes Bindegewebe		
Lockeres kollagenes Bindegewebe	Es besteht zu etwa gleichen Teilen aus Zellen, Fasern und Grundsubstanz, besitzt keine konstante Eigenform, enthält reichlich freie Zellen.	Es dient als Füllgewebe zwischen Organen, bildet das Stroma innerhalb von Organen und die Bindegewebsschicht unter der Epithelschicht von Haut und Schleimhäuten.
Straffes kollagenes Bindegewebe	Es überwiegen die kollagenen Fasern, sie verleihen diesem Gewebe eine konstante Eigenform.	Stütz- und Schutzfunktion
	Beim geflechtartigen straffen Bindegewebe liegen die Faserbündel miteinander verwoben vor, es entstehen flächige Gebilde.	Organkapseln, harte Hirnhaut, Lederhaut des Auges, Knochenhaut, Gelenkskapseln, Muskelfaszien
	Beim parallelfaserigen straffen Bindegewebe liegen die Fasern geordnet nebeneinander, es entstehen längsgeordnete zugfeste Gebilde.	Sehnen und Bänder zwischen Muskeln und Knochen
Elastisches Bindegewebe	In diesem Gewebe überwiegen deutlich die elastischen Fasern.	Stimmbänder, welche durch den Luftstrom schwingen, in der Aorta – zur Dehnung während der Systole, in den Alveolen der Lunge
Retikuläres Gewebe	Zarte retikuläre Fasern und sternförmige Retikulumzellen bilden ein zartes Netzwerk, in dem Abwehrzellen und Blutzellen eingebettet sind.	Rotes Knochenmark (Blutbildung), Lymphknoten, Milz (Abwehrfunktion)
Fettgewebe	Fettgewebe besteht aus retikulären Fasern und besonderen Bindegewebszellen, den Fettzellen, die **Fetttröpfchen** speichern.	
Braunes Fettgewebe	Es besitzt kleine Fettzellen, die viele Fetttröpfchen speichern. Farbstoffe (Zytochrome) färben dieses Gewebe braun.	Es kommt vor allem im Säuglings- und Kleinkindalter vor und dient der Wärmebildung.
Weißes Fettgewebe	Es besitzt große Fettzellen, die jeweils mit einem einzelnen Fetttropfen gefüllt sind, ihr Füllungsgrad ist höchst unterschiedlich.	Kommt als Speicherfett vorwiegend im Unterhautfettgewebe am Gesäß, an den Beinen, am Bauch und innerhalb der Bauchhöhle im Gekröse vor. Speichert Energie, produziert aber auch hormonähnliche Substanzen, die sich ungünstig auf den Körper auswirken. Als Baufett findet man es an den Fußsohlen, als Nierenlager und in der Augenhöhle – es wird erst bei extremer Abmagerung mobilisiert.

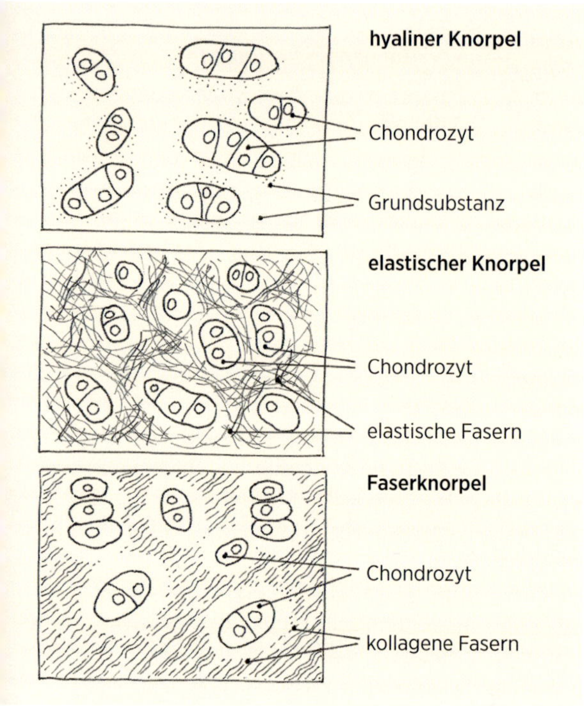

Abb. 28: **Knorpel**

6.2.3 Stützgewebe

Stützgewebe bestehen wiederum aus spezifischen fixen Zellen, unterschiedlichen Anteilen von Interzellularsubstanz, in die Mineralien wie Kalzium oder Fluor eingelagert sein können, und Fasern. Das Charakteristikum der Stützgewebe ist ihre Festigkeit und Eigenform. Man unterteilt sie in Knorpel- und Knochengewebe.

6.2.3.1 Knorpelgewebe

Knorpelgewebe besteht zum überwiegenden Anteil aus Knorpelgrundsubstanz und seinen fixen Zellen. Es besitzt keine Blutgefäße, keine Lymphgefäße und keine Nerven, es wird deshalb nur durch Diffusion ernährt und heilt bei Schädigung dementsprechend schlecht. Die spezifischen ruhenden Zellen des Knorpels sind die **Chondrozyten**, junge Knorpelzellen heißen **Chondroblasten**, Knorpelfresszellen **Chondroklasten**. Chondroblasten weisen eine gewisse Teilungsrate auf und sie scheiden die Knorpelgrundsubstanz und Fasern ab, wodurch der Knorpel wächst. Verfestigt sich die vorerst weiche Grundsubstanz, wandeln sich die Chondroblasten in inaktive, ruhende Chondrozyten um, die untätig im Knorpel liegen. Chondroklasten werden bei Umbauvorgängen und der Verknöcherung des Knorpels aktiv. Freie Zellen kommen im Knorpel nicht vor. Knorpel besitzt vor allem eine hohe Druck- und auch Zugelastizität.

Je nach Beschaffenheit der Interzellularsubstanz und der Fasern unterscheidet man drei Arten von Knorpel, nämlich hyalinen, elastischen und Faserknorpel.

Tab. 22: **Knorpelgewebe**

Gewebetyp	Eigenschaften	Vorkommen
Hyaliner Knorpel	Der bläulich durchscheinende hyaline Knorpel besteht zum überwiegenden Anteil aus einer wasserspeichernden Grundsubstanz, in die kollagene Fasern und wenige in Gruppen zusammenliegende Knorpelzellen eingebettet sind. Hyaliner Knorpel besitzt eine „gummiartige" Konsistenz und ist besonders druckfest.	Primordialskelett des Embryos, von dem nach der Verknöcherung zunächst die Epiphysenfugen zum Längenwachstum des Knochens und der Gelenksknorpel übrigbleiben. Kehlkopfskelett mit Ausnahme der Epiglottis (Kehldeckel), Knorpelspangen der Trachea (Luftröhre), Rippenknorpel
Elastischer Knorpel	Im gelblichen elastischen Knorpel überwiegen die zahlreichen von helleren Zellhöfen umgebenen Knorpelzellen, die in eine Grundsubstanz mit kollagenen und elastischen Fasern eingebettet sind. Dieser Knorpel ist sehr biegsam und kehrt nach Verformung wieder in seine ursprüngliche Form zurück.	Man findet diesen Knorpel im Bereich der Ohrmuschel, des Kehldeckels und der kleineren Bronchien. Der Kehldeckel muss den Kehlkopfeingang vollständig verschließen können.
Faserknorpel	Einzelne Chondrozyten liegen zwischen zahlreichen kollagenen Fasern. Der Faserknorpel ähnelt dem straffen kollagenen Bindegewebe, er besitzt aber keine Blutgefäße und ist sehr widerstandsfähig.	Symphyse zwischen den beiden Schambeinästen, Bandscheiben zwischen den Wirbelkörpern, Menisci im Kniegelenk

6.2.3.2 Knochengewebe

Das Knochengewebe besteht aus einer Grundsubstanz mit zahlreichen kollagenen Fasern, in die Kalksalze zur Erhöhung der Festigkeit eingelagert sind, und den spezifischen fixen Zellen des Knochens. **Osteoblasten** dienen der Knochenneubildung, ruhende Osteozyten haben keine Funktion mehr und **Osteoklasten** bauen die Knochensubstanz bei Umbauvorgängen ab. Knochen ist im Gegensatz zu Knorpel relativ gut durchblutet, kleine Blutgefäße gelangen von der Knochenhaut (Periost) in die Knochensubstanz, welche sie in horizontaler und vertikaler Richtung durchziehen. Knochen ist wesentlich härter als Knorpel und widerstandsfähig gegenüber Druck, Biegung und Drehung.

Beim Knochengewebe unterscheidet man den primitiven Geflechtknochen des Neugeborenen vom Lamellenknochen, welcher sich erst mit der Zeit unter Belastung ausbildet. Der Lamellenknochen weist eine geordnete Struktur auf, die Anordnung der Lamellen entspricht der jeweiligen Beanspruchung.

Die Knochen des Skeletts sind beim Ungeborenen in einer bindegewebigen Vorstufe angelegt. Einige dieser Knochenanlagen verknöchern direkt, andere verknöchern erst über eine Zwischenstufe aus hyalinem Knorpel in unterschiedlichen Lebensaltern. Die Verknöcherung beginnt teilweise schon im Mutterleib, ist aber erst nach der Pubertät mit der Verknöcherung der **Epiphysenfugen** (Wachstumsfugen) endgültig abgeschlossen. Die knorpelig angelegten Knochenvorstufen des Embryos werden als **Primordialskelett** bezeichnet.

Je nachdem, ob ein Knochen aus einer bindegewebigen oder einer knorpeligen Anlage entsteht, unterscheidet man zwei Arten der Verknöcherung (Ossifikation), die desmale (bindegewebige) und die chondrale (knorpelige) Ossifikation. Bei beiden Vorgängen lässt sich eine primäre Ossifikation von einer sekundären unterscheiden, wobei bei der primären primitiver Geflechtknochen entsteht, welcher in einem zweiten Schritt, der sekundären Ossifikation, in geordneten Geflechtknochen umgebaut wird. Die Ausbildung von Geflechtknochen findet schon in der Fetalzeit statt, die Umwandlung in Lamellenknochen ist etwa bis zum 5. Lebensjahr weitgehend abgeschlossen.

Auch Knochenbrüche beim Erwachsenen heilen über eine bindegewebige Vorstufe (Knochennarbe) auf die gleiche Art und Weise zuerst über Geflechtknochen, welcher erst sekundär zu Lamellenknochen wird.

Desmale Ossifikation

Einige Knochen sind ursprünglich aus embryonalem Bindegewebe, dem **Mesenchym**, angelegt und werden direkt in Knochen umgewandelt. Dies sind vor allem die platten Knochen des Schädeldaches und des Gesichtsschädels sowie die beiden Schlüsselbeine. Knochen, welche einen knorpeligen Gelenksanteil aus hyalinem Knorpel aufweisen, müssen aus einer knorpeligen Vorstufe hervorgegangen sein.

Bei der desmalen Verknöcherung wachsen zahlreiche Blutkapillaren in das mesenchymale Bindegewebe ein und die multipotenten Mesenchymzellen werden in Osteoblasten umgewandelt (differenziert). Diese zeigen eine rege Teilungstätigkeit, vermehren sich also, und scheiden das sogenannte Osteoid aus Knochengrundsubstanz und kollagenen Fasern ab. In diese werden Kalziumsalze (Kalk) eingelagert, wodurch das Bindegewebe zunehmend in Knochen umgewandelt wird. Der Knochen, der nun entstanden ist, ist ein ungeordneter Geflechtknochen, der unter Beanspruchung in einen geordneten, wesentlich stabileren Lamellenknochen umgebaut wird.

Desmal entstandene Knochen heißen Beleg- oder Deckknochen.

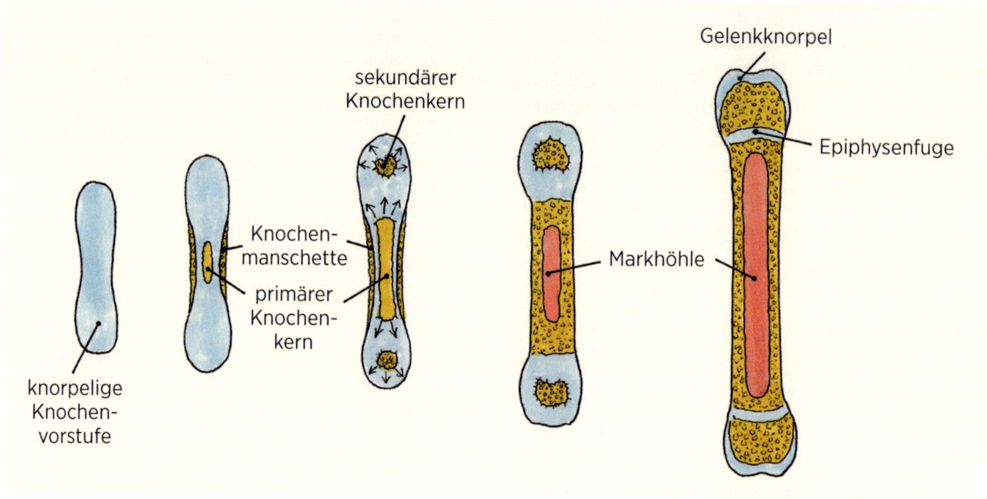

Abb. 29: **Chondrale Ossifikation**

Chondrale Ossifikation

Bei der chondralen Ossifikation sind die Knochen schon als knorpelige Zwischenstufe, das Primordialskelett, angelegt, welches ebenfalls verknöchert. Auch dieses ist ursprünglich aus dem Mesenchym hervorgegangen. Als knorpelige Knochenvorstufen liegen die langen Röhrenknochen und die kurzen Knochen der Extremitäten, Brustbein, Schulterblatt und Rippen, die Beckenknochen und die Wirbel vor. Auch einige Anteile der Schädelknochen entstehen aus einer knorpeligen Vorstufe.

Die chondrale Ossifikation lässt sich gut an den Verknöcherungsvorgängen eines Röhrenknochens erklären. Dabei entstehen im Schaft (Diaphyse) und in den beiden Enden (Epiphysen) der knorpeligen Knochenvorstufe Knochenkerne, indem sich Mesenchymzellen in Osteoblasten umwandeln. Von diesen Knochenkernen ausgehend verknöchert der Knochen in diesen Abschnitten von innen her nach außen (enchondrale Ossifikation). Der Knorpel wird durch Chondroklasten abgebaut, neuer Knochen kann entstehen. Gleichzeitig wandeln sich embryonale Zellen im Bereich des Knochenschaftes in Osteoblasten um, welche zunehmend eine Knochenmanschette um den Knochen bilden und in diesem Bereich den Knochen von außen nach innen verknöchern lassen (perichondrale Ossifikation). So verknöchert die knorpelige Knochenanlage immer mehr, bis an den Knochenenden der hyaline Knorpel nur mehr an den Gelenkflächen übrigbleibt. Zwischen Epiphyse und Diaphyse, also zwischen Knochenende und Knochenschaft, bleibt eine knorpelige Epiphysenfuge als Wachstumsfuge bis zum Ende der Pubertät bestehen.

Auch bei der chondralen Ossifikation entsteht zuerst primär Geflechtknochen, der im Laufe der Zeit sekundär in Lamellenknochen umgebaut wird.

Chondral entstandene Knochen werden Ersatzknochen genannt, da der Knorpel durch Knochengewebe ersetzt wurde. Der **Geflechtknochen** sieht aus wie ungeordnetes verknöchertes Bindegewebe. Er wird erst durch die gerichteten Kräfte, welche bei Belastung auf den Knochen einwirken, in den stabilen Lamellenknochen umgewandelt.

Der **Lamellenknochen** ist so aufgebaut, dass er möglichst wenig Material benötigt und daher leicht und trotzdem maximal widerstandsfähig ist. Er besteht aus zahlreichen Osteonen, Knochensäulen aus mehreren übereinander angeordneten Knochenlamellen, die sich in Längsrichtung konzentrisch um einen zentralen Kanal, den **Havers'schen**

Kanal, anordnen. Im Zentrum des Havers'schen Kanals verlaufen eine zarte Arterie und ihre begleitende Vene. Havers'sche Gefäße stehen über horizontal in Volkmann-Kanälen verlaufende Blutgefäße miteinander in Verbindung. An der Knochenaußenseite umfasst eine große Generallamelle den gesamten Knochen, welche wiederum von der Knochenhaut, dem **Periost**, überzogen ist.

Im Inneren des Knochenschaftes eines Röhrenknochens befindet sich die **Markhöhle**, welche beim Kind noch mit blutbildendem rotem Knochenmark gefüllt ist, beim Erwachsenen ist dieses durch gelbes Fettmark ersetzt. Der innere Hohlraum des Röhrenknochens ist von einer inneren Lamelle und einer zarten inneren Knochenhaut (Endost) begrenzt. Im Bereich der Epiphysen findet man auch beim Erwachsenen zwischen den Knochenbälkchen der Spongiosa, einer schwammartigen Knochenstruktur, rotes Knochenmark für die Blutbildung. Auch in den platten Knochen ist beim Erwachsenen und beim Kind rotes Knochenmark zur Blutbildung vorhanden.

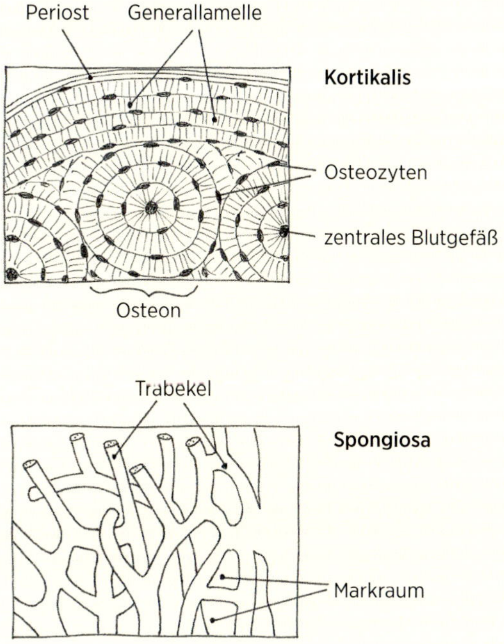

Abb. 30: **Lamellenknochen**

Knochenwachstum

Das Längenwachstum erfolgt unter dem Einfluss des Wachstumshormons von den knorpeligen Epiphysenfugen aus. Das Zusammenspielen der Geschlechtshormone Testosteron und Östrogen mit dem Wachstumshormon löst während der Pubertät einen deutlichen Wachstumsschub aus. Mit der Abnahme der Produktion von Wachstumshormon am Ende der Pubertät kommt es zur Verknöcherung der Wachstumsfugen und dem Ende des Längenwachstums des Skeletts.

Tab. 23: **Knochenarten**

Gewebetyp	Eigenschaften	Vorkommen
Geflecht-knochen	Unreifer Knochen mit unregelmäßig verflochtenen Kollagenfasern, wenig stabil	Embryonaler Knochen, neu gebildeter Knochen beim Erwachsenen, zum Beispiel nach Knochenbrüchen
Lamellen-knochen	Ausgereifter Knochen mit parallel ausgerichteten, geordneten Kollagenfasern, stabil	Entsteht nach der Geburt oder nach Knochenbrüchen aus dem Geflechtknochen durch Belastung des Skeletts

6.3 Muskelgewebe

Die Muskulatur ist jenes Gewebe, welches Bewegungen ermöglicht, seien es die Bewegungen der Gelenke durch die **quergestreifte Muskulatur**, die Bewegungen innerhalb der Organe durch die **glatte Muskulatur** oder das Zusammenziehen des Herzens durch die **Herzmuskulatur**.

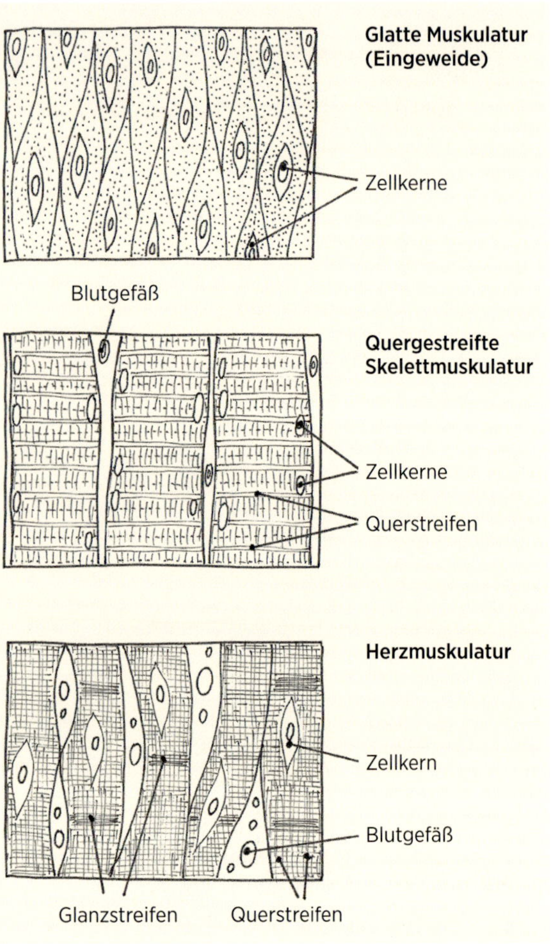

Abb. 31: **Muskelgewebe**

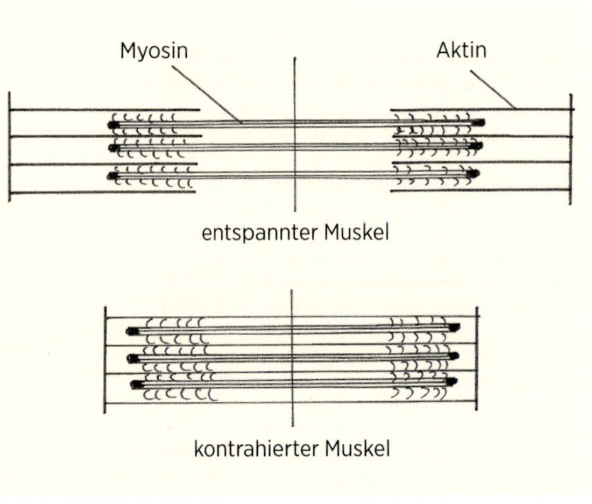

Abb. 32: **Aktin, Myosin**

Diese drei Muskelarten, unterscheiden sich in ihrem Aufbau und in ihrer Innervation. Sie unterliegen entweder dem willkürlichen somatischen oder dem unwillkürlichen vegetativen Nervensystem.

6.3.1 Skelettmuskulatur

Die Skelettmuskulatur gehört dem Aussehen nach zur quergestreiften Muskulatur. Sie wird vom willkürlichen (somatischen) Nervensystem innerviert und ist demnach durch unseren Willen bewusst steuerbar.

Die Skelettmuskelzelle, **Myozyt**, ist eine ganz besondere Zelle, da sie zahlreiche Zellkerne besitzt, welche sich entlang ihrer Zellmembran anordnen. So ein Gebilde wird als **Synzytium** (synzytiale Riesenzelle) bezeichnet und ist eigentlich keine Einzelzelle, sondern ein Zusammenschluss mehrerer Zellen. Auffallend ist auch die große Anzahl an Mitochondrien in einer Muskelzelle, welche die Energie für die Bewegung bereitstellen. Skelettmuskelzellen oder Muskelfasern können eine Länge von mehreren Zentimetern aufweisen und zeigen im Mikroskop eine Querstreifung, die durch zahlreiche hintereinander angeordnete **Myofibrillen** entsteht, welche wiederum aus Untereinheiten, den **Sarkomeren**, zusammengesetzt sind. Ein Sarkomer ist die Bewegungseinheit (kontraktile Einheit) einer Muskelzelle und besteht aus dünnen **Aktinfilamenten** und dicken **Myosinfilamenten**, wobei sich die Aktinfilamente bei Verkürzung (Kontraktion) des Muskels zwischen die Myosinfilamente schieben.

Quergestreifte Muskelfasern sind parallel angeordnet und werden durch Bindegewebe zu Muskelfaserbündeln zusammengefasst. Diese Bündel werden zu immer größeren Einheiten, den Sekundärbündeln, verbunden, welche letztlich wieder größere Einheiten bilden, bis schließlich ein ganzer Muskel entsteht. Das Bindegewebe, das die Muskelfaserbündel und dann auch den gesamten Muskel einhüllt, wird als **Muskelfaszie** bezeichnet. An den Muskelenden setzt der Muskel über bindegewebige Sehnen am Knochen und am Periost an.

An der Skelettmuskulatur können rote und weiße Muskelzellen unterschieden werden, wobei die roten vermehrt in der Haltemuskulatur des Körpers mit langsamen Bewegungen, aber großer Ausdauer vorkommen, die weißen in Muskeln, die schnelle Bewegungen ermöglichen, aber auch schneller ermüden. Rote Muskelfasern enthalten deutlich mehr Myoglobin, den roten Muskelfarbstoff, welcher ähnlich dem Hämoglobin der Erythrozyten viel Sauerstoff binden kann. Sie gewinnen ihre Energie deshalb durch aeroben Stoffwechsel (mit Sauerstoff), weiße Muskelfasern durch anaeroben Stoffwechsel (ohne Sauerstoff).

6.3.2 Herzmuskulatur

Auch die Herzmuskulatur ist eine quergestreifte Muskulatur, unterscheidet sich aber in wesentlichen Punkten von der Skelettmuskulatur.

Die Herzmuskelzellen sind deutlich kleiner als Skelettmuskelzellen und besitzen nur einen Zellkern. Herzmuskelfasern sind netzartig angeordnet, da sie einen Hohlmuskel und keinen langen Muskel bilden. Im Mikroskop fallen wiederum die **Querstreifung** und zusätzlich das Vorhandensein von **Glanzstreifen** auf, welche quer zur Verlaufsrichtung der Herzmuskelfasern liegen und die Grenze zwischen zwei Zellen darstellen.

Die Herzmuskulatur wird nicht vom willkürlichen Nervensystem erregt, sondern von spezialisierten Muskelzellen, die das Reizbildungs- und Reizleitungssystem des Herzens formen. Als Schrittmacher fungiert der Sinusknoten. Zusätzlich wird der Herzschlag vom Eingeweidenervensystem (vegetativen Nervensystem) beeinflusst, aber nicht ausgelöst.

Sowohl die Herzmuskulatur als auch die Muskelzellen des Reizleitungssystems ermüden nicht und arbeiten im besten Falle konstant während unseres gesamten Lebens.

6.3.3 Glatte Muskulatur

Die glatte Muskulatur ist die Muskulatur der Eingeweide. Sie kommt in zahlreichen Organen wie Magen, Darm, Atemwegen, Blutgefäßen, Harnwegen und Geschlechtsorganen vor und ermöglicht deren Bewegung.

Glatte Muskelzellen sind kleine längliche Zellen mit einem zentralen Zellkern. Auch diese Zellen besitzen Aktin- und Myosinfilamente, die aber nicht so regelmäßig angeordnet sind wie jene in der quergestreiften Muskulatur; sie weisen deshalb keine Querstreifung auf. Glatte Muskelzellen unterliegen dem vegetativen Nervensystem (Sympathikus und Parasympathikus) und können nicht von unserem Willen gesteuert werden, sie reagieren auf lokale Reize wie die Dehnung von Hohlorganen (z. B. volle Blase) mit nachfolgender Kontraktion.

6.3.4 Muskelerregung

Aufgrund des unterschiedlichen Aufbaus, der Lokalisation und der Funktion der quergestreiften, der glatten und der Muskulatur des Herzens führt ein Nervenreiz auf verschiedene Art und Weise zur Muskelkontraktion.

Skelettmuskelzellen bestehen aus zahlreichen Sarkomeren, welche wiederum aus den zarten fadenförmigen Aktin- und Myosinfilamenten aufgebaut sind. Wie jede Zelle beinhalten sie die Zellorganellen und Zellkerne. Auffallend ist die große Anzahl der Zellkerne und das sarkoplasmatische Retikulum, welches die Muskelzelle in Längsrichtung überzieht und reichlich Kalzium beinhaltet. Das sarkoplasmatische Retikulum entspricht dem endoplasmatischen Retikulum anderer Zellen. Kalziumionen und ATP als Energielieferant sind die Voraussetzungen für die Muskelkontraktion.

Skelettmuskelzellen unterliegen dem somatischen Nervensystem und sind somit unserem Willen unterworfen. Der Mensch kann die Kontraktion eines Skelettmuskels und auch seine Erschlaffung bewusst steuern. Der Reiz für die Muskelkontraktion wird über motorische Nervenzellen, welche ihren Ursprung im Vorderhorn des Rückenmarks haben, zu den Muskelfasern geleitet. Dort angekommen, erweitert sich das Axon der Nervenzelle zur motorischen Endplatte, um dort, gleich einer Synapse, an den Muskelfasern anzudocken. Aus der motorischen Endplatte wird Acetylcholin als Überträgerstoff freigesetzt, welches ein Aktionspotenzial in der Muskelfaser induziert. Dabei werden Kalziumionen freigesetzt, die ins Innere der Muskelzelle gelangen und das Ineinandergleiten der Aktin- und Myosinfilamente bewirken. So kommt es zur Verkürzung der erregten Muskelfasern, der Muskel kontrahiert sich. Da ein Muskel von mehreren Nervenzellen innerviert wird, kommt es je nach Anzahl der erregten motorischen Nervenzellen zu einer schwächeren oder stärkeren Muskelkontraktion. Skelettmuskeln können also dosiert nach dem jeweiligen Bedarf angespannt und nicht bei jeder Bewegung maximal kontrahiert werden, die einzelne Muskelfaser unterliegt jedoch dem „Alles oder Nichts"-Prinzip, sie kontrahiert sich bei ausreichender Intensität des Reizes vollständig.

Der **Herzmuskel** zeigt aufgrund der Anordnung seiner Aktin- und Myosinfilamente ebenfalls ein quergestreiftes Bild und seine Zellen enthalten reichlich Kalzium im endoplasmatischen Retikulum. Es bestehen aber wesentliche Unterschiede zum Skelettmuskel; Herzmuskelzellen besitzen jeweils nur einen Zellkern und sind deutlich kleiner. Außerdem sind die einzelnen Herzmuskelzellen über sogenannte Glanzstreifen eng miteinander verbunden. Dadurch kann sich die Erregung über benachbarte Zellen gleichmäßig und schnell über das gesamte Herz ausbreiten. Im Gegensatz zum echten Synzytium der quergestreiften Riesenzellen spricht man von einem funktionellen Synzytium, da die Zellen wie eine Einzelzelle funktionieren. Gap Junctions, also kleine porenartige Verbindungen zwischen zwei Zellen im Bereich der Glanzstreifen, ermöglichen einen schnellen Ionenfluss zwischen benachbarten Zellen. Durch den Impuls, welcher vom Sinusknoten ausgelöst wird, kommt es zum Ionenstrom zwischen den Zellen. Kationen gelangen in eine Richtung von Zelle zu Zelle, Anionen fließen in die Gegenrichtung. So wird ein Aktionspotenzial ausgelöst und der gesamte Herzmuskel vollständig erregt. Steigt nun die Kalziumkonzentration innerhalb der Herzmuskelzellen an, schließen sich die Gap Junctions. Es wird eine neuerliche Erregung des Herzmuskels für eine kurze Zeitspanne, die sogenannte Refraktärzeit, verhindert. Dadurch werden Herzrhythmusstörungen bei intakter Reizleitung hintangehalten.

Die Innervation der **glatten Muskulatur** erfolgt im Prinzip ähnlich der quergestreiften, indem ein Nervenreiz auf die glatte Muskelzelle weitergeleitet und ein Aktionspotenzial induziert wird. Dadurch erfolgt ein Kalziumeinstrom und das Ineinandergleiten der Filamentproteine. Ein wesentlicher Unterschied zeigt sich jedoch in der Art der Innervation. So unterliegt die glatte Muskulatur dem unwillkürlichen Nervensystem (Sympathikus und Parasympathikus) und ist nicht von unserem Willen zu beeinflussen.

Hohlorgane, wie die Gebärmutter, der Darm, die Harnblase oder auch Blutgefäße, besitzen sogenannte Single-Unit-Muskelzellen, die wie der Herzmuskel von Schrittmacherzellen erregt und über Gap Junctions miteinander verbunden sind. So kommt es während eines Aktionspotenzials zu einem ungehinderten, schnellen Ionenstrom und einer synchronen Kontraktion dieser Organe.

Die unwillkürlichen Augenmuskeln, die die Brechkraft der Linse (M. ciliaris) und den Pupillendurchmesser (M. dilatator und sphincter pupillae) steuern, die kleinen Muskeln, die die Körperhaare aufrichten (M. arrector pili), und die Bronchialmuskulatur besitzen Muskelzellen vom Multi-Unit-Typ. Diese stehen nicht über Gap Junctions miteinander in Verbindung, sie werden über vegetative Nervenfasern und deren Distanzsynapsen erregt. Dabei handelt es sich um synapsenähnliche Strukturen, in denen der Abstand zwischen Nervenfaser und Muskelzelle relativ breit ist.

Tab. 24: **Muskeltypen**

Gewebetyp	Aufbau	Eigenschaften und Vorkommen
Quergestreifter Muskel	Langgestreckte Muskelzellen mit mehreren Zellkernen (Synzytium: zu Riesenzellen verschmolzene Einzelzellen). Ist aus seinen funktionellen Einheiten, den Sarkomeren, aufgebaut, welche wiederum aus Aktin- und Myosinfilamenten bestehen. Im Lichtmikroskop ist eine Querstreifung sichtbar.	Unterliegt dem willkürlichen somatischen Nervensystem, arbeitet kraftvoll und ermüdet schnell. Bildet die Skelettmuskulatur, auch das Zwerchfell und die Kehlkopfmuskulatur.
Glatter Muskel	Zarte längliche Muskelzellen mit einem zentral liegenden Zellkern. Weist keine Querstreifung auf.	Arbeitet deutlich langsamer als die Skelettmuskulatur und ermüdet nicht so schnell. Unterliegt dem unwillkürlichen vegetativen Nervensystem und ist somit nicht willentlich steuerbar. Bildet die Muskelschicht von Hohlorganen, wie Magen, Darm und Gallenblase, der Harnblase und Harnwege, Blutgefäße, Bronchien und der Geschlechtsorgane.
Herzmuskel	Miteinander verflochtene Muskelzellen mit ein bis zwei Zellkernen. Weist eine Querstreifung auf. Herzmuskelzellen leiten über Gap Junctions (Ionenkanälchen) die Erregung blitzschnell an die benachbarten Zellen weiter (funktionelles Synzytium).	Arbeitet stetig und ermüdet nicht. Wird von spezialisierten Muskelzellen, dem Reizleitungssystem, erregt und über das vegetative Nervensystem in seiner Schlagfrequenz und Schlagstärke beeinflusst.

6.4 Nervengewebe

Das Nervengewebe besteht aus den eigentlichen **Nervenzellen** (Neuronen) und ihren **Stützzellen** (Gliazellen). Die funktionelle Einheit unseres Nervensystems ist das Neuron.

Nervenzellen besitzen einen Zellkörper mit Zellkern und Zellorganellen. Am Nervenzellkörper sitzen zahlreiche kleine, verzweigte Fortsätze, die **Dendriten**, und ein langer Fortsatz, der **Neurit** oder das **Axon**. Dendriten nehmen Erregungen auf und leiten sie zum Zellkörper hin, Neuriten leiten Erregungen vom Zellkörper weg. Dendriten stellen so die „Eingangsseite“ für Reize dar, Neuriten die „Ausgangsseite“.

Axone werden zur Verbesserung ihrer Leitfähigkeit einmal mehr und einmal weniger von einer fettigen Substanz, dem Myelin, umhüllt. Dieses wird von Stützzellen des

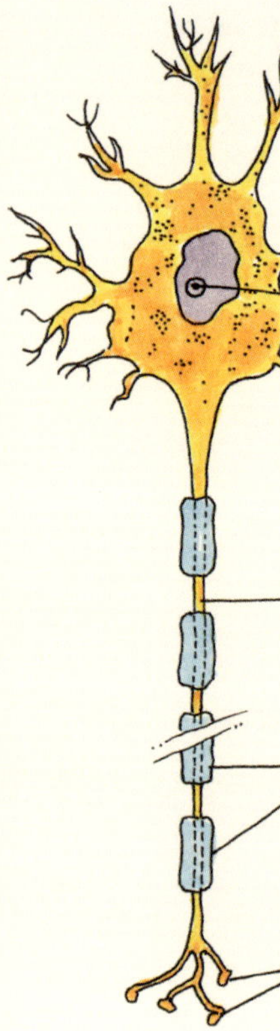

Abb. 33: **Nervenzelle**

Nervengewebes, den Gliazellen, gebildet. Im peripheren Nervensystem sind diese Myelin bildenden Gliazellen die **Schwann'schen** Zellen, im zentralen Nervensystem die **Oligodendrozyten.**

Nervenzellkörper und Dendriten, die frei von Myelin sind, bilden gemeinsam die graue Substanz des zentralen Nervensystems, die Axone mit ihren weißlichen Myelinhüllen die weiße Substanz.

Im zentralen Nervensystem findet man noch andere Stützzellen, die **Astrozyten**, das sind sternförmige Zellen, die die dreidimensionale Grundlage von Gehirn und Rückenmark bilden. In dieses Gliagerüst sind die Nervenzellen eingebettet.

Nervenzellen mit zahlreichen Dendriten und einem Neuriten (Axon) bezeichnet man als multipolar. Sie sind die häufigste Erscheinungsform. Nervenzellen mit nur einem Dendriten und einem Neuriten heißen bipolare Nervenzellen; man findet sie zum Beispiel als 2. Neuron der Netzhaut des Auges. Unipolare Nervenzellen besitzen einen Neuriten und keine Dendriten; sie nehmen vor allem sensible Reize auf, wie die Stäbchenzellen (1. Neuron) der Netzhaut, und leiten diese zum Gehirn weiter.

6.5 Pathophysiologie der Gewebe

6.5.1 Hypertrophie, Hyperplasie

Viele Gewebe passen sich an eine erhöhte Beanspruchung mit einer Vergrößerung oder einer Vermehrung ihrer Zellen an. Noch reichlich teilungsfähige Zellen findet man in den sogenannten Wechselgeweben. Zu den **labilen Geweben** (Wechselgeweben) zählen die Oberflächenepithelien der Haut, die Epithelzellen der Schleimhäute des Magen-Darm-Traktes und die Blutzellen (**Knochenmarkzellen**). Wechselgewebe reagieren auf erhöhte Beanspruchung mit einer Gewebsvergrößerung durch Zunahme ihrer Zellzahl. So reagiert das rote Knochenmark auf Sauerstoffmangel mit einer Zellvermehrung, um mehr rote Blutzellen bilden zu können, die mehr Sauerstoff zu den Organen transportieren. Die Gewebsvergrößerung durch Vermehrung der Zellzahl bezeichnet man als **Hyperplasie**.

Permanente Gewebe bestehen aus hoch differenzierten Zellen, welche sich nicht mehr teilen können. Diese Gewebe reagieren auf eine gesteigerte Beanspruchung mit einer Vergrößerung ihrer Einzelzellen und steigern auf diesem Wege die Organgröße. Zu den permanenten Geweben zählen die Skelettmuskeln und der Herzmuskel. Die Gewebsvergrößerung durch Vergrößerung ihrer Einzelzellen heißt **Hypertrophie**. Eine Hypertrophie wird zum Beispiel durch konsequentes Muskeltraining erzielt.

Stabile Gewebe können sich nur unter bestimmten Bedingungen teilen, sie vergrößern sich teilweise durch Hypertrophie und Hyperplasie. Stabile Gewebe sind etwa die Drüsenepithelien der Leber, der Hormondrüsen und der Niere.

Die Hyperplasie ist die Vergrößerung von Organen oder Geweben durch Zellvermehrung bei gleichbleibender Zellgröße. Die Hypertrophie zeichnet sich dagegen durch eine Vergrößerung der Zellen des betroffenen Gewebes aus, ohne Vermehrung der Zellzahl.

6.5.2 Atrophie

Werden Gewebe zu wenig beansprucht oder werden sie nicht ausreichend mit Sauerstoff und Nährstoffen versorgt, reduziert sich ihre Größe. Labile Gewebe reagieren auf verminderte Beanspruchung mit einer Reduktion ihrer Zellzahl. Diese Art der Gewebsverkleinerung wird als numerische Atrophie bezeichnet. Die Zellen permanenter Gewebe werden durch Inaktivität nicht reduziert, vielmehr verkleinern sich die einzelnen Zellen. In diesem Fall spricht man von einer einfachen Atrophie.

Eine **numerische Atrophie** ist die Organverkleinerung durch Reduktion der Zellzahl. Man findet sie zum Beispiel bei der Verkleinerung der Thymusdrüse im Laufe des Lebens. Eine **einfache Atrophie** ist eine Organverkleinerung durch Abnahme der Größe der einzelnen Zellen. Sie wird an der Muskulatur deutlich sichtbar, wenn ein Bein durch einen Gips ruhiggestellt wurde.

Übungsfragen

1. Unterscheide die Begriffe Epithel, Mesothel und Endothel und nenne Beispiele.
2. Definiere den Begriff „Gewebe“. Welche vier Gewebearten kennst du? Warum werden die Gewebe immer in einer bestimmten Reihenfolge genannt?
3. Was versteht man unter Parenchym und Stroma?
4. Welche Funktionen erfüllen Epithelgewebe?
5. Unterscheide die verschiedenen Oberflächenepithelien nach Form und Schichtung.
6. Wo im Körper findet man einschichtiges Plattenepithel, Endothel, einschichtiges hochprismatisches Epithel, mehrschichtig unverhorntes und verhorntes Epithel, Flimmerepithel und Übergangsepithel?
7. Unterscheide endokrine/exokrine sowie seröse/muköse/seromuköse (gemischte) Drüsen.
8. Nenne die Funktionen der Binde- und Stützgewebe. Welche Gewebe zählt man zu den Bindegeweben, welche zu den Stützgeweben?
9. Nenne die Bestandteile der Bindegewebe.
10. Nenne die Eigenschaften der fixen Bindegewebszellen, der freien Zellen und der unterschiedlichen Fasern.
11. Unterscheide Aussehen und Vorkommen des retikulären Bindegewebes, des Fettgewebes, des lockeren und des straffen, faserreichen Bindegewebes.
12. Beschreibe Aufbau, Eigenschaften und Vorkommen des hyalinen, des elastischen und des Faserknorpels.
13. Erkläre den Aufbau des Knochens und unterscheide seine fixen Zellen. Erkläre den Unterschied zwischen Geflecht- und Lamellenknochen.
14. Beschreibe Aufbau, Eigenschaften und Vorkommen der glatten, der quergestreiften und der Herzmuskulatur.
15. Aus welchen Anteilen besteht eine Nervenzelle? Wie heißen ihre Fortsätze und welche Funktionen erfüllen sie?

Teil III
Anatomie und Physiologie

7 Das knöcherne Skelett – Knochen und Gelenke

In diesem Kapitel werden die knöchernen Anteile des Schädels, des Rumpfes und der Extremitäten sowie deren gelenkige und nicht gelenkige Verbindungen besprochen. Zu Beginn soll ein Überblick über die unterschiedlichen Knochenformen, die verschiedenen Gelenkstypen und auch die Beschaffenheit und Lokalisation der nicht gelenkigen Knochenverbindungen gegeben werden.

7.1 Knochenformen

Nach der äußeren Form lassen sich sechs verschiedene Knochenarten unterscheiden, nämlich **lange Knochen (Ossa longa), kurze Knochen (Ossa brevia), platte Knochen (Ossa plana), luftgefüllte Knochen (Ossa pneumatica)** und **unregelmäßige Knochen (Ossa irregularia).** Knochen, die in eine Sehne eingebettet sind, werden als **Sesambeine (Ossa sesamoidea)** bezeichnet.

Alle Knochen bestehen aus zwei Schichten. Außen besitzen sie eine kompakte, dichte Knochenschicht (**Compacta**) oder **Corticalis** aus Lamellenknochen und innen eine schwammartige Schicht aus Knochenbälkchen, die **Spongiosa**. Die langen Knochen besitzen im Bereich des Schaftes (Diaphyse) eine Markhöhle, die bei Kindern mit rotem Knochenmark ausgefüllt ist, beim Erwachsenen jedoch nur mehr gelbes Fettmark enthält. Allen Knochen liegt ein straffes bindegewebiges Periost, die Knochenhaut, auf, die Nerven enthält und dem Knochen die Blutgefäße zuführt.

7.1.1 Lange Knochen oder Röhrenknochen (Ossa longa)

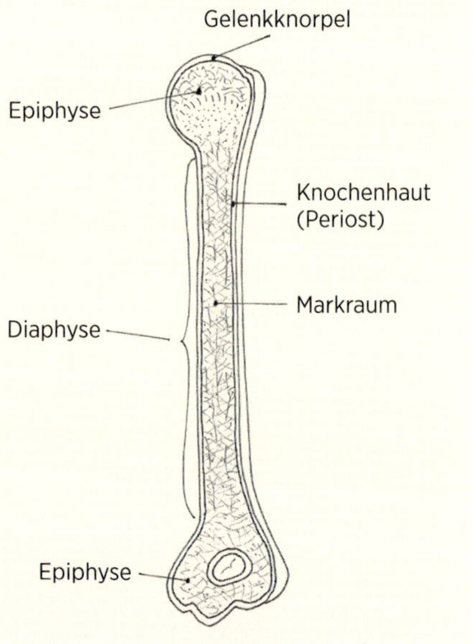

Abb. 34: **Röhrenknochen**

Röhrenknochen haben einen einheitlichen Aufbau und gliedern sich in zwei gegenüberliegende Knochenenden, die **Epiphysen**, die durch einen Schaft, die **Diaphyse**, miteinander verbunden sind. Zwischen den Knochenbälkchen der Epiphysen findet sich auch beim Erwachsenen rotes Knochenmark für die Blutbildung, in der Diaphyse wurde das bei Kindern noch vorhandene rote Knochenmark durch funktionsloses gelbes Fettmark ersetzt. Zwischen Epiphysen und Diaphyse liegt beim Kind jeweils eine knorpelige Epiphysenfuge, die das Wachstum der Knochen bis zum Ende der Pubertät ermöglicht. Beim ausgewachsenen Menschen sind die Epiphysenfugen verknöchert und es ist kein weiteres Längenwachstum mehr möglich. Die Gelenkflächen der Epiphysen sind von einem hyalinen Gelenksknorpel überzogen. Die Epiphysenfugen und der Gelenksknorpel sind Überreste der knorpeligen Knochenvorstufe.

Zu den langen Knochen zählen Humerus (Oberarmknochen), Radius (Speiche), Ulna (Elle), Mittelhand- und Fingerknochen, Femur (Oberschenkelknochen), Tibia (Schienbein), Fibula (Wadenbein), Mittelfuß- und Zehenknochen.

7.1.2 Kurze Knochen (Ossa brevia)

Kurze Knochen bestehen aus einer kompakten äußeren Schicht, der Corticalis, und in ihrem Inneren aus einer mit rotem Knochenmark gefüllten Spongiosa. Beispiele für kurze Knochen sind die Handwurzel- und Fußwurzelknochen.

7.1.3 Platte Knochen (Ossa plana)

Platte Knochen bestehen aus zwei Schichten Corticalis, die wiederum eine Spongiosa mit rotem Knochenmark umschließen. Zu den platten Knochen zählt man die Knochen des Schädeldaches, das Sternum (Brustbein), die Clavicula (Schlüsselbein), die Scapula (Schulterblatt), die Rippen (Costae) und das Hüftbein (Os coxae).

7.1.4 Luftgefüllte Knochen (Ossa pneumatica)

Luftgefüllte Knochen besitzen mit Schleimhaut ausgekleidete, luftgefüllte Hohlräume, wie die Nasennebenhöhlen und das Mittelohr. Einige der Schädelknochen zählen zu den luftgefüllten Knochen, wie das Stirnbein (Os frontale), das Keilbein (Os sphenoidale), das Siebbein (Os ethmoidale), der Oberkieferknochen (Maxilla) und teilweise das Felsenbein, jener Teil des Schläfenbeins (Os temporale), der das Mittelohr beherbergt.

Abb. 35: **Lendenwirbel**

7.1.5 Unregelmäßige Knochen (Ossa irregularia)

Unregelmäßige Knochen lassen sich von der Form her keiner anderen Form zuordnen, wie die Wirbelknochen (Vertebra), der Unterkieferknochen (Mandibula) oder das Kreuzbein (Os sacrum) und das Steißbein (Os coccygis).

7.1.6 Sesambeine

Unter Sesambeinen versteht man kleine Knochen, die im Bereich von Gelenken in Muskelsehnen eingebettet sind. Sie optimieren die Funktion der Sehne und verhindern, dass diese bei der Bewegung am Knochen reibt. Die Kniescheibe (Patella) ist in die Sehne des M. quadriceps eingelassen und das Erbsenbein (Os pisiforme) liegt im Bereich der Handwurzel in einer Beugesehne.

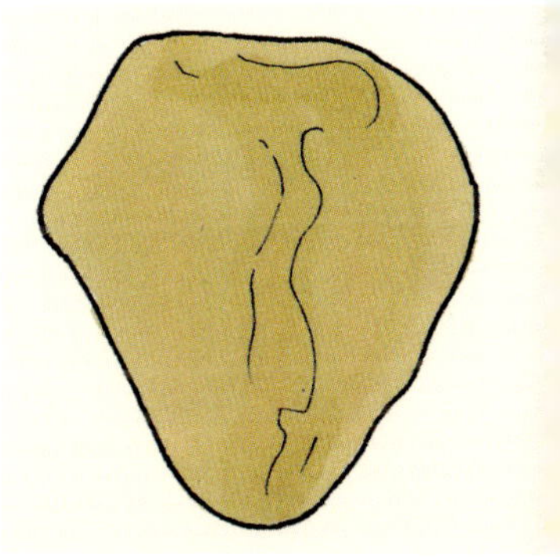

Abb. 36: **Kniescheibe**

7.2 Gelenke (Diarthrosen) – Aufbau und Formen

Gelenke sind diskontinuierliche Knochenverbindungen, also bewegliche Verbindungen zwischen zwei oder mehreren Knochen.

7.2.1 Aufbau von Gelenken

Das Wesentliche an einer gelenkigen Knochenverbindung ist der **Gelenkspalt**, die Gelenkflächen weisen also einen, wenn auch oft geringen, Abstand zueinander auf. Ein Gelenk besteht aus mindestens zwei artikulierenden **Gelenkflächen**, die von hyalinem

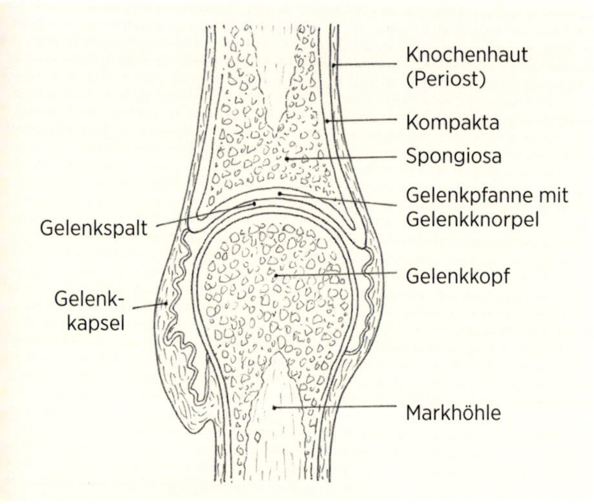

Abb. 37: **Gelenk**

Gelenkknorpel überzogen sind. Artikulierend bedeutet, dass zusammenpassende Flächen miteinander in Verbindung stehen. Das gesamte Gelenk ist vollständig von einer bindegewebigen **Gelenkkapsel** umhüllt, die ihre Fortsetzung im Periost findet.

In der **Gelenkhöhle** befindet sich eine zähe **Gelenkschmiere** (Synovia), die von der Innenhaut der Gelenkkapsel gebildet wird und der Ernährung des Gelenkknorpels und dem ungehinderten Gleiten der Gelenkflächen dient. Zusätzlich können Zwischenscheiben (Disci, Menisci) im Gelenkspalt den Druck auf die Gelenkflächen besser verteilen, Bänder das Gelenk stabilisieren und Schleimbeutel sowie Sehnenscheiden die Muskelsehnen, welche über das Gelenk ziehen, während der Bewegung schonen.

7.2.2 Gelenkformen

Kommunizieren in einem Gelenk zwei Gelenkflächen miteinander, spricht man von einem einfachen Gelenk, treffen in einem Gelenk mehrere Knochen aufeinander, von zusammengesetzten Gelenken.

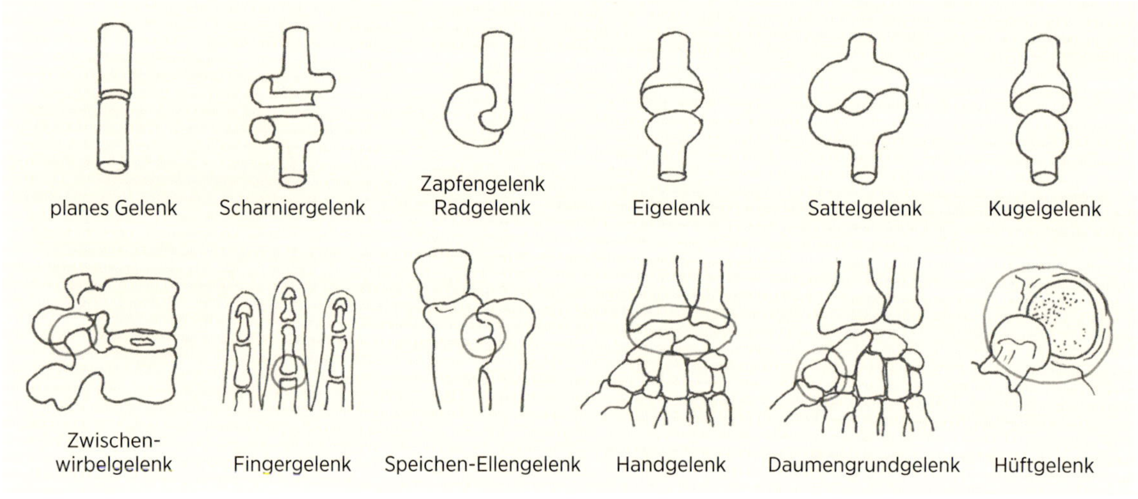

Abb. 38: **Gelenkformen**

Nach der Form lassen sich das **plane Gelenk (Articulatio plana)** vom **Scharniergelenk (Ginglymus)**, **Rad- oder Zapfengelenk (Articulatio trochoidea)**, **Sattelgelenk (Articulatio sellaris)**, **Eigelenk (Articulatio ellipsoidea)** und **Kugelgelenk (Articulatio sphaeroidea)** unterscheiden. Je nach Form der Gelenkflächen können unterschiedliche Bewegungsrichtungen wahrgenommen werden, wir sprechen von **Freiheitsgraden** und meinen damit die Bewegung in eine Richtung und zurück. Maximal kann ein Gelenk drei Freiheitsgrade besitzen. Manche Gelenke sind jedoch durch Bänder in ihrer Bewegung eingeschränkt.

Planes Gelenk (Articulatio plana): Zwei ebene Gelenkflächen kommunizieren miteinander. Ein planes Gelenk besitzt zwei Freiheitsgrade, die eine Schiebebewegung in zwei Richtungen ermöglichen. Beispiel: Zwischenwirbelgelenke der Wirbelfortsätze.

Sattelgelenk (Articulatio sellaris): Zwei sattelförmige Gelenkflächen kommunizieren miteinander, zwei Freiheitsgrade machen die Flexion und Extension und die Ab- und Adduktion möglich. Beispiel: Daumengrundgelenk.

Zapfen- oder Radgelenk (Articulatio trochoidea): Ein konvexer Gelenkkörper, ähnlich einem Zapfen, bewegt sich in einer konkaven Gelenkpfanne. Es besitzt nur einen Freiheitsgrad, der eine Innen- und Außenrotation erlaubt. Beispiel: proximales und distales Speichen-Ellen-Gelenk (Radioulnargelenk).

Eigelenk (Articulatio ellipsoidea): Es besteht aus einer konvexen, eiförmigen Gelenkfläche und einer konkaven, ellipsenförmigen Gelenkpfanne, zwei Freiheitsgrade ermöglichen eine Flexion und Extension und eine Ab- und Adduktion. Beispiel: proximales Handgelenk.

Scharniergelenk (Ginglymus): Es kommunizieren ein konvexer, walzenförmiger und ein konkaver Gelenkkörper miteinander. Das Scharniergelenk besitzt nur einen Freiheitsgrad, der Beugen und Strecken ermöglicht. Beispiele: Gelenk zwischen Oberarmknochen (Humerus) und Elle (Ulna), Gelenke zwischen den Finger- und Zehengliedern.

Kugelgelenk (Articulatio sphaeroidea): Dieses Gelenk besitzt eine konkave Gelenkpfanne und einen kommunizierenden konvexen Gelenkkopf sowie drei Freiheitsgrade. Beispiele: Schultergelenk, Hüftgelenk.

7.2.3 Bewegungsrichtungen

Die möglichen Bewegungsrichtungen sind Abduktion und Adduktion, Flexion und Extension, Anteversion und Retroversion sowie Innenrotation und Außenrotation. Pronation und Supination an Händen und Füßen sind zusammengesetzte Bewegungen.

Abduktion und Adduktion bezeichnet die Bewegung einer Extremität vom Körper weg und zum Körper hin, im Hüftgelenk und Schultergelenk.

Flexion und Extension bedeuten Beugen und Strecken einer Extremität, im Handgelenk sprechen wir auch von einer Palmarflexion zur Handfläche hin und einer Dorsalextension zum Handrücken; beim Fuß entsprechend von einer Plantarflexion in Richtung Fußsohle und einer Dorsalextension zum Fußrücken.

Anteversion und Retroversion bezeichnen die Bewegungen nach vorne und nach hinten, wie im Schulter- und Hüftgelenk.

Innen- und Außenrotation ist das Drehen um eine Achse nach innen und außen.

Unter **Supination** versteht man das Drehen der Handfläche oder Fußsohle und damit des Daumens oder der Großzehe nach außen (wie beim Essen von Suppe). Unter **Pronation** versteht man das Drehen der Hand- oder Fußfläche und somit des Daumens oder der Großzehe nach innen.

7.2.4 Zusammengesetzte Gelenke

In zusammengesetzten Gelenken kommunizieren mehr als zwei Knochen durch mehrere Teilgelenke miteinander. Als Beispiele wären das Ellbogengelenk und das Kniegelenk zu nennen. Das Ellbogengelenk (Articulatio cubiti) besitzt drei Gelenke, die von einer gemeinsamen Kapsel umgeben sind. Es kommuniziert das Köpfchen des Oberarmknochens (Humerusköpfchen) in einem Kugelgelenk mit einer konkaven Gelenkfläche des Speichenköpfchens (Articulatio humeroradialis). Die Gelenkrolle (Trochlea) des Humerus bildet mit einer sichelförmigen Gelenkpfanne der Elle (Ulna) ein klassisches Scharniergelenk (Articulatio humeroulnaris). Das Radiusköpfchen bildet schließlich mit einer seichten Einkerbung des proximalen Ulnaendes ein Radgelenk, in dem durch ein zirkulär laufendes Band das Radiusköpfchen stabilisiert wird.

Das Kniegelenk setzt sich aus einem Scharnier-Drehgelenk zwischen dem distalen Ende des Oberschenkelknochens (Femur) und dem Schienbein (Tibia) und einem planen Gelenk zwischen der Kniescheibe (Patella) und dem Oberschenkelknochen zusammen.

7.3 Kontinuierliche Knochenverbindungen

Kontinuierliche Knochenverbindungen sind nicht gelenkige Verbindungen zwischen Knochen, die, wenn überhaupt, nur sehr eingeschränkte Bewegungen zwischen den benachbarten Knochen möglich machen. Es lassen sich knöcherne Verbindungen (Synostosen) von knorpeligen (Synchondrosen) und bindegewebigen Verbindungen (Syndesmosen) unterscheiden.

Synostosen sind knöcherne Verbindungen zwischen zwei Knochen, die ursprünglich knorpelig oder bindegewebig angelegt waren. In solchen Verbindungen sind keinerlei Bewegungen mehr möglich. Synostosen finden sich zwischen den meisten Schädelknochen nach der Verknöcherung der Schädelnähte oder beim Erwachsenen am Hüftbein zwischen Darmbein, Schambein und Sitzbein.

Synchondrosen sind knorpelige Verbindungen aus hyalinem Knorpel zwischen Knochenteilen, wie die Epiphysenfuge vor ihrer Verknöcherung. Auch hier sind keine Bewegungen möglich.

Syndesmosen sind bindegewebige Knochenverbindungen, die im Laufe des Lebens jedoch häufig verknöchern. Dazu gehören die bindegewebigen Verbindungen zwischen den Schädelknochen vor deren Verknöcherung, aber auch der Zahnhalteapparat, der die Zähne in den Alveolen der Kieferknochen federnd befestigt. Es sind Verschiebebewegungen der Schädelknochen während der Geburt und geringe Bewegungen der Zähne beim Beißen möglich.

Die **Symphyse** ist die Verbindung zwischen den beiden Schambeinästen. Sie besteht aus Faserknorpel, welcher bei Schwangeren vor der Geburt weicher wird, um das Durchtreten des kindlichen Kopfes zu erleichtern.

7.4 Knochen des Schädels

Am Schädel lassen sich die Knochen des **Gehirnschädels**, die die knöcherne Umhüllung des Gehirns bilden, von den Knochen des **Gesichtsschädels**, die dem Gesicht seine Kontur verleihen, unterscheiden. Einige Knochen liegen paarig vor, andere sind nur einfach vorhanden. Viele Schädelknochen werden im Laufe der Jahre vollkommen knöchern miteinander verbunden.

Einige dieser Knochen zeigen anatomische Besonderheiten, die hier kurz besprochen werden.

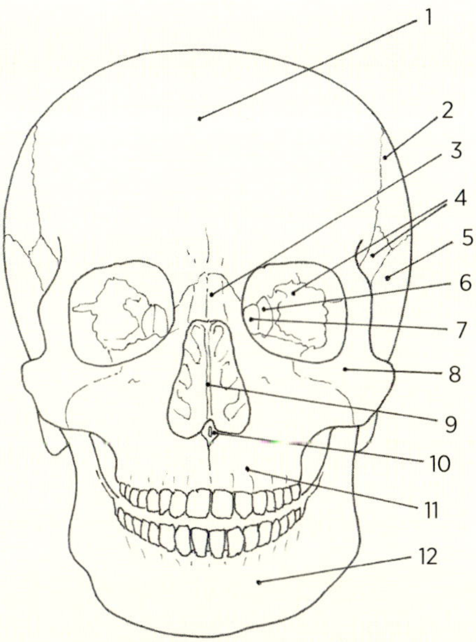

1 Stirnbein (Os frontale), 2 Scheitelbein (Os parietale), 3 Nasenbein (Os nasale), 4 Keilbein (Os sphenoidale), 5 Schläfenbein (Os temporale), 6 Siebbein (Os ethmoidale), 7 Tränenbein (Os lacrimale), 8 Jochbein (Os zygomaticum), 9 Nasenscheidewand (Septum nasi), 10 Pflugscharbein (Vomer), 11 Oberkiefer (Maxilla), 12 Unterkiefer (Mandibula)

Abb. 39: **Schädel von vorne**

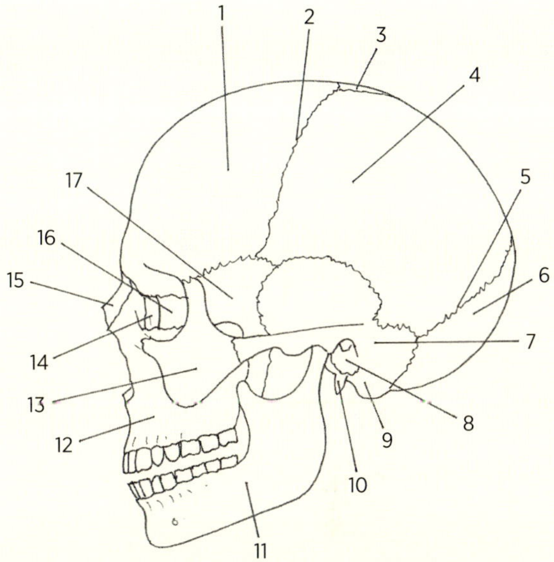

1 Stirnbein (Os frontale), 2 Kranznaht (Sutura coronalis), 3 Pfeilnaht (Sutura sagittalis), 4 Scheitelbein (Os parietale), 5 Lambdanaht (Sutura lambdoidea), 6 Hinterhauptsbein (Os occipitale), 7 Schläfenbein (Os temporale), 8 äußerer Gehörgang (Meatus acusticus externus), 9 Warzenfortsatz (Processus mastoideus), 10 Griffelfortsatz (Processus styloideus), 11 Unterkiefer (Mandibula), 12 Oberkiefer (Maxilla), 13 Jochbein (Os zygomaticum), 14 Tränenbein (Os lacrimale), 15 Nasenbein (Os nasale), 16 Siebbein (Os ethmoidale), 17 Keilbein (Os sphenoidale)

Abb. 40: **Schädel von der Seite**

7.4.1 Knochen des Gehirnschädels

Dazu gehören das Stirnbein (Os frontale), das paarige Scheitelbein (Os parietale), das paarige Schläfenbein (Os temporale), das Hinterhauptsbein (Os occipitale) und das Keilbein (Os sphenoidale).

Das **Stirnbein (Os frontale)** bildet den vorderen Teil des Schädeldaches sowie das Dach der Augenhöhle und der Nasenhöhle. Es grenzt nach hinten an die beiden Scheitelbeine und gehört zu den luftgefüllten Knochen des Schädels. Zusätzlich bestehen Beziehungen zum Schläfenbein und zum Oberkieferknochen. Dieser relativ platte Knochen beherbergt die **Stirnhöhle (Sinus frontalis)**, die zu den **Nasennebenhöhlen** gehört. Die Sekrete der Schleimhaut der Stirnhöhle fließen in die Nasenhöhle ab.

Die paarigen **Scheitelbeine (Ossa parietalia)** sind in der Mitte des Schädeldaches entlang des Scheitels miteinander, nach vorne mit dem Stirnbein und nach hinten mit dem Hinterhauptsbein zuerst bindegewebig und später knöchern verbunden (Synostose). Die Naht zwischen den beiden Scheitelbeinen heißt **Pfeilnaht (Sutura sagittalis)**, die Naht, welche Scheitel- mit Stirnbein verbindet, **Kranznaht (Sutura coronalis)** und die Naht zwischen Scheitelbeinen und Hinterhauptsbein bezeichnet man als Lambdanaht (Sutura lambdoidea). Die Scheitelbeine bilden den Großteil des Schädeldaches und einen Teil der seitlichen Schädelbegrenzung. Nach unten stehen sie mit dem Schläfenbein (Os temporale) in Verbindung.

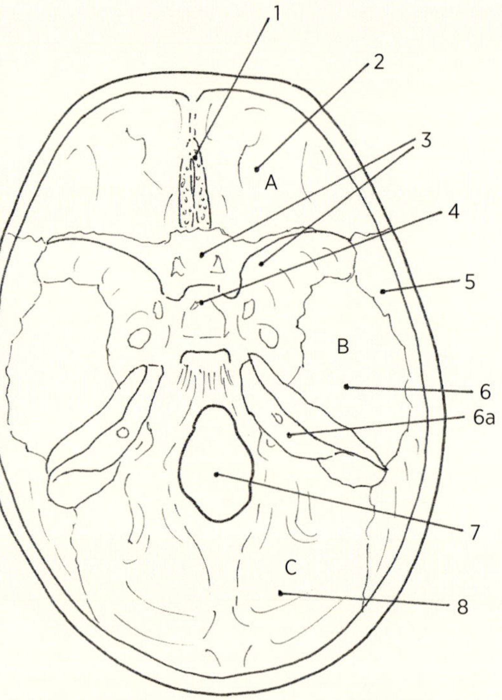

A vordere Schädelgrube, B mittlere Schädelgrube, C hintere Schädelgrube

1 Siebbein (Os ethmoidale), 2 Stirnbein (Os frontale), 3 Keilbein (Os sphenoidale), 4 Türkensattel (Sella turcica), 5 Scheitelbein (Os parietale), 6 Schläfenbein (Os temporale), 6a Felsenbein, 7 großes Hinterhauptsloch (Foramen magnum), 8 Hinterhauptsbein (Os occipitale)

Abb. 41: **Schädelbasis**

Das **Schläfenbein (Os temporale)** bildet die untere seitliche Begrenzung des knöchernen Schädels und steht nach oben mit dem Scheitelbein, nach hinten mit dem Hinterhauptsbein und über den Jochbogen mit dem Jochbein in Verbindung. Von seiner großen seitlichen Knochenfläche, der **Schläfenbeinschuppe**, entspringt der M. temporalis, ein kräftiger Kaumuskel, welcher zum Unterkiefer zieht. Der **Jochfortsatz (Processus zygomaticus)**, der hintere Anteil des Jochbogens, der zarte **Griffelfortsatz (Processus styloideus)** und der mächtige **Warzenfortsatz (Processus mastoideus)** dienen einigen Muskeln, wie dem M. sternocleidomastoideus, zum Ansatz am Knochen. Vor dem Processus mastoideus führt die äußere Ohröffnung in den knöchernen Gehörgang und weiter ins Mittelohr. Das Innenohr befindet sich im **Felsenbein**, einem pyramidenförmigen Knochenteil in der Tiefe des Schläfenbeins.

Das **Hinterhauptsbein (Os occipitale)** begrenzt als dreieckige Knochenschuppe den hinteren unteren Schädelanteil und ist durch eine **lambdaförmige Naht (Sutura lambdoidea)** mit den beiden Scheitelbeinen verbunden. Durch das **große Loch (Foramen magnum)** des Hinterhauptsbeins tritt das verlängerte Mark aus dem Schädel in den Wirbelkanal über. Ab hier trägt es die Bezeichnung Rückenmark.

Auch das **Keilbein (Os sphenoidale)** ist ein luftgefüllter Knochen, es beherbergt eine Nasennebenhöhle, die **Keilbeinhöhle (Sinus sphenoidalis)**. Es liegt mit seinem Keilbeinkörper vor den beiden Schläfenbeinen im Bereich der Schädelbasis und steht nach hinten mit dem Os occipitale in Verbindung. Die beiden **Keilbeinflügel** erinnern von oben betrachtet an einen Schmetterling, der **Türkensattel (Sella turcica)** im Bereich der Schädelbasis dient der Unterbringung der **Hirnanhangsdrüse (Hypophyse)**.

7.4.2 Schädelnähte und Fontanellen

Da die platten Schädelknochen beim Embryo bindegewebig angelegt sind, sind sie während der Wachstumsphase des Schädels durch bindegewebige Syndesmosen miteinander verbunden. Diese verknöchern zunehmend und werden beim Erwachsenen vollständig in knöcherne Synostosen umgewandelt. Ihre Ränder können mehr oder weniger gezackt sein.

Die **Stirnnaht (Sutura frontalis)** verbindet in vertikaler Richtung in der Mitte der Stirn die beiden Stirnbeine. Sie verknöchert relativ früh und ist schon vor dem 10. Lebensjahr kaum mehr sichtbar.

Die **Kranznaht (Sutura coronalis)** ist die ursprünglich bindegewebige Verbindung zwischen dem Stirnbein und den beiden Scheitelbeinen. Sie steht im rechten Winkel zur Pfeilnaht.

Die **Pfeilnaht (Sutura sagittalis)** folgt einem zackigen Verlauf im Bereich des Scheitels zwischen den beiden Scheitelbeinen. Während der Geburt können die Scheitelbeine zur Verringerung des Durchmessers des kindlichen Kopfes etwas übereinander geschoben werden.

Die **Schuppennaht (Sutura squamosa)** ist eine bogenförmig verlaufende Naht, welche die Oberkante der Schläfenbeinschuppe mit der Unterkante des Scheitelbeins verbindet.

Die **Lambdanaht (Sutura lambdoidea)** hat die Form des griechischen Buchstabens „Lambda" (λ). Sie verläuft zwischen dem Hinterhauptsbein und der Hinterkante der beiden Scheitelbeine.

Der kindliche Schädel hat neben den bindegewebigen Schädelnähten noch flächige Bindegewebszwickel zwischen einigen Knochen, die das Schädelwachstum ermöglichen. Diese bindegewebigen Knochenverbindungen heißen **Fontanellen**. Man unterscheidet zwei große, unpaare und zwei kleinere, paarige, welche zu unterschiedlichen Zeitpunkten verknöchern.

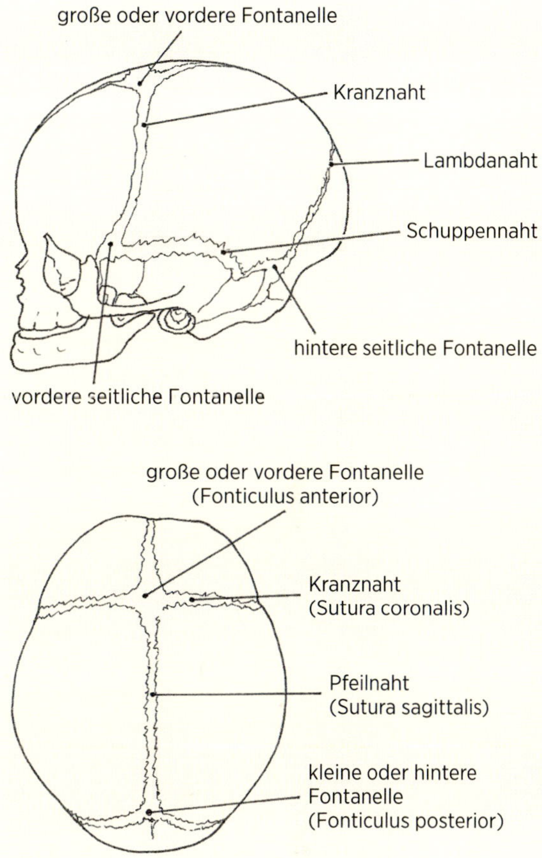

Abb. 42: **Schädelnähte und Fontanellen**

Große Fontanelle (Fonticulus anterior): Die große Fontanelle liegt im Bereich des vorderen Schädeldaches zwischen den beiden Stirnbeinen und den beiden Scheitelbeinen. Sie hat die Form einer Raute, ihr größter Durchmesser beträgt 2,5–3 cm und sie verknöchert bis zum 3. Lebensjahr.

Kleine Fontanelle (Fonticulus posterior): Diese auch als Hinterhauptsfontanelle bezeichnete Fontanelle liegt im hinteren Bereich des Schädeldaches zwischen dem Hinterhauptsbein und den beiden Scheitelbeinen. Sie zeigt eine dreieckige Form und verknöchert um den 3. Lebensmonat.

Vordere und hintere Seitenfontanelle: Die Seitenfontanellen liegen paarig vor. Die vordere Seitenfontanelle beidseits des Schädels zwischen Schläfenbein, Scheitelbein und Keilbein verknöchert bis zum 6. Lebensmonat, die hintere Seitenfontanelle liegt jeweils zwischen Schläfenbein, Scheitelbein und Hinterhauptsbein im Bereich des Warzenfortsatzes und verknöchert bis zum 18. Lebensmonat.

7.4.3 Knochen des Gesichtsschädels

Dazu zählt man folgende Knochen: paariges Nasenbein (Os nasale), paariges Tränenbein (Os lacrimale), Siebbein (Os ethmoidale), paariges Gaumenbein (Os palatinum), Pflugscharbein (Vomer), Jochbein (Os zygomaticum), Oberkiefer (Maxilla) und Unterkiefer (Mandibula).

Das **Nasenbein (Os nasale)** ist ein zarter länglicher Knochen, welcher beidseits das Dach der äußeren Nase bildet. Das noch wesentlich zartere **Tränenbein (Os lacrimale)** liegt unmittelbar hinter dem Nasenbein und begrenzt die Augenhöhle nach medial.

Das **kleine Siebbein (Os ethmoidale)**, welches in der Mitte der vorderen Schädelgrube liegt, bildet mit seiner Siebbeinplatte die mittlere obere Begrenzung der Nasenhöhle, durch welche die Riechnerven von der Riechschleimhaut der Nase zum Gehirn durchtreten. Nach kaudal bildet eine vertikale Knochenplatte einen Teil der Nasenscheidewand. Im Siebbein sind luftgefüllte **Siebbeinzellen (Cellulae ethmoidales)** zu finden.

Das **Jochbein (Os zygomaticum)** ist maßgeblich an der vorspringenden Kontur der Wangen beteiligt und formt gemeinsam mit dem Schläfenbein den Jochbogen.

Der **Oberkieferknochen (Maxilla)** ist der zweitgrößte Knochen des Gesichtsschädels nach der Mandibula. Er hat mehrere Fortsätze, wobei der Stirnfortsatz die seitliche Begrenzung der Nasenhöhle bildet und der Gaumenfortsatz einen Teil des harten Gaumens. In den **Zahnfächern (Alveolen)** des Alveolarfortsatzes dieses Knochens stecken die Zähne der oberen Zahnreihe, der Jochfortsatz ist mit dem Jochbein verwachsen. Auch im Oberkiefer liegt eine große Nasennebenhöhle, die **Kieferhöhle (Sinus maxillaris)**.

Unterkieferknochen (Mandibula): Der Unterkiefer besteht aus einem gebogenen Unterkieferkörper, welcher in seinen Alveolen die Wurzeln der unteren Zahnreihe beherbergt. In einem nahezu rechten Winkel gehen die beiden Unterkieferäste nach oben ab, die an ihrem Gelenkfortsatz das Köpfchen für das Kiefergelenk tragen. Die Mandibula ist der einzige Schädelknochen, der gelenkig mit dem restlichen Schädel verbunden ist. Ventral des Gelenkfortsatzes entspringt am Unterkieferast der Kronenfortsatz, an dem der M. masseter, ein kräftiger Kaumuskel, zur Bewegung des Unterkiefers ansetzt.

Das paarige **Gaumenbein (Os palatinum)** bildet den hinteren Anteil des harten Gaumens und steht nach vorne mit den Gaumenfortsätzen der Maxilla in Verbindung. Nach hinten schließt der weiche Gaumen an.

Das **Pflugscharbein (Vomer)** liegt im vordersten Bereich des Nasenseptums (Nasenscheidewand), von dem es einen großen Teil bildet. Aufgrund seiner Ähnlichkeit mit einer Pflugschar hat es seinen Namen erhalten.

Die untere Begrenzung des Gehirnschädels wird als **Schädelbasis** bezeichnet und wird von Teilen des Stirnbeins, Siebbeins, Schläfenbeins, Keilbeins und Hinterhauptsbeins gebildet. Ihre drei stufenförmigen Etagen, die vordere, mittlere und hintere Schädelgrube, dienen dem Gehirn als Auflagefläche. Zahlreiche Öffnungen in der knöchernen Schädelbasis ermöglichen den Durchtritt von Rückenmark, Hirnnerven und Blutgefäßen.

7.4.4 Sonstige Schädelknochen

Hammer (Malleus), Amboss (Incus) und Steigbügel (Stapes) bilden die gelenkig miteinander verbundenen Gehörknöchelchen im Mittelohr zur Weiterleitung des Schalls vom Trommelfell zum ovalen Fenster des Innenohres.

Das **Zungenbein (Os hyoideum)** findet man oberhalb des knorpeligen Kehlkopfskeletts, es dient dem Ursprung der Zungenmuskulatur.

7.5 Knochen des Halses, des Rumpfes und der oberen Extremität

Die Wirbelsäule besteht aus drei Abschnitten – der Halswirbelsäule, der Brustwirbelsäule und der Lendenwirbelsäule – und insgesamt 24 Wirbeln. Daran schließen nach kaudal das Kreuzbein und das Steißbein an. Im Bereich der Brustwirbelsäule entspringen 12 Rippenpaare, welche gemeinsam mit dem Brustbein, dem Schlüsselbein und dem Schulterblatt den knöchernen Thorax formen.

Die obere Extremität, welche durch das Schultergelenk mit dem Rumpf verbunden ist, besteht aus dem Oberarmknochen, Elle und Speiche sowie dem Handskelett.

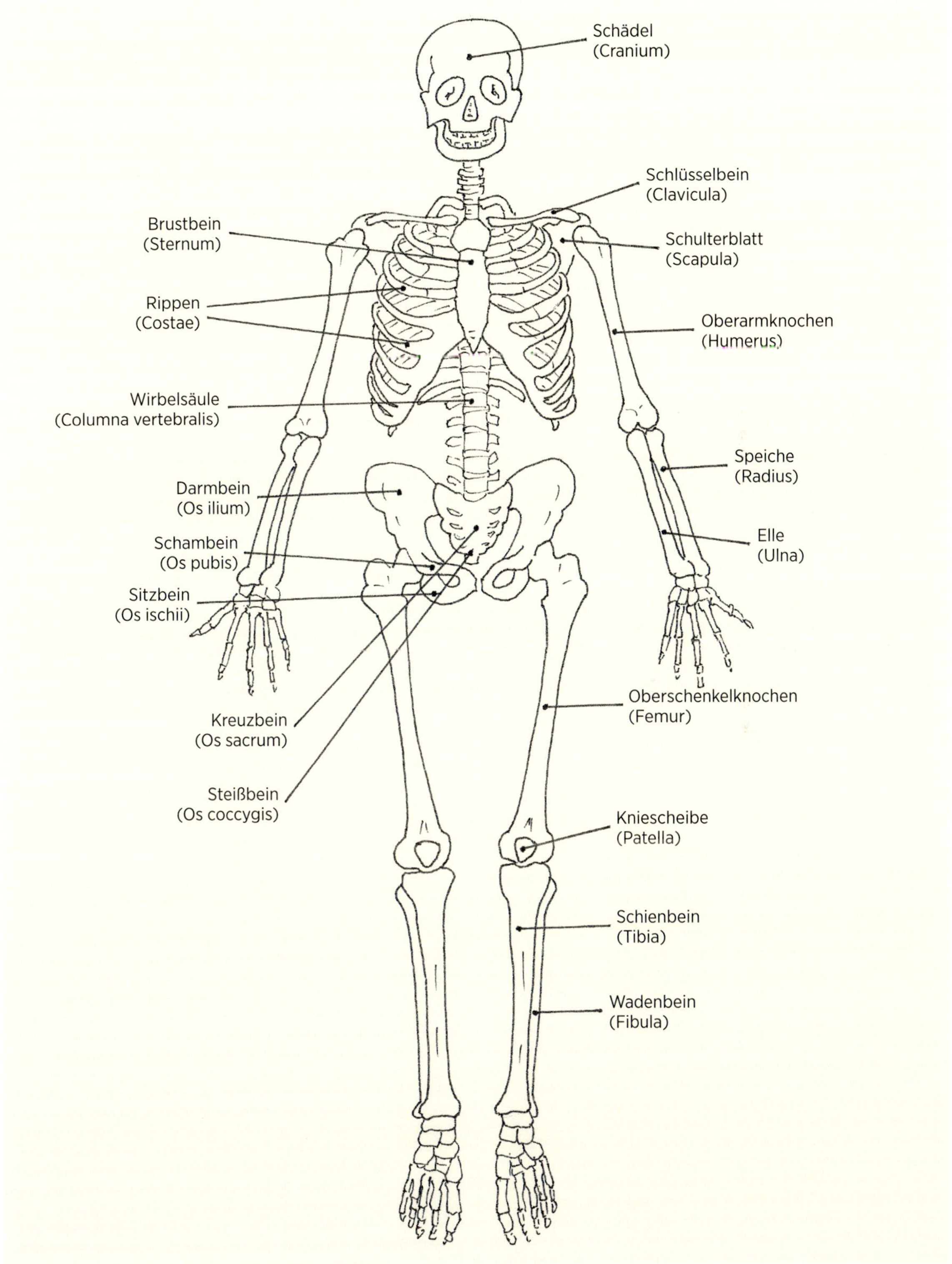

Abb. 43: **Skelett**

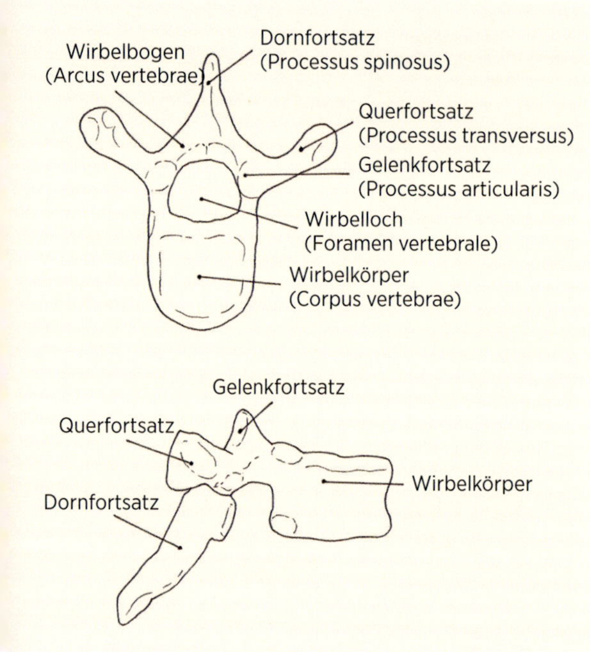

Abb. 44: **Wirbel**

7.5.1 Wirbelsäule (Columna vertebralis)

Die menschliche Wirbelsäule setzt sich aus 24 freien Wirbeln zusammen, die durch bindegewebige Zwischenwirbelscheiben oder **Bandscheiben** miteinander kommunizieren. Von diesen 24 Wirbeln entfallen 7 auf die Halswirbelsäule, 12 auf die Brustwirbelsäule und 5 auf die Lendenwirbelsäule. Daran schließt sich kaudal das Kreuzbein (Os sacrum) an, welches wiederum aus 5 miteinander verwachsenen Sakralwirbeln besteht, und daran das Steißbein (Os coccygis) aus 3–6 kleinen Wirbelrudimenten. Mit Ausnahme des 1. und 2. Halswirbels haben alle Wirbel eine gemeinsame Grundform. Allerdings variieren Größe und Form ihrer Fortsätze entsprechend ihren unterschiedlichen Belastungen. Sie bestehen aus einem **Wirbelkörper (Corpus vertebrae)**, der nach ventral zeigt, und einem nach dorsal gerichteten **Wirbelbogen (Arcus vertebrae)**. Wirbelkörper und Wirbelbogen umschließen das **Wirbelloch (Foramen vertebrale)**, in dem das Rückenmark verläuft. Vom Wirbelbogen gehen nach hinten der **Dornfortsatz (Processus spinosus)** und seitlich zwei **Querfortsätze (Processus transversus)** ab. Zusätzlich findet man noch kleine **Gelenkfortsätze** mit Gelenkflächen, über die einerseits die Wirbel untereinander und einige Wirbel mit den Rippen kommunizieren. Die Wirbelkörper weisen oben und unten plane Gelenkflächen auf, sie kommunizieren untereinander durch die dazwischenliegenden Bandscheiben.

1. und 2. Halswirbel entsprechen in ihrem Aussehen nicht dieser Grundform. Der **1. Halswirbel (Atlas)** besitzt keinen Wirbelkörper, ein vorderer und ein hinterer Wirbelbogen vereinigen sich zu einem Ring, in dessen Zentrum das Wirbelloch liegt. Durch jeweils ein Loch in den Querfortsätzen verläuft beidseits eine Wirbelarterie (A. vertebralis), welche zum Gehirn zieht. Kranial liegen Gelenkflächen, über die der Atlas mit dem Hinterhauptsbein kommuniziert, kaudal sieht man Gelenkflächen für den 2. Halswirbel. An der dorsalen Innenseite des Wirbelloches ist noch die Gelenkfläche für den Zahn des 2. Halswirbels sichtbar.

Der **2. Halswirbel (Axis)** besitzt an seinem Körper einen Fortsatz nach kranial, den **Axiszahn (Dens axis)**, welcher mit der Innenseite des Atlasbogens gelenkig verbunden ist und durch ein straffes **Querband (Ligamentum transversum)** am Atlas fixiert ist. Er weist einen kräftigen gegabelten Dornfortsatz nach hinten auf und wiederum ein Loch in jedem Querfortsatz für den Durchtritt der A. vertebralis.

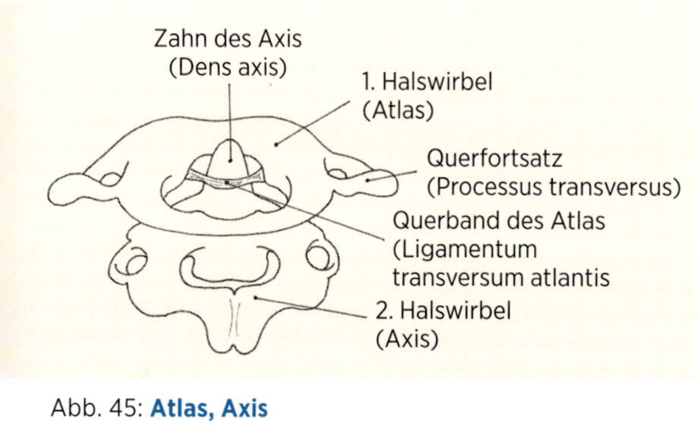

Abb. 45: **Atlas, Axis**

3. bis 7. Halswirbel bestehen aus einem niedrigen Wirbelkörper und einem Wirbelbogen mit einem schlanken gegabelten Dornfortsatz nach hinten. In ihren Querfortsätzen befinden sich ebenfalls Löcher für den Verlauf der A. vertebralis zum Gehirn.

Die Körper der 12 **Brustwirbel** werden nach kaudal immer massiver, entsprechend dem Gewicht, das auf ihnen lastet. An ihnen sind beidseits die Gelenkflächen für die Rippen ausgebildet.

Die **Lendenwirbel** haben kräftige querovale Wirbelkörper und hohe, platte, nach hinten unten gerichtete Dornfortsätze. Der 5. Lendenwirbelkörper kommuniziert, getrennt durch eine Bandscheibe, mit dem Kreuzbein.

Das **Kreuzbein (Os sacrum)** besteht aus fünf miteinander verwachsenen Wirbeln, die nach kaudal hin schmäler werden und ihm so seine keilförmige Gestalt verleihen. Eine obere Gelenkfläche bildet die Verbindung zum 5. Lendenwirbel, zwei große seitliche Gelenkflächen stellen die Verbindungen zu den Darmbeinen her. Zahlreiche straffe Bänder, die diese Gelenke verstärken, lassen kaum Bewegungen zu.

Das **Steißbein (Os coccygis)** wird aus 3–6 rudimentären Wirbelfragmenten gebildet, welche teils knorpelig, teils knöchern miteinander und mit dem Kreuzbein verbunden sind.

7.5.2 Rippen (Costae)

Zwischen je zwei benachbarten Brustwirbelkörpern entspringen insgesamt 12 Rippenpaare. Die erste Rippe liegt zwischen dem letzten Halswirbel und dem ersten Brustwirbel. Die oberen, bogenförmigen Rippen ziehen von der Wirbelsäule nach vorne zum Brustbein, die unteren enden frei, sie bilden gemeinsam mit der Brustwirbelsäule und dem **Brustbein (Sternum)** die seitliche und vordere knöcherne Begrenzung des Brustkorbes.

Üblicherweise sind die oberen sieben Paare der Rippen sowohl mit den Wirbelkörpern als auch mit dem Brustbein gelenkig verbunden. Sie werden deshalb als **echte Rippen** bezeichnet und ermöglichen ein Anheben des Brustkorbes und somit eine Erweiterung des Brustraumes beim Einatmen.

Die unteren fünf Rippenpaare besitzen keine gelenkigen Verbindungen mit dem Brustbein, sie werden deshalb **unechte Rippen** genannt. Gelegentlich sind jedoch das 8., das 9. oder auch das 10. Rippenpaar knorpelig mit der darüberliegenden Rippe verbunden, die letzten beiden Rippenpaare enden mit ihren knorpeligen Spitzen frei zwischen den Muskeln der seitlichen Bauchwand.

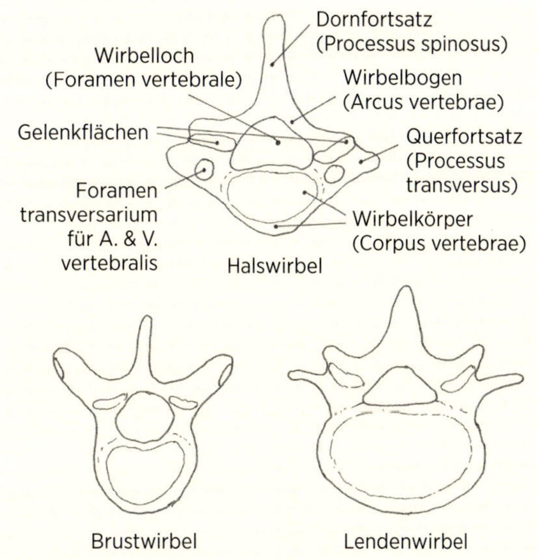

Abb. 46: **Hals-, Brust-, Lendenwirbel**

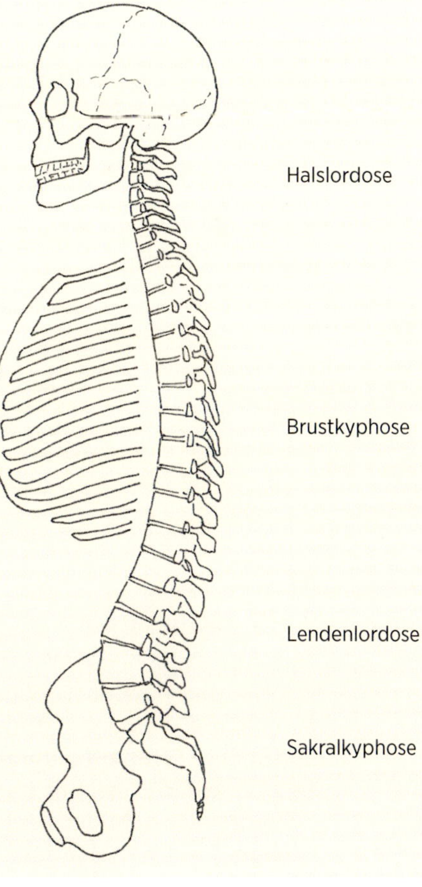

Abb. 47: **Wirbelsäule**

7.5.3 Brustbein (Sternum)

Das **Brustbein** ist ein platter Knochen vorne am Brustkorb, welcher sowohl mit den beiden **Schlüsselbeinen (Clavicula)** als auch mit den 7 Paaren echter Rippen gelenkig verbunden ist. Das Brustbein besteht aus drei Anteilen, dem oben liegenden **Handgriff (Manubrium sterni)**, welcher mit dem Schlüsselbein in Verbindung steht, dem **Brustbeinkörper (Corpus sterni)** und dem **Schwertfortsatz (Processus xiphoideus)**.

Durch die gelenkige Verbindung zum Schlüsselbein (Articulatio sternoclavicularis) wird die obere Extremität am Brustkorb beweglich fixiert. Es handelt sich anatomisch um ein Kugelgelenk mit sehr flacher Pfanne.

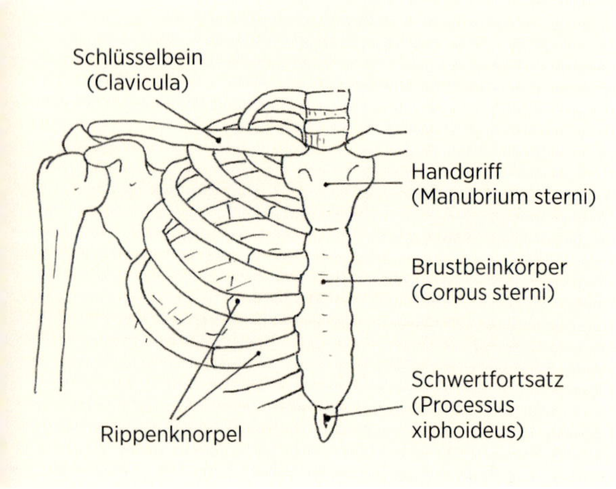

Abb. 48: **Rippen, Sternum**

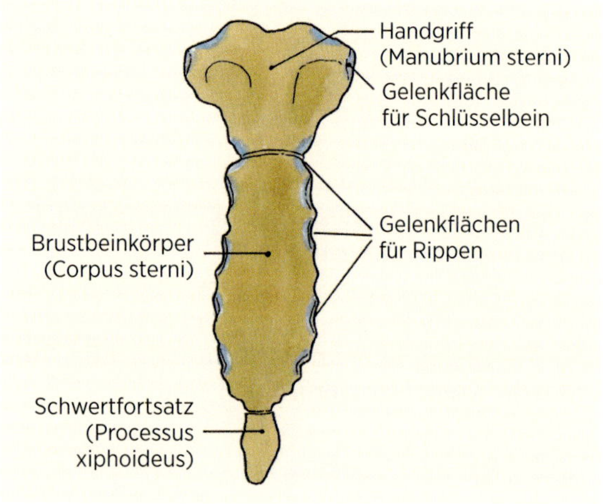

Abb. 49: **Brustbein**

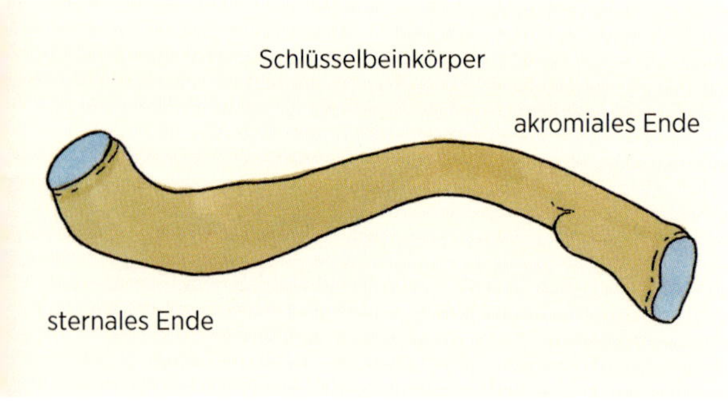

Abb. 50: **Schlüsselbein**

7.5.4 Schlüsselbein (Clavicula)

Das Schlüsselbein ist ein s-förmig gekrümmter, etwa 13 cm langer Knochen, welcher den Handgriff des Brustbeins mit der **Schulterhöhe (Akromion)** des **Schulterblattes (Scapula)** verbindet. Es bildet mit dem Sternum ein Kugelgelenk, sein akromiales Ende, die Verbindung zum Schulterblatt, bildet ein planes Gelenk aus, welches allerdings bei den Bewegungen des Schultergürtels auch annähernd Rotationsbewegungen ausführen kann.

7.5.5 Schulterblatt (Scapula)

Das dreieckige Schulterblatt ist ein extrem platter Knochen. Es weist eine mediale, eine laterale und eine obere Kante sowie einen unteren, einen oberen und einen lateralen Winkel auf. Seine den Rippen zugewandte Seite ist flach, an der dorsalen Seite entspringt die **Schulterblattgräte (Spina scapulae)**, welche nach lateral zur **Schulterblatthöhe (Akromion)** ausläuft. Das Akromion ist gelenkig mit der Clavicula verbunden.

Ventral der Schulterblatthöhe entspringt der **Rabenschnabelfortsatz (Processus coracoideus)**, welcher sich hakenförmig nach vorne wendet. Er dient dem Ansatz einiger Muskeln, die zum Oberarm und zum vorderen Brustkorb ziehen.

Im Bereich des lateralen Winkels befindet sich unterhalb des Processus coracoideus eine flache konkave Gelenkfläche (Cavitas glenoidalis), welche mit dem **Oberarmkopf (Caput humeri)** das Schultergelenk bildet.

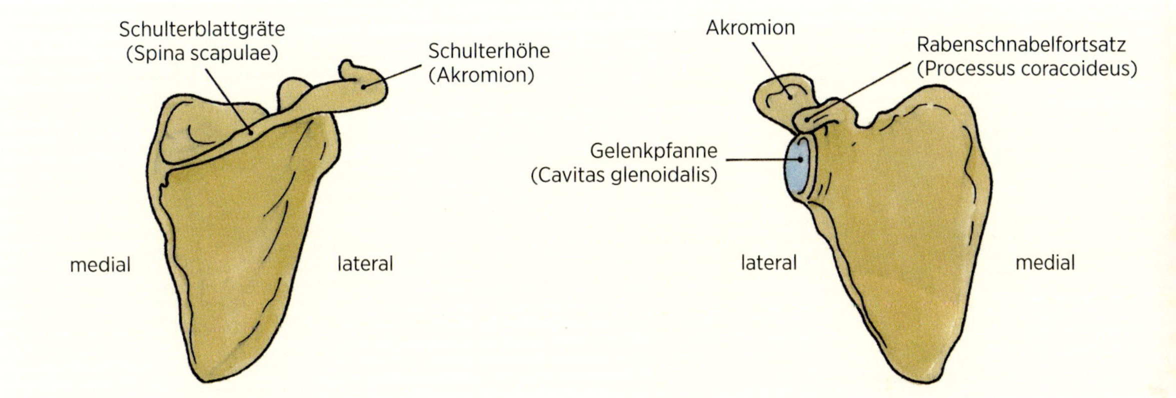

Abb. 51: **Schulterblatt von hinten und von vorne**

7.5.6 Oberarmknochen (Humerus)

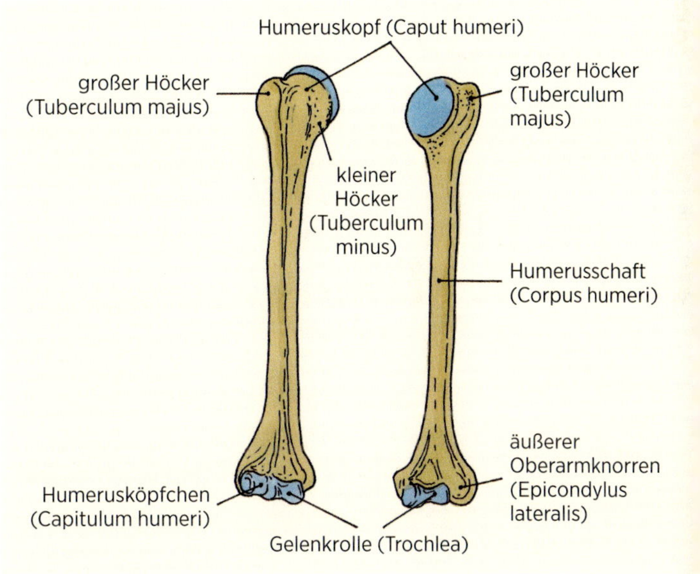

Abb. 52: **Humerus**

Der Humerus ist ein klassischer Röhrenknochen mit einem langen Schaft (Diaphyse, Corpus humeri) und einem proximalen sowie einem distalen Ende, den Epiphysen. Die proximale Epiphyse entspricht dem halbkugelförmigen **Humeruskopf (Caput humeri)**, distal davon imponieren zwei Knochenvorsprünge, das ventral liegende große **Tuberculum majus** und lateral davon das kleine **Tuberculum minus.** Sie dienen dem Ansatz von Muskeln. Am distalen Ende weist der Oberarmknochen zwei gegenüberliegende Knochenvorwölbungen (Epicondylus medialis und lateralis) oberhalb der Gelenkflächen für Elle und Speiche auf. Am medialen **Epicondylus** ist eine seichte Rinne für den Nervus ulnaris, einen'‘’ der Nerven für den Unterarm, sichtbar. Seine oberflächliche Lage kann sich manchmal schmerzhaft bemerkbar machen („narrisches Bein“).

Die rollenförmige Trochlea ähnelt einer Zwirnspule und bildet die Gelenkfläche mit der Elle. Der **Ellenhaken (Olecranon)** findet bei gestrecktem Arm Platz in einer deutlichen Vertiefung an der Rückseite des Humerus, der **Fossa olecrani**.

Lateral der Trochlea bildet das kleine **Humerusköpfchen (Capitulum humeri)** eine halbkugelförmige Gelenkfläche für das flache proximale Ende der Speiche, das Radiusköpfchen.

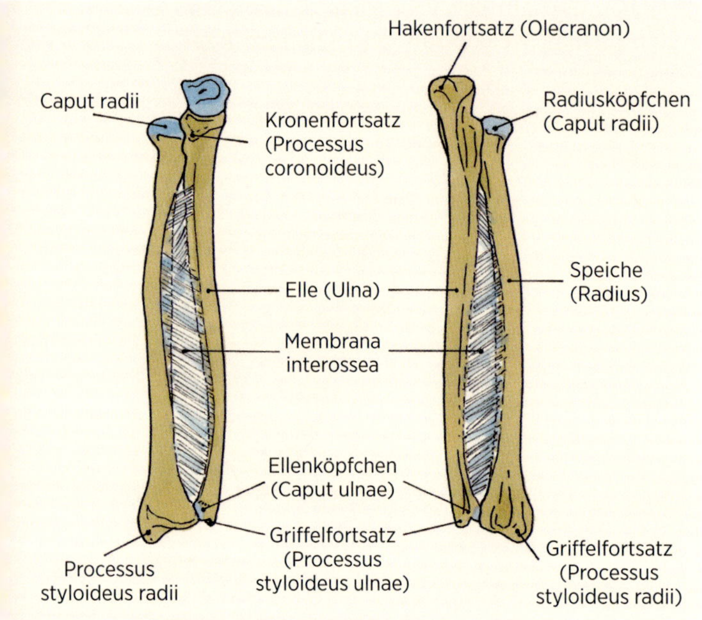

Abb. 53: **Elle, Speiche**

7.5.7 Speiche (Radius), Elle (Ulna)

Die **Speiche**, ein langer Röhrenknochen, zeigt einen dreieckigen Querschnitt, der durch die drei Flächen und Kanten des **Radiusschaftes (Corpus radii)** bedingt ist. Proximal kommuniziert im Ellbogenbereich die flache Gelenkpfanne des annähernd zylindrischen Radiusköpfchens mit dem kleinen Humerusköpfchen. Das distale Ende zeigt eine elliptische Gelenkpfanne für das Eigelenk mit der proximalen Handwurzelreihe. Hier läuft die laterale Radiuskante in einem kräftigen **Griffelfortsatz (Processus styloideus radii)** daumenwärts aus.

Die **Elle**, der kleinfingerwärts gelegene Unterarmknochen, zeigt an seinem oberen Ende den hinten liegenden kräftigen **Ellenbogenhöcker (Olecranon)**, dessen Spitze beim gestreckten Ellbogengelenk in einer Knochengrube, der Fossa olecrani, des Humerus liegt. An der Innenseite bildet der hakenförmige Fortsatz eine halbmondförmige Gelenkfläche, welche mit der Trochlea des Humerus kommuniziert. Nach vorne wird diese Gelenkfläche vom kleinen **Kronenfortsatz (Processus coronoideus)** begrenzt. An der Außenseite des proximalen Ulnaendes befindet sich eine kleine flache Gelenkfläche für das Radiusköpfchen, welches durch ein straffes ringförmiges Band (Ligamentum anulare radii) an der Ulna fixiert ist. Auch der **Schaft der Ulna (Corpus ulnae)** weist einen dreieckigen Querschnitt auf. An seinem distalen Ende vervollständigt das Ulnaköpfchen die Pfanne des proximalen Handgelenks, ein kleiner Griffelfortsatz überragt das Ulnaköpfchen nach distal.

Radius und Ulna sind entlang ihres Schaftes durch eine Bindegewebsmembran, **Membrana interossea**, verbunden.

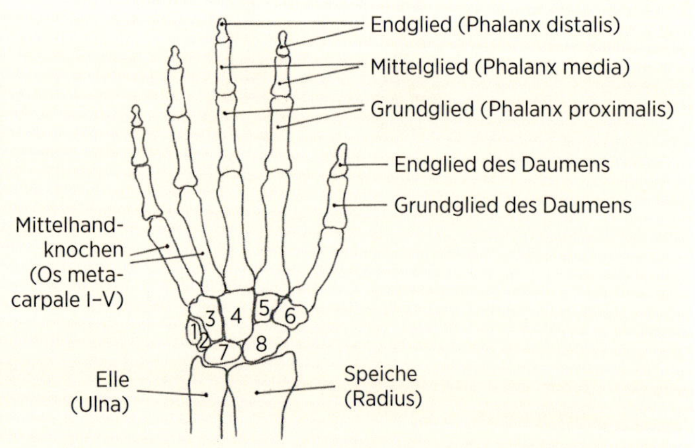

1 Erbsenbein (Os pisiforme), 2 Dreieckbein (Os triquetrum), 3 Hakenbein (Os hamatum), 4 Kopfbein (Os capitatum), 5 kleines Vieleckbein (Os trapezoideum), 6 großes Vieleckbein (Os trapezium), 7 Mondbein (Os lunatum), 8 Kahnbein (Os scaphoideum)

Abb. 54: **Handskelett**

7.5.8 Handskelett

Das Handskelett setzt sich aus Handwurzelknochen, Mittelhandknochen und Fingerknochen zusammen.

Die **Handwurzel (Carpus)** besteht aus acht Knochen, wobei die proximale Handwurzelreihe von radial nach ulnar aus dem **Schiffbein (Os naviculare** oder **scaphoideum)**, dem **Mondbein (Os lunatum)**, dem **Dreieckbein (Os triquetrum)** und dem **Erbsenbein (Os pisiforme)** besteht. Das Erbsenbein ist ein Sesambein, welches in eine Beugesehne der Handwurzel eingelassen ist.

Die distale Handwurzelreihe setzt sich von radial nach ulnar aus dem **großen Vieleckbein (Os trapezium)**, dem **kleinen Vieleckbein (Os trapezoideum)**, dem **Kopfbein (Os capitatum)** und dem **Hakenbein (Os hamatum)** zusammen.

Merksatz für die Handwurzelknochen: Ein Kahn, der fuhr im Mondenschein um's Dreieck- und um's Erbsenbein. Vieleck groß, Vieleck klein, ein Kopf, der muss am Haken sein.

An die distale Handwurzelreihe schließen die fünf röhrenförmigen **Mittelhandknochen (Ossa metacarpalia)** an, welche von den Weichteilen der Handfläche und des Handrückens bedeckt sind.

Der 2. bis 5. Finger besteht jeweils aus einem an die Mittelhandknochen anschließenden proximalen, einem medialen und einem distalen **Fingerglied (Phalangen)**, der Daumen hingegen nur aus einer proximalen und einer distalen Phalanx.

7.6 Knochen des Beckens und der unteren Extremität

Das knöcherne Becken setzt sich aus den ringförmig verbundenen **Hüftbeinen (Ossa coxae)**, dem **Kreuzbein (Os sacrum)** und dem **Steißbein (Os coccygis)** zusammen. Die untere Extremität besteht aus dem **Oberschenkelknochen (Femur)**, dem **Schien- und Wadenbein (Tibia und Fibula)** des Unterschenkels und dem Fußskelett. Sie kommuniziert über das **Hüftgelenk**, das größte menschliche Kugelgelenk, mit dem Becken.

7.6.1 Becken (Pelvis)

Das Becken ist ein kräftiger Ring aus den oben genannten Knochen, welcher sowohl mit der Wirbelsäule als auch mit der unteren Extremität gelenkig verbunden ist. Das **Hüftbein** besteht wiederum aus drei Knochen, dem **Darmbein (Os ilium)**, dem **Sitzbein (Os ischii)** und dem **Schambein (Os pubis)**, welche bis zum 18. Lebensjahr vollständig knöchern miteinander verwachsen sind. Während der Kindheit bestehen noch knorpelige Wachstumsfugen zwischen den einzelnen Knochen, welche sich y-förmig im Bereich der **Hüftgelenkpfanne (Acetabulum)** treffen.

Das **Darmbein (Os ilium)** bildet mit seiner großen muldenförmigen Darmbeinschaufel (Fossa iliaca) den kranial am weitesten ausladenden Teil des Beckens, sein oberer Rand wird durch den **Darmbeinkamm (Crista iliaca)** begrenzt. Dieser beginnt am **vorderen oberen Darmbeinstachel (Spina iliaca anterior superior)** und zieht nach hinten zum **hinteren oberen Darmbeinstachel (Spina iliaca posterior superior)**. Unter diesen beiden Darmbeinstacheln befinden sich noch zwei kleinere, vorne ein **vorderer unterer Darmbeinstachel (Spina iliaca anterior inferior)** und hinten ein **hinterer unterer Darmbeinstachel (Spina iliaca posterior inferior)**.

Das **Sitzbein** besteht im Wesentlichen aus dem **Sitzbeinkörper (Corpus ossis ischii)** mit dem **Sitzbeinstachel (Spina ischiadica)**, dem **Sitzbeinhöcker (Tuber ischiadicum)** und einer Knochenbrücke nach ventral zum Schambein, welche die untere Begrenzung einer Öffnung des Hüftknochens, dem **Foramen obturatum**, bildet.

Das **Schambein** verbindet das Darmbein mit dem Sitzbein. Es besteht aus einem **Schambeinkörper (Corpus ossis pubis)** mit einem oberen und einem unteren **Schambeinast (Ramus ossis pubis)** als vordere Begrenzung des Foramen obturatum. Der untere Schambeinast besitzt eine Gelenkfläche, welche durch eine faserknorpelige Verbindung, die **Symphyse**, mit dem gegenüberliegenden unteren Schambeinast verbunden ist.

Das Foramen obturatum ist eine Öffnung im Beckenknochen zwischen Schambein und Sitzbein, welche beim Lebenden von einer bindegewebigen Membran verschlossen ist und einigen Muskeln als Ansatz dient. Durch eine Öffnung ziehen Blutgefäße sowie der Nervus obturatorius.

An der Außenseite des Hüftknochens befindet sich die Gelenkpfanne (Acetabulum) des Hüftgelenkes, welche durch eine knorpelige Gelenklippe (Labrum) verstärkt wird, um den kugeligen **Oberschenkelkopf (Caput femoris)** zu stabilisieren.

An der Innenseite des knöchernen Beckens zieht eine queroval verlaufende Linie, die **Linea terminalis**, welche die Grenze zwischen großem und kleinem Becken darstellt. Sie verläuft vom **Promontorium** des Kreuzbeins, dem am weitesten in das Becken hineinragenden Bereich am Übergang vom 5. Lendenwirbel zum Kreuzbein, über die Linea arcuata, eine deutliche Knochenkante an der Innenseite der beiden Darmbeine, nach vorne bis zur **Symphyse**.

Das **Kreuzbein (Os sacrum)** ist durch das kaum bewegliche, durch zahlreiche Bänder stabilisierte Iliosakralgelenk mit den beiden Darmbeinen verbunden.

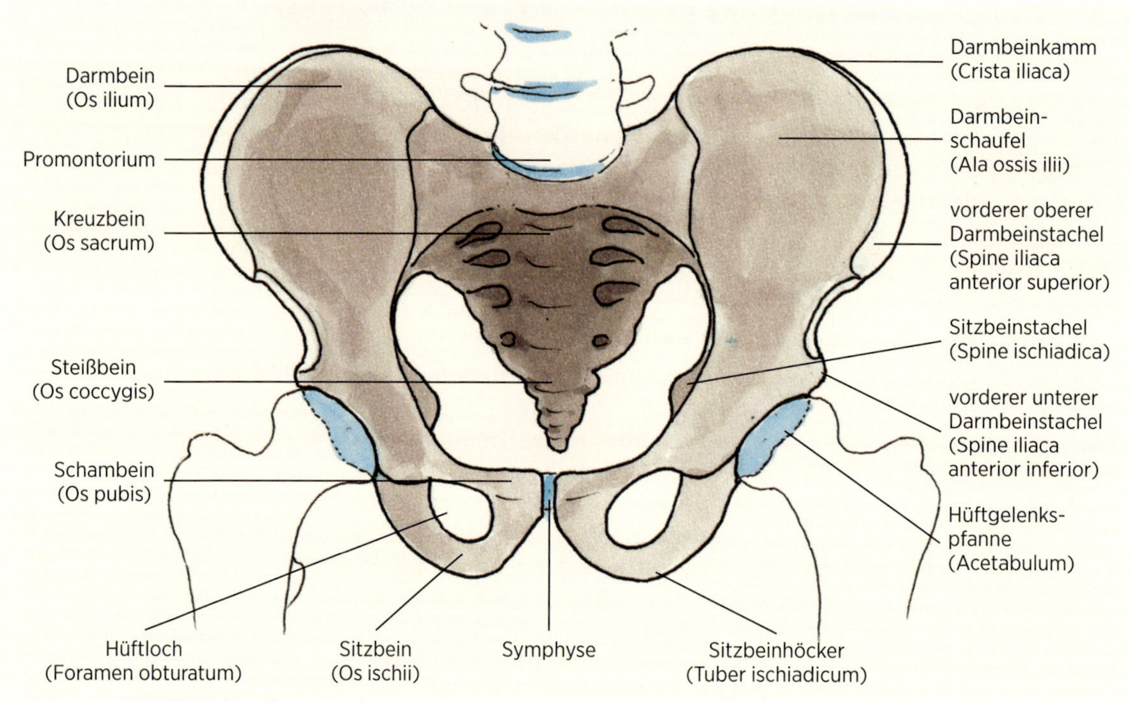

Abb. 55: **Beckenknochen**

7.6.1.1 Unterschiede zwischen weiblichem und männlichem Becken

Betrachtet man das Becken in seiner Gesamtheit, fallen einige Unterschiede zwischen Mann und Frau auf. Beim männlichen Becken sind die Beckenschaufeln steiler gestellt als beim weiblichen, wo sie deutlich weiter ausladend sind. Das männliche Becken ist dadurch höher, das weibliche flacher und breiter. Der Winkel zwischen den beiden Schambeinästen unterhalb der Symphyse beträgt beim Mann etwa 70°, bei der Frau ist er mit über 90° wesentlich weiter. Das Promontorium springt beim Mann weiter in den Beckeneingang vor, wodurch sich bei der Draufsicht eine herzförmige Form ergibt, bei der Frau ist der Beckeneingang queroval.

Beckenmaße: Um den Durchmesser des Geburtsweges abschätzen zu können, werden mit einem sogenannten Beckenzirkel die äußeren Beckenmaße gemessen. Die inneren Beckenmaße sind nur mit bildgebenden Verfahren (CT, MRT), teilweise per vaginam (durch die Scheide), messbar.

Äußere Beckenmaße:

1. **Distantia spinarum (Distantia interspinosa):** Abstand zwischen den beiden vorderen Darmbeinstacheln (Spinae iliacae anteriores superiores). Er beträgt etwa 25–26 cm.
2. **Distantia cristarum (Distantia intercristalis):** Abstand zwischen den am weitesten voneinander entfernt liegenden Punkten der Darmbeinkämme (Cristae iliacae). Er beträgt 28–29 cm.
3. **Distantia trochanterica (Distantia intertrochanterica):** Abstand der beiden Trochanteres majores (große Rollhügel der Oberschenkelknochen). Er beträgt rund 32 cm.
4. **Conjugata externa:** Abstand zwischen dem oberen Rand der Symphyse und dem Processus spinosus des 5. Lendenwirbels (oberer Punkt der Michaelis-Raute). Er misst 19–20 cm. Beträgt das Maß der Conjugata externa weniger als 18 cm, ist die Conjugata vera (innerer gerader Durchmesser) mit Sicherheit verkürzt.

Innere Beckenmaße:

1. **Diameter transversa:** Abstand zwischen den am weitesten lateral gelegenen Punkten des Beckeneingangs, beträgt in etwa 13 cm.
2. **Diameter obliqua:** querer Beckendurchmesser zwischen dem Iliosakralgelenk und der Eminentia iliopubica, einem Knochenvorsprung zwischen Darmbein und Schambein, beträgt ca. 12 cm.
3. **Conjugata vera (obstetrica):** Abstand zwischen dem Promontorium, dem am weitesten in das Becken vorspringenden Anteil des Kreuzbeins, und der Innenfläche der Symphys'''e. Dieses „wahre Beckenmaß" bezeichnet die engste Stelle des Geburtskanals und beträgt etwa 11 cm.
4. **Conjugata diagonalis:** Abstand zwischen dem Promontorium des Kreuzbeins und dem Unterrand der Symphyse. Dieser Abstand kann von der Hebamme per vaginam gemessen werden und beträgt ca. 12,5–13 cm.

Die Conjugata vera obstetrica ist mit 11 cm der geringste Durchmesser und damit die engste Stelle, die der kindliche Kopf überwinden muss! Sie reicht vom Hinterrand der Symphyse zum Promontorium.

7.6.2 Oberschenkelknochen (Femur)

Der Femur ist der längste Knochen des menschlichen Skeletts, er erreicht eine Länge von 40–50 cm. Von der Form her stellt er den klassischen Röhrenknochen dar.

Die **Diaphyse des Femurs (Corpus femoris)** ist lang gestreckt und weist eine leichte Krümmung nach dorsal auf. An seiner Rückseite fallen in seinem Längsverlauf Rauigkeiten auf, welche dem Ansatz zahlreicher Muskeln dienen. An seinem proximalen Ende befindet sich der **Schenkelhals (Collum femoris)**, welcher schräg nach medial abgeht. An seinem Ende sitzt der kugelige, von hyalinem Knorpel überzogene **Gelenkkopf (Caput femoris)**, welcher mit dem Acetabulum, der Gelenkpfanne des Darmbeins, das Hüftgelenk bildet. Der Winkel zwischen Schenkelhals und Schaft des Oberschenkelknochens sollte etwa 125° betragen. An der Femuraußenseite, gegenüber des Schenkelhalses, fällt ein großer, rauer Knochenvorsprung, der **große Rollhügel (Trochanter major)** auf, welcher deutlich unter der Haut zu ertasten ist. Medial und dorsal des großen Rollhügels, verbunden durch eine **Knochenleiste (Linea intertrochanterica)**, liegt verborgen unter der Muskulatur der **kleine Rollhügel (Trochanter minor)**.

Das distale Ende des Femurs ist medial und lateral deutlich zu den beiden **Oberschenkelknorren (Epicondylus medialis et lateralis)** verbreitert. Darunter ist die sattelförmige Gelenkfläche für die Kniescheibe und das Schienbein ausgebildet. Die Kniescheibe (Patella) ist als Sesambein in die Sehne des vierköpfigen Oberschenkelmuskels (M. quadriceps femoris) eingebettet. Die Gelenkfläche des Femurs ist in ihrem vorderen Bereich deutlich schmäler und verbreitert sich nach dorsal, wobei sie, getrennt durch eine Knochengrube (Fossa intertrochanterica) die beiden großen überknorpelten, abgerundeten Gelenkflächen des Kniegelenks, den **Condylus medialis und lateralis**, bildet.

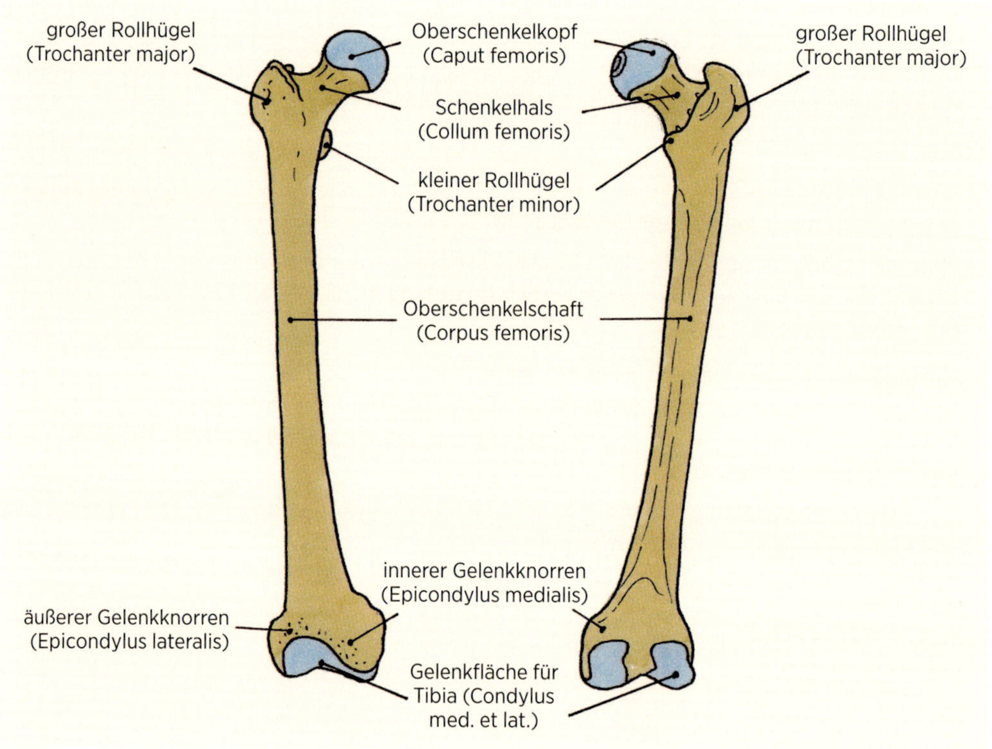

Abb. 56: **Oberschenkelknochen**

7.6.3 Schienbein (Tibia) und Wadenbein (Fibula)

Auch das **Schienbein** ist ein langer, kräftiger Röhrenknochen, dessen **Schaft (Corpus tibiae)** einen dreieckigen Querschnitt aufweist. Vor allem seine scharfe vordere Kante ist unter der Haut sichtbar und tastbar. Das Schienbein zeigt eine sanfte konvexe (gewölbte) Krümmung nach vorne. An einer rauen Fläche setzt an der Schienbeinvorderseite im oberen Knochendrittel die Sehne (Patellarsehne) des M. quadriceps an. Das proximale Tibiaende ist zum kräftigen **Schienbeinkopf (Caput tibiae)** mit einem medialen und einem lateralen **Schienbeinknorren (Condylus medialis et lateralis)** verbreitert. Die Knorren tragen die flache Gelenkfläche für das distale Ende des Femurs, welche in der Mitte zwei kleine Knochenhöcker aufweist. Am lateralen Condylus findet sich zusätzlich eine kleine Gelenkfläche, an der das Schienbein mit dem Wadenbein kommuniziert.

Das distale Ende der Tibia läuft spitz aus und formt so den **Innenknöchel (Malleolus medialis)**, dessen Innenseite von Knorpel überzogen ist und gemeinsam mit dem Außenknöchel der Fibula die Pfanne für das obere Sprunggelenk bildet.

Das **Wadenbein (Fibula)** ist im Gegensatz zum Schienbein ein sehr zarter, langgezogener Knochen an der Außenseite des Unterschenkels. Der proximal gelegene **Fibulakopf (Caput fibulae)** kommuniziert über eine kleine Gelenkfläche mit dem lateralen Schienbeinknorren. Das Wadenbein hat keine Verbindung zum Femur und zum Kniegelenk. Das distale Ende ist zum **Außenknöchel (Malleolus lateralis)** verdickt, es reicht etwas weiter nach distal als der Innenknöchel. Innen- und Außenknöchel formen gemeinsam die Malleolengabel, welche das obere Ende des Sprungbeins umfasst.

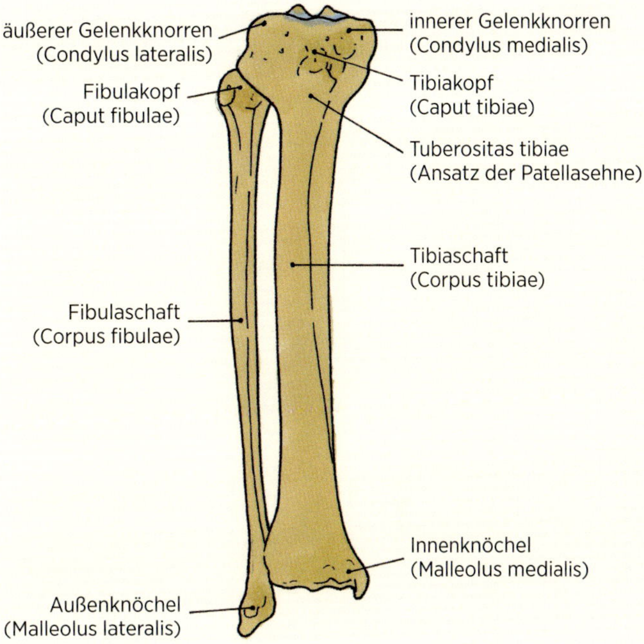

Abb. 57: **Tibia, Fibula**

Zwischen Schienbein und Wadenbein ist, analog zu den Knochen des Unterarmes, eine bindegewebige **Zwischenknochenmembran (Membrana interossea)** ausgebildet, welche zur Stabilität beiträgt.

7.6.4 Fußskelett

Auch am Fuß werden sieben höchst unterschiedliche Knochen der **Fußwurzel (Tarsus)**, die fünf **Mittelfußknochen (Metatarsus)** und die **Zehenglieder (Phalangen)** unterschieden.

Die Fußwurzel besteht einerseits aus zwei kräftigen, unregelmäßigen Knochen, dem **Sprungbein (Talus)** und dem **Fersenbein (Calcaneus)**, wobei das Sprungbein sowohl mit der Malleolengabel der Unterschenkelknochen als auch mit dem Fersenbein gelenkig verbunden ist. An einer Rauigkeit am hinteren Ende des Fersenbeines setzt die mächtige **Achillessehne** des Wadenmuskels (M. triceps surae) an.

An das Sprungbein schließen sich weitere Fußwurzelknochen an, das querliegende **Kahnbein (Os naviculare)** und die drei nebeneinander liegenden **Keilbeine (Ossa cuneiformia)**. Den lateralen Rand der Fußwurzel bildet schließlich das **Würfelbein (Os cuboideum)**.

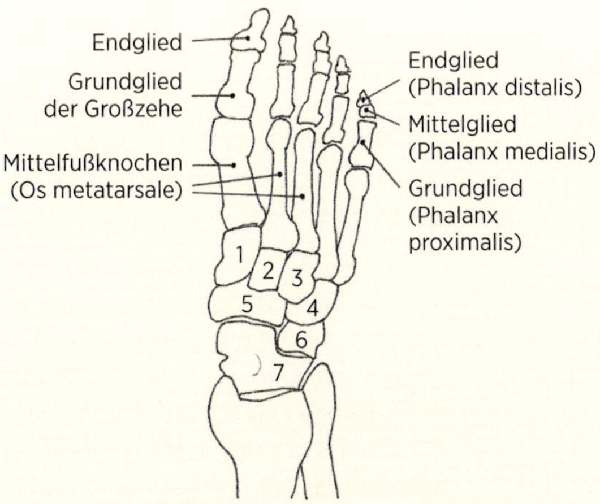

1+2+3 Keilbeine (Ossa cuneiformia), 4 Würfelbein (Os cuboideum), 5 Kahnbein (Os naviculare), 6 Fersenbein (Calcaneus), 7 Sprungbein (Talus)

Abb. 58: **Fußskelett**

Merksatz: Das Sprungbein und das Fersenbein, die wollten in den Kahn hinein. „Das geht nicht“, sprach das Würfelbein, „da passen nur drei Keile rein.“

An die drei Keilbeine und das Würfelbein, die gemeinsam die distale Fußwurzelreihe bilden, schließen die fünf kleinen **Röhrenknochen des Mittelfußes (Ossa metatarsalia)** an, welche von Sehnen, Muskeln und Haut verdeckt sind. Daran grenzen jeweils drei **Zehenglieder (Phalangen)** der 2. bis 5. Zehe und zwei Glieder des großen Zehs an. Auch hierbei handelt es sich um, wenn auch sehr kleine, Röhrenknochen.

7.7 Gelenke

Gelenkflächen sind in der Regel von hyalinem Knorpel überzogen, welcher von der Gelenkschmiere (Synovia) ernährt wird. Diese befindet sich im Gelenkspalt zwischen den kommunizierenden Gelenkflächen. Eine bindegewebige Gelenkkapsel umschließt das Gelenk vollständig. Einzelne Gelenkflächen, deren Knochen bindegewebig angelegt waren, sind mit Faserknorpel überzogen (Kiefergelenk, Gelenksverbindungen der Clavicula zum Sternum und zur Scapula). Der glatte Knorpel und die Gelenkschmiere ermöglichen das ungehinderte Gleiten der Gelenkflächen bei Bewegungen. Manche Gelenke besitzen zur besseren Verteilung des Druckes, welcher auf ihnen lastet, noch bindegewebig vollständige **(Discus)** oder unvollständige **(Meniscus)** Scheiben im Bereich des Gelenkspaltes.

Schleimbeutel (Bursa), das sind außen liegende Bindegewebssäckchen mit gallertiger Füllung, vermindern im Bereich zahlreicher Gelenke den Druck und die Reibung von Sehnen, welche über Knochen ziehen. Sie können, müssen aber nicht, mit der Gelenkhöhle in offener Verbindung stehen.

7.7.1 Gelenke des Schädels

Am Schädel lassen sich das Kiefergelenk und zwei sogenannte Schädelgelenke, die Verbindungen zwischen Hinterhauptsbein und dem 1. Halswirbel (Atlas) einerseits und die Verbindung zwischen 1. und 2. Halswirbel (Axis) andererseits, unterscheiden. Der 2. Halswirbel hat an seinem Zahn (Dens axis) eine kleine Gelenkfläche, welche mit der Innenseite des Atlas kommuniziert. Zur Erhöhung der Stabilität ist der Dens axis durch ein Band (Ligamentum anulare) am 1. Halswirbel fixiert. Bei Drehung des Kopfes zur Seite rotiert quasi der 1. Halswirbel um den Zahn des 2. Halswirbels. Die besondere Form dieser beiden Wirbel ermöglicht ein Drehen des Kopfes zur Seite und Streckbewegungen nach vorne und hinten.

Kiefergelenk (Articulatio temperomandibularis)
Am Gelenkfortsatz des **Unterkiefers (Mandibula)** sitzt eine walzenförmige Gelenkfläche, die mit der **Gelenkgrube (Fossa mandibularis)** des Schläfenbeines kommuniziert. Zwischen den Gelenkflächen befindet sich eine bindegewebige **Zwischenscheibe (Discus)**, wodurch der Gelenkspalt in einen oberen und einen unteren Abschnitt unterteilt wird. Zusätzlich wird das Gelenk von Bändern, welche außerhalb der Kapsel verlaufen, verstärkt. Anatomisch handelt es sich um ein **Kugel-Scharniergelenk**, dessen Bewegungen durch die zahlreichen Bänder eingeschränkt sind. Es sind drei Bewegungen möglich: Öffnen und Schließen des Mundes entsprechend einer Scharnierbewegung, Schiebebewegungen nach vorne und hinten bei geschlossenen Zahnreihen und kreisende Mahlbewegungen. Bei den Mahlbewegungen handelt es sich um zusammengesetzte Bewegungen.

7.7.2 Gelenkige Verbindungen der Wirbelsäule

An der Wirbelsäule sind die planen Gelenke der Wirbelkörper mit den Bandscheiben, die kleinen Zwischenwirbelgelenke und die gelenkigen Verbindungen der Brustwirbel mit den Rippen zu erwähnen. Die Gelenke zwischen Schädel und erstem Halswirbel einerseits und zwischen Atlas und Axis andererseits nehmen eine Sonderstellung ein und wurden bereits bei den Gelenken des Schädels erwähnt.

Die Wirbelkörper besitzen jeweils zwei plane Gelenkflächen, eine kraniale und eine kaudale, welche unter Zuhilfenahme keilförmiger **Zwischenwirbelscheiben (Disci intervertebrales)** oder **Bandscheiben** miteinander kommunizieren. Es handelt sich eigentlich um Synchondrosen. Die Bandscheiben machen in ihrer Gesamtheit etwa ein Viertel der Länge der Wirbelsäule aus, sie werden jedoch mit zunehmendem Alter schmäler.

Die **Bandscheiben** bestehen aus einem äußeren derben, bindegewebigen Faserring, in dessen Zentrum ein elastischer, gallertiger Kern liegt, welcher wie ein Stoßdämpfer wirkt. Zahlreiche längs- und querverlaufende Bänder verstärken die Wirbelsäule.

Als eigentliche Zwischenwirbelgelenke gelten die zahlreichen kleinen Gelenke zwischen den Gelenkfortsätzen benachbarter Wirbel. Sie zeigen im Verlauf der Wirbelsäule verschiedene Gestalt, was die unterschiedlichen Bewegungsmöglichkeiten der Abschnitte der Wirbelsäule erklärt. So sind es an der Halswirbelsäule plane, von vorne oben nach hinten unten geneigte Gelenkflächen, wodurch eine gute Beweglichkeit in diesem Abschnitt erreicht wird. Im Bereich der Brustwirbelsäule stehen sie eher nach vorne gerichtet und im Lendenwirbelbereich sagittal, wodurch in diesem Bereich kaum Seitwärtsbewegungen, aber das Vorwärts- und Rückwärtsbeugen des Rumpfes sehr gut möglich sind.

Schließlich bestehen noch gelenkige Verbindungen der Wirbelkörper der Brustwirbelsäule mit den Rippen. Das dorsal gelegene Rippenköpfchen steht mit einer Gelenkfläche, die jeweils von zwei übereinanderliegenden Wirbelkörpern gebildet wird, in gelenkiger Verbindung. Die Gelenkfläche für die erste Rippe wird vom 7. Halswirbel und dem 1. Brustwirbel gebildet.

Die Bewegungen der Wirbelsäule sind, entsprechend den zahlreichen Gelenken, zusammengesetzte Bewegungen. Zwischen Wirbelkörper und Zwischenwirbelscheibe sind geringe Schiebebewegungen nach vorne und hinten und zur Seite möglich. Die kleinen Gelenke ermöglichen das Beugen und Strecken der Wirbelsäule sowie Rotationsbewegungen.

7.7.3 Gelenke der oberen Extremität

7.7.3.1 Schultergelenk (Articulatio humeri)

Das Schultergelenk besteht aus der Verbindung zwischen **Oberarmknochen (Humerus)** und **Schulterblatt (Scapula)** und ist ein klassisches **Kugelgelenk.** Es artikuliert der kugelförmige **Oberarmkopf (Caput humeri)** mit der **Gelenkpfanne des Schulterblattes (Cavitas glenoidalis)**. Die flache Gelenkpfanne ist zusätzlich ringförmig von einer Gelenklippe aus Faserknorpel umgeben, wodurch sie an Tiefe gewinnt. Die Gelenkflächen sind von hyalinem Knorpel bedeckt, zahlreiche schwache Bänder stabilisieren mäßig das Schultergelenk. Die Gelenkkapsel ist eher schlaff, was der guten Beweglichkeit dieses Gelenkes

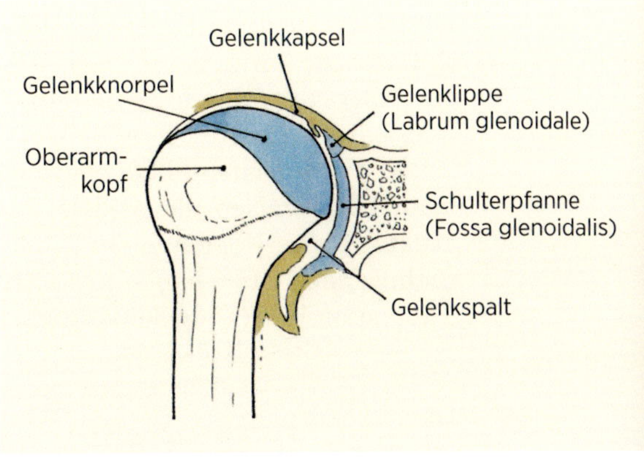

Abb. 59: **Schultergelenk**

geschuldet ist. Zahlreiche Schleimbeutel unterstützen die Verschieblichkeit der Muskelsehnen im Gelenkbereich. Das Schultergelenk besitzt drei Freiheitsgrade, es sind Ab- und Adduktion (Abspreizen und Heranziehen des Armes), Ante- und Retroversion (Vor- und Rückwärtsbewegen) sowie Innen- und Außenrotation möglich.

Gemeinsam mit den Bewegungen des Schultergelenkes wird auch das sogenannte **Schultereckgelenk** zwischen dem Akromion des Schulterblattes und dem akromialen Ende des Schlüsselbeins bewegt. Obwohl es sich um ein planes Gelenk handelt, sind Bewegungen nach oben und unten, nach vorne und hinten sowie Rotationsbewegungen möglich. Diese scheinbaren drei Freiheitsgrade sind jedoch nur als kombinierte Bewegungen dieses Gelenkes mit dem Sternoklavikulargelenk, dem Gelenk zwischen Schlüsselbein und Brustbein, zu verstehen.

7.7.3.2 Ellbogengelenk (Articulatio cubiti)

Das Ellbogengelenk ist aus drei Gelenken zusammengesetzt, allerdings mit einer gemeinsamen Gelenkkapsel. Es besteht aus dem Oberarm-Ellengelenk (Articulatio humeroulnaris) zwischen der spindelförmigen (ähnlich einer Zwirnspule) Trochlea des distalen Endes des Oberarmknochens und der konkaven Gelenkfläche des Ellbogenhakens, dem Oberarm-Speichengelenk (Articulatio humeroradialis) zwischen dem kleinen konvexen Humerusköpfchen und der schwach konkaven Gelenkfläche des Radiusköpfchens, und dem proximalen Speichen-Ellengelenk (Articulatio radioulnaris proximalis), einem Radgelenk zwischen der Außenseite des Radiusköpfchens und einer flachen Gelenkfläche der Ulna.

Das Gelenk zwischen Oberarmknochen und Elle, das **Oberarm-Ellengelenk (Articulatio humeroulnaris)**, ist ein Scharniergelenk mit nur einem Freiheitsgrad. Es ermöglicht das Beugen und Strecken im Ellbogengelenk, wobei der **Ellbogenhaken (Olekranon)** beim gestreckten Gelenk Platz in einer dorsal gelegenen Grube des Humerus, der Fossa olecrani, findet.

Das **Oberarm-Speichengelenk (Articulatio humeroradialis)** ist anatomisch ein Kugelgelenk, besitzt jedoch aufgrund seines straffen Bandapparates nur zwei Freiheitsgrade. Es ermöglicht das Beugen und Strecken sowie die Pronation und Supination im Ellbogengelenk.

Beim **proximalen Speichen-Ellengelenk (Articulatio radioulnaris proximalis)** handelt es sich um ein Zapfen- oder Radgelenk, die überknorpelte äußere Gelenkfläche des Radiusköpfchens ist durch ein zirkuläres Band an der Ulna fixiert und ermöglicht Rotationsbewegungen in einer flachen Gelenkpfanne der Elle. Dieses Band, das **Ligamentum anulare radii**, zieht vom Vorderrand der Gelenkfläche der Elle um das Speichenköpfchen herum und setzt an deren hinterem Rand wieder an. Es hat beim Kind eine zylindrische Form, beim Erwachsenen verjüngt es sich kegelförmig nach distal. Dies hat zur Folge, dass durch Ziehen an den Unterarmen das Radiusköpfchen beim Kind aus dem Band herausrutschen kann.

Distales Speichen-Ellengelenk (Articulatio radioulnaris distalis): Auch an ihrem distalen Ende weisen die beiden Unterarmknochen eine gelenkige Verbindung auf. Es artikuliert das Köpfchen der Ulna mit einer facettenartigen Gelenkfläche des distalen Radiusendes. Hier handelt es sich um ein Radgelenk, welches die Pronation und die Supination im Handgelenk möglich macht.

7.7.3.3 Gelenke der Hand

Handgelenk (Articulatio manus)

Das Handgelenk setzt sich aus einem proximalen und einem distalen Anteil zusammen. Das **proximale Handgelenk** besteht aus einer ellipsenförmigen Gelenkpfanne, welche von Radius und Ulna gebildet wird, und einem Gelenkkopf, der aus den überknorpelten Anteilen der proximalen Handwurzelreihe besteht. Anatomisch handelt es sich um ein Eigelenk.

Das **distale Handgelenk** zeigt entsprechend der artikulierenden Flächen der Handwurzelknochen einen unregelmäßigen Verlauf. Es liegt zwischen proximaler und distaler Handwurzelreihe und entspricht am ehesten einem Scharniergelenk.

Die Bewegungen im Handgelenk setzen sich aus vielen Einzelbewegungen zwischen den knöchernen Strukturen im Bereich der Handwurzel zusammen, wobei sich die Gelenkflächen gegeneinander verschieben. Zahlreiche Bänder stabilisieren dabei die Handwurzelknochen.

Die Bewegungen laufen gemeinsam im proximalen und distalen Handgelenk ab. Es sind Beugen und Strecken (Palmarflexion und Dorsalextension) und Seitwärtsbewegungen (Radial- und Ulnarabduktion) möglich. Zusätzlich ist das Handgelenk an der Pronation und Supination der Hand mitbeteiligt.

Handwurzel-Mittelhandgelenke (Articulationes carpometacarpalia I–V)

Das Gelenk zwischen dem Mittelhandknochen des Daumens und der Handwurzel ist das einzige Sattelgelenk des Menschen, bei dem zwei konkave Flächen, welche im rechten Winkel zueinander stehen, wie der Reiter auf seinem Sattel, miteinander kommunizieren. Eine Gelenkfläche wird vom proximalen Ende des Mittelhandknochens des Daumens, die andere vom großen Vieleckbein (Os trapezium) gebildet. In diesem Gelenk sind Beugen und Strecken (Flexion und Extension), das Abspreizen und Heranführen des Daumens (Ab- und Adduktion) und eine scheinbare Rotation möglich. Diese Bewegung ist allerdings eine zusammengesetzte Bewegung und keine echte Rotation. Als Opposition bezeichnet man das Gegenüberstellen von Daumeninnenseite und Handfläche.

Die übrigen Gelenke zwischen den Handwurzelknochen und den Mittelhandknochen des 2. bis 5. Fingers zeigen unregelmäßige Gelenkflächen und sind durch die zahlreichen fixierenden Bänder in diesem Bereich kaum beweglich.

Fingergelenke

Das Daumengrundgelenk zwischen dem 1. Mittelhandknochen und der Grundphalanx des Daumens ist ebenso wie das Interphalangealgelenk zwischen Grund- und Endglied ein **Scharniergelenk** mit jeweils nur einem Freiheitsgrad. Dementsprechend können in diesen Gelenken die Daumenglieder nur gebeugt und gestreckt werden.

Die Fingergrundgelenke am Übergang zwischen den Mittelhandknochen und den Grundgliedern der übrigen Finger sind der Form nach Kugelgelenke, welche jedoch durch die Weichteile in ihrer Beweglichkeit stark eingeschränkt sind und lediglich Beugen und Strecken sowie das Abspreizen der Finger ermöglichen.

Die Gelenke zwischen den Grund- und Mittelphalangen sind, wie die Gelenke zwischen den Mittel- und Endgliedern der Finger, Scharniergelenke mit nur einem Freiheitsgrad.

7.7.3.4 Palmaraponeurose und Retinaculum

Im Bereich der Handfläche bilden bindegewebige Faserzüge des langen Hohlhandmuskels eine dreieckige Sehnenplatte, deren Spitze in Richtung Handgelenk zeigt und sich zu den Fingern hin verbreitert. Diese Palmaraponeurose schützt die darunterliegenden Nerven und Gefäße und ist notwendig, um beim Greifen eine Hohlhand bilden zu können.

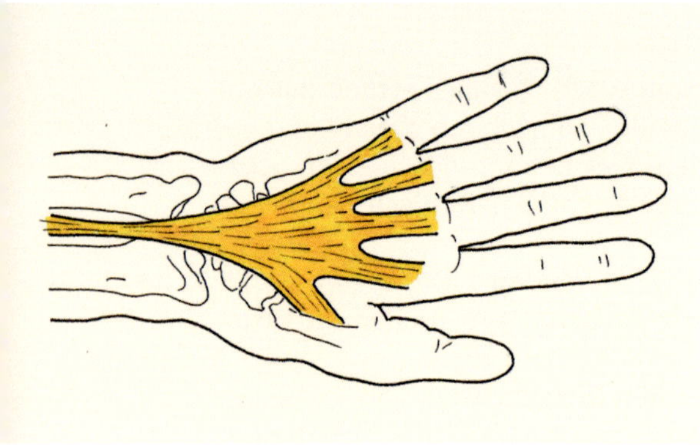

Abb. 60: **Palmaraponeurose**

Im Bereich der Handwurzel spannt sich an der Vorderseite als Retinaculum flexorum und an der Hinterseite als Retinaculum extensorum jeweils ein straffes quer verlaufendes Band über die darunterliegenden Muskelsehnen, welche vom Unterarm zur Hand ziehen. Diese Bänder sorgen dafür, dass beim Beugen und Strecken des Handgelenkes die Sehnen eng anliegend am Handgelenk bleiben.

Das Retinaculum flexorum ist an der Ausbildung des sogenannten Karpaltunnels beteiligt, neben den Beugesehnen zieht auch der N. medianus durch diesen Tunnel zur Hand.

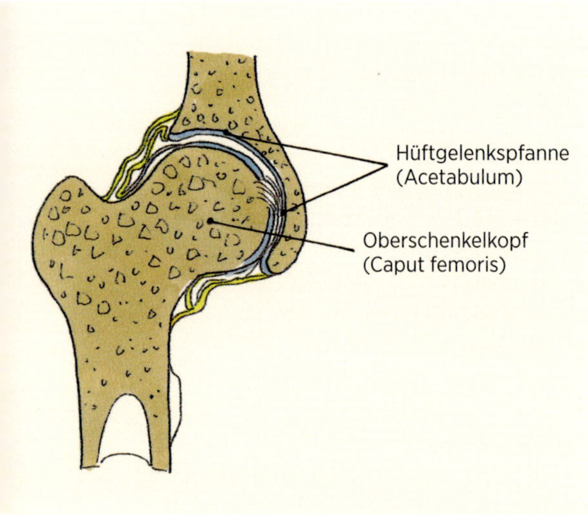

Abb. 61: **Hüftgelenk**

7.7.4 Gelenke der unteren Extremität

7.7.4.1 Hüftgelenk (Articulatio coxae)

Das Hüftgelenk ist ein **Kugelgelenk**, der annähernd kugelige Oberschenkelkopf kommuniziert mit der Hüftgelenkpfanne, dem **Acetabulum**, welche durch eine faserknorpelige Gelenklippe vergrößert wird. Etwa zwei Drittel des Femurkopfes finden so innerhalb der Pfanne Platz. Die Kapsel des Hüftgelenks, welches einer großen Gewichtsbelastung ausgesetzt ist, wird durch drei kräftige Bänder verstärkt. Die drei Freiheitsgrade entsprechen einem Kugelgelenk, es sind Beugen (Flexion) und Strecken (Extension), Ab- und Adduktion sowie Innen- und Außenrotation möglich. Im Hüftgelenk kann allerdings wesentlich weiter nach vorne gebeugt als nach hinten gestreckt und auch besser abduziert als adduziert werden.

7.7.4.2 Kniegelenk (Articulatio genus)

Das Kniegelenk wird vom distalen Ende des Oberschenkelknochens, dem proximalen Schienbeinende und der Kniescheibe (Patella) gebildet. Das Wadenbein hat keinen Anteil an diesem Gelenk.

Die Tibia (Schienbein) bildet eine relativ gerade Gelenkfläche, auf der die **beiden Gelenkknorren (Condylus medialis et lateralis)** des Oberschenkelknochens gleiten. Da es sich um ein Scharniergelenk handelt, sind Beugen und Strecken möglich. Die Gelenkflächen des Femurs weisen jedoch keine konstante Krümmung auf, wodurch beim gebeugten Knie die kommunizierenden Flächen sehr klein sind. Dies ermöglicht in dieser Position auch eine geringe Rotationsbewegung.

Da die Gelenkflächen bei Bewegung ihre Auflageflächen ändern, wird diese Unregelmäßigkeit durch einen halbmondförmigen medialen und einen kreisrunden lateralen **Meniskus (Meniscus medialis et lateralis)** ausgeglichen.

Eingebettet in die Sehne des M. quadriceps femoris bildet die **Kniescheibe (Patella)** die vordere Begrenzung des Kniegelenks, ihre knorpelige Hinterseite artikuliert mit der Femurvorderseite. Die Kniescheibe ist entsprechend einem Sesambein als Führungsknochen in die Sehne eingelassen.

Zur Stabilisierung besitzt das Kniegelenk mehrere innere und äußere Bänder, von denen die beiden Seitenbänder und die zwei Kreuzbänder besonderer Erwähnung bedürfen.

Das **innere Seitenband** verläuft außerhalb der Gelenkkapsel vom medialen Epicondylus des Femurs zur medialen Seite des Tibiakopfes, das äußere Seitenband erstreckt sich vom lateralen Epicondylus des Oberschenkelknochens zum Fibulaköpfchen.

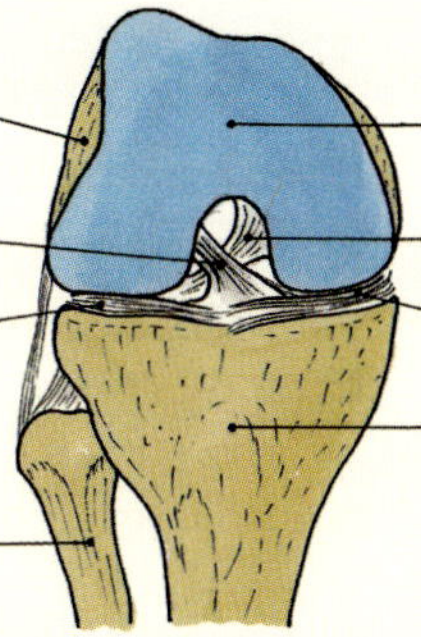

Abb. 62: **Kniegelenk**

Ein **vorderes Kreuzband** zieht vorne von der Mitte der Gelenkfläche der Tibia schräg zur Innenseite des äußeren Femurcondylus, ein **hinteres Kreuzband** verläuft vom hinteren Abschnitt der Tibiagelenkfläche zur Innenseite des medialen Femurcondylus. Die beiden Kreuzbänder liegen einander überkreuzend innerhalb der Gelenkkapsel, sind aber von einer eigenen Gelenkmembran umschlossen.

Zwischen Tibia und Fibula befindet sich proximal ein kleines von Bändern gestütztes Gelenk, welches nicht mit dem Kniegelenk kommuniziert. Es ermöglicht Schiebebewegungen zwischen diesen beiden Knochen.

Analog zum Unterarm verbindet eine bindegewebige Zwischenknochenmembran, die **Membrana interossea**, auch die beiden Unterschenkelknochen. Sie dient der Stabilisierung der beiden Knochen zueinander und dem Ansatz von Muskulatur.

7.7.4.3 Gelenke des Fußes

Im Bereich des Fußes ermöglichen zahlreiche Gelenke die komplexen Bewegungen, die zum Abrollen des Fußes beim Gehen und Laufen notwendig sind. Wir unterscheiden ein oberes und ein unteres Sprunggelenk, Gelenke zwischen Fußwurzel (Tarsus) und Mittelfußknochen sowie die Gelenke der Zehenglieder.

Sprunggelenke

Das **obere Sprunggelenk** befindet sich zwischen den beiden Unterschenkelknochen Tibia und Fibula und dem Sprungbein (Talus) der Fußwurzel. Dabei bilden die distalen Enden von Schien- und Wadenbein eine Gelenkpfanne, welche sich auf die Innenseiten der beiden Knöchel ausdehnt. Tibia und Fibula sind in diesem Bereich bindegewebig verbunden (Syndesmose), zahlreiche straffe Bänder sichern dieses Gelenk. Die klammerartige Struktur, welche durch die beiden nach distal verlängerten Knöchel (Malleolus medialis et lateralis) gebildet wird, wird als **Malleolengabel** bezeichnet. Der Gelenkkopf wird vom proximalen Anteil des Sprungbeins gebildet.

Das **obere Sprunggelenk** ist ein Scharniergelenk, es ermöglicht die Bewegung des Fußes in Richtung Fußsohle (Plantarflexion) und in Richtung Fußrücken (Dorsalextension). Beim Abrollen des Fußes hat das Gelenk in Plantarflexionsstellung deutlich mehr Spielraum als in Dorsalextension.

Das **untere Sprunggelenk** setzt sich aus den gelenkigen Verbindungen des Sprungbeins (Talus) mit dem Fersenbein (Calcaneus) und dem Kahnbein (Os naviculare) zusammen, welche wiederum durch Bänder fixiert werden. Es handelt sich um ein Kugel-Zapfengelenk, welches eine Innen- und eine Außendrehung des Fußes ermöglicht. Gemeinsam können in den beiden Sprunggelenken Beugung (Plantarflexion), Streckung (Dorsalextension), Pronation und Supination durchgeführt werden.

Fußwurzel-Mittelfußgelenke (Articulationes tarsometatarsales)
Die fünf Mittelfußknochen der Zehen bilden mit den distal gelegenen Fußwurzelknochen unterschiedlich geformte Gelenke, welche eine mehrfach abgeknickte Gelenklinie formen. Die straffen Gelenke ermöglichen nur eingeschränkte Bewegungen, sind aber am Abrollen des Fußes und am Einwärts- und Auswärtsdrehen mitbeteiligt.

Zehengrundgelenke und Mittel- und Endgelenke der Zehen
Bei den Grundgelenken der Zehen, welche zwischen den Mittelfußknochen und dem Grundglied der Zehen liegen, handelt es sich um flach ausgebildete Kugelgelenke, welche sich aber eher wie Scharniergelenke verhalten.

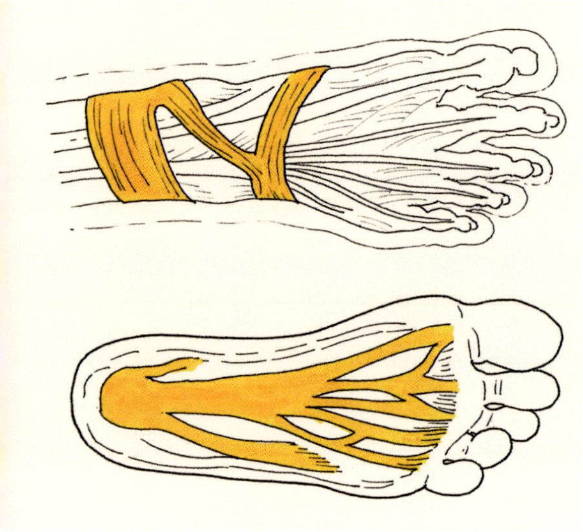

Abb. 63: **Retinaculum und Plantaraponeurose**

Zwischen den einzelnen Gliedern der Zehen finden sich Scharniergelenke, die das Beugen und Strecken der Zehen ermöglichen. Die Großzehe besitzt nur ein Gelenk zwischen Grund- und Endglied, die Zehen II–V entsprechend ihren Grund-, Mittel- und Endgliedern zwei Scharniergelenke.

7.7.4.4 Plantaraponeurose und Retinaculum

Analog zur Palmaraponeurose der Hand findet sich im Bereich der Fußsohle eine Plantaraponeurose, eine dreieckige Sehnenplatte, deren Spitze Richtung Ferse weist. Die Plantaraponeurose unterstützt die Längswölbung der Sohle und festigt das Fußgewölbe.

An der Fußrückenseite befindet sich das Retinaculum flexorum pedis, welches sich zwischen den beiden Knöcheln ausspannt und bei der Dorsalflexion des Fußes die Beugesehnen nahe am Gelenk hält.

7.8 Pathophysiologie des Skeletts

Sowohl am knöchernen Skelett als auch an den Gelenken kann es zu zahlreichen Erkrankungen kommen, welche Wachstumsstörungen, Stellungsanomalien oder Einschränkungen der Mobilität, teilweise begleitet von chronischen Schmerzzuständen, hervorrufen.

Tab. 25: **Erkrankungen des Skeletts**

Krankheitsbild	Ursache/Symptome
Osteogenesis imperfecta (Glasknochenerkrankung)	Erbkrankheit mit Störung der Knochenbildung, es kommt zu Wachstumsstörungen, Ausbildung deformierter Knochen (zu kurz, zu dünn, verformt) und multiplen Knochenbrüchen, zusätzlich treten Zahnbildungsstörungen, überstreckbare Gelenke und eine allgemeine Bindegewebsschwäche auf.
Osteoporose	Zahlreiche Ursachen führen, besonders im Alter, zu einem verstärkten Knochenabbau und einer Abnahme der Knochenmasse. Ein Mangel an Vitamin D, welches den Einbau von Kalzium in den Knochen fördert, ist ein wesentlicher Faktor. Es kommt zu Knochenschmerzen, Einbrüchen der Wirbelkörper mit Deformierung der Wirbelsäule und zu vermehrten Knochenbrüchen.

Rachitis	
Kraniostenose (vorzeitige Verknöcherung der Schädelnähte)	Bei der Rachitis liegt ein Vitamin-D-Mangel im Kindesalter vor. Es kommt zu Verformungen des wachsenden Skeletts und zu einem vorzeitigen Verschluss der Schädelnähte beim Kind, was Schädelfehlbildungen und Mikrozephalus, ein Kleinbleiben des Gehirns, zur Folge haben kann. Es müssen allerdings nicht alle Schädelnähte davon betroffen sein.
Vorzeitiger Epiphysenfugenschluss	Unter dem Einfluss der Geschlechtshormone kann es zu einem frühzeitigen Verknöchern der Epiphysenfugen und zu einem Wachstumsstillstand kommen.
Gelenkserkrankungen	
Arthritis (Gelenksentzündung)	Unter Arthritis versteht man entzündliche Veränderungen einzelner oder mehrerer Gelenke mit Rötung, Erwärmung, Schwellung und Schmerzen. Die Ursachen können mannigfaltig sein, eine Vielzahl der entzündlichen Gelenkserkrankungen zählt zum rheumatischen Formenkreis, der zu den Autoimmunerkrankungen gehört.
Arthrose (Gelenksverschleiß)	Die Arthrose ist eine nicht entzündliche Abnützung von Gelenken, bei der es zu einem zunehmenden Verlust des Gelenkknorpels kommt. Ursächlich sind Übergewicht, Fehlstellungen und Überbeanspruchung der Gelenke zu nennen. Auch hier kommt es zu Schmerzen, zu Gelenksergüssen und zu Bewegungseinschränkungen.
Dupuytren-Kontraktur	Verdickung und Verkürzung der Palmaraponeurose und Verkürzung der Beugesehnen
Morbus Ledderhose	Verdickung und Verkürzung der Plantaraponeurose und Verkürzung der Beugesehnen
Karpaltunnelsyndrom	Verengung des Karpaltunnels und in der Folge Druckschädigung des Nervus medianus

Übungsfragen

1. Unterscheide die verschiedenen Knochenformen. Wo im Körper findet man sie?
2. Was befindet sich in den Epiphysen und in den Diaphysen beim Erwachsenen und beim Kind?
3. Erkläre den Aufbau des Knochens; unterscheide Geflechtknochen und Lamellenknochen.
4. Was versteht man unter desmaler Ossifikation? Welche Knochen entstehen auf diese Weise? Welcher Knochen entsteht dabei primär und welcher sekundär?
5. Was versteht man unter chondraler Ossifikation? Welche Knochen entstehen auf diese Weise? Welche Art Knochen entsteht dabei?
6. Erkläre den Aufbau von Gelenken.
7. Unterscheide die unterschiedlichen Gelenkformen und nenne ihre Freiheitsgrade.

8 Skelettmuskulatur

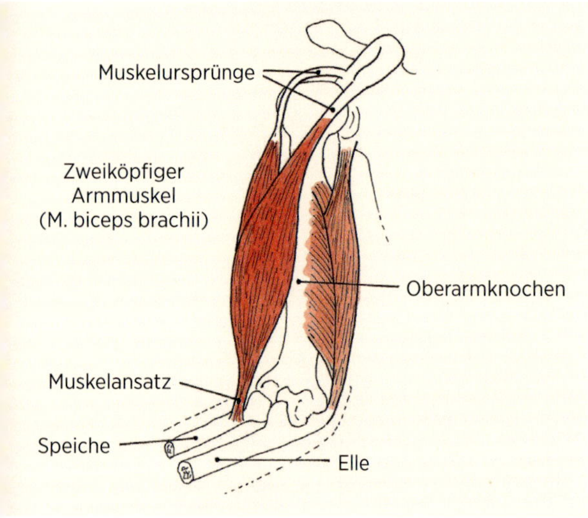

Abb. 64: **Muskelbewegung**

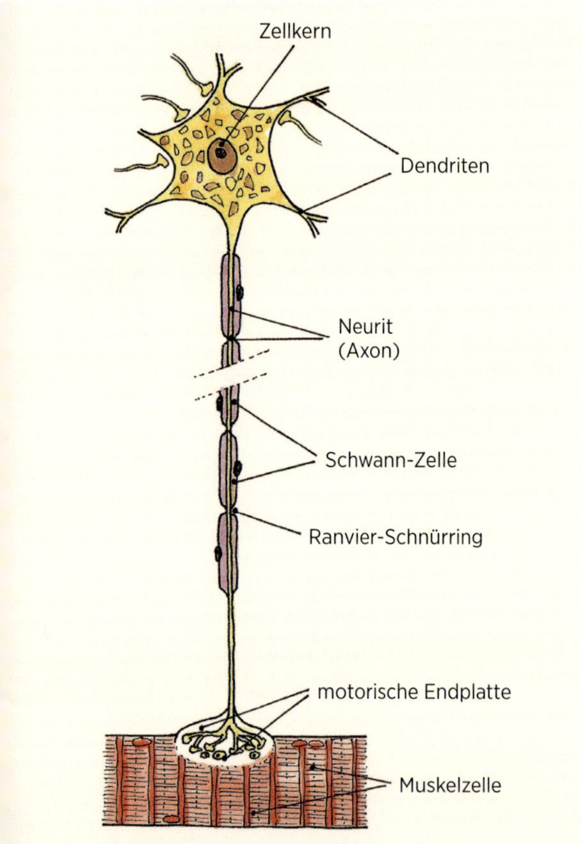

Abb. 65: **Motorische Endplatte**

Die Skelettmuskeln bestehen aus quergestreifter Muskulatur, sie werden vom somatischen (willkürlichen) Nervensystem erregt und sind unserem Willen unterworfen.

Um das Skelett bewegen zu können, ist es notwendig, dass Muskeln über mindestens ein Gelenk hinwegziehen. Sie entspringen proximal des Gelenks über Muskelsehnen am Periost (Knochenhaut) und am Knochen, ihr Muskelkörper zieht über das Gelenk hinweg, um dann wiederum mit einer Sehne am distal gelegenen Knochen anzusetzen.

Muskeln können unterschiedliche Formen haben. Sie können gefiedert, spindelförmig, platt, einköpfig, zweiköpfig (Biceps), dreiköpfig (Triceps) und sogar vierköpfig (Quadriceps) sein. Mehrköpfige Muskeln haben mehrere Ursprünge, oft sogar an unterschiedlichen Knochen, welche jedoch mittels einer gemeinsamen Sehne ansetzen.

Skelettmuskeln werden von gemischten willkürlichen Nerven versorgt, wobei bei Weitem nicht alle Bewegungen bewusst erfolgen (wie Körperhaltung, Muskeltonus ...). Der motorische Anteil der Nerven bewirkt die Kontraktion der Muskelfasern und damit die Bewegung, der sensible Anteil liefert Informationen aus dem Muskel, wie die Muskelstellung oder die Muskeldehnung, an das Gehirn. Die motorischen Nerven leiten über motorische Endplatten, das sind Strukturen ähnlich einer Synapse, die Erregung von der Nervenzelle an die Muskelfasern weiter. Die Erregung und die Reizleitung laufen dann im Wesentlichen wie bei einer Nervenzelle ab. Muskelzellen folgen dem **„Alles oder nichts"-Prinzip**: reicht der Reiz für eine Erregung aus, wird die Muskelzelle maximal kontrahiert, ist er zu schwach, dann kommt es zu keiner Kontraktion. Da aber nicht alle Fasern eines Muskels gleichzeitig kontrahieren müssen, sind Abstufungen der Bewegung möglich.

Einzelne Muskelzellen sind durch Bindegewebe zu Muskelbündeln zusammengefasst und diese wiederum zu immer größeren Einheiten, bis ein kompakter Muskel entsteht, welcher ebenso von Bindegewebe umhüllt ist. Diese Bindegewebsstrukturen, die zwischen den Muskeln oder ganzen Muskelgruppen liegen, bezeichnet man als **Muskelfaszien**. Sie dienen auch dem Ansatz der Muskeln in Form von Sehnen und beherbergen Gefäße und Nerven zur Versorgung der Muskulatur.

In manche Sehnen sind Sesambeine eingelagert, die die Kräfte, welche auf die Sehne einwirken, besser verteilen.

Am Kopf und am Hals gibt es Muskeln, welche zwar vom Knochen entspringen, aber in der Haut des Halses und Gesichtes münden. Diese **mimischen** Muskeln werden auch vom somatischen Nervensystem innerviert. Sie ermöglichen das Öffnen und Schließen der Augen und des Mundes und lassen uns Gemütsregungen ausdrücken.

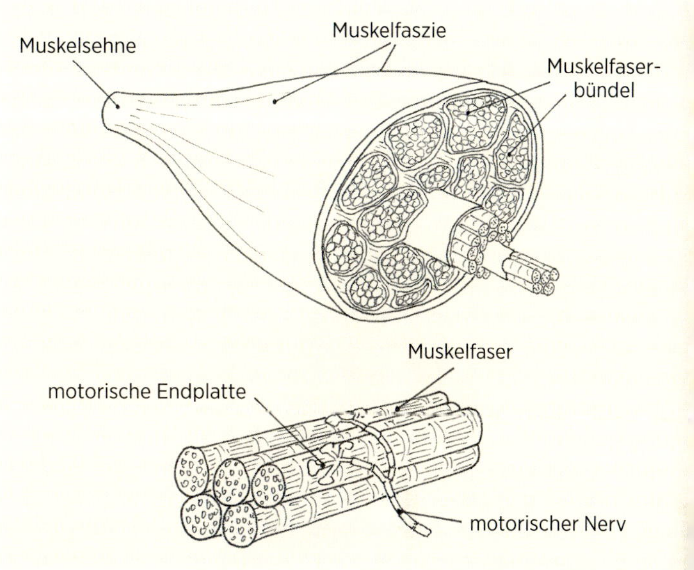

Abb. 66: **Muskel**

Die Muskelmasse macht etwa 30–40 Prozent des Körpergewichts aus und setzt sich aus mehr als 650 Muskeln zusammen. In den folgenden Kapiteln werden die wichtigsten besprochen, einige werden nur als Muskelgruppe (etwa die Kehlkopfmuskulatur) zusammengefasst erwähnt.

Muskeln, die gemeinsame Bewegungen ermöglichen, heißen Synergisten (Zusammenspieler); jene, die gegensätzliche Bewegungen ausführen, bezeichnet man als Antagonisten (Gegenspieler).

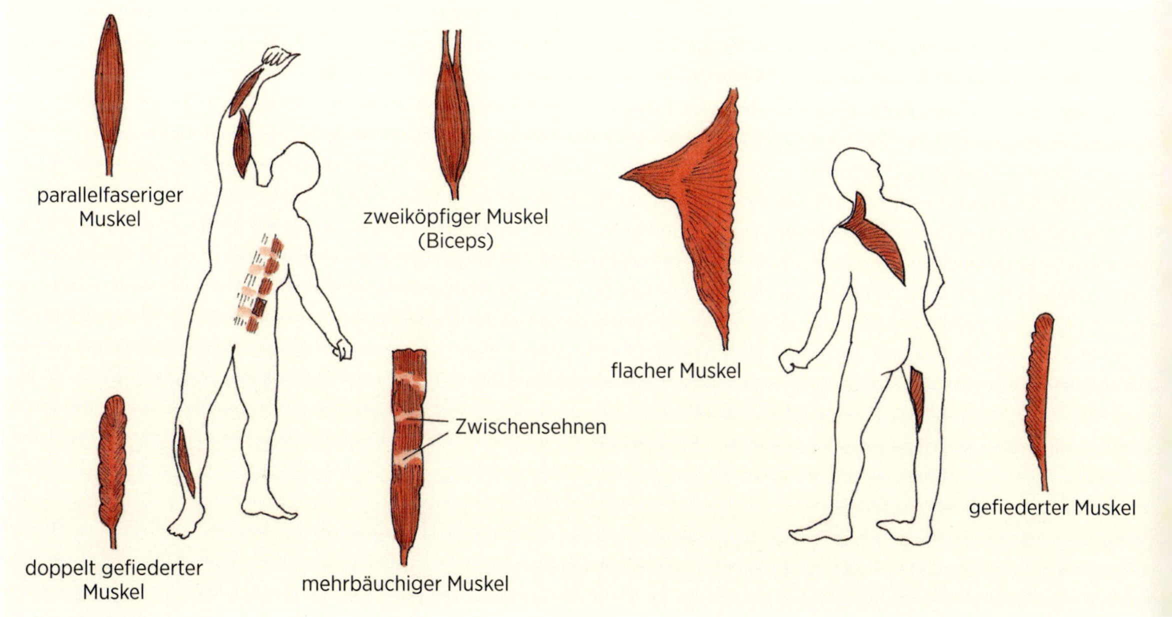

Abb. 67: **Muskelarten**

8.1 Muskeln des Kopfes und des Halses

Am Kopf und am Hals werden zahlreiche Muskeln unterschieden, welche sich einerseits der mimischen Muskulatur, andererseits der Kaumuskulatur zuordnen lassen. Sie werden getrennt voneinander besprochen.

Zusätzlich findet man im Kopf- und Halsbereich die Gaumenmuskeln, die Schlund-, Zungenbein- und Kehlkopfmuskulatur, welche gemeinsam mit dem großen, frei endenden Muskel der Zunge das Sprechen und Schlucken ermöglichen.

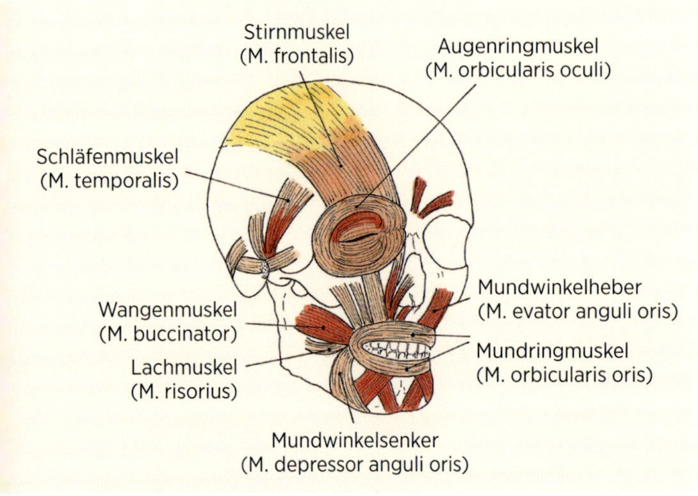

Abb. 68: **Mimische Muskulatur**

8.1.1 Mimische Muskulatur

Die Muskeln dieser Muskelgruppe entspringen an den Schädelknochen und ziehen über elastische Sehnen in die Haut. Mimische Muskeln besitzen keine Faszien, sie öffnen und schließen Mund und Augen und bewegen die Haut des Gesichtes.

Tab. 26: **Mimische Muskulatur**

Deutsche Bezeichnung	Lateinischer Name	Lage – Ursprung und Ansatz	Funktion
Stirnmuskel	M. frontalis	Ursprung: Stirnbein. Ansatz: Sehnenplatte des Schädeldaches (Galea aponeurotica)	Legt die Stirn in Falten (Stirnrunzeln)
Hinterhaupts-muskel	M. occipitalis	Ursprung: Hinterhauptsbein. Ansatz: Sehnenplatte des Schädeldaches (Galea aponeurotica)	Glättet die Stirn
Augenring-muskel	M. orbicularis oculi	Ursprung: Stirnbein, Oberkieferknochen Ansatz: Augenlid	Schließt das Auge (Lidschluss)
Mundring-muskel	M. orbicularis oris	Ursprung: Ober- und Unterkiefer Ansatz: Ober- und Unterlippe	Schließt den Mund und spitzt die Lippen
Wangen-muskel	M. buccinator	Ursprung: Ober- und Unterkiefer Ansatz: Mundwinkel	Zieht die Wangen zusammen (Saugbewegung)
Lachmuskel	M. risorius	Ursprung: Faszie des M. masseter Ansatz: Mundwinkel	Zieht den Mundwinkel nach außen
Jochbein-muskel	M. zygomaticus	Ursprung: Jochbogen des Schläfenbeins Ansatz: Mundwinkel	Zieht den Mundwinkel nach außen und oben
Oberlippen-heber	M. levator labii superioris	Ursprung: Oberkiefer, Jochbein Ansatz: Oberlippe	Hebt die Oberlippe
Unterlippen-senker	M. depressor labii inferioris	Ursprung: Unterkiefer Ansatz: Unterlippe	Zieht die Unterlippe nach unten
Platysma		Ursprung: Muskelfaszien und Haut der oberen Thoraxregion Ansatz: Unterkieferknochen und Gesichtshaut	Spannt die Haut des Halses Der Muskel liegt seitlich vorne am Hals und lässt die mittlere Halsregion frei

8.1.2 Kaumuskulatur

Die Kaumuskeln entspringen am Oberkieferknochen (Maxilla) und setzen am Unterkiefer (Mandibula) an, sie ermöglichen die Bewegungen im Kiefergelenk. Zum Kauen muss der Kieferspalt geöffnet und geschlossen werden, es müssen aber auch Seitwärtsbewegungen (Mahlbewegungen) durchgeführt werden können.

Tab. 27: **Kaumuskulatur**

Deutsche Bezeichnung	Lateinischer Name	Lage – Ursprung und Ansatz	Funktion
Kaumuskel	M. masseter	Ursprung: Jochbogen des Schläfenbeins Ansatz: Außenseite des Unterkiefers	Schließen des Kiefers, Mahlbewegungen
Schläfenmuskel	M. temporalis	Ursprung: breitflächig am Schläfenbein Ansatz: Kronenfortsatz (Processus coronoideus) des Unterkiefers	Kieferschluss

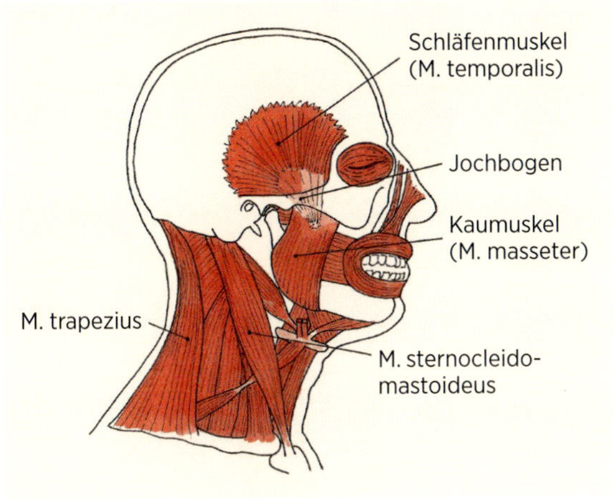

Abb. 69: **Kaumuskulatur**

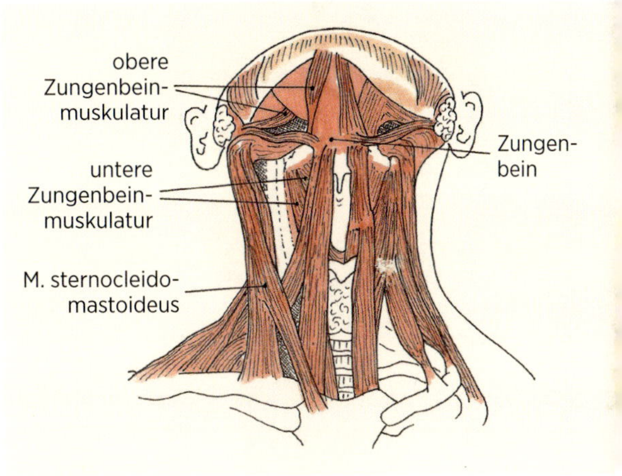

Abb. 70: **Halsmuskeln**

Ein wichtiger Muskel, der vom Kopf zum Brustkorb zieht, ist der „**Kopfwender**" **(M. sternocleidomastoideus)**, welcher mit zwei Ursprüngen am Handgriff des Brustbeins (Manubrium sterni) und dem sternalen Anteil des Schlüsselbeins (Clavicula) entspringt, schräg von vorne unten nach hinten oben die seitliche Halsregion quert und am Warzenfortsatz (Processus mastoideus) des Schläfenbeins ansetzt. Er ist wesentlich an den Bewegungen des Kopfes beteiligt.

8.2 Muskeln des Rumpfes

Zur Rumpfmuskulatur werden die sogenannte „autochthone" Rückenmuskulatur, die Brustkorbmuskulatur, die Bauchmuskeln und die Muskeln des Beckenbodens gezählt. Unter **autochthoner Muskulatur** des Rückens versteht man jene zahlreichen Muskeln, welche vom Nacken bis zum Steißbein über die Gelenke der Wirbelsäule und der Rippenansätze an den Wirbeln ziehen. Sie dienen der Stabilisierung und dem Aufrechthalten des Rumpfes. Sie ziehen nicht über die Gelenke zu den Extremitäten und werden im Folgenden nicht einzeln genannt. Einige Muskeln, zu denen auch das Zwerchfell

(Diaphragma) zählt, werden zur Atemmuskulatur zusammengefasst. Die Muskeln des Schultergürtels werden, obwohl sie allesamt am Thorax entspringen, im Kapitel „Muskulatur der oberen Extremität“ abgehandelt.

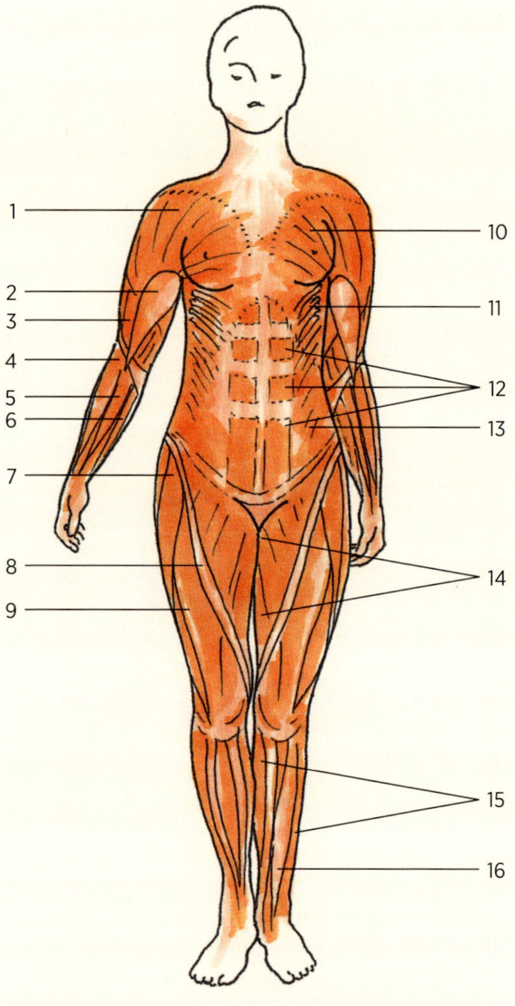

1 Deltamuskel (M. deltoideus), **2** Oberarmbizeps (M. biceps brachii), **3** Oberarmmuskel (M. brachialis), **4** Oberarmspeichenmuskel (M. brachioradialis), **5** radialer Handbeuger (M. flexor carpi radialis), **6** ulnarer Handbeuger (M. flexor carpi ulnaris), **7** Schenkelbindenspanner (M. tensor fasciae latae), **8** Schneidermuskel (M. sartorius), **9** vierköpfiger Oberschenkelmuskel (M. quadriceps femoris), **10** großer Brustmuskel (M. pectoralis major), **11** vorderer Sägemuskel (M. serratus anterior), **12** gerader Bauchmuskel (M. rectus abdominis), **13** schräger Bauchmuskel (M. obliquus abdominis), **14** Adduktoren, **15** zweiköpfiger Wadenmuskel (M. gastrocnemius), **16** vorderer Schienbeinmuskel (M. tibialis anterior)

Abb. 71: **Muskeln von vorne**

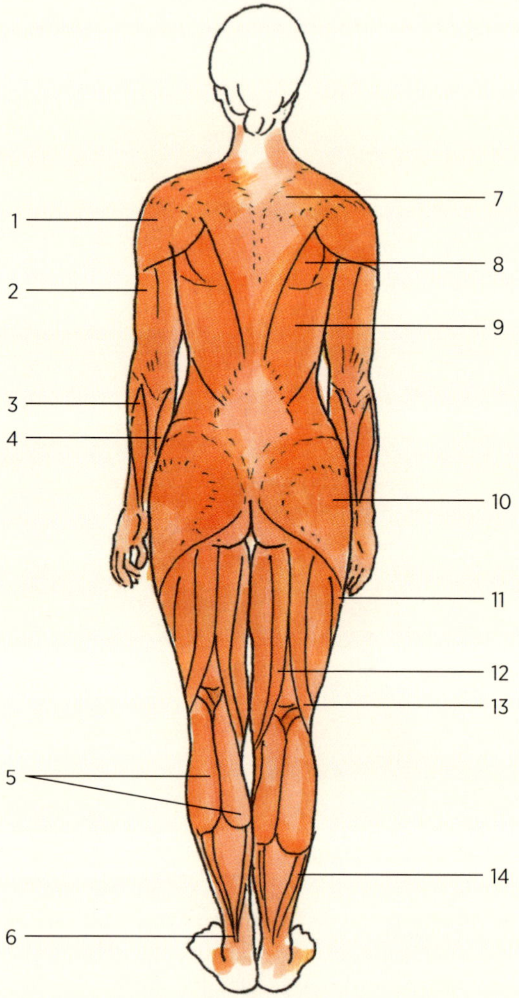

1 Deltamuskel (M. deltoideus), **2** Oberarmtrizeps (M. triceps brachii), **3** Oberarmspeichenmuskel (M. brachioradialis), **4** ulnarer Handbeuger (M. flexor carpi ulnaris), **5** zweiköpfiger Wadenmuskel (M. gastrocnemius) – bildet gemeinsam mit **14** Schollenmuskel (M. soleus) den Wadentriceps (M. triceps surae), **6** Achillessehne, **7** Trapezmuskel (M. trapecius), **8** großer und kleiner Rundmuskel (Mm. teres major et minor), **9** breitester Rückenmuskel (M. latissimus dorsi), **10** großer Gesäßmuskel (M. glutaeus maximus), **11** Schenkelbindenspanner (M. tensor fasciae latae), **12** Halbsehnenmuskel (M. semimembranosus), **13** Oberschenkelbizeps (M. biceps femoris), **14** Schollenmuskel (M. soleus)

Abb. 72: **Muskeln von hinten**

8.2.1 Atemmuskulatur

Am Vorgang des Atmens sind mehrere Muskeln beteiligt, einige unterstützen als sogenannte Atemhilfsmuskulatur das Ein- und Ausatmen.

Der **Brustkorb** ist ein elastisches System, das bei entspannter Muskulatur ganz von selbst, passiv, die Exspirationsstellung (Ausatmung) einnimmt. Trotzdem werden zum maximalen Ausatmen Muskeln, wie die inneren Zwischenrippenmuskeln, benötigt, welche den Brustkorb in sagittaler und in transversaler Richtung verkleinern. Auch die Kontraktion der Bauchmuskeln bewirkt durch das Hinaufschieben der Bauchorgane Richtung Brustraum eine Unterstützung des Ausatmens. Das Einatmen (Inspiration) ist hingegen ein aktiver Vorgang, um den Quer- und auch den Längsdurchmesser des Brustkorbes zu erweitern. Dies wird vor allem durch die äußeren Zwischenrippenmuskeln und das Zwerchfell gewährleistet.

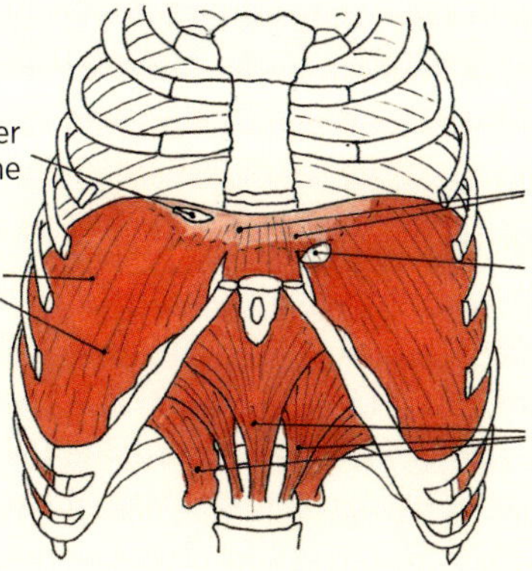

Abb. 73: **Zwerchfell**

> Das Einatmen ist ein aktiver Vorgang, der durch die Kontraktion des Zwerchfells und der äußeren Zwischenrippenmuskeln ermöglicht wird. Das Ausatmen erfolgt passiv und kann durch die Bauchmuskulatur und die inneren Zwischenrippenmuskeln unterstützt werden.

Tab. 28: **Atemmuskulatur**

Deutsche Bezeichnung	Lateinischer Name	Lage – Ursprung und Ansatz	Funktion
Äußere Zwischenrippenmuskeln	Mm. intercostales externi	Ursprung: untere Außenkante der Rippe Ansatz: obere Außenkante der darunterliegenden Rippe	Durch ihren schrägen Verlauf von einer Rippe nach unten vorne zur nächsten Rippe heben sie die Rippen und erweitern den Brustkorb beim Einatmen.
Zwerchfell	Diaphragma	Ursprung: Lendenwirbelsäule, Innenseite der unteren Rippen, Schwertfortsatz des Brustbeins Ansatz: Sehnenplatte im Zentrum des Zwerchfells (Centrum tendineum)	Das kuppelförmige Zwerchfell flacht sich durch Kontraktion in Richtung Bauchraum ab, vergrößert so den Längsdurchmesser des Brustraums und bewirkt somit das Einatmen.
Innere Zwischenrippenmuskeln	Mm. intercostales interni	Ursprung: untere Innenkante der Rippe Ansatz: obere Innenkante der darunterliegenden Rippe	Durch ihren schrägen Verlauf an der Innenseite einer Rippe nach hinten unten zur nächsten Rippe senken sie die Rippen und verringern den Durchmesser des Brustkorbes beim Ausatmen.

8.2.2 Bauchwandmuskulatur

Da die Bauchwand weder seitlich noch nach vorne eine knöcherne Begrenzung besitzt, werden die empfindlichen Bauchorgane durch mehrere übereinanderliegende Muskelschichten geschützt. Der **gerade Bauchmuskel (M. rectus abdominis)** zieht unter der Haut und der Subcutis gerade vom Brustbein zum Becken. Der **schräge Bauchmuskel**

(M. obliquus abdominis) besteht aus einem oberflächlichen und einem tiefliegenden Anteil, liegt unterhalb des geraden Bauchmuskels und zeigt einen schrägen Verlauf von seitlich oben nach unten zur Bauchmitte. Der **quere Bauchmuskel (M. transversus abdominis)** bildet die am tiefsten gelegene Muskelschicht, er zeigt einen annähernd horizontalen Verlauf von der Seite nach vorne. Als Besonderheit befinden sich in Längsrichtung im vorderen Bauchwandbereich kräftige bindegewebige Muskelhüllen **(Aponeurosen)**, welche gemeinsam die Sehnenscheide des geraden Bauchmuskels **(Rektusscheide)** bilden und sich in der Mitte in einem straffen Sehnenstreifen **(Linea alba)**, welcher vom Schwertfortsatz des Brustbeins zur Symphyse zieht, treffen. In dieser bindegewebigen „weißen Linie" ist auch der Nabel fest fixiert.

Der **gerade Bauchmuskel (M. rectus abdominis)** ist noch von drei bis vier querverlaufenden Zwischensehnen unterteilt, bei gut trainierter Bauchmuskulatur wird das als sogenannter „Waschbrettbauch" oder „Sixpack" sichtbar.

Oberhalb des Leistenbandes werden die Bauchmuskeln vom Leistenkanal durchbrochen. Die innere Öffnung des Leistenkanals (innerer Leistenring) befindet sich im M. transversus abdominis, nach seinem Verlauf nach medial und kaudal öffnet er sich durch den äußeren Leistenring im M. obliquus externus abdominis. Er dient dem Durchtritt des Samenstranges aus der Bauchhöhle in den Hodensack.

Tab. 29: **Bauchmuskulatur**

Deutsche Bezeichnung	Lateinischer Name	Lage – Ursprung und Ansatz	Funktion
Gerader Bauchmuskel	M. rectus abdominis	Ursprung: Schwertfortsatz des Brustbeins, Knorpel der 5. bis 7. Rippe Ansatz: Schambeinast nahe Symphyse	Beugen des Rumpfes nach vorne, Heben des Beckens, Bauchpresse
Äußerer schräger Bauchmuskel	M. obliquus externus abdominis	Ursprung: 5. bis 12. Rippe Ansatz: Linea alba, Leistenband, Darmbeinkamm	Beugen und Drehen des Rumpfes
Innerer schräger Bauchmuskel	M. obliquus internus abdominis	Ursprung: Rippenfortsätze der Lendenwirbel, Leistenband, Darmbeinkamm Ansatz: untere 4 Rippenknorpel	Beugen des Rumpfes
Querer Bauchmuskel	M. transversus abdominis	Ursprung: unterste Rippenknorpel, Darmbeinkamm, Leistenband Ansatz: zieht nach vorne in die Linea alba	Beugen des Rumpfes zur Seite, „Einziehen" des Bauches

8.2.3 Beckenbodenmuskulatur

Die Muskeln des Beckenbodens sind in mehreren Lagen angeordnet, schließlich müssen sie die nach unten drängende Last der Beckenorgane tragen. Die Schließmuskeln für Blase und Mastdarm sorgen für Kontinenz, welche durch eine Schwächung des Beckenbodens, etwa nach Geburten, empfindlich gestört werden kann.

Die innere Schicht des Beckenbodens heißt **Diaphragma pelvis**, sie wird vom **Afterhebermuskel (M. levator ani)** und vom **Steißbeinmuskel (M. coccygeus)** gebildet. Der M. levator ani setzt sich aus drei Anteilen, dem Musculus puborectalis (Schambein–Mastdarmmuskel), dem Musculus pubococcygeus (Schambein–Steißbeinmuskel) und dem Musculus iliococcygeus (Darmbein–Steißbeinmuskel) zusammen. Der M. coccygeus (Steißbeinmuskel) schließt hinten an den Musculus levator ani an und ist mit bindegewebigen Bändern des Beckens verwachsen.

Der Afterhebermuskel entspringt beidseits des Schambeins und des Darmbeins und bildet eine nach kaudal ausgerichtete, u-förmige, trichterförmige Muskelplatte, die in der Mitte eine Öffnung, das Levatortor, ausspart. Durch dieses ziehen ventral die Harnröhre (Urethra) und dorsal der Mastdarm (Rectum). Bei der Frau befindet sich zwischen Rektum und Urethra noch der Durchtritt der Scheide (Vagina).

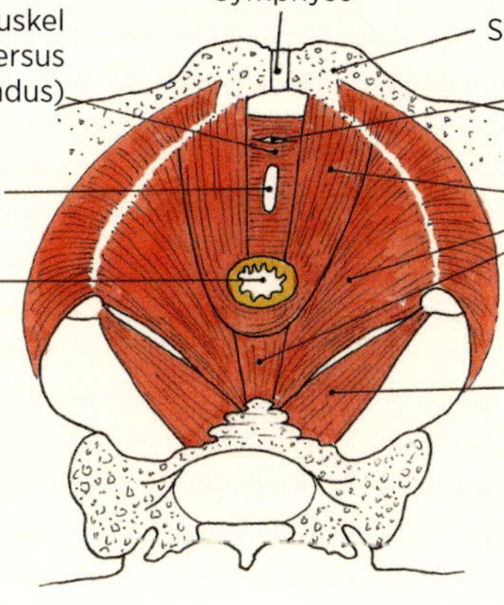

Abb. 74: **Beckenboden**

Die Verbindung der beiden Levatoranteile bildet vor dem After (Anus) die Grundlage für den Damm (Perineum), einige Muskelfasern formen eine Schlinge um den After für den äußeren Afterschließmuskel (M. sphincter ani externus).

Die äußere Beckenbodenschicht, das **Diaphragma urogenitale**, setzt sich aus dem **tiefen und dem oberflächlichen querverlaufenden Dammmuskel (M. transversus perinei profundus et superficialis)**, ihren Muskelfaszien und querverlaufenden Bändern zusammen, die sich zwischen den unteren Schambeinästen und den beiden Sitzbeinhöckern ausspannen. Es verschließt als querverlaufende Muskelplatte das Levatortor nach unten. Das Diaphragma urogenitale wird beim Mann von der Harnröhre (Urethra) und bei der Frau von Harnröhre und Scheide (Vagina) durchbrochen und beinhaltet auch den äußeren Blasenschließmuskel (M. sphincter urethrae externus). Im Diaphragma urogenitale liegen beim Mann die Cowper-Drüsen und bei der Frau die Bartholini-Drüsen.

Zusätzliche Muskeln sind die beiden Schwellkörpermuskeln, der M. ischiocavernosus und der M. bulbospongiosus. Sowohl der äußere Afterschließmuskel als auch der äußere Blasenschließmuskel können bewusst gesteuert werden.

Harnröhre und After besitzen zusätzlich jeweils auch einen inneren Schließmuskel aus glatter Muskulatur des Darmes und der Harnröhre, einen M. sphincter ani internus und einen M. sphincter urethrae internus, welche im Gegensatz zu den äußeren Schließmuskeln nicht unserem Willen unterworfen sind; sie öffnen sich reflexartig bei voller Blase oder vollem Mastdarm.

Tab. 30: **Beckenbodenmuskulatur**

Deutsche Bezeichnung	Lateinischer Name	Lage – Ursprung und Ansatz	Funktion
Muskeln des Diaphragma pelvis			
Afterheber	M. levator ani	Ursprung: breitflächig vom Schambein Ansatz: Mastdarm, Steißbein	Anheben des Afters bei Defäkation
Steißbeinmuskel	M. coccygeus	Ursprung: Sitzbeinstachel (Spina ischiadica) Ansatz: Steißbein	
Äußerer Afterschließmuskel	M. sphincter ani externus	Wird von zirkulären Muskelfasern des Afterhebers gebildet	Willkürlicher Verschluss des Mastdarms

Muskeln des Diaphragma urogenitale			
Oberflächlicher querverlaufender Dammmuskel	M. transversus perinei superficialis	Ursprung: Sitzbeinhöcker (Tuber ischiadicum) Ansatz: Damm	Stabilisieren den Beckenboden
Tiefer querverlaufender Dammmuskel	M. transversus perinei profundus	Ursprung: unterer Sitzbeinast Ansatz: Damm	
Äußerer Harnröhrenschließmuskel	M. sphincter urethrae externus	Wird von zirkulären Fasern der querverlaufenden Dammmuskeln gebildet	Willkürlicher Verschluss der Harnblase
Schwellkörpermuskeln			
Musculus ischiocavernosus	M. ischiocavernosus	Ursprung: unterer Sitzbeinast Ansatz: Penisschwellkörper, Klitorisschwellkörper	Erektion
Musculus bulbospongiosus	M. bulbospongiosus	Ursprung: Damm Ansatz: Penis oder Klitoris	Unterstützt Orgasmus und Samenerguss

8.3 Muskeln der oberen Extremität

8.3.1 Schultergürtel- und Schultermuskulatur

Die Muskeln des Schultergürtels fixieren das Schulterblatt am knöchernen Thorax, stabilisieren das Schlüsselbein und ermöglichen gleichzeitig die Bewegungen dieser Knochen gegen den knöchernen Brustkorb.

Die Schultermuskeln entspringen an den knöchernen Strukturen des Rumpfes sowie am Schulterblatt und setzen am Humerus an. Sie ziehen über das Schultergelenk hinweg, stabilisieren und bewegen dieses und somit den Oberarm. Die Rundung der Schulter wird vom dreieckigen Deltamuskel (M. deltoideus) gebildet.

Tab. 31: **Schultergürtel- und Schultermuskulatur**

Deutsche Bezeichnung	Lateinischer Name	Lage – Ursprung und Ansatz	Funktion
Vordere Schultergürtelmuskulatur			
Vorderer Sägezahnmuskel	M. serratus anterior	Ursprung: Vorderseite der 1. bis 9. Rippe Ansatz: Schulterblatt	Drehung des Schulterblattes
Kleiner Brustmuskel	M. pectoralis minor	Ursprung: 3. bis 5. Rippe Ansatz: Rabenschnabelfortsatz des Schulterblattes	Zieht das Schulterblatt nach vorne und unten
Unterschlüsselbeinmuskel	M. subclavius	Ursprung: 1. Rippe Ansatz: Schlüsselbein	Senkt das Schlüsselbein
Hintere Schultergürtelmuskulatur			
Kapuzenmuskel	M. trapezius	Ursprung: Hinterhauptsbein, Dornfortsätze aller Hals- und Brustwirbel Ansatz: Schlüsselbein, Schulterblatt	Hebt, senkt und dreht das Schulterblatt
Schulterblattheber	M. levator scapulae	Ursprung: 1. bis 4. Halswirbel Ansatz: Schulterblatt	Hebt das Schulterblatt

Großer und kleiner Rautenmuskel	M. rhomboideus major et minor	Ursprung: Dornfortsätze der unteren Hals- und oberen Brustwirbel Ansatz: Schulterblatt	Zieht das Schulterblatt in Richtung Rückenmitte
Großer Rundmuskel	M. teres major	Ursprung: unterer Winkel des Schulterblattes Ansatz: Tuberculum minus des Oberarmes	Zieht den Oberarm heran und nach hinten, unterstützt die Innenrotation
Kleiner Rundmuskel	M. teres minor	Ursprung: äußerer Rand des Schulterblattes Ansatz: Tuberculum majus des Oberarmes	Zieht den Oberarm heran und nach hinten, unterstützt die Außenrotation
Schultermuskeln			
Deltamuskel	M. deltoideus	Ursprung: breitbasig am Schlüsselbein, der Spina und dem Akromion des Schulterblattes Ansatz: oberes Drittel des Oberarms	Abduktion im Schultergelenk, Ante- und Retroversion, Innen- und Außenrotation
Breitester Rückenmuskel	M. latissimus dorsi	Ursprung: Dornfortsätze der unteren 6 Brustwirbel und der Lendenwirbel, unterer Winkel des Schulterblattes, Darmbein, Kreuzbein Ansatz: Oberarmvorderseite	Adduktion, Retroversion und Innenrotation im Schultergelenk
Großer Brustmuskel	M. pectoralis major	Ursprung: Schlüsselbein, Brustbein, obere 6 Rippen Ansatz: Oberarmknochen	Adduktion, Anteversion und Innenrotation des Oberarmes
Obergrätenmuskel	M. supraspinatus	Ursprung: Schulterblatt oberhalb der Spina scapulae Ansatz: Oberarmknochen	Abduktion des Oberarms

8.3.2 Oberarmmuskulatur

Die Oberarmmuskeln entspringen an Knochenvorsprüngen des Schulterblattes sowie am Oberarmknochen und ziehen über Schulter- und Ellbogengelenk zum Unterarm. Die Ursprünge des Oberarmbizeps, welcher an der Vorderseite des Oberarms nach unten zieht, werden vom Deltamuskel der Schulter verdeckt. An der Oberarmrückseite liegt der Gegenspieler (Antagonist) des Bizeps, der Oberarmtrizeps, welcher über den Ellenbogen zum Unterarm zieht.

Tab. 32: **Oberarmmuskulatur**

Deutsche Bezeichnung	Lateinischer Name	Lage – Ursprung und Ansatz	Funktion
Oberarmbeuger, Oberarmbizeps	M. biceps brachii	Ursprung: beide Köpfe (ein langer und ein kurzer) am Schulterblatt Ansatz: proximaler Anteil der Speiche	Anteversion, Abduktion, Adduktion und Innenrotation im Schultergelenk, stärkster Beuger im Ellbogengelenk, Supination
Oberarmmuskel	M. brachialis	Ursprung: distale Vorderfläche des Oberarmknochens Ansatz: Vorderseite der Elle	Beugen im Ellbogengelenk
Dreiköpfiger Armmuskel, Oberarmtrizeps	M. triceps brachii	Ursprung: langer Kopf am Schulterblatt, 2 kurze Köpfe am Humerus Ansatz: Olecranon der Ulna	Adduktion im Schultergelenk Extension im Ellbogengelenk Gegenspieler der beiden vorher genannten Muskeln

8.3.3 Unterarmmuskulatur

Das Handgelenk wird von Muskeln bewegt, die von Humerus oder von Radius und Ulna entspringen, vorne und hinten über das Handgelenk ziehen und an den Zwischenhandknochen oder den Fingergliedern ansetzen. Dementsprechend bewegen einige dieser Muskeln zusätzlich die Finger. An der Vorderseite der Hand werden die Beugesehnen durch das straffe bindegewebige Band, das **Retinaculum flexorum**, bei der Beugung fixiert. Am Handrücken werden die Sehnen durch die bandartigen Sehnenfächer des Retinaculum extensorum fixiert.

Am Unterarm werden vier Muskelgruppen zusammengefasst, die entsprechend ihrer dominierenden Bewegungsrichtung in **Hand- und Fingerbeuger (Flexoren)**, **Hand- und Fingerstrecker (Extensoren)**, **Supinatoren**, die den Daumen und die Handfläche nach außen drehen, und **Pronatoren**, die die Hand nach innen drehen, eingeteilt werden. Die größeren Muskeln sind in der folgenden Tabelle aufgelistet.

Tab. 33: **Unterarmmuskulatur**

Deutsche Bezeichnung	Lateinischer Name	Lage – Ursprung und Ansatz	Funktion
Beuger im Handgelenk			
Radialer Handbeuger	M. flexor carpi radialis	Ursprung: Humerus Ansatz: 2. Mittelhandknochen	Plantarflexion im Handgelenk
Ulnarer Handbeuger	M. flexor carpi ulnaris	Ursprung: Humerus und Ulnahinterseite Ansatz: Handwurzel	Plantarflexion im Handgelenk, Adduktion nach ulnar
Oberflächliche und tiefe Fingerbeuger	M. flexor digitorum superficialis et profundus	Ursprung: distaler Humerus, proximal an Ulna, Radiusköpfchen, Membrana interossea Ansatz: Mittel- und Endglieder der 2. bis 5. Finger	Plantarflexion im Handgelenk und Flexion der Finger
Langer Daumenbeuger	M. flexor pollicis longus	Ursprung: Radiusvorderseite, Membrana interossea Ansatz: Endglied des Daumens	Plantarflexion im Handgelenk und Flexion des Daumens
Langer Hohlhandmuskel	M. palmaris longus	Ursprung: medialer Epicondylus des Humerus, Unterarmfaszie Ansatz: Palmaraponeurose, Retinaculum flexorum	Plantarflexion im Handgelenk und Flexion im Ellbogengelenk
Strecker im Handgelenk			
Kurzer und langer radialer Handstrecker	Mm. extensor carpi radialis longus et brevis	Ursprung: distaler Humerus Ansatz: 2. und 3. Mittelhandknochen (Os metatarsale II, III)	Dorsalflexion im Handgelenk
Ulnarer Handstrecker	M. extensor carpi ulnaris	Ursprung: distaler Humerus und Ulnaköpfchen Ansatz: 5. Mittelhandknochen	Dorsalflexion und Abduktion nach radial im Handgelenk
Fingerstrecker und Kleinfingerstrecker	M. extensor digitorum, M. extensor digiti minimi	Ursprünge: Humerus und Membrana interossea des Unterarms Ansatz: Dorsalseite der Fingerglieder I–V	Dorsalflexion der Hand und Extension der Finger

Zwischen Humerus und Radius sowie zwischen Radius und Ulna verlaufen einige schräge Muskeln, welche die Supination und Pronation ermöglichen. Der **Oberarmspeichenmuskel (Musculus brachioradialis)** und der **Auswärtsdreher (M. supinator)** machen eine Supination des Unterarms möglich, der **viereckige Einwärtsdreher (M. pronator quadratus)** und der **runde Einwärtsdreher (M. pronator teres)** ermöglichen die Pronation.

8.3.4 Fingermuskeln

Zahlreiche weitere kleine Muskeln ermöglichen die fein abgestimmten Bewegungen der Finger. Sie werden hier nicht namentlich genannt und können in diversen Anatomieatlanten nachgelesen werden.

Ein Muskel sei aber beschrieben, nämlich jener, der den Daumen der Handfläche gegenüberstellen kann, eine Besonderheit der menschlichen Hand. Dieser Muskel heißt **Gegensteller des Daumens (M. opponens pollicis)** und man findet ihn im Bereich des Daumenballens, wo er am großen Vieleckbein (Os trapezium) der Handwurzel und am Retinaculum flexorum entspringt und am Mittelhandknochen des Daumens ansetzt. Diese Bewegung ist nur durch das Sattelgelenk des Daumens möglich.

8.4 Muskeln der unteren Extremität

Am Bein unterscheiden wir die Muskelgruppen, welche die Bewegungen in der Hüfte, im Kniegelenk, im Sprunggelenk und jene der Zehen ermöglichen. Die Muskeln im Bereich der Hüfte gewährleisten zum Teil den aufrechten Gang des Menschen.

8.4.1 Hüftmuskulatur

Im Hüftgelenk sind Flexion und Extension, Ab- und Adduktion des Beines sowie Innen- und Außenrotation möglich. Muskelgruppen, welche gemeinsame Bewegungen ausführen, werden wieder zusammengefasst behandelt.

Einige Muskeln wie der gerade Oberschenkelmuskel (M. rectus femoris), der Schlankmuskel (M. gracilis) oder der Schneidermuskel (M. sartorius) sind zweigelenkige Muskeln, entspringen am Hüftbein und setzen am Unterschenkel an. Sie bewegen demnach das Hüftgelenk und das Kniegelenk.

Der **M. gluteus maximus** ist der größte Muskel des menschlichen Körpers und ermöglicht den aufrechten Stand und Gang. Der großteils von ihm verdeckte **M. gluteus medius** hat auch deshalb Bedeutung, da intramuskuläre (i. m.) Injektionen in diesen Muskel verabreicht werden. Der M. gluteus maximus sollte dabei geschont werden, da der darunter verlaufende N. ischiadicus (Ischiasnerv) verletzt werden könnte.

Tab. 34: **Hüftmuskulatur**

Deutsche Bezeichnung	Lateinischer Name	Lage – Ursprung und Ansatz	Funktion
Vordere Hüftmuskeln – Flexoren im Hüftgelenk			
Darmbeinlendenmuskel	M. iliopsoas	Ursprung: 12. Brustwirbelkörper, 1.–4. Lendenwirbel, Innenseite des Darmbeins Ansatz: Trochanter minor (kleiner Rollhügel) des Femurs	Stärkster Beuger im Hüftgelenk, Außenrotation des Beines

Gerader Oberschenkelmuskel (gerader Kopf des M. quadriceps)	M. rectus femoris	Ursprung: vorderer oberer Darmbeinstachel Ansatz: Tibiavorderseite (Patellarsehne)	Einziger Kopf des M. quadriceps, welcher vorne über das Hüftgelenk zieht: Flexion im Hüftgelenk, Extension im Kniegelenk
Schneidermuskel	M. sartorius	Ursprung: vorderer oberer Darmbeinstachel Ansatz: Innenseite des Schienbeins	Der Schneidermuskel verläuft vom Darmbein von oben außen nach unten innen zur Tibia: Flexion, Abduktion und Außenrotation im Hüftgelenk, Flexion im Kniegelenk
Hintere Hüftmuskeln – Extensoren im Hüftgelenk			
Größter Gesäßmuskel	M. gluteus maximus	Ursprung: Außenseite des Darmbeins, Rückseite von Kreuz- und Steißbein Ansatz: tiefe Oberschenkelfaszie, Außenseite des Femurs	Dieser größte und kräftigste Muskel des Körpers ermöglicht den aufrechten Gang durch Streckung im Hüftgelenk, ist an der Ab- und Adduktion und der Außenrotation beteiligt
Halbsehnenmuskel und halbmembranöser Muskel	M. semitendinosus, M. semimembranosus	Ursprung: Sitzbeinhöcker Ansatz: Innenseite der Tibia	Extension und Adduktion im Hüftgelenk, Beugung im Kniegelenk
Adduktoren im Hüftgelenk			
Großer, langer und kurzer Beinanzieher	M. adductor magnus, longus et brevis	Ursprung: Schambein und Sitzbein Ansatz: entlang der gesamten medialen Kante des Femurs	Adduktion des Oberschenkels
Kammmuskel	M. pectineus	Ursprung: Schambein Ansatz: Oberschenkel	Adduktion im Hüftgelenk
Abduktoren im Hüftgelenk			
Mittlerer und kleinster Gesäßmuskel	M. gluteus medius et minimus	Vom großen Gesäßmuskel verdeckt	Wichtigste Abduktoren im Hüftgelenk
Schlankmuskel	M. gracilis	Ursprung: Schambein, Symphyse Ansatz: Innenseite der Tibia	Zweigelenkiger Muskel (Hüftgelenk und Kniegelenk), deshalb Adduktion und Flexion im Hüftgelenk, Flexion im Kniegelenk

8.4.2 Oberschenkelmuskulatur

Die Muskeln des Oberschenkels entspringen am Becken- und am Oberschenkelknochen und ziehen an der Vorderseite als Strecker und an der Hinterseite als Beuger des Kniegelenkes zum Unterschenkel. Jene Muskeln, die am Beckenknochen entspringen, bewegen auch das Hüftgelenk.

Der größte Strecker im Kniegelenk ist der **M. quadriceps** mit seinen vier Köpfen, wobei sein gerader Kopf, der **M. rectus femoris**, am oberen vorderen Darmbeinstachel entspringt, die übrigen drei Köpfe, **M. vastus medialis**, **anterior und lateralis**, entspringen am medialen, vorderen und lateralen Femurschaft. Alle zusammen setzen sie mittels der **Patellarsehne** an der Vorderseite der Tibia an.

Mehrere Muskeln arbeiten bei der Beugung des Kniegelenks zusammen, einige davon sind zweigelenkige Muskeln und wurden schon bei der Hüftmuskulatur besprochen. Auf sie wird in der Tabelle nur mehr kurz hingewiesen.

Tab. 35: **Oberschenkelmuskulatur**

Deutsche Bezeichnung	Lateinischer Name	Lage – Ursprung und Ansatz	Funktion
Strecker im Kniegelenk			
Vierköpfiger Oberschenkelmuskel	M. quadriceps femoris	Ursprung: oberer vorderer Darmbeinstachel, Femurschaft Ansatz: mittels Patellarsehne an der Tibia	Sein gerader Kopf beugt im Hüftgelenk, alle Köpfe gemeinsam strecken im Kniegelenk
Beuger im Kniegelenk			
Zweiköpfiger Oberschenkelmuskel	M. biceps femoris	Ursprung: langer Kopf am Sitzbeinhöcker, kurzer Kopf Femurrückseite Ansatz: Wadenbeinköpfchen	Flexion und Außenrotation im Kniegelenk, langer Kopf streckt im Hüftgelenk
Halbsehnenmuskel, halbmembranöser Muskel, Schneidermuskel	M. semitendinosus, M. semimembranosus, M. sartorius	Siehe oben, Tab. 34	Flexion im Kniegelenk
Zwillingsmuskel	M. gastrocnemius	Siehe unten, Tab. 36	Flexion im Kniegelenk

8.4.3 Unterschenkelmuskulatur

Muskeln, die vom Unterschenkel (teilweise auch vom Oberschenkel) über das Sprunggelenk zum Fuß und zu den Zehen ziehen, können folgende Bewegungen durchführen: Dorsalextension und Plantarflexion des Fußes, Supination und Pronation im Sprunggelenk sowie Extension und Flexion der Zehen. In der Tabelle werden die Muskeln in jene, die eine Dorsalextension (Bewegung der Fußschaufel nach oben), und jene, die eine Plantarflexion (Bewegung der Fußschaufel in Richtung Sohle) durchführen können, gemeinsam angeordnet, weitere Bewegungsrichtungen sind der Spalte „Funktion" in Tab. 36 zu entnehmen.

Tab. 36: **Unterschenkelmuskulatur**

Deutsche Bezeichnung	Lateinischer Name	Lage – Ursprung und Ansatz	Funktion
Strecker im Sprunggelenk (Dorsalextension)			
Langer Zehenstrecker und Großzehenstrecker	M. extensor digitorum longus, M. extensor hallucis longus	Ursprung: Tibia- und Fibulaschaft, Membrana interossea Ansatz: Zehen und Großzehenglieder	Dorsalextension im Sprunggelenk und der Zehen
Vorderer Schienbeinmuskel	M. tibialis anterior	Ursprung: lateraler Condylus der Tibia Ansatz: Medialseite des Fußes	Dorsalextension im Sprunggelenk, Supination
Beuger im Sprunggelenk (Plantarflexion)			
Langer Zehenbeuger und Großzehenbeuger	M. flexor digitorum longus, M. flexor hallucis longus	Ursprung: Tibia- und Fibulahinterseite, Membrana interossea Ansatz: Zehenglieder	Plantarflexion im Sprunggelenk, Flexion der Zehen

Hinterer Schienbeinmuskel	M. tibialis posterior	Ursprung: Tibia- und Fibulahinterseite, Membrana interossea Ansatz: mediale Fußwurzelknochen	Plantarflexion und Supination im Sprunggelenk
Langer und kurzer Wadenbeinmuskel	M. fibularis longus et brevis	Ursprung: Außenseite der Tibia Ansatz: laterale Mittelfußknochen	Plantarflexion und Pronation im Sprunggelenk
Wadentrizeps (setzt sich aus Schollenmuskel und Zwillingsmuskel zusammen)	M. triceps surae (M. soleus, M. gastrocnemius)	Ursprung: medialer und lateraler Femurepicondylus, Tibia- und Fibulahinterseite Ansatz: mit der gemeinsamen Achillessehne am Fersenbein	Gastrocnemius: Flexion im Kniegelenk Alle Anteile zusammen bewirken eine Plantarflexion im Sprunggelenk

Besonders zu erwähnen ist der **Wadentrizeps (M. triceps surae)**, der sich aus dem **Zwillingsmuskel (M. gastrocnemius)**, welcher bereits am distalen Femurende entspringt, und dem **Schollenmuskel (M. soleus)** von der Rückseite des Unterschenkels zusammensetzt. Er gibt der Wade ihre typische Form, wobei der platte Schollenmuskel von den beiden Köpfen des Zwillingsmuskels verdeckt ist. Alle drei Anteile setzen durch die **Achillessehne** am Fersenbein an. Da der Wadentrizeps hinten über das Kniegelenk zieht, ist er an dessen Beugung beteiligt, im Sprunggelenk ist er der kräftigste Beuger des Fußes zur Sohle hin.

8.4.4 Muskeln des Fußes und der Zehen

Auch im Bereich des Fußes sind zahlreiche Muskeln vorhanden, welche hier nicht näher benannt werden. Am Fußrücken werden die Sehnen, welche über das Sprunggelenk zum Fuß und den Zehen ziehen, durch ein **Retinaculum extensorum** fixiert, an der Fußsohle stützt eine v-förmige Sehnenplatte, die **Plantaraponeurose**, das Fußgewölbe.

8.4.5 Liste der Skelettmuskeln

Diese Liste ist sehr umfangreich und würde den Rahmen dieses Lehrbuches sprengen. Eine genaue Auflistung der Skelettmuskeln findest du z. B. auf Wikipedia (https://de.wikipedia.org/wiki/Liste_der_Skelettmuskeln).

Übungsfragen

1. Was sind Antagonisten?
2. Unterscheide Skelettmuskulatur, glatte Muskulatur und Herzmuskulatur in Aufbau und Funktion.
3. Unterscheide die Funktion der mimischen und der Kaumuskulatur.
4. Welche Muskeln zählt man zur Atemmuskulatur? Erkläre den Vorgang des Einatmens und des Ausatmens.
5. Was versteht man unter dem Begriff Faszie? Erkläre ihre Funktion.

9 Das Herz

Das Herz ist ein muskuläres Hohlorgan, das durch die Herzscheidewand in Längsrichtung in ein rechtes und ein linkes Herz unterteilt wird und durch die beiden Segelklappen noch einmal in horizontaler Richtung in zwei Vorhöfe (Atrium) und zwei Kammern (Ventrikel) getrennt wird. Funktionell ist das Herz eine doppelte Druck-Saug-Pumpe, wobei die rechte Herzhälfte das sauerstoffarme Blut aus dem Körperkreislauf erhält und weiter in den Lungenkreislauf befördert und die linke Hälfte sauerstoffreiches Blut aus der Lunge erhält und weiter in den Körperkreislauf pumpt.

Dementsprechend befindet sich im gesamten rechten Herzen sauerstoffarmes Blut und im ganzen linken Herzen sauerstoffreiches Blut. Ganz wesentlich für das Verständnis der Herzfunktion ist auch die Tatsache, dass in die Vorhöfe alle Venen münden, die das Blut zum Herzen bringen, und die Arterien aus den Herzkammern entspringen und das Blut vom Herzen wegtransportieren.

9.1 Anatomie des Herzens

9.1.1 Lage und Form

Das Herz hat die Form eines umgekehrten Kegels, der schräg im Brustraum, genauer gesagt innerhalb des Herzbeutels im Zwischenfellraum (Mediastinum), zwischen den beiden Lungen liegt. Die Herzbasis zeigt innerhalb der Brusthöhle nach oben, rechts und hinten. Die Spitze des Herzens weist dementsprechend nach links, unten und vorne zur Brustwand, wobei die Herzspitze bei normaler Herzgröße im Bereich des 5. Zwischenrippenraums (Interkostalraum) der Brustwand am nächsten kommt. Bei schlanken Menschen und bei Kindern kann dieser Herzspitzenstoß von außen sichtbar sein.

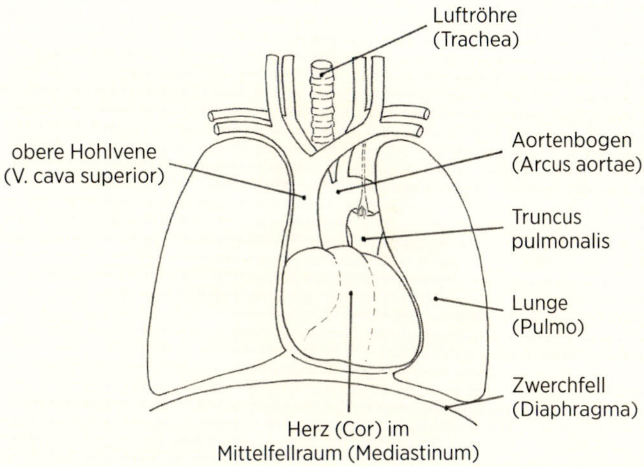

Abb. 75: **Lage des Herzens**

Die Größe des Herzens entspricht etwa der geschlossenen Faust seines Trägers, sein Gewicht liegt je nach Körpergröße bei 250–350 Gramm.

Am Herzen selbst lassen sich drei Flächen unterscheiden. Die **Facies sternocostalis** weist nach vorne zum Brustbein (Sternum) und zu den Rippen (Costae), sie wird hauptsächlich vom rechten Ventrikel gebildet. Dem Zwerchfell (Diaphragma) liegt die **Facies diaphragmatica** auf, die hauptsächlich aus dem linken Ventrikel und Teilen des rechten Ventrikels besteht. Nach hinten liegt die **Facies posterior**, die vom linken Vorhof und Teilen des rechten Vorhofs gebildet wird.

Da alle Klappen des Herzens in einer Ebene, der Ventilebene, liegen, scheint es, dass alle Gefäße im Bereich der Herzbasis in das Herz münden oder das Herz verlassen. Es wurde aber bereits darauf hingewiesen, dass die Venen in die beiden Vorhöfe münden und die Arterien die Kammern verlassen.

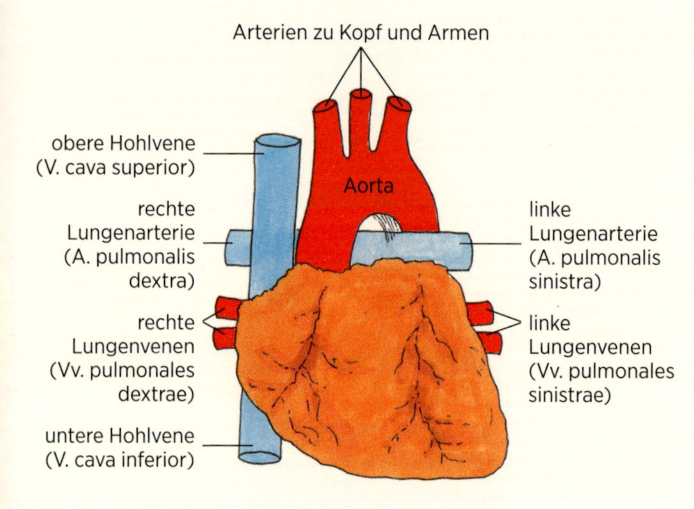

Abb. 76: **Herz von vorne**

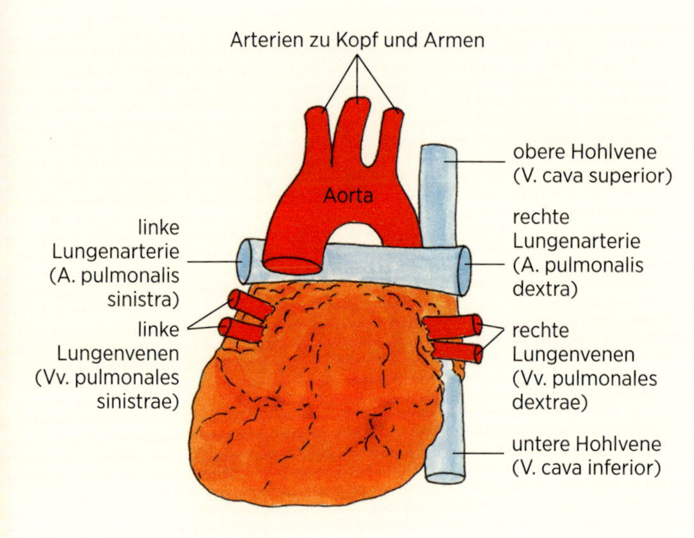

Abb. 77: **Herz von hinten**

In den rechten Vorhof münden die **obere und die untere Hohlvene (Vena cava superior et inferior)**, die das sauerstoffarme Blut aus dem Körper transportieren, und die **Herzkranzvenen** mit dem „verbrauchten" Blut aus dem Herzmuskel selbst. In den linken Vorhof münden jeweils **zwei Lungenvenen (Venae pulmonales)** aus der rechten und zwei aus der linken Lunge; sie bringen das mit Sauerstoff angereicherte Blut aus der Lunge zum Herzen.

Aus dem „sauerstoffarmen" rechten Ventrikel entspringt der **Truncus pulmonalis**, der gemeinsame Stamm der beiden Lungenarterien, der sich bald in eine **rechte und linke Lungenarterie (A. pulmonalis dextra et sinistra)** aufteilt. Sie transportieren das sauerstoffarme Blut in die Lungen, wo es wieder mit Sauerstoff angereichert wird. Aus dem linken Ventrikel entspringt die **Aorta**, die das sauerstoffreiche Blut zu allen Organen und Geweben des Körpers bringt.

Obere und untere Hohlvene münden in senkrechter Richtung, die Lungenvenen im rechten Winkel darauf in waagrechter Richtung, man spricht vom sogenannten **Venenkreuz**. In einem Winkel von etwa 45° zum Venenkreuz entspringt vorne der Truncus pulmonalis, dahinter die Aorta. Diese beiden Gefäße überkreuzen sich, wobei der Truncus pulmonalis etwas nach rechts und die Aorta nach links zieht (von der Patientin aus gesehen). Aus der Aorta entspringen, gleich nach ihrem Ursprung aus der linken Herzkammer, die zwei Herzkranzarterien, die den Herzmuskel mit sauerstoffreichem Blut versorgen.

Der Verlauf des Blutes kann folgendermaßen zusammengefasst werden:
Sauerstoffarmes Blut aus dem Körper und dem Herzmuskel gelangt über die obere und untere Hohlvene und die Herzkranzvenen in den rechten Vorhof. Von dort fließt es durch die Trikuspidalklappe weiter in den rechten Ventrikel und über die Lungenarterien in die Lungen. Das nach der Lungenpassage nun sauerstoffreiche Blut gelangt über zwei rechte und zwei linke Lungenvenen aus der Lunge in den linken Vorhof und weiter durch die Mitralklappe in den linken Ventrikel. Von dort wird es über die Aorta in den Körperkreislauf gepumpt.

9.1.2 Räume des Herzens – Vorhöfe und Kammern

Wie bereits erwähnt, besteht das Herz aus zwei Vorhöfen (Atrium), in Längsrichtung getrennt durch die Vorhofscheidewand (Vorhofseptum), und zwei Kammern (Ventrikel), getrennt durch das Kammerseptum. Vorhofseptum und Kammerseptum gehen ineinander über, sie bestehen zum größten Teil aus Muskulatur, nur im Bereich der Klappenebene, am Übergang des Vorhofseptums in das Kammerseptum, aus straffem Bindegewebe. Zwischen den Vorhöfen und den Kammern liegen die Segelklappen.

> Das Herz besteht also aus vier Räumen, dem rechten und dem linken Vorhof (Atrium dextrum et sinistrum) und der rechten und der linken Kammer (Ventriculus dexter et sinister). Zu beachten ist, dass mit rechts die rechte Seite des menschlichen Körpers gemeint ist und nicht die rechte Seite aus Sicht der Betrachterin!

Bei der Beschreibung der einzelnen Herzräume folgen wir dem Weg des Blutstroms durch das Herz, beginnend im rechten Vorhof.

9.1.2.1 Rechter Vorhof (Atrium dextrum)

Im Inneren des rechten Vorhofs lässt sich ein glattwandiger hinterer Anteil von einem durch grobe Muskelzüge, den **Trabeculae carneae**, geprägten vorderen Anteil unterscheiden. Die Grenze zwischen diesen beiden Anteilen bildet eine Muskelleiste, die **Crista terminalis**, die von der Mündung der oberen Hohlvene zur Mündung der unteren Hohlvene zieht. Die Wand des rechten Vorhofs erscheint zwischen den verdickten Muskelzügen nur wenige Millimeter dünn. Sowohl die **obere** als auch die **untere Hohlvene (V. cava superior et inferior)** münden klappenlos in den rechten Vorhof, die V. cava sup. am oberen Pol, die V. cava inf. an der tiefsten Stelle der Vorhofhinterwand. Am medialen Rand der Mündungsstelle der unteren Hohlvene öffnen sich die **Herzkranzvenen** im sogenannten **Sinus coronarius** in den rechten Vorhof, sie bringen das verbrauchte Blut aus dem Herzmuskel selbst in das Herz zurück.

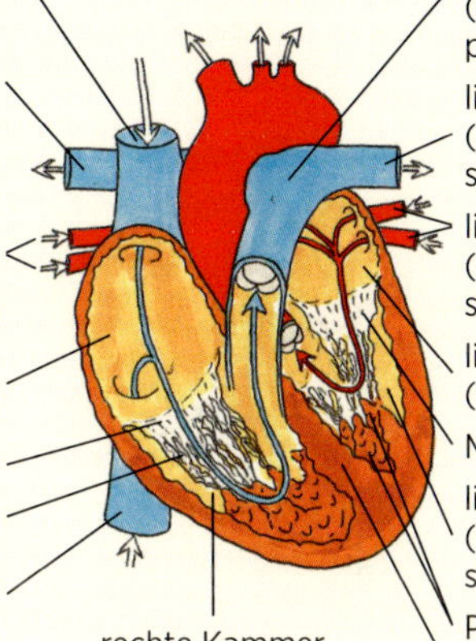

Abb. 78: **Herz, Frontalschnitt**

> Somit münden alle Venen, die sauerstoffarmes Blut aus dem Körperkreislauf bringen (V. cava superior et inferior, Herzkranzvenen), in den rechten Vorhof.

Die **Vorhofscheidewand (Vorhofseptum, Septum interatriale)** trennt nach medial den rechten Vorhof vom linken. In seiner Mitte ist das verschlossene Foramen ovale (ovales Loch) sichtbar, das während der Embryonalzeit offen ist und der Umgehung des Lungenkreislaufs dient.

Von außen betrachtet liegt an der Vorhofvorderfläche unterhalb der Mündungsstelle der oberen Hohlvene das rechte Herzohr, welches anatomisch bedeutungslos ist.

9.1.2.2 Rechte Kammer (Ventriculus dexter)

Zwischen rechtem Vorhof und rechter Kammer befindet sich die Trikuspidalklappe. Der Name dieser Segelklappe spiegelt ihren Aufbau aus drei (tri) Segeln (cuspis) wider. Die Innenseite der rechten Kammer weist zwei Anteile auf: Im hinteren Bereich liegt im Anschluss an die Trikuspidalklappe die wiederum durch Muskelzüge strukturierte **Einflussbahn**. So wird der Blutstrom während der Füllung des Ventrikels etwas abgebremst. Die Einflussbahn wird durch eine Muskelleiste von der vorne liegenden glattwandigen **Ausflussbahn** abgegrenzt. Diese führt in den **Truncus pulmonalis**, über den das Blut in die Lungen gelangt. Dieser Gefäßstamm teilt sich bald in eine rechte und eine linke Lungenarterie (A. pulmonalis dextra et sinistra), an seinem Ursprung aus dem Herzen sitzt die Pulmonalisklappe, eine Taschenklappe. Die im Vergleich zu den Vorhöfen kräftige Kammerscheidewand (Kammerseptum, Septum interatriale) trennt die rechte Kammer längs von der linken.

Aus der Kammermuskulatur ragen pyramidenförmig einige **Papillarmuskeln** empor. An ihren Spitzen entspringen sehnige Stränge (Sehnenfäden), die zu den freien Rändern und der Unterseite der Trikuspidalklappe ziehen.

In den rechten Ventrikel strömt aus dem rechten Vorhof während der Kammerdiastole das sauerstoffarme Blut durch die Trikuspidalklappe, um während der Kammersystole aus dem rechten Ventrikel über die Pulmonalklappe in die Lungenarterien zu gelangen.

9.1.2.3 Linker Vorhof (Atrium sinistrum)

Der linke Vorhof besteht aus einer etwas dickeren Muskelschicht als der rechte und seine Innenseite erscheint größtenteils unstrukturiert. In seinen hinteren Abschnitt münden horizontal vier **Lungenvenen (Vv. pulmonales)**, jeweils zwei aus der rechten und zwei aus der linken Lunge. Auch sie besitzen an ihrer Einmündungsstelle keine Klappen. An der äußeren Vorderfläche des linken Vorhofs kann das linke Herzohr zwischen Truncus pulmonalis und linkem Ventrikel abgegrenzt werden, seine Innenwand zeigt zahlreiche Muskelbälkchen.

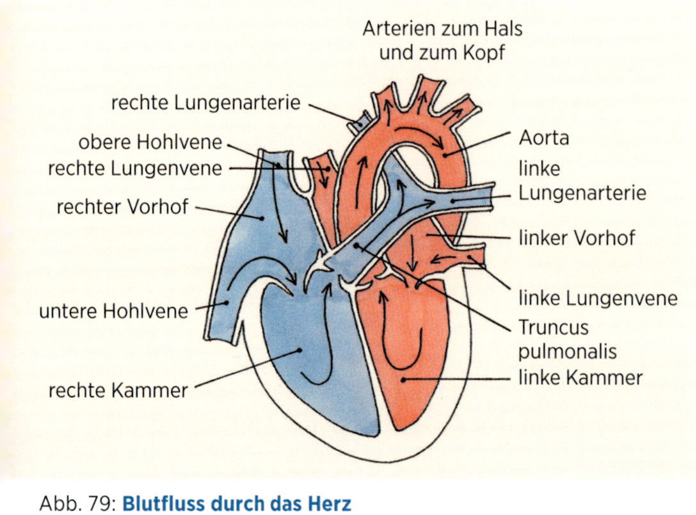

Abb. 79: **Blutfluss durch das Herz**

9.1.2.4 Linke Kammer (Ventriculus sinister)

Die Wand des linken Ventrikels ist etwa doppelt so dick wie die des rechten, seine Muskulatur muss imstande sein, das Blut in den gesamten Körper zu pumpen. In seinem Inneren befindet sich am Übergang zwischen linkem Vorhof und linker Kammer die zweizipfelige Bikuspidalklappe oder Mitralklappe. Von der Mitralklappe zur Herzspitze, die fast zur Gänze vom linken Ventrikel gebildet wird, verläuft die von Muskelbälkchen zerklüftete Einströmungsbahn, von der Herzspitze führt die glatte Ausströmungsbahn nach oben in Richtung **Aorta**. Die Aorta wird wiederum durch eine Taschenklappe vom linken Ventrikel abgegrenzt. Papillarmuskeln fixieren auch hier über Sehnenfäden die Segel der Mitralklappe.

9.1.3 Herzskelett

Unter dem Herzskelett versteht man bindegewebige Strukturen, die einerseits die vertikal verlaufenden Anteile am Übergang vom Vorhof- zum Kammerseptum bilden, andererseits den horizontal verlaufenden Bindegewebsring, der die Vorhöfe von den Kammern trennt und der Verankerung der Segelklappen und der Taschenklappen dient. Das bedeutet, dass sich alle Klappen des Herzens in einer Ebene des Herzskelettes befinden und dass sie alle in dieser straffen bindegewebigen Struktur fest verankert sind.

Am Herzskelett entspringen die Muskelzüge der Vorhöfe sowie der Kammern und die Herzmuskulatur setzt ebenfalls dort wieder an. Das Bindegewebe des Herzskeletts wird vom **His-Bündel** des Erregungsleitungssystems auf seinem Weg vom rechten Vorhof zu den Kammern durchdrungen.

9.1.4 Herzklappen

Am Herzen lassen sich zwei Segelklappen zwischen den Vorhöfen und den Kammern und zwei Taschenklappen zwischen den Ventrikeln und den entspringenden großen Arterien, dem Truncus pulmonalis und der Aorta, unterscheiden.

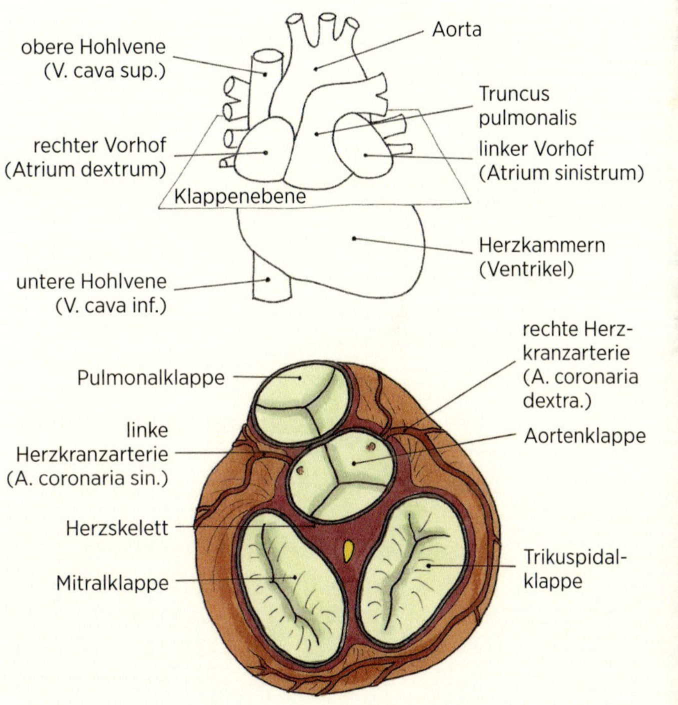

Abb. 80: **Klappenebene**

9.1.4.1 Segelklappen (AV-Klappen)

Die Segelklappen befinden sich zwischen den Vorhöfen und ihren angrenzenden Kammern und werden aus diesem Grund auch als atrioventrikuläre oder AV-Klappen bezeichnet. Ihre bindegewebigen Segel sind an der gesamten Oberfläche von einer zarten Epithelschicht, dem Endokard, überzogen. Von ihren freien Rändern und ihrer der Kammer zugewandten Fläche ziehen kräftige **Sehnenfäden (Chordae tendineae)** zu den **Papillarmuskeln**, die aus der Kammermuskulatur emporragen. Die Segel öffnen sich nur in Richtung der Kammern, um während der Füllungsphase (Diastole) der Ventrikel den Blutstrom von den Vorhöfen in die Kammern zu ermöglichen. Während der Kammersystole verkürzen sich die Papillarmuskeln und verhindern über die nun gespannten Sehnenfäden ein Öffnen der Segelklappen in Richtung Vorhöfe. So können die Segel dem Druck des Blutes in der Kammer während der Kontraktion widerstehen.

Die Segelklappe zwischen rechtem Vorhof und rechter Kammer heißt **Trikuspidalklappe**, sie besteht aus drei Segeln, einem vorderen, einem hinteren und einem septalen Segel im Bereich der Herzscheidewand. Die Klappe zwischen linkem Vorhof und linker

Kammer, die **Bikuspidalklappe**, besteht aus zwei Segeln, einem vorderen und einem hinteren. Da ihr Aussehen an eine Bischofsmütze, die Mitra, erinnert, wird sie auch **Mitralklappe** genannt. Sie öffnet sich während der Kammerdiastole vom linken Vorhof in die linke Kammer.

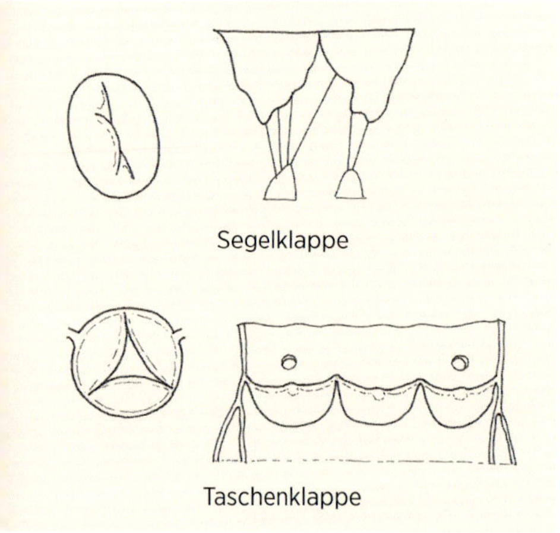

Abb. 81: **Segelklappe, Taschenklappe**

9.1.4.2 Taschenklappen

Taschenklappen befinden sich am Herzen am Ursprung der großen Arterienstämme, **Truncus pulmonalis** und **Aorta**, aus den Kammern. Sie bestehen jeweils aus drei bindegewebigen halbmondförmigen Täschchen (Valvulae semilunares), deren Basis wiederum fest im Herzskelett verankert ist. Die freien Ränder dieser Täschchen sind etwas verdickt und besitzen jeweils in ihrer Mitte ein verhärtetes Bindegewebsknötchen, welche sich bei geschlossener Klappe aneinanderschmiegen und den vollständigen Klappenschluss ermöglichen. Die Taschenklappen öffnen sich während der Kammersystole in Richtung der großen Gefäße und werden durch die Füllung der Täschchen mit dem zum Herzen zurückströmenden Blut, während der Diastole der Ventrikel, geschlossen. Auch ihre Oberfläche ist von einem zarten Endokard überzogen.

Die **Pulmonalklappe** trennt den rechten Ventrikel vom Truncus pulmonalis, sie wurde bereits bei der rechten Kammer besprochen (siehe Kap. 9.1.2.2).

Die **Aortenklappe** schließlich trennt den linken Ventrikel von der Aorta, die das Blut in den Körperkreislauf transportiert, und entspricht in Aussehen und Funktion der Pulmonalklappe. Sie wurde schon bei der linken Kammer erwähnt (siehe Kap. 9.1.2.4).

9.1.5 Schichten der Herzwand

Das Herz besteht aus mehreren Schichten, die nur durch zartes Bindegewebe voneinander getrennt sind.

Die innerste Schicht, das **Endokard**, überzieht als zarte Lage eines einschichtigen Plattenepithels alle Strukturen der Vorhöfe und Kammern, also auch die Klappen, die Papillarmuskeln und die Sehnenfäden. Ein intaktes Endokard ist die Voraussetzung für den ungehinderten Blutfluss durch die Herzräume und verhindert zudem weitgehend das Ablagern von Blutgerinnseln an der Herzwand.

Die mittlere Schicht, das **Myokard** oder die Herzmuskulatur, ist in mehreren Lagen angeordnet. Sie unterscheidet sich in ihrer Dicke im Bereich der Vorhöfe und der Kammern.

Die Muskulatur der Vorhöfe ist dünn, da ihre Pumpleistung äußerst gering ist. Sie besteht aus einer oberflächlichen Muskelschicht, die sich über beide Vorhöfe erstreckt, und aus darunter bogenförmig verlaufenden Muskelfasern, die die Vorhöfe einzeln ummanteln und auch das Vorhofseptum bilden. Die Muskelfasern entspringen am Herzskelett und ziehen auch wieder dorthin zurück.

Die Muskulatur der Ventrikel ist wesentlich dicker als die der Vorhöfe, wobei der linke Ventrikel die dickste Muskelschicht aufweist, da er beim Austreiben des Blutes den Widerstand des Körperkreislaufs überwinden muss. Die **Ventrikelmuskulatur** besteht aus drei Schichten. Die äußerste Schicht entspringt am Herzskelett und zieht schräg verlaufend spiralförmig zur Herzspitze, wobei sie beide Ventrikel umfasst. An der Herzspitze drehen sich die Muskelfasern in einem Wirbel nach innen und ziehen wieder in einer schrägen Spirale um beide Ventrikel zum Herzskelett zurück. Eine dritte, zirkulär verlaufende

Muskelschicht befindet sich zwischen den beiden schrägen Schichten; sie umfasst jeden Ventrikel einzeln und bildet auch das Kammerseptum. Die Anordnung der Kammermuskulatur garantiert eine optimale Entleerung der Kammern während der Systole, wobei sich die Klappenebene in Richtung Herzspitze schiebt und die Kammern noch zirkulär zusammengepresst werden.

Die äußerste Schicht, das **Epikard**, besteht wiederum aus einer zarten Lage eines einschichtigen Plattenepithels (Mesothel), einer serösen Haut entsprechend. Sie soll die ungehinderte Bewegung des Herzens im Herzbeutel ermöglichen.

Das Herz liegt geschützt im Herzbeutel, dem **Perikard**, welches das Herz vollständig umgibt und einen geschlossenen Raum formt, der mit wenig seröser Flüssigkeit benetzt ist, um ein reibungsfreies Gleiten des Herzens im Herzbeutel zu ermöglichen. Das Perikard setzt sich aus einer inneren einschichtigen Mesothelschicht, entsprechend einer serösen Haut, und einem äußeren bindegewebigen, fibrinösen Anteil, der das Herz schützt, zusammen. Er ist teilweise mit seiner Umgebung verwachsen und stabilisiert das Herz im Brustraum. Die Ursprünge des Truncus pulmonalis und der Aorta liegen einige Zentimeter innerhalb des Herzbeutels, sodass auch die Koronararterien innerhalb des Herzbeutels entspringen und in den Herzmuskel ziehen können.

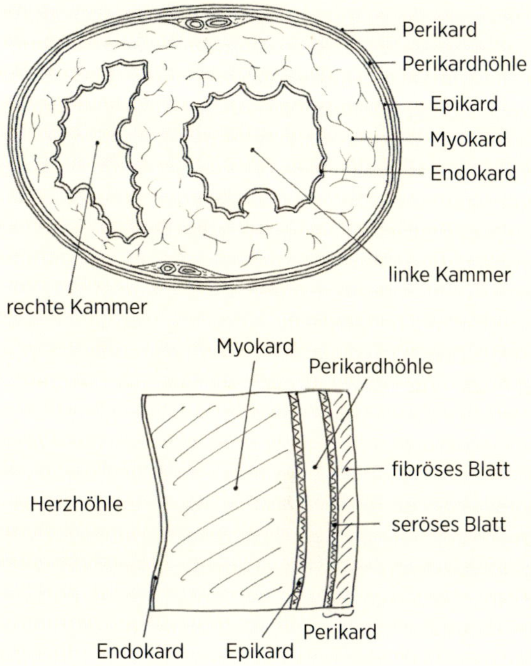

Abb. 82: **Herzwand**

9.1.6 Gefäßversorgung des Herzens

Wie alle Organe benötigt auch der Herzmuskel selbst Sauerstoff und Nährstoffe, und wie bei allen anderen Organen gehen auch diese Gefäße aus der Aorta ab. Die Herzkranzarterien oder Koronararterien entspringen als erste Gefäße gleich nach ihrem Ursprung und noch innerhalb des Herzbeutels aus der Aorta und versorgen den Herzmuskel mit sauerstoffreichem Blut.

Die **rechte Herzkranzarterie (A. coronaria dextra)** zieht gleich nach ihrem Ursprung in der Kranzfurche zwischen rechtem Vorhof und rechter Kammer nach rechts und hinten und als hinterer Ast **(Ramus interventricularis posterior)** in einer Rinne zwischen den beiden Ventrikeln an der hinteren Fläche des Herzens nach unten zur Herzspitze.

Die **linke Herzkranzarterie (A. coronaria sinistra)** entspringt oberhalb der linken Tasche der Aortenklappe und teilt sich in einen vorderen Ast **(Ramus interventricularis anterior)**, der an der Vorderseite des Herzens zur Herzspitze verläuft, und den **Ramus circumflexus**, der nach links bis zur Hinterfläche des Herzens zieht. Die Füllung der Herzkranzarterien erfolgt überwiegend während der Diastole des Herzens, da die geschlossenen Aortenklappen die Abgänge der Koronararterien nicht verdecken.

Die **Herzkranzvenen** laufen begleitend zu den Arterien und bringen das sauerstoffarme Blut aus dem Herzmuskel über den sogenannten Sinus coronarius (Sammelstelle der Herzkranzvenen) in den rechten Vorhof zurück. Sie münden also genauso wie die beiden Hohlvenen in den rechten Vorhof.

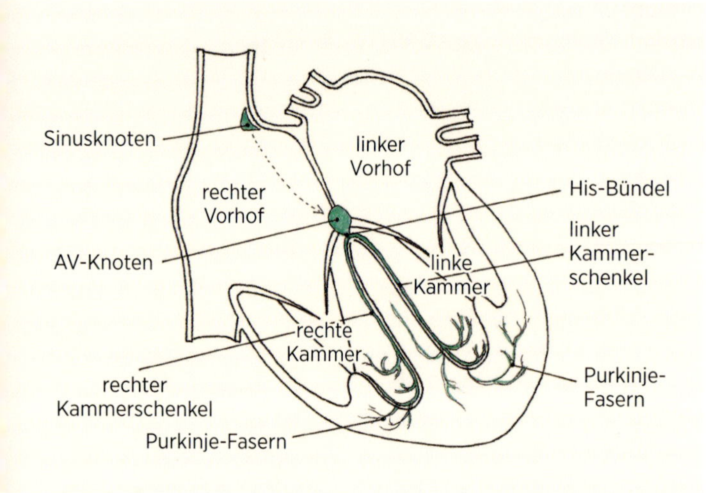

Abb. 83: **Reizleitungssystem**

9.1.7 Reizleitungssystem

Die Erregung des Herzmuskels weist gegenüber anderen Muskeln eine Besonderheit auf. Während die Skelettmuskulatur vom somatischen Nervensystem willkürlich und die glatte Eingeweidemuskulatur vom vegetativen Nervensystem unwillkürlich erregt werden, besitzt das Herz spezialisierte Muskelfasern, die sowohl die Reizbildung als auch die Weiterleitung des Reizes selbst übernehmen. Man spricht von einer **Autorhythmie** des Herzens. Das vegetative Nervensystem (Sympathikus und Parasympathikus) übt nur einen modulierenden Einfluss auf den Herzschlag aus und kann das Herz schneller oder langsamer, kräftiger oder weniger kräftig schlagen lassen.

Das Reizleitungssystem besteht aus zwei knotigen und drei bündelartigen Abschnitten, die in dieser Reihenfolge angeordnet sind:

Sinusknoten: Der Sinusknoten liegt im rechten Vorhof an der Einmündungsstelle der oberen Hohlvene (Vena cava superior). Er ist der primäre Schrittmacher des Herzens und erzeugt beim Erwachsenen in Ruhe etwa 60–90 Schläge pro Minute. Die Erregung des Sinusknotens geht auf die Muskulatur der Vorhöfe über, welche vollständig erregt und kontrahiert sein muss, bevor die Erregung zum AV-Knoten weitergeleitet wird.

Atrioventrikularknoten (AV-Knoten): Der AV-Knoten liegt am Boden des rechten Vorhofs im Bereich des Vorhofseptums. Er leitet die Vorhoferregung mit einer Verzögerung von etwa 60 auf die Ventrikelmuskulatur weiter. Durch die Verzögerung wird garantiert, dass die Entleerung der Vorhöfe bereits abgeschlossen ist und sich die Ventrikel erst entleeren, wenn die Vorhöfe das gesamte Blut an die Ventrikel weitergegeben haben. Fällt der Sinusknoten als primärer Schrittmacher aus, dann übernimmt der AV-Knoten als sekundärer Schrittmacher die Erregung mit einer Frequenz von 40–60 Schlägen pro Minute.

His-Bündel: Das His-Bündel durchbricht das Herzskelett vom rechten Vorhof in Richtung Kammerseptum und leitet die Erregung zu den beiden Kammerschenkeln weiter.

Rechter und linker Kammerschenkel (Tawara-Schenkel): Die beiden Kammerschenkel laufen entlang der Kammerscheidewand zur Spitze der beiden Ventrikel und leiten die Erregung über ihre fächerförmigen Aufteilungen, die **Purkinje-Fasern**, zum Ventrikelmyokard. Über diese Fasern werden die Herzmuskelzellen der Ventrikel erregt und zur Kontraktion gebracht. So bewegen sich Klappenebene und Herzspitze zueinander, und das Blut wird in den Truncus pulmonalis und die Aorta gepresst.

9.1.8 Vegetative Nerven des Herzens

Das vegetative Nervensystem (Eingeweidenervensystem) besteht aus zwei Anteilen, dem **Sympathikus** und dem **Parasympathikus**, die einen antagonistischen (gegenteiligen) Einfluss auf die Herztätigkeit ausüben. Die Nervenfasern des Sympathikus haben eine anregende Wirkung auf das Herz, die des Parasympathikus eine dämpfende. Deshalb erhöht der Sympathikus die Herzfrequenz (positiv chronotrop), die Schlagkraft des Herzmuskels (positiv inotrop) und die Geschwindigkeit der Erregungsleitung (positiv dromotrop). Der Sympathikus veranlasst das Herz in Stresssituationen und bei körperlicher Anstrengung dazu, mehr Blut durch den Organismus zu pumpen. Dementsprechend vermindert der Parasympathikus die Herzfrequenz (negativ chronotrop), die Schlagkraft (negativ inotrop) und die Erregungsleitungsgeschwindigkeit (negativ dromotrop). Das liegt daran, dass in körperlicher und emotionaler Ruhe weniger Blut gepumpt werden muss.

Das vegetative Nervensystem hat aber auch sensible Fasern, die Schmerz und Dehnungsreize vom Herzen zum zentralen Nervensystem leiten.

9.2 Physiologie des Herzens

Die Aufgabe des Herzens ist der Transport einerseits von sauerstoffarmem Blut aus dem Körper in die Lungen und andererseits von sauerstoffreichem Blut zu allen Organen des Körpers. Funktionell handelt es sich um eine Druck-Saug-Pumpe, die aus zwei Anteilen – einem rechten und einem linken Herzen – besteht. Beide Vorhöfe arbeiten, ebenso wie die beiden Kammern, synchron, die Vorhöfe und Ventrikel aber gegengleich. Das bedeutet, dass während der Systole der beiden Vorhöfe die Kammerdiastole abläuft und während der Diastole der Vorhöfe die Systole der beiden Kammern.

Die Füllung der Vorhöfe erfolgt passiv durch die Entspannung der Vorhofmuskulatur, die Entleerung des Blutes in Richtung Ventrikel durch die Entspannung und Entfaltung der Ventrikel. Das Blut wird durch die sich ausdehnenden Kammern aus den Vorhöfen gesaugt. Aus diesem Grund ist die Muskulatur der Vorhöfe auch so gering ausgeprägt. Im Folgenden werden nur die Systole und Diastole der Ventrikel näher erklärt.

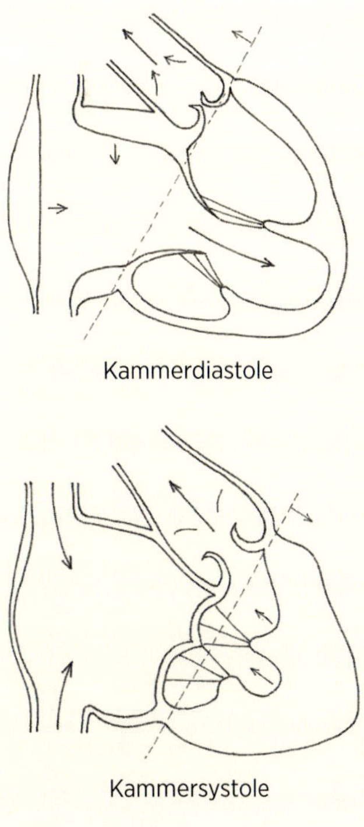

Abb. 84: **Systole und Diastole**

9.2.1 Kammerdiastole

Die Kammerdiastole ist jene Herzaktion, während der es zum Einströmen des Blutes aus den Vorhöfen in die Kammern kommt.

Während der Kammerdiastole lassen sich zwei Phasen unterscheiden, die hintereinander ablaufen. Am Beginn der Diastole sind sowohl die Segelklappen (Mitral- und Trikuspidalklappe), die zwischen den Vorhöfen und den Kammern liegen, als auch die Taschenklappen (Aortenklappe, Pulmonalklappe), die die großen abgehenden Arterien verschließen, geschlossen. Die Kammern sind bis auf ein Restvolumen entleert und die Vorhöfe sind prall mit Blut gefüllt. Nun beginnt sich die Muskulatur der Ventrikel zu entspannen und ihr Volumen nimmt zu. Diese Phase wird als **Entspannungsphase** bezeichnet. Dadurch entsteht eine Sogwirkung auf die vollen Vorhöfe und die Segelklappen öffnen sich in Richtung der Ventrikel. Sind die Segelklappen geöffnet, dann strömt das Blut aus den Vorhöfen in die Ventrikel, bis sich durch den Druck des Blutes in den nun gefüllten Ventrikeln die Segelklappen wieder schließen. Diese Phase wird als **Füllungsphase** bezeichnet. Die Taschenklappen waren während der gesamten Kammerdiastole geschlossen.

9.2.2 Kammersystole

Während der Kammersystole kommt es zum Ausstoßen des Blutes aus den Ventrikeln in den Körperkreislauf und in den Lungenkreislauf.

Auch während der Systole laufen wiederum zwei Phasen hintereinander ab. Am Beginn der Systole sind beide Ventrikel mit Blut gefüllt, alle Klappen sind geschlossen. Jetzt beginnt sich die Kammermuskulatur anzuspannen, die Klappenebene bewegt sich in Richtung Herzspitze und der Druck in den durch die Klappen verschlossenen Kammern steigt. Diese Phase wird als **Anspannungsphase** bezeichnet. Durch den steigenden Druck in den blutgefüllten Kammern werden am Ende der Anspannungsphase die Taschenklappen aufgestoßen; das Blut strömt aus dem rechten Ventrikel über den Truncus pulmonalis in die Lungen und aus dem linken Ventrikel in die Aorta und so in den Körperkreislauf. Diese Phase wird dementsprechend **Austreibungsphase** genannt. Die Taschenklappen schließen sich gegen Ende der Systole wieder, da der Druck des Blutes im Truncus pulmonalis und in der Aorta den Druck in den nun entleerten Ventrikeln übersteigt. Die Segelklappen bleiben während der gesamten Kammersystole geschlossen, die ebenfalls kontrahierten (verkürzten) Papillarmuskeln verhindern über die nun gespannten Sehnenfäden ein Öffnen der Segelklappen in Richtung Vorhöfe.

Durch die Bewegung der Klappenebene zur Herzspitze hin werden während der Kammersystole die Vorhöfe in Längsrichtung gedehnt und aus den zuführenden Venen mit Blut gefüllt. Es machen also die Vorhöfe während der Kammersystole ihre Diastole durch und während der Kammerdiastole ihre Systole.

Um eine vollständige neuerliche Füllung des Herzens während der Diastole zu gewährleisten, lässt sich der Herzmuskel nach einer abgelaufenen Kontraktion nicht sofort erneut erregen. Diese Zeit beträgt etwa 0,3 Sekunden und wird Refraktärzeit genannt. So ist der intakte Herzmuskel gegen zu schnell aufeinanderfolgende Schläge geschützt, wie sie beim Herzflimmern auftreten können. Die Erregungsbildung und Erregungsleitung wird besonders von den Elektrolyten Kalzium und Kalium beeinflusst, ein Über- oder Unterschreiten der Normwerte dieser Elektrolyte führt zu Herzrhythmusstörungen. Ein Zuviel an Kalium, die Hyperkaliämie, verlangsamt den Herzschlag, unter Umständen bis zum Herzstillstand. Ein Zuwenig an Kalium, die Hypokaliämie, beschleunigt die Erregungsbildung und -leitung. Dies kann Zusatzschläge (Extrasystolen) und auch ein lebensbedrohliches Kammerflimmern zur Folge haben.

Auch Kalzium hat einen wesentlichen Einfluss auf die Herztätigkeit. Es fördert die Erregungsbildung im Sinusknoten und die Weiterleitung dieses Reizes auf den Herzmuskel.

Herzminutenvolumen

Während der Systole wird ein **Schlagvolumen** von etwa 70 ml Blut vom linken Ventrikel in den Körperkreislauf ausgestoßen, ein Restvolumen von etwa 60 ml bleibt im Ventrikel zurück. Multipliziert man dieses Schlagvolumen mit der durchschnittlichen Herzfrequenz pro Minute, dann erhält man das **Herzminutenvolumen** (HMV), also jene Menge an Blut, welche pro Minute vom Herzen in den Körperkreislauf gepumpt wird.

Für ein gesundes Herz in Ruhe gilt demnach: HMV = 70 ml Blut mal 70 Schläge/Minute = 4.900 ml Blut/Minute. Das bedeutet, dass in Ruhe das Herzminutenvolumen etwa 5 l/Minute beträgt, es wird also einmal pro Minute das gesamte Blutvolumen von etwa 5 Litern durch das Herz in den Körperkreislauf ausgeworfen. Steigt die Herzfrequenz bei Anstrengung, erhöht sich entsprechend das Herzminutenvolumen.

Erhöht sich das Restvolumen im Ventrikel, etwa durch einen erhöhten Druck in der Aorta, werden die Herzmuskelfasern durch das erhöhte Blutvolumen im linken Ventrikel stärker gedehnt. Ein intakter Herzmuskel reagiert in diesem Fall mit einer stärkeren Kontraktion und einer Erhöhung des Schlagvolumens, um das Restblut im Herzen zu verringern. Diese Selbstregulation des Schlagvolumens und der Schlagkraft wird als **Frank-Starling-Mechanismus** bezeichnet.

9.3 Pathophysiologie des Herzens

Das Reizleitungssystem gibt beim gesunden Herzen die Frequenz des Herzschlags und das korrekte Weiterleiten der Erregung vor. Intakte Herzklappen sind wesentlich für den ungehinderten Weitertransport des Blutes durch die Herzräume mitverantwortlich. In den folgenden Tabellen werden die wichtigsten Reizbildungs- und Reizleitungsstörungen sowie Klappenanomalien aufgelistet.

Tab. 37: **Reizbildungs- und Reizleitungsstörungen**

Störung der Reizbildung und der Reizleitung	Ursachen/Symptome
Tachykardie	**Pulserhöhung auf mehr als 100 Schläge/Minute** Physiologisch bei Aufregung, Angst, körperlicher Anstrengung, Koffein-, Nikotingenuss Pathologisch: Atemnot, Fieber, Anämie, Schilddrüsenüberfunktion, Herzinsuffizienz, Schock
Bradykardie	**Pulsverlangsamung auf weniger als 60 Schläge/Minute** Physiologisch: in Ruhe und Schlaf, bei trainierten Sportlerinnen, bei Anpassung auf Meereshöhe Pathologisch: Reizleitungsstörungen des Herzens, Ikterus, Schädelverletzungen, Hypothyreose und bei Einnahme von Beruhigungsmitteln
Vorhofflattern Vorhofflimmern	**Erhöhung der Schlagfrequenz der Vorhöfe auf 250–350 Schläge/Minute** **Erhöhung der Schlagfrequenz der Vorhöfe auf über 350 Schläge/Minute** Die Erkrankung ist an sich nicht lebensbedrohlich, aber es steigt vor allem die Gefahr der Thrombenbildung in den Vorhöfen, was ein erhöhtes Schlaganfallrisiko nach sich zieht!
Kammerflattern Kammerflimmern	**Unkoordinierte Erhöhung der Kammerfrequenz auf 250–350 Schläge/Minute** **Unkoordinierte Erhöhung der Kammerfrequenz auf über 350 Schläge/Minute** Durch die hohe Frequenz verringert sich die Auswurfleistung des Herzens drastisch; kommt einem Herzstillstand gleich und führt ohne Reanimation (Defibrillation) zum Tod.
Supraventrikuläre Extrasystolen	Einzelne Zusatzschläge der Vorhofmuskulatur, die nicht auf die Ventrikelmuskulatur übergeleitet werden; können bei Übermüdung, Nikotin- und Kaffeeabusus auftreten, können aber auch Zeichen einer Erkrankung des Herzens sein.
Ventrikuläre Extrasystolen	Einzelne oder in Folge auftretende zusätzliche Erregungen der Kammermuskulatur; können in ein lebensbedrohliches Kammerflimmern übergehen.
Asystolie	Herzstillstand
AV-Block	Blockierte oder verzögerte Überleitung der Erregung von den Vorhöfen zu den Ventrikeln. Der AV-Knoten kann die Erregung der Kammern mit geringerer Frequenz übernehmen. Die Herzfrequenz sinkt und die Pumpleistung des Herzens nimmt ab.

Tab. 38: **Anomalien der Herzklappen**

Klappenanomalie	Folgen
Klappenstenose	**Die Herzklappe öffnet sich nicht vollständig** Das Blut staut sich vor der Herzklappe und führt zu einer Druckbelastung des betroffenen Herzabschnittes; unbehandelt führt die Klappenstenose zur Herzinsuffizienz.
Klappeninsuffizienz	**Die Herzklappe schließt sich nicht vollständig** Das Blut fließt in den Herzabschnitt, aus dem es gepumpt wurde, zurück; es kommt zu einer Volumenbelastung des Herzens. Auch die Klappeninsuffizienz führt unbehandelt zur Herzinsuffizienz.

Koronare Herzkrankheit, Herzinfarkt

Unter **koronarer Herzkrankheit** versteht man die Einengung der Herzkranzarterien, meist durch Arterienverkalkung (Arteriosklerose), wodurch es zu einer Minderdurchblutung des Herzmuskels und zu einer eingeschränkten Belastbarkeit kommt. Typisch sind Schmerzen oder Druck in der Brust **(Angina pectoris)** und Atemnot bei Belastung.

Beim **Herzinfarkt** (Myokardinfarkt) kommt es zum Verschluss einer oder mehrerer Herzkranzarterien mit nachfolgendem Untergang (Nekrose) des betroffenen Herzmuskelareals. Es treten Schmerzen im Brustraum, Atemnot, kalter Schweiß, Angst, Erbrechen bis hin zu Kreislaufversagen auf. Bei ausgedehnten Infarkten oder beim Auftreten von Komplikationen kann auch schnell der Tod eintreten. Sowohl die Reizleitungsstörungen als auch die Veränderungen beim Herzinfarkt können durch ein Elektrokardiogramm (EKG) gut dargestellt werden. Dabei werden die elektrischen Aktivitäten der Herzmuskelzellen an der Körperoberfläche abgeleitet und auf einem Papierstreifen oder einem Bildschirm sichtbar gemacht. Ein unauffälliges EKG schließt einen Herzinfarkt allerdings nicht sicher aus (NSTEMI).

Übungsfragen

1. Beschreibe Lage, Form und Größe des Herzens und den Verlauf der Herzachse.
2. Nenne alle Gefäße, die scheinbar an der Herzbasis entspringen und münden.
3. Wo kommt die Herzspitze der Brustwand am nächsten?
4. Unterscheide Segelklappen und Taschenklappen in Aufbau und Funktion.
5. Erkläre den Feinbau des Herzens, beschreibe Endokard, Myokard, Epikard und Perikard.
6. Was befindet sich zwischen Epi- und Perikard?
7. Wie viele Herzkranzarterien entspringen aus der Aorta, welche Funktion erfüllen sie?
8. Beschreibe die Phasen der Systole und der Diastole.
9. Nenne die Strukturen des Reizleitungssystems in der richtigen Reihenfolge und beschreibe ihre Lage im Herzen.
10. Was versteht man unter der Autorhythmie des Herzens?
11. Welche Frequenz hat der Sinusknoten?
12. Wie errechnet man das Herzminutenvolumen?
13. Was versteht man unter Bradykardie und Tachykardie?
14. Welchen pathologischen Wert haben Vorhofflimmern und Kammerflimmern?

10 Kreislauf- und Gefäßsystem (Kardiovaskuläres System)

Arterien und Venen bilden mit dem Herzen ein geschlossenes System, das Herz-Kreislauf-System. Genauer betrachtet handelt es sich um zwei Kreisläufe, in denen der rechte Ventrikel Blut in den Lungenkreislauf und der linke Ventrikel Blut in den Körperkreislauf pumpt.

Der **Körperkreislauf** beginnt im linken Ventrikel und endet im rechten Vorhof. Er hat die Aufgabe, Nährstoffe und Sauerstoff zu den Geweben aller Organe zu transportieren sowie Kohlendioxid und Stoffwechselabbauprodukte aus den Geweben wieder abzutransportieren. Aus dem linken Ventrikel entspringt die **Aorta**, die zunächst in ihrem Verlauf zahlreiche Arterien zum Kopf, zu den oberen Extremitäten und Organen des Hals- und Brustbereiches abgibt, in der Folge das Zwerchfell durchbricht, die Bauchorgane versorgt und sich im Bauchraum schließlich in zwei Arterien aufteilt, die das Blut ins Becken und in die Beine transportieren. Jedes Organ und jedes Gewebe erhält aus Arterienästen der Aorta sauerstoffreiches Blut, um überleben zu können. Auch der Herzmuskel selbst wird durch die **Herzkranzarterien** aus der Aorta versorgt, und das Lungengewebe erhält über **Bronchialarterien** sauerstoffreiches Blut aus der Brustaorta. Die Arterien verzweigen sich immer weiter in kleiner werdende Arterien und Arteriolen und schließlich in unzählige kleinste arterielle Kapillaren, die den Stoffaustausch in den Geweben gewährleisten. In den Geweben sammelt sich das „verbrauchte", sauerstoffarme Blut wiederum in den venösen Kapillarschenkeln und fließt in immer größer werdenden Venolen und Venen in die obere und untere Hohlvene, die in den rechten Vorhof münden.

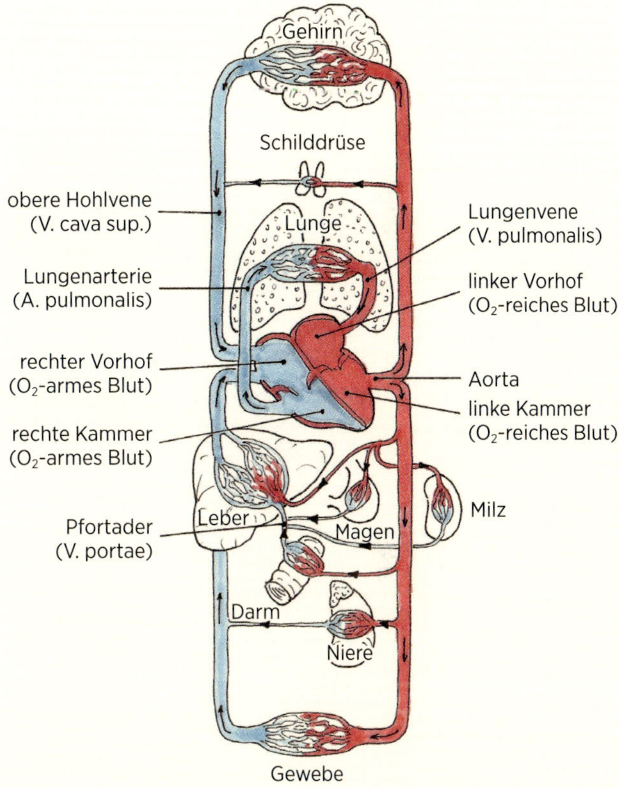

Abb. 85: **Kreislauf, Übersicht**

Der **Lungenkreislauf** hat die Aufgabe, das sauerstoffarme Blut, das sich nun im rechten Herzen befindet, über die Lungenarterien in die Lungen zu transportieren, dort mit Sauerstoff anzureichern und wieder über die Lungenvenen zurück in den linken Vorhof und somit in den Körperkreislauf zu bringen.

Daraus ergibt sich die Tatsache, dass Arterien des Körperkreislaufs, die aus dem linken Herzen gespeist werden, sauerstoffreiches Blut transportieren und die entsprechenden Venen das sauerstoffarme Blut aus dem Körper zurück zum rechten Herzen befördern. Die Lungenarterien, die aus dem „sauerstoffarmen" rechten Ventrikel entspringen, transportieren hingegen sauerstoffarmes Blut in die Lungen. Die Venen des kleinen Kreislaufs bringen das sauerstoffreiche Blut aus den Lungen zurück zum linken Herzen.

Deshalb werden Arterien als Blutgefäße definiert, die vom Herzen wegziehen, und Venen als Gefäße, die zum Herzen hinführen.

Arterien und Venen besitzen grundsätzlich denselben Wandaufbau, eine innere Endothelschicht **(Tunica interna oder Intima)**, eine mittlere Muskelschicht **(Tunica media, Media oder Muscularis)** und eine äußere Bindegewebsschicht **(Tunica externa, Externa oder Adventitia)**. Die Venenwand ist jedoch wesentlich dünner ausgebildet als die Arterienwand und periphere Venen besitzen in ihrem Verlauf Klappen.

10.1 Anatomie des Gefäßsystems

Herz, Arterien und Venen werden als Herz-Kreislauf-System zusammengefasst. Sie bilden gemeinsam mit dem Kapillarstromgebiet ein vollständig geschlossenes System, wobei der linke Ventrikel das Blut durch den Körperkreislauf und der rechte Ventrikel das Blut durch den Lungenkreislauf treibt.

10.1.1 Arterien

Arterien sind Blutgefäße, die vom Herzen wegführen. Sie beinhalten im Körperkreislauf sauerstoffreiches Blut, im Lungenkreislauf und im fetalen Kreislauf jedoch sauerstoffarmes Blut. Arterien zeigen, wie fast jedes Hohlorgan im Organismus, einen dreischichtigen Aufbau. Die innerste Schicht, **Intima**, besteht aus einer sehr glatten Lage einschichtigen Plattenepithels, die einer zarten Basalmembran aufsitzt. Da dieses Epithel die innere Auskleidung von Blutgefäßen darstellt, sprechen wir von einem **Endothel**. Es ist wichtig, dass diese Schicht sehr glatt ist, damit die Blutströmung ungehindert ablaufen kann und es zu keinen Ablagerungen von Blutplättchen und in der Folge zur Thrombenbildung kommen kann.

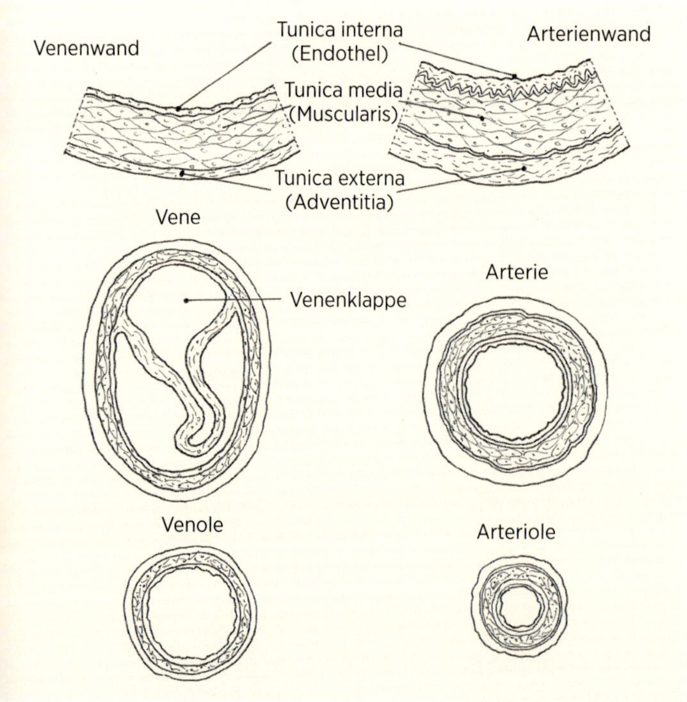

Abb. 86: **Arterie und Vene**

Die mittlere Schicht, **Media**, besteht zu unterschiedlichen Anteilen aus glatten Muskelzellen und elastischen Fasern. In großen herznahen Arterien, allen voran in der Aorta, überwiegen die elastischen Fasern, um die Dehnung des Gefäßes während der Systole zu gewährleisten. Kleinere herzferne Arterien, die die Organdurchblutung durch Veränderung ihres Durchmessers steuern, besitzen überwiegend glatte Muskelzellen und wenige elastische Fasern. Nur Muskelzellen sind imstande, sich aktiv zu kontrahieren und so den Gefäßdurchmesser zu ändern und die Organdurchblutung zu beeinflussen.

Die äußerste Schicht der Arterien, **Externa**, entspricht einer **Adventitia**, also einem lockeren Bindegewebe, welches die Arterien gut verschieblich in ihre Umgebung einbettet.

Kleinere Arterien, die Arteriolen, zeigen prinzipiell den gleichen Aufbau wie die Arterien; ihre Wandstärke und ihr Durchmesser sind jedoch geringer.

Arterien haben ausschließlich an ihrem Abgang aus dem Herzen Klappen, in ihrem weiteren Verlauf benötigen sie keine mehr, da das Blut durch die Pulswelle des Herzens durch sie hindurchströmt.

10.1.2 Venen

Venen werden als Blutgefäße definiert, die das Blut aus der Peripherie zum Herzen transportieren. Venen weisen denselben schichtweisen Aufbau wie Arterien auf, ihre Wandstärke und damit ihre Festigkeit sind jedoch wesentlich geringer. Die Venenwand besitzt eine deutlich dünnere mittlere Muskelschicht, wodurch sie aktiv ihren Durchmesser kaum verändern kann.

Beim stehenden Menschen sammelt sich Blut im Venensystem der unteren Extremitäten, das im Falle eines Kreislaufkollapses durch Hochlagern der Beine in den Kreislauf zurücktransportiert werden kann. Da Venen ein hohes Fassungsvermögen an Blut aufweisen können, spricht man von **Kapazitätsgefäßen**.

Arterien werden meist von Venen begleitet, periphere Arterien sind sogar paarig mit Venen vergesellschaftet. Herznahe Gefäße, wie die Aorta oder die großen Hohlvenen, verlaufen unbegleitet.

Periphere Venen haben im Gegensatz zu Arterien in ihrem Verlauf **Taschenklappen**, um das Blut gegen die Schwerkraft abschnittsweise Richtung Herz transportieren zu können. Die Klappen werden von Bindegewebe und Endothel gebildet und öffnen sich herzwärts. Beim Zurückströmen des Blutes von „oben“ wölben sich die Taschen der Klappen und verschließen das Venenlumen (Venendurchmesser), um ein Zurückfließen des Blutes in die Peripherie (in die Beine) zu verhindern.

Zusätzlich werden die dünnwandigen Venen der unteren Extremität durch die **Pulswelle** der begleitenden Arterien und durch die Kontraktion der Beinmuskulatur beim Gehen komprimiert und das Blut Richtung Herz geschoben. Dieses Phänomen wird als **Muskelpumpe** bezeichnet.

Venen verlaufen in mehreren Lagen, wobei die oberflächlichen Venen direkt unter der Haut liegen und die tiefen innerhalb der Muskulatur. Oberflächliche und tiefe Beinvenen sind durch Verbindungsvenen (Perforansvenen) miteinander verbunden, das Blut wird aus den oberflächlichen Venen über die Verbindungsvenen zu den tiefen transportiert, welche dann das Blut in Richtung Herz weiterbefördern.

Die dünnwandigen Venen in den Beinen können durch den Druck, der in ihnen herrscht, ausgeweitet werden, die oberflächlichen Beinvenen werden dann als Krampfadern oder Varizen unter der Haut sichtbar.

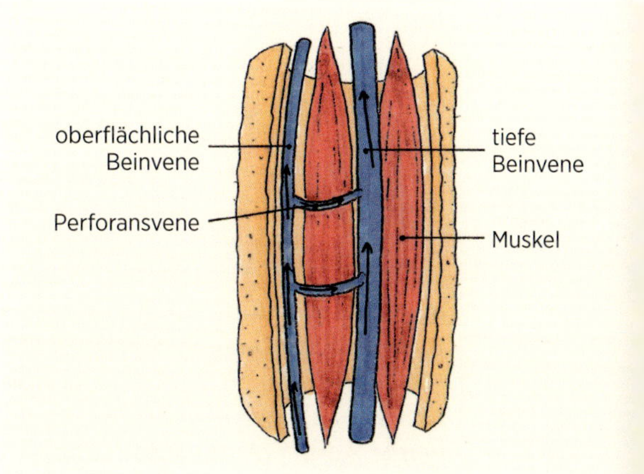

Abb. 87: **Beinvenen**

10.1.3 Kapillaren

Kapillaren oder Haargefäße sind die kleinsten Aufzweigungen der Blutgefäße. Je nach Organdurchblutung ist dieses Kapillarnetz mehr oder weniger dicht angelegt, Kapillaren können bei Bedarf auch neu gebildet werden. So haben die Leber, die Niere oder die Milz ein überaus dicht angelegtes Kapillarnetz; Knorpel, die Hornhaut des Auges oder die Augenlinse besitzen keine Kapillaren. Solche Gewebe werden durch die Flüssigkeiten, die sie umgeben, mit Nährstoffen versorgt.

Obwohl Kapillaren einen sehr geringen Einzeldurchmesser haben, ist der Gesamtdurchmesser des Kapillarstromgebietes wegen ihrer enormen Anzahl wesentlich größer als jener größerer Arterien oder Venen. Aus diesem Grund ist die Strömungsgeschwindigkeit des Blutes in den Kapillaren gering, wodurch der **Stoffaustausch** mit dem Gewebe erst möglich wird.

Kapillarwände bestehen nur aus einer bindegewebigen Basalmembran, die mit einem einschichtigen Plattenepithel (Endothel) ausgekleidet ist. Die Durchlässigkeit der Kapillarwände unterscheidet sich in den verschiedenen Organen und ist ihrer Stoffwechselaktivität angepasst. So findet man im Dünndarm, in Hormondrüsen, in der Niere, Leber, Milz und im roten Knochenmark gefensterte Kapillaren mit Öffnungen zwischen den Endothelzellen; in Organen mit streng kontrolliertem Stoffaustausch, wie zum Beispiel dem Gehirn, dem Thymus und der Muskulatur, wenig durchlässige Kapillarwände. Kapillarwände sind auch Teil der Blut-Hirn-Schranke und der Plazentaschranke, um den Stoffdurchtritt aus dem Blut in diese Gewebe streng kontrolliert regeln zu können.

Durch die Kapillaren stehen Arterien und Venen miteinander in Verbindung, es handelt sich also beim Kreislaufsystem um ein vollständig miteinander verbundenes System. Im Kapillarstromgebiet findet sowohl der Gasaustausch (O_2 und CO_2) als auch der Austausch von Nährstoffen und Abbauprodukten zwischen Blut und Gewebe statt.

Im Bereich der Kapillaren kommt es zum Stoffaustausch zwischen Blut und Gewebe; Sauerstoff, CO_2 und Nährstoffe werden ausgetauscht.

10.1.4 Körperkreislauf – Übersicht über die großen Arterien

Unter Körperkreislauf versteht man im Wesentlichen die Arterien, welche aus der Aorta abgehen und alle Organe und Gewebe des Organismus mit sauerstoffreichem Blut versorgen, und die Venen, welche das „verbrauchte“ sauerstoffarme, dafür CO_2-reiche Blut in die beiden Hohlvenen und somit zurück zum rechten Herzen transportieren. Um wirklich von einem Kreislauf, einem in sich geschlossenen System, sprechen zu können, bedarf es des Kapillarstromgebietes als Verbindungssystem zwischen Arterien und Venen und jenen Anteilen des Herzens, welche dieses System bedienen. Da die Aorta aus dem linken Ventrikel entspringt und die Hohlvenen im rechten Vorhof enden, ortet man den Beginn des Körperkreislaufs im linken Ventrikel und sein Ende im rechten Vorhof.

Alle Organe erhalten ursprünglich aus der Aorta und ihren abgehenden Arterien sauerstoffreiches Blut, auch das Herz selbst und die Lunge, welche mit dem sauerstoffarmen Blut des Lungenkreislaufs nicht überleben könnte.

Aus dem linken Ventrikel entspringt im Bereich der Herzbasis die **Aorta**. Sie gliedert sich in mehrere Abschnitte. Unmittelbar nach ihrem Ursprung zieht sie als **„aufsteigende Aorta“ (Aorta ascendens)** nach kranial, um sich bald in Form des **Aortenbogens (Arcus aortae)**, gleich eines Spazierstocks, nach hinten und unten zu wenden und als

„absteigende Aorta“ (Aorta descendens) durch den Brustraum zu laufen, das Zwerchfell zu durchbrechen und nun als Bauchaorta bis zu ihrer Teilungsstelle vor dem 4. Lendenwirbel zu ziehen. Die Brustaorta wird auch als **Aorta thoracica**, der Bauchteil als **Aorta abdominalis** bezeichnet.

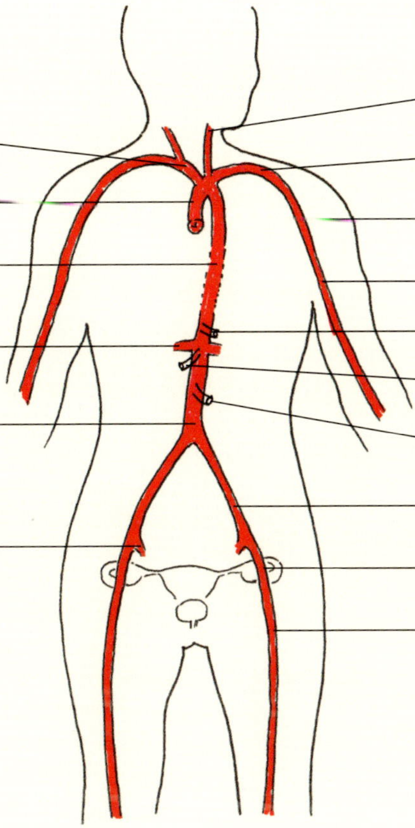

Abb. 88: **Die Aorta und ihre Gefäßabgänge**

Im Folgenden werden nur die größten Arterien des Körpers besprochen, im Wesentlichen nur die großen Arterienstämme, welche aus der Aorta abgehen. All diese Gefäße teilen sich in zahlreiche weitere Arterienäste auf, welche selbstverständlich alle namentlich benannt werden können.

Arterien aus der aufsteigenden Aorta

Unmittelbar nach ihrem Ursprung verläuft der Anfangsteil der Aorta noch innerhalb des Herzbeutels. Sinnvollerweise gehen schon hier, innerhalb des Herzbeutels, eine **rechte und linke Herzkranzarterie (A. coronaria dextra et sinistra)** zur Versorgung des Herzmuskels ab.

Arterien aus dem Aortenbogen

Vom Aortenbogen entspringen nacheinander der **Truncus brachiocephalicus**, ein gemeinsamer Gefäßstamm für die **rechte gemeinsame Halsschlagader (A. carotis communis dextra)** und die **rechte Unterschlüsselbeinarterie (A. subclavia dextra)**. Die **linke gemeinsame Halsschlagader (A. carotis communis sinistra)** und die **linke Unterschlüssel-**

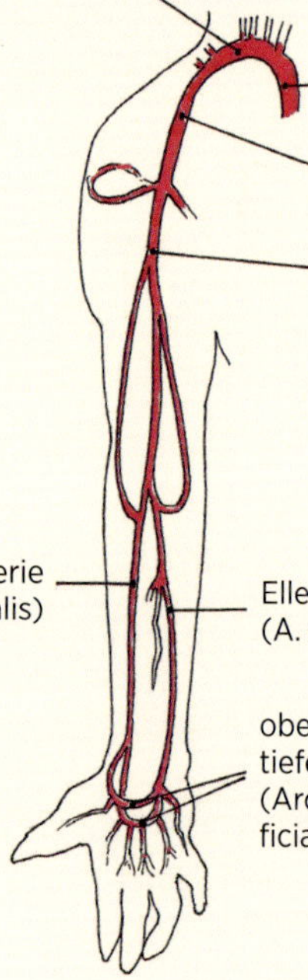

Abb. 89: **Armarterien**

beinarterie (A. subclavia sinistra) haben keinen gemeinsamen Stamm, sie gehen getrennt voneinander in dieser Reihenfolge aus dem Aortenbogen ab.

Rechte und linke gemeinsame Halsschlagader ziehen entlang der seitlichen Halspartie zum Schädel und teilen sich jeweils in eine **innere Halsschlagader (A. carotis interna)**, welche in den Schädel zieht und Teile des Gehirns versorgt, und eine **äußere Halsschlagader (A. carotis externa)**, welche die Muskeln und die Haut des Schädels durchblutet.

Die beiden Unterschlüsselbeinarterien ziehen weiter zu den Armen und geben in ihrem Verlauf noch jeweils eine **Wirbelarterie (A. vertebralis)** zum Gehirn ab. Die A. vertebralis zieht beidseits entlang der Wirbelsäule durch Öffnungen in den Querfortsätzen des 6. bis 1. Halswirbels nach oben.

Die **A. subclavia** ändert entlang ihres Verlaufes im Arm ihren Namen. Beim Verlauf durch die Achsel heißt sie **Achselarterie (A. axillaris)**, am Oberarm **Oberarmarterie (A. brachialis)**. Die A. brachialis hat besondere Bedeutung als jene Arterie, an der der Blutdruck gemessen wird. Im Bereich der Ellenbeuge teilt sich die A. brachialis in die daumenwärts verlaufende **Speichenarterie (A. radialis)** und die **Ellenarterie (A. ulnaris)**, welche in Richtung Kleinfinger zieht. An der Handfläche stehen diese beiden Arterien über einen oberflächlichen und einen tiefen **Arterienbogen (Arcus palmaris superficialis et profundus)** miteinander in Verbindung, was die Versorgung der Finger optimiert. Von diesen Arterienbögen entspringen die Arterien zu den Fingern.

Arterien aus der Brustaorta

Die Brustaorta entsendet nach rechts und links zahlreihe **Zwischenrippenarterien (Aa. intercostales)**, die in den Zwischenrippenräumen nach vorne zur Brust- und Bauchwand ziehen. Sie gibt **Bronchialarterien (Aa. bronchiales)** zur arteriellen Versorgung der Lungen, Arterien zur Speiseröhre, zum Zwerchfell und zum Herzbeutel ab.

Arterien aus der Bauchaorta

Nach ihrem Durchtritt durch das Zwerchfell entlässt die Aorta zunächst drei große unpaare Arterienstämme für die Versorgung der Bauchorgane, welche an ihrer Vorderseite entspringen und sich unmittelbar danach in zahlreiche Arterien aufteilen. Der erste abgehende Gefäßstamm ist der **Truncus coeliacus**, welcher Arterien zum Magen, zur Leber, Milz, Bauchspeicheldrüse und zum oberen Drittel des Zwölffingerdarms abgibt.

Unmittelbar unterhalb des Truncus coeliacus entspringt aus der Vorderseite der Bauchaorta die **obere Eingeweidearterie (A. mesenterica superior)**, deren Äste Anteile des Pankreas, den übrigen Dünndarm, den Blinddarm samt Wurmfortsatz, den aufsteigenden und den quer verlaufenden Grimmdarm (Colon) versorgen.

Die **untere Eingeweidearterie (A. mesenterica inferior)** versorgt das absteigende Colon und den Mastdarm.

Zwischen den beiden Eingeweidearterien ziehen seitlich eine rechte und eine linke **Nierenarterie (A. renalis dextra et sinistra)** zu den Nieren. Auch zu den Nebennieren, der Gebärmutter, den Eierstöcken und den Hoden führen Arterien, die aus der Bauchaorta gespeist werden.

Vor dem 4. Lendenwirbelkörper teilt sich die Aorta in eine **rechte und linke gemeinsame Beckenarterie (A. iliaca communis dextra et sinistra)**. Die Teilungsstelle der Aorta heißt **Bifurkation (Bifurcatio aortae)**. Nach kurzem Verlauf teilt sich die gemeinsame Beckenarterie beidseits in eine **innere Beckenarterie (A. iliaca interna)**, die die Beckeneingeweide, die Gesäßmuskulatur und den Beckenboden versorgt, und eine **äußere Beckenarterie (A. iliaca externa)**, welche unter dem Leistenband hindurch zum Bein zieht. Am Oberschenkel angekommen wechselt die äußere Beckenarterie den Namen und heißt jetzt **Oberschenkelarterie (A. femoralis)**, entlang ihres Verlaufes durch die Kniekehle bezeichnet man sie als **Kniekehlenarterie (A. poplitea)**. Diese teilt sich am Unterschenkel in zwei Arterien, **eine vordere und eine hintere Schienbeinarterie (A. tibialis anterior et posterior)**. Die A. tibialis anterior wird zur **A. dorsalis pedis**, der **Fußrückenarterie**, eine wichtige Arterie, um den Puls zu messen. Die A. tibialis posterior gibt noch die **Wadenbeinarterie (A. fibularis oder A. peronea)** zur lateralen Seite des Unterschenkels ab und zieht zwischen der Hinterseite des Innenknöchels und der Achillessehne in Richtung Fußsohle. Hier kann ebenfalls der Pulsschlag ertastet werden. Analog zur Handfläche bilden Äste der beiden Schienbeinarterien im Bereich der Fußsohle zwei **Arterienbögen**, durch die die beiden Schienbeinarterien miteinander in Verbindung stehen (anastomosieren) und Blutgefäße zu den Zehen schicken.

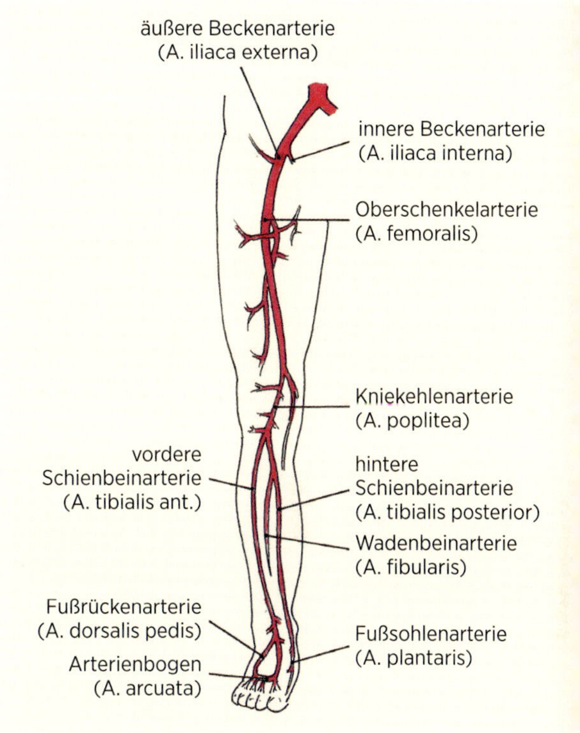

Abb. 90: **Beinarterien**

10.1.5 Lungenkreislauf

Der Lungenkreislauf dient einzig der Anreicherung des Blutes mit Sauerstoff und der Abgabe von CO_2 an die Atemluft. Aus dem Körperkreislauf gelangt das O_2-arme Blut über die obere und untere Hohlvene und aus dem Herzmuskel über den Sinus coronarius in den rechten Vorhof und anschließend durch die Trikuspidalklappe in den rechten Ventrikel. Hier beginnt der Lungenkreislauf. Aus dem rechten Ventrikel entspringt der gemeinsame **Stamm (Truncus pulmonalis)** der beiden **Lungenarterien (A. pulmonalis dextra et sinistra)**, welche in den rechten und linken Lungenflügel ziehen. Nach Anreicherung des Blutes mit Sauerstoff im Bereich der Lungenalveolen wird das Blut über jeweils zwei **Lungenvenen (V. pulmonalis dextra et sinistra)** in den linken Vorhof weitergeleitet. Der Lungenkreislauf ist ein reiner Arbeitskreislauf und dient nicht der Versorgung des Lungengewebes mit Sauerstoff und Nährstoffen. Das übernehmen die Bronchialarterien, die aus der Brustaorta entspringen.

10.1.6 Übersicht über die großen Venen

Nachdem das Blut die Gewebe über die Kapillaren durchströmt und Sauerstoff und Nährstoffe abgegeben hat, wird es durch immer größer werdende Venen wieder zum Herzen zurückgeführt. Die kleinen peripheren Venen begleiten die Arterien noch paarig, das heißt, in der Mitte zweier Venen verläuft die Arterie. Größere Venen sind nur mehr unpaarig vorhanden und die Aorta hat keine begleitende Vene, stattdessen wird das sauerstoffarme Blut von Kopf, Arm und oberem Brustbereich über die **obere Hohlvene (V. cava superior)** und das Blut aus den unteren Körperregionen über die **untere Hohlvene (V. cava inferior)** in den rechten Vorhof transportiert.

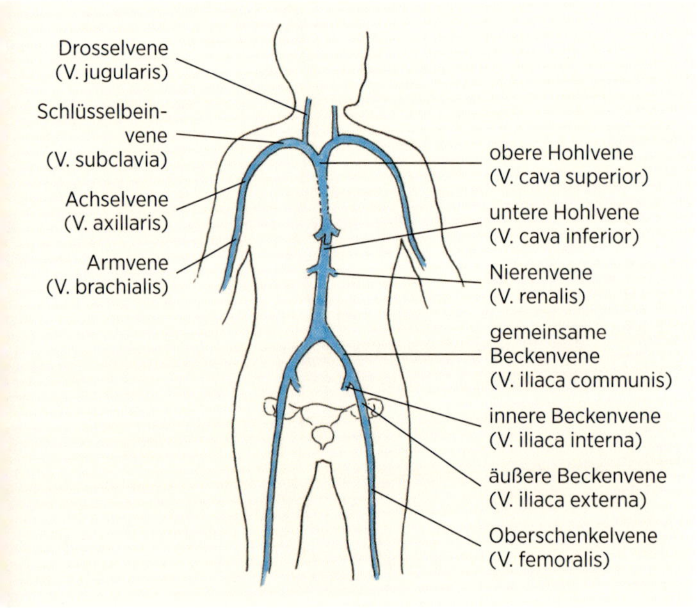

Abb. 91: **Große Venen**

Die meisten Venen entsprechen den begleitenden Arterien, es gibt aber einige wesentliche Unterschiede.

Das Blut vom Kopf wird beiderseits über eine **innere** und eine **äußere Drosselvene (V. jugularis interna et externa)** abgeleitet. Die innere Drosselvene bringt

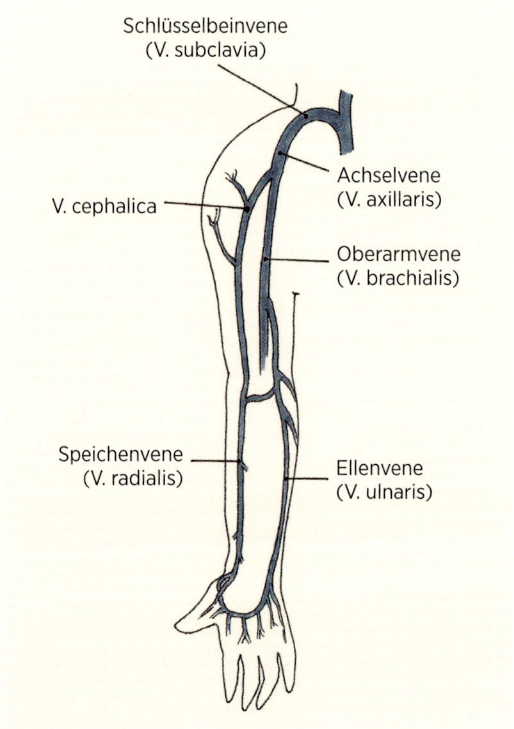

Abb. 92: **Armvenen**

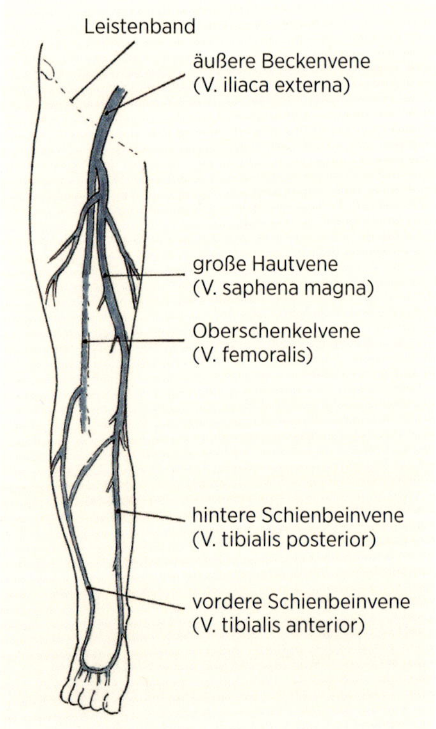

Abb. 93: **Beinvenen**

das Blut aus dem Gehirn und vereinigt sich mit der **Unterschlüsselbeinvene (V. subclavia)** zur **V. brachiocephalica**. In der äußeren Drosselvene fließt das Blut von den oberflächlichen Schädelregionen, sie mündet ihrerseits in die Unterschlüsselbeinvene. Die rechte und linke V. brachiocephalica schließen sich danach zur **oberen Hohlvene (V. cava superior)** zusammen. In die linke V. brachiocephalica mündet zusätzlich der **Brustlymphgang (Ductus thoracicus)** und in die rechte der viel kleinere **rechte Lymphgang (Ductus lymphaticus dexter)**. Über sie ergießt sich die Lymphe in das Blutgefäßsystem.

Sowohl ein **Zentralvenenkatheter** (ZVK) als auch der Katheter eines **Port-a-Cath-Systems** wird häufig über die großen Venen im oberen Thoraxbereich in die obere Hohlvene vorgeschoben, wo er dann zu liegen kommt. Bei einem Port wird eine Kammer in die Subcutis (Unterhaut) implantiert, die zum Verabreichen von Medikamenten durch die Haut angestochen wird.

Im Bauchraum vereinigen sich die **beiden gemeinsamen Beckenvenen (V. iliaca communis dextra et sinistra)** zur **unteren Hohlvene (V. cava inferior)**, welche in den rechten Vorhof mündet. Am Bein sind zwei oberflächliche Venen zu erwähnen, die kleinere **V. saphena parva**, welche in die **Kniekehlenvene (V. poplitea)** mündet, und die große **V. saphena magna**, welche sich in die **Oberschenkelvene (V. femoralis)** ergießt. Die V. saphena magna hat auch deshalb Bedeutung, da sie für Gefäßbypässe verwendet wird.

10.1.7 Pfortaderkreislauf

Die **Pfortader (V. portae)** entsteht durch den Zusammenfluss der oberen **Eingeweidevene (V. mesenterica superior)** und der **Milzvene (V. splenica)**, in welche schon vorher die **untere Eingeweidevene (V. mesenterica inferior)** mündet. Die Milzvene erhält Zuflüsse von Bauchspeicheldrüse und Magen sowie über die untere Eingeweidevene aus den unteren Darmabschnitten (Colon descendens bis oberes Rektum). Die obere Eingeweidevene sammelt das Blut aus dem Dünndarm und den proximalen Dickdarmabschnitten (bis zur linken Kolonflexur).

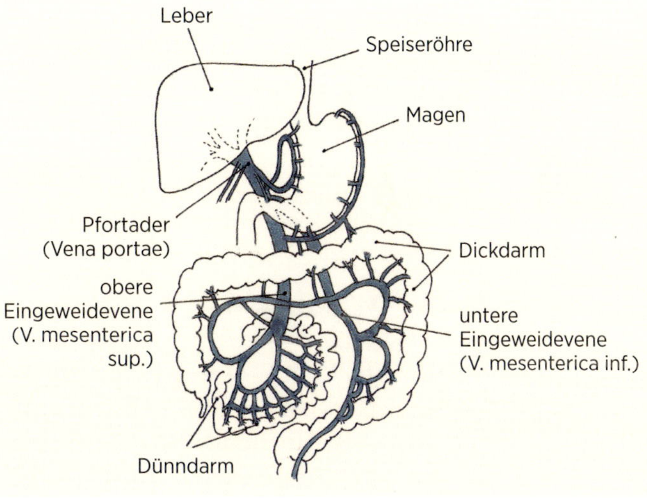

Abb. 94: **Pfortader**

Die Pfortader sammelt also das nährstoffreiche Blut aus dem Magen und dem Dünn- und Dickdarm, das Blut der Bauchspeicheldrüse und der Milz und bringt es zur weiteren Verwertung in die Leber. Die **Lebervene (V. hepatica)** transportiert in der Folge das verarbeitete Blut aus der Leber in die untere Hohlvene und wieder in den Kreislauf zurück. Das Blut aus dem Mastdarm (Rectum) fließt nicht über die Pfortader in die Leber, es wird direkt über die innere Beckenvene (V. iliaca interna) in die **untere Hohlvene** geleitet.

Da das Blut aus den distalen Rektumabschnitten nicht durch die Leber fließt, ist es manchmal sinnvoll, Medikamente als Zäpfchen zu verabreichen, anstatt sie zu schlucken, damit die Wirkstoffe nicht gleich in der Leber abgebaut werden. Auch bei der Metastasierung von Darmtumoren spielt der Unterschied des venösen Blutabflusses eine wesentliche Rolle. Proximal gelegene Tumoren metastasieren in die Leber, distal lokalisierte Tumoren metastasieren unter Umgehung der Leber gleich in den großen Kreislauf.

10.1.8 Fetaler Kreislauf

Unter fetalem Kreislauf versteht man den Kreislauf des ungeborenen Kindes, welcher eng mit dem mütterlichen Kreislauf über die Plazenta kommuniziert. Da die Mutter sowohl die Anreicherung des Blutes mit Sauerstoff in der Lunge als auch die Stoffwechselvorgänge der Leber für den Fetus übernimmt, werden sowohl der Arbeitskreislauf der Lunge als auch jener der Leber im fetalen Organismus ausgespart und umgangen. Das sauerstoffreiche Blut der Mutter gelangt über die Plazenta in die Nabelvene (V. umbilicalis) des Kindes und fließt, unter Umgehung der kindlichen Leber, über den **Ductus venosus Arantii** (venöser Kurzschluss) direkt in die untere Hohlvene des Ungeborenen. Von dort gelangt es in den rechten Vorhof und über das offene **ovale Loch (Foramen ovale)**, eine Öffnung im Vorhofseptum, in den linken Vorhof. Da das Blut nicht über die rechte Kammer fließt, wird der Lungenkreislauf umgangen, die Lungen sind zu diesem Zeitpunkt noch funktionslos. Das Blut, das über die obere Hohlvene und über den rechten Vorhof dennoch in die rechte Kammer gelangt, verlässt über den Truncus pulmonalis den rechten Ventrikel und rinnt über einen weiteren, arteriellen Kurzschluss, den **Ductus arteriosus Botalli**, aus dem Truncus pulmonalis direkt in die Aorta. Der fetale Kreislauf hat demnach **drei Kurzschlüsse**: Der Ductus venosus Arantii umgeht den Leberkreislauf, der Ductus arteriosus Botalli und das Foramen ovale umgehen den Lungenkreislauf. Nach der Aufteilung der Aorta in die beiden Beckenarterien zweigen zwei kräftige **Nabelarterien (Aa. umbilicales)** ab, die das verbrauchte Blut vom Kind zur Plazenta und somit in den mütterlichen Kreislauf zurückbringen.

Im fetalen Kreislauf führt die Nabelvene sauerstoffreiches Blut von der Plazenta zum Kind. Dieses Blut versorgt den kindlichen Organismus mit Sauerstoff und Nährstoffen, um dann über zwei Nabelarterien wieder zur Plazenta und in den mütterlichen Kreislauf zurückzufließen.

> Nabelarterien führen also sauerstoffarmes Blut, die Nabelvene sauerstoffreiches.

10.2 Physiologie des Gefäßsystems

10.2.1 Blutdruck und Blutdruckregulation

Der Blutdruck ist die Kraft, die das Blut auf die Innenseite der Gefäßwände ausübt. Er wird in **mmHg (Quecksilbersäule)** gemessen, das ist jener Druck, den eine 1 mm hohe Quecksilbersäule erzeugt, und wird in Anlehnung an den italienischen Arzt Scipione Riva-Rocci heute noch mit den Anfangsbuchstaben RR abgekürzt.

Im Herz-Kreislauf-System lassen sich ein Hoch- und ein Niederdrucksystem unterscheiden. Der Abschnitt von der linken Herzkammer während der Systole bis zu den kleinen Arterien wird als Hochdrucksystem bezeichnet. Die linke Kammer während der Diastole (!), die übrigen Herzabschnitte, das Venensystem und der Lungenkreislauf zählen zum Niederdrucksystem.

Es werden immer zwei Blutdruckwerte, nämlich ein **systolischer** und ein **diastolischer** Wert, gemessen. Am Beginn der Systole wirft der linke Ventrikel das Blut mit hohem Druck in die Aorta aus. Dieser Druck nimmt im weiteren Verlauf der Systole ab und erreicht in der Diastole seinen niedrigsten Wert. Daher wird das Druckmaximum während der Auswurfphase des Herzens als systolischer Blutdruck bezeichnet, das Blutdruckminimum während der Füllungsphase als diastolischer Blutdruck.

Der Blutdruck sollte sich innerhalb bestimmter Grenzen bewegen, um einerseits eine ausreichende Durchblutung der Organe zu gewährleisten, andererseits sollte er nicht zu hoch sein, um keine Organschäden hervorzurufen. Die WHO definiert den idealen systolischen Blutdruck, gemessen an der Oberarmarterie (A. brachialis), als einen Wert bis 120/80 mmHg.

Körperliche und psychische Einflüsse verursachen ständige Schwankungen des Blutdruckes. Der menschliche Organismus besitzt einige Regulationsmechanismen, um den Blutdruck innerhalb physiologischer Grenzen zu halten.

Eine Möglichkeit ist die, den Blutdruck über eine Veränderung des Gefäßdurchmessers zu ändern – weit gestellte Gefäße lassen den Blutdruck absinken, eng gestellte Gefäße erhöhen den Blutdruck. Eine andere Möglichkeit ist, das Blutvolumen in den Gefäßen zu verändern – viel Blut lässt den Blutdruck steigen, weniger Blut führt zu einem Absinken des Blutdrucks.

10.2.2 Kurzfristige Blutdruckregulation

Eine kurzfristige, schnelle Blutdruckregulation wird notwendig, wenn es zu einem plötzlichen Blutdruckabfall, etwa beim schnellen Aufstehen aus dem Liegen, oder zu einem plötzlichen Anstieg, zum Beispiel in Stresssituationen, kommt. Dehnungsrezeptoren in den Gefäßwänden messen die Gefäßspannung und leiten diese Informationen an das zentrale Nervensystem, genauer gesagt an das verlängerte Mark, weiter. Ist der Blutdruck zu hoch, kann er kurzfristig durch eine Weitstellung der Blutgefäße gesenkt und durch ein Engstellen der Gefäße erhöht werden. Zusätzlich kann die Herztätigkeit beschleunigt oder verringert werden. Eine solche kurzfristige Blutdruckregulation erfolgt über das vegetative Nervensystem, welches die glatte Gefäßmuskulatur steuert.

Ein Aktivieren des Sympathikus führt über eine Erhöhung des Herzminutenvolumens und eine Vasokonstriktion (Engstellen der Gefäße) zu einer Blutdrucksteigerung. Überwiegt der Parasympathikus, dann nehmen die Herzfrequenz und die Gefäßspannung ab und der Blutdruck sinkt.

10.2.3 Mittelfristige Blutdruckregulation

Das Ziel der mittelfristigen Blutdruckregulation ist ebenfalls eine Regulierung der Spannung der Blutgefäße durch Vasokonstriktion, allerdings nicht durch Aktivierung des vegetativen Nervensystems, sondern über das Freisetzen von **Hormonen**, die ebendiese Wirkung haben.

Durch einen Blutdruckabfall kommt es auch zu einer Verminderung der Nierendurchblutung. Da die Niere einen gewissen Blutdruck benötigt, um zu funktionieren, gibt sie bei einem Abfall des Blutdrucks das Hormon **Renin** (ren – Niere) ins Blut ab. Renin spaltet vom Angiotensinogen aus der Leber Angiotensin I ab, wel-

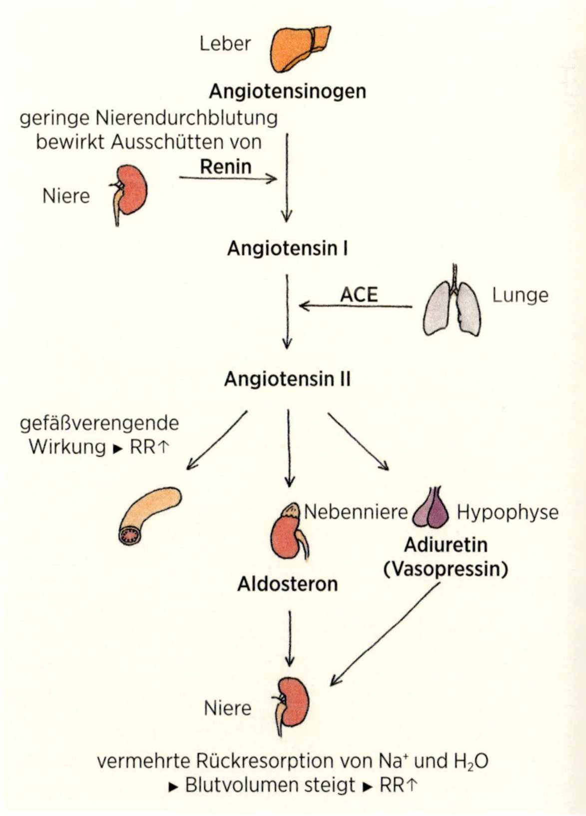

Abb. 95: **Renin-Angiotensin-Aldosteron-System**

ches in einem weiteren Schritt durch das Angiotensin-Converting-Enzym (ACE) aus den Endothelzellen der Blutgefäße in Angiotensin II umgewandelt wird. Angiotensin II bewirkt eine Kontraktion der Gefäßmuskulatur und somit eine Gefäßverengung und eine Blutdruckerhöhung. Da eine Hormonwirkung etwas länger dauert als eine Reizleitung über das Nervensystem, spricht man in diesem Fall von einer mittelfristigen Blutdruckregulation.

10.2.4 Langfristige Blutdruckregulation

Ziel der langfristigen Blutdruckregulation ist nicht eine Änderung der Gefäßspannung, sondern eine Änderung des **Blutvolumens**. Auch hier ist die Niere das zentrale Organ. Bei einem hohen arteriellen Blutdruck scheidet die Niere mehr Flüssigkeit aus, um das Blutvolumen und somit den Blutdruck zu senken (Druckdiurese), bei einem niedrigen Druck hält sie Flüssigkeit im Körper zurück, um den Blutdruck zu steigern.

Auch diese Regulation erfolgt über die Freisetzung des Hormons **Renin** aus der Niere und zunächst die Aktivierung des **Angiotensinogens** in Angiotensin I und II im Blut. Das Angiotensin II hat neben seiner gefäßverengenden Wirkung auch die Eigenschaft, das Hormon **Aldosteron** aus der Nebennierenrinde und das **antidiuretische Hormon** (ADH oder Vasopressin) aus der Hypophyse freizusetzen. Aldosteron und ADH steigern in der Niere die Rückresorption von Natrium und Wasser, was zu einem Anstieg des Blutvolumens und des Blutdrucks führt.

Dieses System zur Blutdruckregulation ist unter dem Namen „Renin-Angiotensin-Aldosteron-System" bekannt.

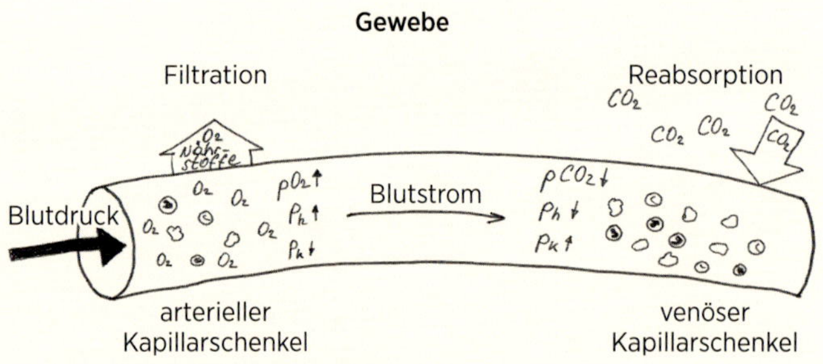

pO_2: Sauerstoffpartialdruck
pCO_2: Kohlendioxidpartialdruck
P_h: hydrostatischer Druck (Blutdruck)
P_k: kolloidosmotischer Druck (Eiweiße)

Abb. 96: **Filtration, Reabsorption**

10.2.5 Stoffaustausch im Kapillarstromgebiet

Die dünnwandigen Kapillaren ermöglichen einen regen Austausch der Atemgase O_2 und CO_2 sowie von Nährstoffen und Stoffwechselprodukten zwischen Blut und Gewebe.

Das arterielle Blut im großen Kreislauf ist reich an Sauerstoff und Nährstoffen, die die Zellen unserer Organe zur Energiegewinnung benötigen. Es müssen diese Stoffe und Flüssigkeit also aus dem Kapillarblut in die Gewebe gelangen können. Dieser Vorgang wird als **Filtration** bezeichnet.

Haben die Zellen den Sauerstoff und die Nährstoffe verwertet, bleiben Flüssigkeit, CO_2 und Abbauprodukte im Gewebe zurück, die wieder über das Blut abtransportiert werden müssen. Dieser Vorgang, bei dem alle Abbaustoffe wieder ins Kapillarblut zurückgegeben werden, heißt **Reabsorption**.

Arterielle und venöse Kapillaren stehen miteinander in Verbindung, der Übergang ist fließend und kann im Wesentlichen über den Gehalt an O_2 und CO_2 des Kapillarblutes definiert werden.

10.2.5.1 Physikalische Grundlagen

Für die Vorgänge der Filtration und der Reabsorption müssen einige physikalische Prozesse erklärt werden. Einerseits spielen die unterschiedlichen Druckverhältnisse innerhalb der Kapillare und des sie umgebenden Gewebes, andererseits die Konzentrationsunterschiede der Atemgase und anderer Stoffe eine wesentliche Rolle, um diese Vorgänge überhaupt möglich zu machen. Stoffe werden immer vom Ort höherer Konzentration zum Ort niedrigerer Konzentration wandern, wenn sie die Kapillarwand, die sie trennt, passieren können.

Zuerst müssen die unterschiedlichen Drucke, der hydrostatische und der kolloidosmotische Druck, erläutert werden.

Der **hydrostatische Druck** wird durch das Gewicht einer Wassersäule (Flüssigkeitssäule) erzeugt. Beim Tauchen wird er einem schnell bewusst. Kurz unterhalb der Wasseroberfläche ist er kaum spürbar, in wenigen Metern Tiefe nimmt man das Gewicht des Wassers schon deutlich wahr.

In den Kapillaren ist dieser Druck beim stehenden Menschen in den Beinen natürlich am höchsten. Er wird aber in allen Gefäßen durch den Blutdruck, den die Blutsäule auf die Gefäßwände erzeugt, bewirkt. Durch die physiologische Leistung des Herzens ist er in den Arterien und im arteriellen Kapillarschenkel beim liegenden Menschen wesentlich höher als im Venensystem. Der hydrostatische Druck in den Gefäßen bewirkt, dass Flüssigkeit und gelöste Stoffe, die klein genug sind, um durch die Poren der Kapillaren durchtreten zu können, aus dem Kapillarblut in das umgebende Gewebe gedrückt werden.

Ein **osmotischer (onkotischer) Druck** wird erzeugt, wenn eine konzentrierte Lösung und eine weniger konzentrierte Lösung durch eine halbdurchlässige (semipermeable) Membran voneinander getrennt sind, die gelösten Teilchen aber aufgrund ihrer Größe die Membran nicht überwinden können. Ist dies der Fall, wird Flüssigkeit aus der wenig konzentrierten Lösung in die höher konzentrierte Lösung strömen, bis ein Konzentrationsgleichgewicht erreicht ist, also bis gleich viele Teilchen pro Volumeneinheit Flüssigkeit vorhanden sind. Zum Beispiel drei Teilchen in einem Liter Wasser und sechs Teilchen in zwei Litern Wasser. Das Verhältnis von 3:1 ist dann auf beiden Seiten dasselbe.

Im Blut entsprechen diese Teilchen, die die Membran (Kapillarwand) nicht passieren können, den Blutzellen und den größeren Eiweißen, vor allem den Albuminen. Da Eiweiße auch Kolloide genannt werden, heißt dieser osmotische Druck, der die Flüssigkeit wieder in die konzentriertere Lösung, also zurück in das Blut des venösen Kapillarschenkels „zieht", **kolloidosmotischer Druck**.

10.2.5.2 Filtration

Die Filtration ist jener Vorgang, der bewirken soll, dass Flüssigkeit mit O_2 und Nährstoffen aus dem Kapillarblut in das Gewebe und zu den Zellen gelangt.

Dieser Vorgang läuft im arteriellen Kapillarschenkel ab. In diesem Gefäßabschnitt herrscht ein höherer hydrostatischer Druck (Blutdruck) als im umliegenden Gewebe, zusätzlich ist die Konzentration an Sauerstoff und Nährstoffen höher als im Gewebe. Der höhere hydrostatische Druck presst Flüssigkeit mit O_2 und den Bestandteilen, die durch die Poren der Kapillaren durchtreten können, aus dem Blut ins Gewebe. Die größeren Blutbestandteile, wie Blutzellen und größere Eiweiße (Kolloide), können nicht durchtreten und bleiben im Blut zurück. Es bleibt also eine höher konzentrierte Flüssigkeit in den Kapillaren zurück, die nun weiter in den venösen Kapillarschenkel fließt.

> Das Ziel der Filtration ist es, Flüssigkeit mit Sauerstoff und Nährstoffen aus dem Blut ins Gewebe zu befördern. Dieser Vorgang läuft im arteriellen Kapillarschenkel ab.

10.2.5.3 Reabsorption

Nun ist also das „eingedickte" Blut im venösen Kapillarschenkel angekommen. Die hohe Konzentration an Eiweißen im venösen Kapillarblut erzeugt einen höheren kolloidosmotischen Druck innerhalb der Kapillare als im umgebenden Gewebe. Dieser bewirkt ein Einströmen von Flüssigkeit aus dem Gewebe ins Blutgefäß, und da die Konzentration von CO_2 und Abbauprodukten im Gewebe nun sehr hoch ist, strömen mit der Flüssigkeit auch diese Stoffe wieder zurück ins Blut und können „entsorgt" werden. Jene Flüssigkeit, die im Gewebe verblieben ist, bezeichnet man als Lymphflüssigkeit. Sie wird über Lymphgefäße zurück ins Blut transportiert.

> Das Ziel der Reabsorption ist es, Flüssigkeit mit CO_2 und Abbauprodukten aus den Geweben ins Blut zu befördern und abzutransportieren. Dieser Vorgang läuft im venösen Kapillarschenkel ab.

10.3 Pathophysiologie des Gefäßsystems

Nach den im vorangegangenen Kapitel besprochenen physiologischen Vorgängen im Kreislaufsystem betreffen Störungen vor allem den Blutdruck, welcher zu hoch oder zu niedrig sein kann, und den Flüssigkeitsaustauch zwischen Blut und Gewebe. Ist der Druck, der herrschen muss, um die Flüssigkeit wieder ins Gefäßsystem zurückfließen zu lassen, pathologisch verändert, kann es zum Auftreten von Flüssigkeitsansammlungen im Gewebe (Ödem) oder in Körperhöhlen (Erguss) kommen.

Tab. 39: **Hypertonie, Hypotonie, Schock**

Störung der Blutdruckregulation	Ursachen/Symptome
Hypertonie	**Blutdruckerhöhung über 140/90 mmHg** Die Ursachen der Hypertonie können idiopathisch (ohne erkennbare Ursache), in einer erhöhten Aktivität des Sympathikus oder in einer verminderten Nierendurchblutung mit Aktivierung des Renin-Angiotensin-Aldosteron-Systems begründet sein. Zahlreiche Faktoren wie Rauchen, Übergewicht, Bewegungsmangel, Stress und übermäßige Kochsalzzufuhr begünstigen das Entstehen einer Hypertonie. Symptome: Kopfschmerz, Schwindel, Nasenbluten, Sehstörungen Spätsymptome: Herzinfarkt, Schlaganfall, Nierenschäden, Netzhautschädigung
Hypotonie	**Absinken des Blutdrucks unter 100/60 mmHg** Ursachen: idiopathisch, körperliche Inaktivität, großer schlanker Körperbau, hormonelle Dysfunktionen, Exsikkose Symptome: Kopfschmerz, Schwindel, Sehstörungen, Kollaps Die Hypotonie verursacht kaum Spätschäden an Organen.
Schock	**Lebensbedrohliche Minderdurchblutung von Organen mit Blutdruckabfall unterschiedlicher Ursache** Ursachen: Volumenmangelschock durch Blutverlust oder Flüssigkeitsverlust, anaphylaktischer Schock durch allergisch bedingte Weitstellung der Gefäße, septischer Schock im Rahmen von Infektionskrankheiten, kardiogener Schock bei Herzversagen Symptome: Blutdruckabfall unter 100 mmHg systolisch, Herzrasen, schnelle Atmung, kalter Schweiß, Blässe, Bewusstseinseintrübung, verminderte Harnmenge, in der Folge Nierenversagen und multiples Organversagen bis zum Tod.

Tab. 40: **Ödem und Erguss**

Krankheitsbild	Ursache/Symptome
Ödem	**Flüssigkeitsansammlung im Gewebe** Ein erhöhter hydrostatischer Druck im venösen Kapillarschenkel verhindert die Reabsorption (das Einströmen) der Flüssigkeit aus dem Gewebe in das Blut. Dadurch kommt es zur Schwellung des Gewebes durch Wassereinlagerung. Als Ursache kommen Venenthrombosen in den Beinen oder eine Herzinsuffizienz mit einem Rückstau des Blutes ins Venensystem infrage. Bei der Rechtsherzinsuffizienz (verminderte Leistung des rechten Ventrikels) staut das Blut in den Körperkreislauf zurück: Beinödeme, Leberschwellung, Verdauungsstörungen. Bei der Linksherzinsuffizienz (verminderte Leistung des linken Ventrikels) staut das Blut in den Lungenkreislauf zurück: Lungenödeme. Ein zu geringer kolloidosmotischer Druck im Gefäßsystem verhindert ebenso das Rückströmen der Flüssigkeit aus den Geweben ins Blut. Als Ursache kommen zu geringe Eiweißzufuhr über die Nahrung (Hunger, einseitige Ernährung), Eiweißverlust über die Niere oder Eiweißsynthesestörungen bei Leberschädigung (Leberzirrhose) infrage.
Erguss	**Flüssigkeitsansammlung in einer Körperhöhle** Aus den oben genannten Gründen sowie in der Folge von Entzündungen oder durch bösartige Veränderung der Zellen der serösen Häute.

Übungsfragen

1. Beschreibe den Weg des Blutes durch den Körperkreislauf und den Lungenkreislauf.
2. Definiere Arterien und Venen.
3. Beschreibe den schichtweisen Aufbau der Arterien und Venen.
4. Wie unterscheiden sich herznahe und herzferne Arterien in ihrem Aufbau?
5. Beschreibe den Aufbau der Kapillaren. Warum fließt das Blut in den Kapillaren langsam?
6. Erkläre die Vorgänge der Filtration und der Reabsorption, gehe im Besonderen auf die unterschiedlichen Drücke und die Konzentrationsunterschiede ein.
7. Was versteht man unter Ödemen und wie entstehen sie? Wo findet man Ödeme bei der Rechtsherzinsuffizienz und bei der Linksherzinsuffizienz und warum?
8. Was versteht man unter einem Erguss?
9. Welche Einrichtungen haben die Beinvenen, um das Blut gegen die Schwerkraft zum Herzen zu transportieren?
10. Welche drei Venentypen findet man an den Beinen?
11. Was ist der Blutdruck, wie wird er gemessen, welche Werte sind „ideal und normal"?

11 Atemorgane – respiratorisches System

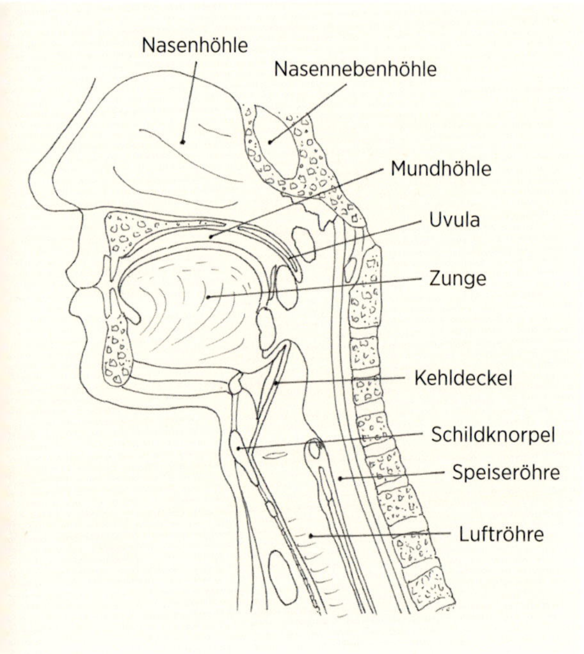

Abb. 97: **Atemwege**

Zu den Atemorganen zählt man die oberen und die unteren Luftwege, die Nasennebenhöhlen und die paarig angelegten Lungen. Als „obere Atemwege" werden Nase, Nebenhöhlen und Rachen zusammengefasst, die „unteren Atemwege" bestehen aus dem Kehlkopf, der Luftröhre und den Bronchien.

Die Atemwege sind vom **respiratorischen Epithel**, einem mehrreihigen Zylinderepithel mit Flimmerhärchen, schleimproduzierenden Becherzellen und einem Venengeflecht unterhalb der Schleimhaut ausgekleidet. Die Flimmerhärchen dienen der Reinigung der Atemwege, indem sie Schmutzpartikelchen und Schleim in den Rachen befördern, die Becherzellen helfen die Schleimhaut feucht zu halten, und das Venengeflecht erwärmt die Atemluft auf ihrem Weg in die Lungen.

11.1 Nase (Nasus)

Die knöcherne Nase hat die Form einer längsgeteilten Pyramide, deren Basis vom knöchernen Gaumen gebildet und deren Spitze durch die Siebbeinplatte von der vorderen Schädelgrube abgegrenzt wird. In Längsrichtung wird die Nasenhöhle durch das Nasenseptum in der Medianebene unterteilt. Die knöcherne Nase wird durch die knorpelige Nasenspitze, die Nasenflügel und den vorderen knorpeligen Anteil des Nasenseptums ergänzt. In den Nasenraum springen drei untereinanderliegende knöcherne Nasenmuscheln vor, die die Oberfläche der Naseninnenwände vergrößern.

An den äußeren Nasenöffnungen geht das mehrschichtig verhornte Plattenepithel der Gesichtshaut nach und nach in das respiratorische Epithel der Nasenschleimhaut über. Dieses besteht aus den hochprismatischen Flimmerepithelzellen, deren Oberfläche dicht mit mikroskopisch kleinen Flimmerhärchen besetzt ist, um Staubpartikelchen in den Rachen zu befördern, wo sie verschluckt werden. Dazwischenliegende Becherzellen produzieren Schleim und Abwehrstoffe, wodurch die Nasenschleimhaut feucht gehalten wird und eingedrungene Erreger an Ort und Stelle bekämpft werden. Ein ausgeprägtes Kapillarnetz unterhalb dieser Schleimhaut reguliert die Temperatur der Atemluft und hält diese bei einem Außentemperaturbereich zwischen –8° und +40° auf konstant 32–34° Celsius. Nur im Bereich der oberen Nasenmuschel und im angrenzenden Septumbereich findet man die gelbliche Riechschleimhaut, deren Nervenfasern durch das Siebbein zum Gehirn verlaufen.

Nach vorne öffnet sich die Nasenhöhle durch die Nasenlöcher nach außen und nach hinten durch die Choanen in den Rachen. Die im Naseneingang zahlreich vorhandenen steifen Härchen dürfen nicht mit den Flimmerhärchen verwechselt werden, welche nicht mit freiem Auge sichtbar sind. Die Nasenhaare oder Vibrissae dienen als Schutzbarriere gegen gröbere Schmutzpartikel.

11.2 Nasennebenhöhlen (Sinus paranasales)

In einigen Knochen, die an die Nasenhöhle angrenzen, liegen luftgefüllte Hohlräume, die Nasennebenhöhlen. Es wird angenommen, dass diese Hohlräume nicht nur das Gewicht der Schädelknochen verringern, sondern auch als Resonanzraum für die Stimme dienen und mit ihrer Schleimhaut die Atemluft erwärmen. Die Nasennebenhöhlen sind wie die Nasenhöhle von einem respiratorischen Epithel ausgekleidet.

Insgesamt gibt es vier paarig angelegte Nasennebenhöhlen, die **Stirnbeinhöhle (Sinus frontalis)**, die **Oberkieferhöhle (Sinus maxillaris)**, die **Keilbeinhöhle (Sinus sphenoidalis)** und die **Siebbeinzellen (Cellulae ethmoidales)**, welche in kleinere Hohlräume unterteilt sind. Die Nebenhöhlen sind über kleine Öffnungen mit der Nasenhöhle verbunden, über die das Sekret der Schleimhaut abfließen kann, aber auch Keime von der Nasenhöhle in die Nebenhöhlen aufsteigen können.

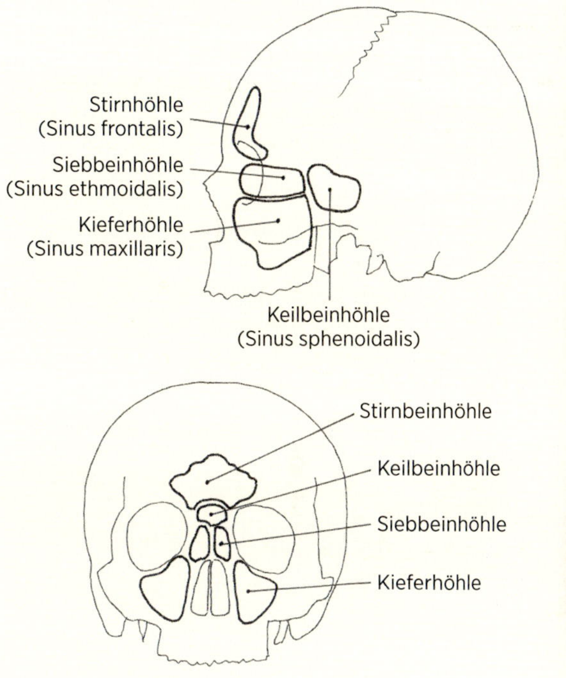

Abb. 98: **Nasennebenhöhlen**

11.3 Rachen (Pharynx)

Der Rachen ist ein nach vorne offener Muskelschlauch, der an der Schädelbasis fixiert ist und vor der Wirbelsäule liegt. In diesem Bereich kreuzen sich der Luftweg von der Nase in den Kehlkopf und der Speiseweg von der Mundhöhle in die Speiseröhre. An seiner Innenseite ist der Rachen von Schleimhaut ausgekleidet, die im oberen Bereich vom respiratorischen Epithel der Atemwege bedeckt ist und im unteren Anteil das mehrschichtig unverhornte Epithel der oberen Speisewege aufweist.

Der Pharynx hat nach vorne Öffnungen zur Nasenhöhle, zur Mundhöhle und zum Kehlkopf. Dementsprechend lassen sich von oben nach unten drei Abschnitte unterscheiden, der **Nasenrachen (Nasopharynx)**, der **Mundrachen (Oropharynx)** und der **Kehlkopfrachen (Laryngopharynx)**.

Der **Nasenrachen (Nasopharynx)** reicht von der Schädelbasis bis zum weichen Gaumen und öffnet sich nach vorne über die **Choanen** in die Nasenhöhle. Beim Schlucken wird er durch das **Gaumensegel** gegen den Mundrachen verschlossen, damit keine Speiseteile in die Nasenhöhle gelangen können. Am Dach des Nasenrachens liegen die **Rachenmandeln (Tonsilla pharyngea)**, die als lymphatisches Gewebe der Abwehr gegen Krankheitserreger dienen. Seitlich findet man die paarige Öffnung der **Ohrtrompete (Tuba auditiva)**, die das mit Luft gefüllte Mittelohr mit dem Rachen verbindet. Sie dient dem Druckausgleich in der Paukenhöhle.

Der **Mundrachen (Oropharynx)** reicht vom weichen Gaumen bis zum Kehldeckel (Epiglottis) und steht durch die **Schlundenge (Isthmus faucium)** mit der Mundhöhle in Verbindung. Seitlich liegen zwischen den beiden Gaumenbögen die **Gaumenmandeln (Tonsilla palatina)**. Die Gaumenbögen laufen zur Mitte hin in das **Gaumenzäpfchen (Uvula)** aus.

Der **Kehlkopfrachen (Laryngopharynx)** ist der längste der drei Rachenanteile, er liegt hinter dem Kehlkopfeingang und reicht bis zum Ringknorpel, wo er in die Speiseröhre mündet.

Gaumenmandeln, Rachenmandeln sowie lymphatisches Gewebe am Zungengrund und an der lateralen Rachenwand werden gemeinsam als lymphatischer oder Waldeyer'scher Rachenring bezeichnet. Sie dienen gemeinsam der Abwehr von Keimen.

11.4 Kehlkopf (Larynx)

Der Kehlkopf besteht aus einem knorpeligen Kehlkopfskelett, dem die Kehlkopfschleimhaut locker aufsitzt, wodurch es zu ausgeprägten Ödemen unter der Schleimhaut und zu lebensbedrohlichen Schwellungen kommen kann.

11.4.1 Kehlkopfskelett

Der Kehlkopf besteht aus mehreren gelenkig miteinander verbundenen Knorpeln, die mit Ausnahme des Kehldeckels aus festem, hyalinem Knorpel bestehen und sich so beim Atmen nicht verformen. Der Kehldeckel ist aus anschmiegsamerem, elastischem Knorpel geformt, da er beim Schlucken den Kehlkopf vollkommen verschließen soll.

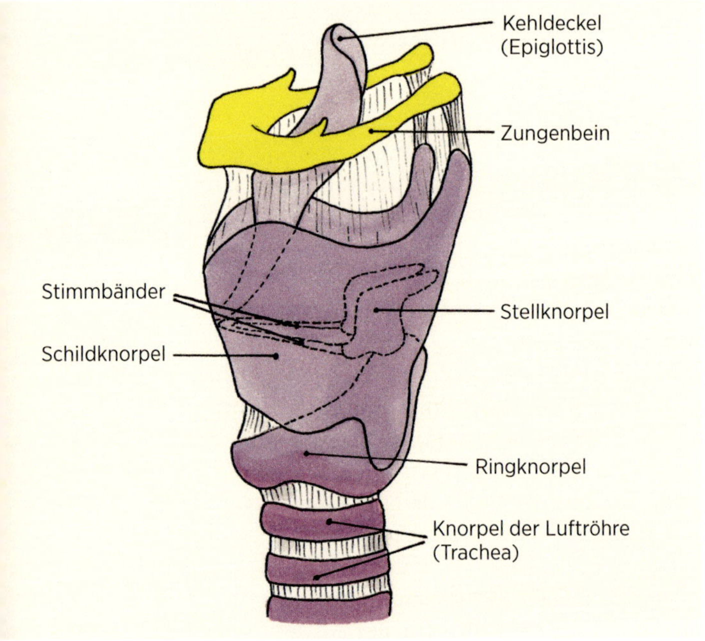

Abb. 99: **Kehlkopf**

Der **Schildknorpel (Cartilago thyroidea)** besteht aus zwei rechteckigen Knorpelplatten, die an ihren vorderen Kanten miteinander verbunden sind. Nach hinten laufen diese Platten in zwei längere obere und zwei kürzere untere Hörner aus, wobei die unteren Hörner gelenkig mit dem darunterliegenden Ringknorpel verbunden sind. Vorne und seitlich steht der Schildknorpel über eine bindegewebige Membran mit dem darüberliegenden **Zungenbein (Os hyoideum)** in Verbindung. Beim Mann springt die obere Kante des Schildknorpels, der sogenannte **Adamsapfel**, stärker hervor als bei der Frau, da der Kehlkopf während der Pubertät einem Größenwachstum unterliegt. Wegen des größeren sagittalen Durchmessers sind beim Mann auch die Stimmbänder länger und die Stimme ist tiefer.

Der **Ringknorpel (Cartilago cricoidea)** liegt unterhalb des Schildknorpels und ähnelt einem Siegelring, dessen Bogen nach vorne und dessen größerer flacher Anteil nach hinten gerichtet ist. Am oberen Rand der Ringknorpelplatte findet man Gelenkflächen für die Stellknorpel und seitlich jene für die unteren Hörner des Schildknorpels. Unterhalb des Ringknorpels nimmt die Luftröhre mit ihren Knorpelspangen ihren Anfang.

Die beiden kleineren, pyramidenförmigen **Stellknorpel (Cartilago arytaenoidea)** sitzen beweglich den oberen hinteren Gelenkflächen des Ringknorpels auf. Sie dienen der Spannung der Stimmbänder und regulieren so die Höhe der Stimme.

Der **Kehldeckel (Epiglottis)** besteht, im Gegensatz zu allen anderen Knorpeln des Kehlkopfes, aus elastischem Knorpel, um den Kehlkopfeingang beim Schlucken ausreichend verschließen zu können. Er hat die Form eines gewölbten Tennisschlägers, wobei der Stiel mit der Innenseite des Schildknorpels beweglich verbunden ist. Beim Atmen steht der Kehldeckel steil nach oben und gibt so den Kehlkopfeingang frei, beim Schlucken presst er sich auf den Kehlkopfeingang, um die Atemwege zu verschließen und den Speisebrei nach hinten in die Speiseröhre gleiten zu lassen.

11.4.2 Kehlkopfbänder

Der Kehlkopf ist von einer lockeren Schleimhaut mit respiratorischem Flimmerepithel ausgekleidet, die mehrere Falten bildet. Die Oberkanten dieser Falten entsprechen Bändern, die zwischen den Knorpeln aufgespannt sind und durch die Bewegung dieser Knorpel ihre Länge und Spannung verändern können.

Zwischen der Schildknorpelinnenseite und den Stellknorpeln verlaufen die Stimmbänder, die auf beiden Seiten die Stimmritze begrenzen. Durch die Spannung der **Stimmbänder** kann die **Stimmritze** eng oder weit gestellt werden. Beim Atmen hat die Stimmritze einen großen Durchmesser und gleicht einem Rohr, bei der Lautbildung (Sprechen, Singen) nähern sich die Stimmbänder einander an und die Stimmritze ähnelt dem verengten Mundstück einer Oboe.

Oberhalb der Stimmbänder springt ein weiteres Faltenpaar in den Kehlkopfraum vor, die sogenannten **Taschenfalten**, die ebenfalls von der Innenseite des Schildknorpels zu den Stellknorpeln ziehen.

Zahlreiche Muskeln, die die einzelnen Knorpel miteinander verbinden, ermöglichen die Bewegungen des Kehlkopfskeletts beim Sprechen, Singen und Schlucken.

11.5 Luftröhre (Trachea)

Die Luftröhre beginnt unterhalb des Ringknorpels, also unmittelbar unterhalb des Kehlkopfes, und endet im Brustraum auf Höhe des 4. Brustwirbelkörpers, wo sie sich in die beiden **Hauptbronchien** für die rechte und die linke Lunge aufteilt. Sie zieht vor der Speiseröhre nach unten in den **Mittelfellraum (Mediastinum)** und wird dort vom Aortenbogen überlagert.

Die Luftröhre setzt sich aus etwa 16 bis 20 hufeisenförmigen hyalinen Knorpelspangen zusammen, die an ihrer dorsalen Seite durch Bindegewebe und glatte Muskulatur zu einem Rohr verschlossen werden. Auch zwischen den Knor-

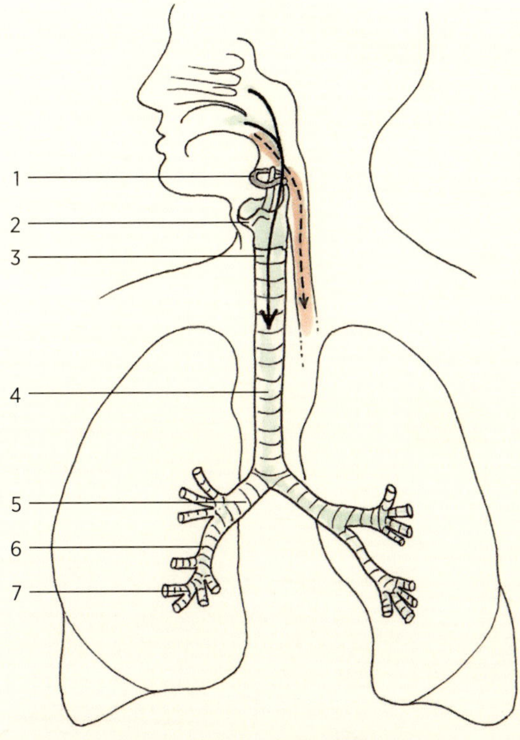

1 Zungenbein, 2 Schildknorpel, 3 Ringknorpel, 4 Luftröhre, 5 Hauptbronchus, 6 Lappenbronchus, 7 Segmentbronchien

Abb. 100: **Bronchialbaum**

pelspangen ermöglichen Bindegewebe und Muskulatur die Beweglichkeit der Luftröhre in alle Richtungen. Elastische Bänder machen eine Dehnung der Luftröhre bis zu 25 % in Längsrichtung während der Atmung möglich. Der Durchmesser beträgt etwa 15–20 mm.

An ihrer Innenseite ist die Luftröhre wiederum mit mehrreihigem **Flimmerepithel** mit schleimproduzierenden Becherzellen ausgekleidet. Die Flimmerhärchen befördern Schleim und Staubpartikel rachenwärts, also nach oben. Außen steht die Luftröhre durch eine lockere Adventitia mit ihrer Umgebung in Verbindung.

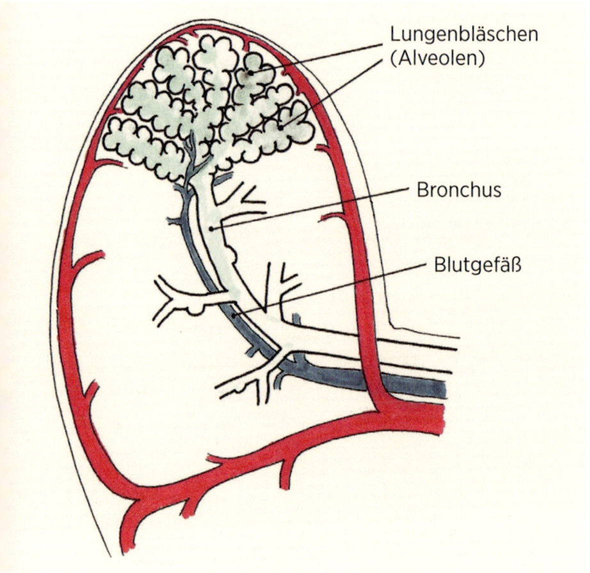

Abb. 101: **Alveolen**

Aufteilung der Luftröhre – Bronchialbaum

Etwa in Höhe des 4. Brustwirbelkörpers teilt sich die Luftröhre entsprechend der Unterteilung der Lungen in ihre Bronchien auf.

Die erste Aufteilung erfolgt in einen rechten und einen linken **Hauptbronchus (Bronchus principalis dexter et sinister)**, entsprechend dem rechten und dem linken Lungenflügel. Der Aufbau der Hauptbronchien unterscheidet sich nicht von dem der Trachea, allerdings ist ihr Durchmesser deutlich geringer. Die Teilungsstelle wird als Bifurcatio tracheae bezeichnet.

Die Hauptbronchien teilen sich weiter in die **Lappenbronchien (Bronchi lobares)**, wobei die rechte Lunge aus drei Lappen und die linke Lunge nur aus zwei Lappen besteht. So gehen vom rechten Hauptbronchus drei Lappenbronchien für Ober-, Mittel- und Unterlappen ab, der linke Hauptbronchus teilt sich in zwei Lappenbronchien für Ober- und Unterlappen der linken Lunge.

In weiteren Teilungsschritten verzweigen sich die Lappenbronchien baumartig in die **Segmentbronchien (Bronchi segmentales)**. Diese entsprechen den kleineren Unterteilungen der Lungenlappen, den Lungensegmenten (rechts 10, links 9–10 Segmente).

Die Segmentbronchien verzweigen sich weiter in immer kleinere Bronchien und dann letztlich in die **Bronchiolen**, bis am Ende die kleinsten Aufzweigungen der Bronchien in den **Alveolen**, den traubenförmig angeordneten Lungenbläschen, enden.

> Die Lappenbronchien entsprechen den Lungenlappen, die Segmentbronchien den Lungensegmenten und die Bronchiolen den Lungenläppchen!

Während die Bronchien immer kleiner werden, ändert sich auch zunehmend der Aufbau ihrer Wand. Langsam nehmen die knorpeligen Anteile ab und sind dann nur mehr bruchstückhaft vorhanden. Sie werden durch glatte Muskulatur und Bindegewebe ersetzt. Die hyalinen Knorpelspangen gewährleisten die Stabilität der Atemwege während des Atmens, sie ziehen sich auch bei forciertem Einatmen nicht zusammen. Die kleinen Bronchien steuern jedoch über die glatte Muskulatur ihren Durchmesser und so die Belüftung der Lunge je nach Sauerstoffbedarf. Beim Asthma bronchiale wird durch eine krampfartige Kontraktion der glatten Bronchialmuskulatur der Durchmesser der Bronchien verringert und so vor allem das Ausatmen erschwert. Dadurch kommt es zu einer Überblähung der Lungenbläschen.

11.6 Lunge (Pulmo)

Die Lunge liegt im Brustraum und besteht aus einem größeren rechten und einem durch die Lage des Herzens bedingten kleineren linken **Lungenflügel**. Jeder Lungenflügel hat die Form eines Kegels, dessen Basis dem gewölbten Zwerchfell aufsitzt und dessen Spitze über die obere knöcherne Thoraxöffnung in den Halsbereich hineinragt. Die Form der Lungenflügel passt sich der Form des Brustkorbes an und bildet zum Mittelfellraum hin die Lungenwurzel (Radix pulmonis), durch die die Bronchien und die Lungenarterien mit ihrem sauerstoffarmen Blut in die Lunge hineinziehen und die Lungenvenen mit dem sauerstoffreichen Blut die Lunge wieder verlassen. Die **Lungenarterien** und **Lungenvenen** bilden sozusagen den Arbeitskreislauf der Lunge, um das Blut mit Sauerstoff anzureichern. Das Lungengewebe selbst wird aber zusätzlich durch **Bronchialarterien** aus der Aorta mit sauerstoff- und nährstoffreichem Blut versorgt.

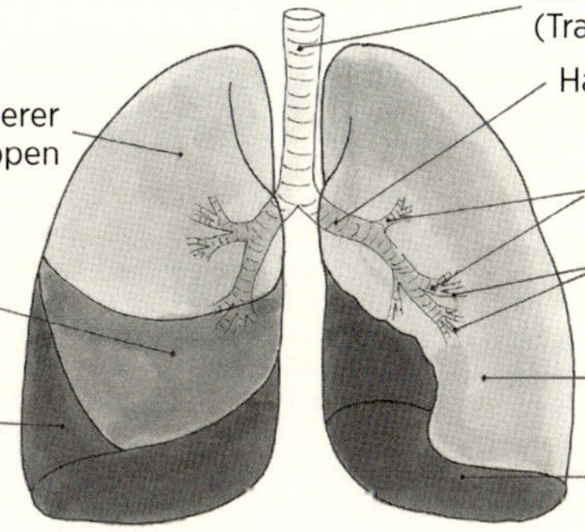

Abb. 102: **Lunge**

Die rechte Lunge besteht aus drei voneinander abgegrenzten Lungenlappen und die linke Lunge aus zwei Lappen. Die Lungenlappen werden weiter durch Bindegewebe in jeweils 10 Lungensegmente unterteilt, denen die Segmentbronchien mit den begleitenden Arterien und Venen entsprechen. Die Lungensegmente unterteilen sich unvollständig in Lungenläppchen, die als feine netzartige Zeichnung an der Lungenoberfläche erkennbar sind. Mit den Bronchien ziehen immer kleiner werdende Arterien und Venenäste zu den kleinsten Funktionseinheiten der Lunge, den **Alveolen**, wo der Gasaustausch stattfinden kann.

In der Lunge findet die **äußere Atmung** statt, das heißt der Austausch von Atemgasen zwischen dem Blut und der Atemluft. Unter innerer Atmung versteht man die „Zellatmung", jenen Vorgang, bei dem unter Verbrauch von Sauerstoff Energie in den Mitochondrien gewonnen wird.

11.6.1 Feinbau der Lunge

Die Bronchien werden immer kleiner und dünnwandiger, das mehrreihige Flimmerepithel der Schleimhaut wird zunehmend einreihig und flacher, und die Becherzellen werden seltener, bis die Bronchiolen letztendlich in den zarten, dünnwandigen Alveolen enden. Die Alveolen sind luftgefüllte kugelige Gebilde, die traubenförmig angeordnet sind. Sie bilden das blinde Ende der Atemwege und sind von einem dichten Kapillarnetz überzogen. Die Alveolarwand besteht aus Alveolarepithelzellen, den Pneumozyten, die nur durch eine zarte Bindegewebsschicht von den Endothelzellen der sie umhüllenden Kapillaren getrennt sind. Diese zarte Wand ist für die Atemgase O_2 und CO_2 leicht überwindbar und ermöglicht so den Gasaustausch zwischen Atemluft und Kapillarblut. Das Alveolarepithel, das Kapillarendothel und das dazwischenliegende Bindegewebe werden zusammen als **Blut-Luft-Schranke** bezeichnet und sind das anatomische Äquivalent für den Gasaustausch. Die Pneumozyten haben noch eine besondere Aufgabe. Sie produzieren das **Surfactant**, einen zarten Flüssigkeitsfilm, der die dünnwandigen Alveolen auskleidet und durch seine geringe Oberflächenspannung die Alveolen, ähnlich Seifenblasen, offen und entfaltet hält. Da Surfactant bei unreifen Frühgeborenen noch nicht gebildet werden kann, müssen diese häufig beatmet werden.

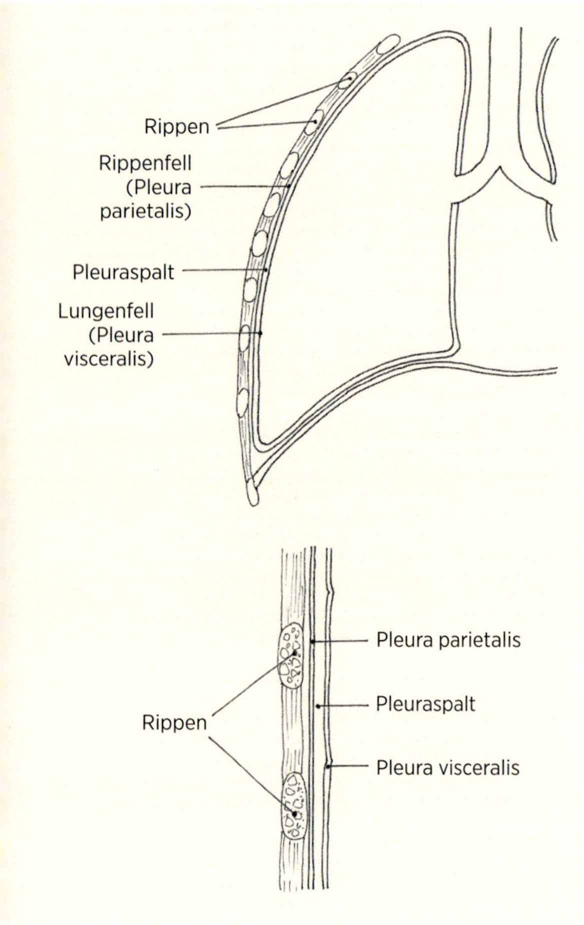

Abb. 103: **Pleura**

11.6.2 Brustfell (Pleura)

Jeder Lungenflügel liegt in einer geschlossenen, mit wenig seröser (dünnflüssiger) Flüssigkeit ausgekleideten Höhle, der **Pleurahöhle**. Zwischen den beiden Lungen mit ihren Pleurasäcken befindet sich das Mediastinum, der Mittelfellraum, in dem das Herz, die Luftröhre, die Speiseröhre, der Thymus, die großen Gefäße, Nerven und Lymphknoten des Brustraumes liegen. An der Pleura befindet sich ein äußeres Blatt, die **Pleura parietalis** oder das **Rippenfell**, welches die Innenseite des Brustkorbes, des Brustbeins und die Oberseite des Zwerchfells bedeckt und nach medial den Mittelfellraum abgrenzt. Ein inneres Blatt, die **Pleura visceralis** oder das **Lungenfell**, liegt wie eine zarte, spiegelglatte seröse Haut fest den Lungen auf und erstreckt sich auch in die Spalten zwischen den Lungenlappen. Beide Blätter gehen an der Lungenwurzel ineinander über und begrenzen so einen vollkommen abgeschlossenen Raum, den **Pleuraspalt**. Im Pleuraspalt herrscht ein Unterdruck, der die Lunge entfaltet, und es befindet sich darin ein zarter Film seröser Flüssigkeit, um die Atembewegungen ungehindert zu ermöglichen.

Dringt Luft in den Pleuraspalt ein, sprechen wir von einem **Pneumothorax** und die Lunge fällt zusammen. Befindet sich vermehrt Flüssigkeit im Pleuraspalt, sprechen wir von einem **Pleuraerguss**, welcher die Atmung erschwert.

11.7 Physiologie des Kehlkopfes und der Atmung

11.7.1 Funktion des Kehlkopfes

Die Hauptaufgaben des Kehlkopfes sind der Verschluss der tiefen Atemwege beim Schlucken und die Stimmbildung (Phonation). Im darüberliegenden Rachen kreuzt der Speiseweg den Atemweg. Beim Schlucken wird der Luftweg durch den **Kehldeckel (Epiglottis)** verschlossen und die Nahrung gelangt in die **Speiseröhre (Oesophagus)**. Beim Atmen führt der Luftweg über die Stimmritze, die unterschiedlich weit geöffnet werden kann, in die Trachea. Bei der Stimmbildung wird der Luftstrom in umgekehrter Richtung, von den Lungen über die Luftröhre durch die Stimmritze des Kehlkopfes, gepresst.

Stimmbildung (Phonation)

Die Kehlkopfschleimhaut bildet zwei waagrechte, parallele Faltenpaare, die oberen **Taschenfalten** und die darunterliegenden **Stimmfalten**. Die oberen freien Ränder der Stimmfalten werden als **Stimmbänder** bezeichnet. Sie verlaufen von der Innenseite des Schildknorpels zu den Stellknorpeln. Zwischen den beiden Stimmbändern befindet sich die **Stimmritze**. Durch Bewegungen der Stellknorpel ändern sich die Länge und die Spannung der Stimmbänder und damit auch die Höhe der Stimme. Die Stimme wird umso höher, je kürzer und je gespannter die Stimmbänder sind.

In der Pubertät kommt es bei jungen Männern zum Wachstum des Kehlkopfes und dadurch zur Verlängerung der Stimmbänder. Die Stimme wird tiefer.

Während der Stimmbildung ist die Stimmritze weitgehend geschlossen. Beim Ausatmen werden die gespannten Stimmbänder und damit auch die Luft im Kehlkopf in Schwingung versetzt und es wird ein Ton erzeugt.

11.7.2 Atemmechanik

Die Funktion der Lungen ist der Gasaustausch zwischen Atemluft und Blut mit dem Ziel, Sauerstoff in das Blut aufzunehmen und Kohlendioxid über die Atemluft wieder abzugeben. Dazu ist es notwendig, dass die Luft ein- und ausgeatmet werden kann und dass die Atemgase zwischen Alveolarluft und Kapillarblut ausgetauscht werden können.

Die Lungen bleiben nach dem ersten Atemzug, durch den sie kurz nach der Geburt erstmalig belüftet werden, entfaltet und beinhalten ab diesem Zeitpunkt eine bestimmte Menge Luft, die nicht am Gasaustausch teilnimmt. Dies wird einerseits durch den Unterdruck, der im Pleuraspalt herrscht, ermöglicht, andererseits werden die Alveolen durch das Surfactant offengehalten. Um weitere Luft einatmen zu können, muss das Volumen des Brustraumes durch die Atembewegungen verändert werden. Da die Lunge durch die Pleura mit dem Brustkorb verbunden ist, muss sie seinen Atembewegungen folgen.

Das **Einatmen** ist ein aktiver Vorgang, bei dem der Brustraum und damit das Lungenvolumen vergrößert wird. Dies geschieht einerseits durch Kontraktion der **äußeren Zwischenrippenmuskeln oder Rippenhebermuskeln (Mm. intercostales externi)**, die schräg von der jeweils oberen Rippe zur unteren ziehen und so den Brustkorb heben. Durch Kontraktion des kuppelförmigen **Zwerchfells (Diaphragma)**, das sich dabei in Richtung Bauchraum bewegt, wird zusätzlich der Brustraum in Längsrichtung vergrößert.

Das **Ausatmen** hingegen ist ein weitgehend passiver Vorgang, bei dem sich der Brustkorb aufgrund seiner Elastizität durch das Entspannen der Muskulatur von selbst zusammenzieht. Das Zwerchfell wölbt sich bei Entspannung wieder kuppelförmig gegen den Brustraum vor und presst die Lungen zusammen.

Das Ausatmen kann durch die Kontraktion der **inneren Zwischenrippenmuskeln oder Rippensenkermuskeln (Mm. intercostales interni)**, die den Brustkorb noch zusätzlich verkleinern, und durch das Anspannen der Bauchmuskeln, die die Bauchorgane nach oben Richtung Zwerchfell drängen, unterstützt werden.

Durch die Erweiterung des Brustkorbes wird sauerstoffreiche Atemluft in die Alveolen transportiert, welche von einem Kapillarnetz umgeben sind. Entlang eines Konzentrationsgradienten diffundiert nun der Sauerstoff vom Ort hoher Konzentration (Atemluft) zum Ort niedriger Konzentration (Kapillarblut) durch die zarte Membran der Blut-Luft-Schranke ins Blut und wird von den roten Blutkörperchen, gebunden an das Hämoglobin, zuerst zum linken Herzen und weiter zu den Organen des Körpers transportiert.

Analog zu diesem Vorgang wird das Kohlendioxid aus dem Blut, welches aus dem rechten Herzen zur Lunge fließt, durch die Blut-Luft-Schranke in die Atemluft abgegeben und abgeatmet.

11.7.3 Atemregulation

Die rhythmischen Atembewegungen werden im Wesentlichen durch das zentrale Atemzentrum im verlängerten Mark (Medulla oblongata) des Gehirns gesteuert, das den Atemrhythmus an die Bedürfnisse des Organismus anpasst. Um diese Atembewegungen zu steuern, benötigt das zentrale Atemzentrum Informationen aus der Peripherie, die über Dehnungsrezeptoren und Chemorezeptoren bereitgestellt werden.

Die **peripheren Dehnungsrezeptoren** messen den Dehnungszustand der Lungen und begrenzen das Einatmen, um eine Überdehnung der Lungen zu verhindern. Sobald das Lungengewebe durch das Einatmen bis zu einem bestimmten Punkt gedehnt ist, wird vom Atemzentrum im verlängerten Mark das weitere Einatmen gestoppt und das Ausatmen eingeleitet. Solche Dehnungsrezeptoren sitzen auch in den Muskelspindeln der Atemmuskulatur und regulieren die Atmung über die Anspannung und Entspannung dieser Muskeln.

Über **zentrale Chemorezeptoren** im verlängerten Mark und **periphere Chemorezeptoren**, die im Bereich vegetativer Nervengeflechte in der Wand von Arterien sitzen, gelangen Informationen über Sauerstoff- und Kohlendioxidgehalt sowie den pH-Wert des Blutes zum Atemzentrum. Sinkt der Sauerstoffpartialdruck im Blut, reagiert das Atemzentrum mit einer Steigerung der Atemtätigkeit, um vermehrt O_2 ins Blut aufzunehmen. Steigt der CO_2-Gehalt des Blutes, kommt es ebenfalls zu einer Steigerung der Atemtätigkeit. Auch ein Absinken des pH-Wertes, also eine Übersäuerung des Blutes, führt zu vermehrter Atemtätigkeit.

> Ein niederer Sauerstoffpartialdruck, ein niederer pH-Wert sowie hohe Kohlendioxidwerte im Blut beschleunigen die Atemtätigkeit. Der stärkste Atemreiz geht von einem Anstieg des CO_2-Spiegels im Blut aus.

Weitgehend unabhängig von den Atemgasen im Blut wird die Atemtätigkeit jedoch auch durch körperliche Arbeit und psychische Faktoren (Stress, Angst) beschleunigt, was anschließend zu einer Verschiebung der Atemgase im Blut führen kann.

11.7.4 Lungen- und Atemvolumina

In der Lunge lassen sich verschiedene Volumina unterscheiden, die nur teilweise an der Atmung teilnehmen.

Das gesamte Luftvolumen, das bei maximalem Einatmen in der Lunge Platz findet, wird als **Totalkapazität** bezeichnet und beträgt beim gesunden Erwachsenen etwa 6 Liter.

Diese Totalkapazität lässt sich in das **Residualvolumen (Totraumvolumen)**, das ist jenes Luftvolumen, das auch bei stärkster Ausatmung in der Lunge bleibt, und in die **Vitalkapazität**, also das gesamte Volumen, das maximal ein- und ausgeatmet werden kann, unterteilen. Auf das Totraumvolumen entfallen etwa 1,5 Liter, die Vitalkapazität macht demnach die restlichen 4,5 Liter aus.

Die Vitalkapazität kann wieder in drei Volumina unterteilt werden, nämlich das Atemzugvolumen, das inspiratorische Reservevolumen und das exspiratorische Reservevolumen. Das **Atemzugvolumen** ist jenes Atemvolumen, das bei ruhiger Atmung pro Atemzug ein- und ausgeatmet wird. Das sind etwa 0,5 Liter. Alles, was zusätzlich maximal eingeatmet werden kann, bezeichnet man als das **inspiratorische Reservevolumen** von etwa 2,5 Litern, und alles, was nach normalem Ausatmen noch zusätzlich ausgeatmet werden kann, heißt **exspiratorisches Reservevolumen.** Dieses beträgt etwa 1,5 Liter.

Unter **Atemminutenvolumen** versteht man jenes Luftvolumen, das bei ruhiger Atmung pro Minute ein- und ausgeatmet wird. Die Atemfrequenz in Ruhe beträgt durchschnittlich 15 Atemzüge/Minute, das Atemzugvolumen 500 ml. Daraus ergibt sich für das Atemminutenvolumen: 500 ml mal 15 Atemzüge/Minute = 7.500 ml/min = 7,5 Liter/Minute.

Es werden in Ruhe etwa 7,5 Liter Luft in der Minute eingeatmet und wieder ausgeatmet!

Tab. 41: **Atemvolumina**

<table>
<tr><td rowspan="4">Totalkapazität
ca. 6 Liter</td><td>Residualvolumen (Totraum)
ca. 1,5 Liter</td><td></td></tr>
<tr><td rowspan="3">Vitalkapazität
ca. 4,5 Liter</td><td>Inspiratorisches Reservevolumen
ca. 2,5 Liter</td></tr>
<tr><td>Atemzugvolumen
0,5 Liter</td></tr>
<tr><td>Exspiratorisches Reservevolumen
ca. 1,5 Liter</td></tr>
</table>

11.7.5 Gasaustausch

In den Lungenalveolen findet der Austausch der beiden Atemgase **Sauerstoff (O_2)** und **Kohlendioxid (CO_2)** statt. Die Lungenarterien bringen das sauerstoffarme, aber kohlendioxidreiche Blut aus dem rechten Herzen zur Lunge. Die Arterien teilen sich wie die Äste eines Baumes immer weiter auf und werden dabei immer dünner, bis zu den Kapillaren. Sie begleiten die Strukturen des Bronchialbaumes, bis letztlich die Bronchien in die Alveolen münden und von den Kapillaren netzförmig umhüllt werden. Während des Vorbeiströmens des Blutes an den luftgefüllten Alveolen gibt dieses durch Diffusion das CO_2 an die Alveolarluft ab und nimmt den Sauerstoff aus den Alveolen auf. Die Diffusion setzt eine für die Atemgase gut durchlässige Membran zwischen den Kapillaren und den Alveolen, die Blut-Luft-Schranke, voraus. Damit sich die Atemgase durch diese Schranke durchbewegen, bedarf es eines Konzentrationsunterschiedes zwischen Alveolarluft und Kapillarblut. So diffundiert der Sauerstoff vom Ort hoher Konzentration, der Atemluft, zum Ort niederer Konzentration, dem Kapillarblut. Nach dem gleichen Prinzip erfolgt der CO_2-Strom in die entgegengesetzte Richtung. Das sauerstoffreiche und CO_2-arme Blut gelangt nun über die Lungenvenen zurück zum Herzen in den linken Vorhof.

11.7.6 Säure-Basen-Haushalt

siehe Teil II Biologie; S. 40

11.8 Pathophysiologie der Atemorgane

Die Atemgeräusche können ohne Hilfsmittel wahrgenommen werden. Beim Abhören mit dem Stethoskop (Auskultation) lassen sich auch physiologische von pathologischen Atemgeräuschen gut unterscheiden. Letztere geben Rückschlüsse auf unterschiedliche Lungenerkrankungen. Eine pathologische Atmung und damit ungenügende Versorgung des Organismus mit Sauerstoff kann durch eine unzureichende Belüftung, eine verminderte Durchblutung oder einen zu geringen Gasaustausch in den Alveolen bedingt sein.

Tab. 42: **Auskultationsbefunde**

Atemgeräusch	Abhörbefund/Ursachen
Normales Atemgeräusch	Leises Atemgeräusch, nimmt beim Einatmen an Intensität zu
Feuchte Rasselgeräusche	Fein- bis grobblasige Atemgeräusche, hervorgerufen durch ein dünnflüssiges Sekret in den Atemwegen bei Bronchitis oder einem Lungenödem
Trockene Rasselgeräusche	Pfeifen, Giemen und Brummen, hervorgerufen durch ein dickflüssiges, zähes Sekret in den Atemwegen, häufig mit Schwellung der Schleimhaut bei Asthma bronchiale und COPD
Stridor	Lautes, pfeifendes Atemgeräusch durch Einengung der Luftwege (Fremdkörper, Schwellung der Schleimhaut)
Abgeschwächtes Atemgeräusch	Leises Atemgeräusch durch Überblähung der Lunge (Lungenemphysem) oder einen Erguss im Pleuraspalt, der die Atemgeräusche dämpft

Tab. 43: **Atemstörungen**

Atemstörung	Ursachen
Ventilationsstörungen	**Die Lungen können nicht ausreichend mit Luft gefüllt werden.** Ursache: Verminderung des Durchmessers der Bronchien oder verminderte Elastizität des Lungengewebes, z. B. bei Asthma bronchiale oder Lungenfibrosen
Diffusionsstörungen	**Der Gasaustausch zwischen Alveolarluft und Kapillarblut ist gestört.** O_2 kann nicht ausreichend ins Blut, CO_2 nicht ausreichend in die Atemluft diffundieren. Ursache: Die Blut-Luft-Schranke ist nicht genügend durchlässig oder verdickt, z. B. bei Lungenfibrosen oder beim Lungenödem.
Perfusionsstörungen	**Die Atemstörung beruht auf einer verminderten Durchblutung der Lungenkapillaren.** Ursache: Verstopfung der Lungenarterien, z. B. Lungenembolie

Übungsfragen

1. Welche Organe zählen zu den oberen, welche zu den unteren Atemwegen?
2. Beschreibe die Begrenzungen und Öffnungen der Nasenhöhle. Welche Öffnungen münden in die Nasenhöhle?
3. Erkläre Lage und Funktion der Nasennebenhöhlen.
4. Welche Funktionen haben die unterschiedlichen „Einrichtungen" des respiratorischen Epithels? Wo findet man die Riechschleimhaut?
5. Beschreibe die drei Abschnitte des Pharynx und ihre jeweiligen Öffnungen. Wodurch werden diese Öffnungen beim Schlucken verschlossen?
6. Welche Räume werden durch die Ohrtrompete verbunden und wozu?
7. Nenne die einzelnen Knorpel des Larynx. Wo findet man die Stimmbänder?
8. Aus welchem Knorpeltyp bestehen der Kehlkopf, die Epiglottis und die Trachea?
9. Was versteht man unter Blut-Luft-Schranke? Welche Funktion hat das Surfactant?
10. Beschreibe die beiden Blätter der Pleura und den Pleuraspalt. Ab welchem Zeitpunkt sind die Lungen entfaltet und warum bleiben sie in diesem Zustand?
11. Worauf reagieren die Dehnungsrezeptoren und die Chemorezeptoren?
12. Unterscheide Atemzugvolumen, Atemminutenvolumen, Totalkapazität und Vitalkapazität.

12 Blut (Sanguis)

Das Blut setzt sich aus dem **Blutplasma** und den **Blutzellen** zusammen, wobei das Plasma zahlreiche gelöste Stoffe, wie zum Beispiel Bluteiweiße, Blutgerinnungsfaktoren, Elektrolyte, Hormone und Stoffwechselabbauprodukte, enthält. Sowohl die Zellen des Blutes als auch die stoffliche Komponente des Plasmas erfüllen eine Vielzahl unterschiedlicher Aufgaben.

Aufgaben des Blutes:

- Transport von Sauerstoff (O_2) und Kohlendioxid (CO_2): Sauerstoff wird gebunden an das Hämoglobin der roten Blutzellen transportiert. Dasselbe gilt, jedoch nur zu einem geringen Teil, für Kohlendioxid, welches überwiegend als Bikarbonat (HCO_3) im Plasma vorhanden ist.
- Transport von Nährstoffen, Stoffwechselabbauprodukten und Hormonen: Nährstoffe werden zur Verwertung und Energiegewinnung zu den Zellen und Geweben gebracht und als Stoffwechselendprodukte wieder entsorgt. Zahlreiche Hormone gelangen auf dem Blutweg von Hormondrüsen zu ihren Zielorganen.
- Abwehr von Krankheitserregern: Weiße Blutzellen (Leukozyten) und Antikörper, welche von den Plasmazellen gebildet werden, dienen der Abwehr von Mikroorganismen.
- Blutgerinnung: Die Blutplättchen sind gemeinsam mit zahlreichen Gerinnungsfaktoren für eine regelgerechte Blutgerinnung verantwortlich.
- Aufrechterhalten des pH-Wertes und des kolloidosmotischen Drucks: Puffersysteme, wie der Kohlensäure-Bikarbonat-Puffer und das Hämoglobin-Puffersystem, erhalten den lebensnotwendigen physiologischen pH-Wert im Organismus aufrecht. Große Bluteiweiße, die Albumine, erzeugen den sogenannten kolloidosmotischen Druck im Plasma, um Flüssigkeit aus den Geweben in das Blutkreislaufsystem zurückzuführen.
- Regulierung des Wasser- und Elektrolythaushaltes: Etwa 7 % des Gesamtkörperwassers befinden sich innerhalb der Blutgefäße. Zur Aufrechterhaltung unterschiedlicher physiologischer Flüssigkeitsräume bedarf es der richtigen Konzentration von Elektrolyten und des Austausches von Flüssigkeit und Ionen durch (halb)durchlässige Zell- und Gefäßmembranen.
- Regulation der Körpertemperatur: Die Wärmeabgabe über die Haut wird durch ein Weitstellen ihrer Blutgefäße und somit durch eine bessere Durchblutung ermöglicht. Umgekehrt kann durch eine Verengung der peripheren Gefäße bei Kälte die Temperatur des Blutes im Körperkern über längere Zeit auf einem Normalwert gehalten werden.

12.1 Blutplasma, Blutserum

Das **Blutplasma** ist der flüssige Anteil des Blutes, welcher keine Blutzellen, aber ansonsten noch alle gelösten Substanzen enthält. Diese hellgelbe Flüssigkeit beinhaltet Eiweiße, Nährstoffe, Stoffwechselabbauprodukte, Hormone, Vitamine, Elektrolyte und Enzyme.

Die **Plasmaeiweiße** (Plasmaproteine) sind eine inhomogene Gruppe, die sich in Albumine, Alpha-, Beta- und Gammaglobuline unterteilen lässt. **Albumine** werden in der Leber gebildet, sie dienen als Transportproteine für das Bilirubin (Abbauprodukt des Hämoglobins), einige Elektrolyte sowie Hormone und sind für den kolloidosmotischen Druck im Blut und für das Einströmen der Gewebsflüssigkeit in die Blutkapillaren verantwortlich. **Alphaglobuline** sind ebenfalls Transporteiweiße im Blut und werden überwiegend in der Leber synthetisiert. Ein Beispiel für ein Alphaglobulin ist das HDL, welches einen Protein- und einen Cholesterinanteil besitzt und als „gutes" Cholesterin der Arterienverkalkung entgegenwirkt. Auch die **Betaglobuline** sind Eiweiße, die in der Leber produziert werden. Ein wichtiger Vertreter ist das Fibrinogen, welches während der Blutgerinnung in das aktive Fibrin umgewandelt wird und die Gerinnung des Blutes bewirkt. Die **Gammaglobuline** werden bei Abwehrreaktionen von spezifischen weißen Blutzellen, den Plasmazellen, gebildet. Es handelt sich hierbei um Antikörper oder Immunglobuline.

Da das Plasma neben den anderen Bluteiweißen auch das Fibrinogen enthält, kann es als jener Anteil des Blutes definiert werden, welcher keine Blutzellen enthält, aber noch gerinnen kann.

Plasma kann durch Zentrifugieren des Blutes gewonnen werden, dabei trennen sich die schwereren Blutzellen von ihrer flüssigen Komponente.

Das **Blutserum** entsteht hingegen, wenn man Blut gerinnen lässt. Dabei setzen sich die Blutzellen und das Fibrin als Blutkuchen ab, es enthält somit alle Bestandteile des Plasmas mit Ausnahme des Fibrinogens.

Das Blutserum ist also der flüssige Anteil des Blutes ohne Blutzellen und ohne Fibrinogen. Serum kann nicht mehr gerinnen.

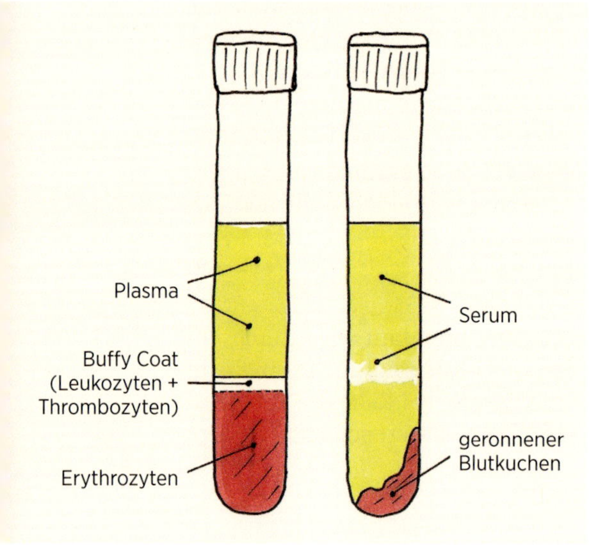

Abb. 104: **Serum, Plasma**

Etwa 55 % des Blutvolumens entfallen auf das Plasma, 45 % machen die Blutzellen aus. Der Anteil der Blutzellen im Blut wird auch als **Hämatokrit** bezeichnet.

12.2 Blutzellen

Bei den Zellen des Blutes können drei Gruppen unterschieden werden: die roten Blutzellen oder Erythrozyten, die weißen Blutzellen oder Leukozyten und die Blutplättchen oder Thrombozyten. Die Leukozyten lassen sich noch in die neutrophilen, eosinophilen und basophilen Granulozyten, die Monozyten und die Lymphozyten unterteilen.

Die roten Blutzellen machen über 99 % der Blutzellen oder 44 % des Gesamtblutvolumens aus, die weißen Blutzellen und die Blutplättchen zusammen nur 1 %.

12.2.1 Rote Blutzellen (Erythrozyten)

Erythrozyten sind bikonkave, kreisrunde Körperchen mit einem Durchmesser von 7 µm und einer Randhöhe von 2 µm. Bikonkav bedeutet, dass sie beidseitig eingedellt sind und von der Seite hantelförmig aussehen. Sie besitzen weder einen Zellkern noch Zellorganellen, sie können sich nicht teilen und sind nicht zur Proteinbiosynthese fähig. Diese Tatsache bedingt eine relativ kurze Lebensdauer von etwa 120 Tagen.

Die Anzahl der Erythrozyten ist schier unvorstellbar, nämlich 5 Millionen pro mm^3 oder µl (Mikroliter) Blut. In einem Würfel von 1 mm Seitenlänge befinden sich also 5 Millionen rote Blutzellen. Etwa 35 % des Erythrozytenvolumens besteht aus dem roten Blutfarbstoff Hämoglobin (Hb), einem Eiweißmolekül mit zentralem Eisenanteil, welches vor allem Sauerstoff (O_2), aber in geringen Mengen auch Kohlendioxid (CO_2) reversibel, also leicht abspaltbar, transportieren kann. Die Aufgabe der Erythrozyten ist demnach der Transport von O_2 in die Gewebe und der Abtransport von CO_2.

Erythrozyten werden im roten Knochenmark aus Vorstufen (Blutstammzellen) gebildet und werden in der Milz, der Leber und im roten Knochenmark abgebaut. Die Erythrozyten zerstören sich am Ende ihrer Lebenszeit durch Apoptose (programmierten Zelltod) selbst und werden von Makrophagen verdaut. Der Eisenanteil wird zurück ins rote Knochenmark transportiert und dort wiederverwertet, der Hämanteil wird ausgeschieden. Dabei werden die fettlöslichen Bestandteile in der Leber zu Bilirubin umgebaut und mit der Gallenflüssigkeit, welche die bräunliche bis grüne Farbe des Bilirubins besitzt, in den Zwölffingerdarm und somit über den Stuhl ausgeschieden. Bilirubin verleiht dem Stuhl seine braune Farbe.

Die wasserlöslichen Hämanteile gelangen über das Blut in die Niere und werden als Urobilin mit dem Harn, welcher deshalb gelb erscheint, ausgeschieden.

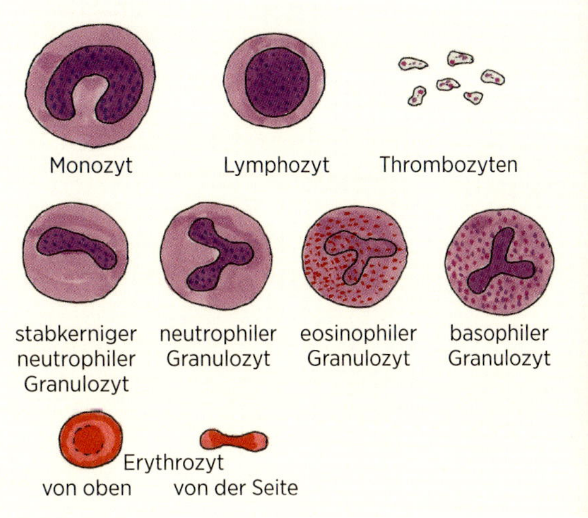

Abb. 105: **Blutzellen**

Blutgruppen

An ihrer Zelloberfläche tragen Erythrozyten Antigene, das sind Moleküle, gegen die Antikörper gebildet und so Immunreaktionen ausgelöst werden können. Blutgruppenantigene werden auch als **Agglutinine** bezeichnet, da fremde Blutgruppen miteinander verklumpen, also agglutinieren.

Die wichtigsten Blutgruppensysteme sind das AB0- und das Rhesus-System, die beide von dem aus Österreich stammenden Hämatologen Karl Landsteiner entdeckt wurden, wofür er 1930 den Nobelpreis erhielt.

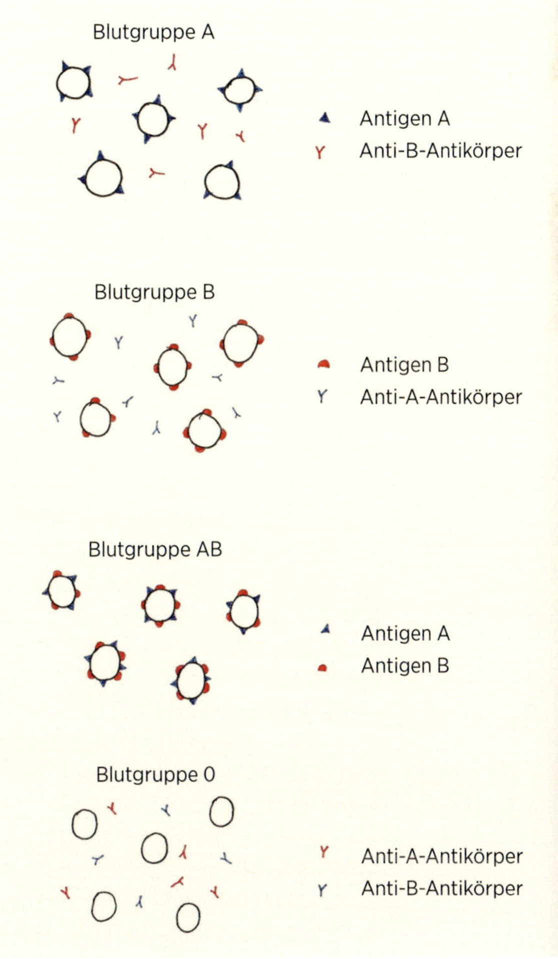

Abb. 106: **Blutgruppen**

AB0-System

Karl Landsteiner entdeckte an der Erythrozytenoberfläche Antigene, die mit entsprechenden

Antikörpern, welche im Serum der Menschen zu finden sind, reagieren und das Blut verklumpen lassen. Man unterscheidet vier Blutgruppen, nämlich A, B, AB und 0, die sich durch das Vorhandensein oder Fehlen von Antigen A und Antigen B definieren.

Menschen mit der **Blutgruppe A** haben Antigen A (AG-A) auf ihrer Erythrozytenoberfläche und Antikörper gegen Antigen B (Anti-B-AK) in ihrem Serum. Menschen mit der **Blutgruppe B** tragen Antigen B (AG-B) auf ihrer Zelloberfläche und Anti-A-Antikörper im Serum. Menschen der **Blutgruppe AB** haben sowohl Antigen A als auch Antigen B auf ihrer Erythrozytenoberfläche, aber keine Antikörper im Serum, und Menschen mit der **Blutgruppe 0** besitzen keine Erythrozytenantigene, aber sowohl Anti-A- als auch Anti-B-Antikörper im Serum.

Gegen die eigene Blutgruppe werden nie Antikörper gebildet, da es sonst zu einer Agglutination des eigenen Blutes kommen würde. Es ist eine Besonderheit, dass die Antikörper gegen fremde Antigene im AB0-System im Plasma schon vorhanden sind, ohne dass ein Kontakt mit der falschen Blutgruppe stattgefunden hat. Antikörper können sonst erst nach einem Erstkontakt mit einem Antigen gebildet werden.

Das Vorhandensein von Antikörpern im Blut von Menschen hat eine praktische Bedeutung bei der Verabreichung von Blutkonserven. Heutzutage wird kaum noch Vollblut verabreicht, es werden entweder Erythrozytenkonserven oder Plasmakonserven gegeben. Bei der Verabreichung von Blutkonserven muss strikt auf die Übereinstimmung der Blutgruppen geachtet werden.

Rhesussystem

Ein zweites wichtiges Blutgruppensystem ist das Rhesussystem, bei welchem aber nur ein einzelnes Antigen, das **Rhesusantigen** oder der **Rhesusfaktor**, eine Rolle spielt. Ist der Rhesusfaktor an der Oberfläche der roten Blutzellen vorhanden, spricht man von Rhesus-positivem (Rh+) Blut, fehlt er, dann ist das Blut Rhesus-negativ (Rh–).

Menschen, bei denen der Rhesusfaktor vorhanden ist, bilden keine Antikörper gegen den Rhesusfaktor (Anti-Rh-AK), Rhesus-negative Menschen jedoch schon, allerdings erst nach einem Erstkontakt mit dem Rhesusfaktor. Antikörper des Rhesussystems sind also nicht einfach schon im Plasma vorhanden, sie werden erst gebildet, wenn Erythrozyten mit Rh+ Antigenen in Rh-negatives Blut gelangen. Daraus können wir ableiten, dass bei einem Erstkontakt ungleicher Blutgruppen im Rhesussystem nicht sofort eine Reaktion zu erwarten ist. So ein Erstkontakt könnte eine Fehltransfusion sein oder während einer Schwangerschaft oder Geburt erfolgen.

Bei Verabreichung einer Blutkonserve mit Rh+ Blut in einen Rh– Organismus reagiert das Immunsystem der Empfängerin mit der Bildung von Antikörpern gegen den Rhesusfaktor. Da jedoch keine Antigene vorhanden sind, wird das vorerst keine negativen Konsequenzen haben. Wird in der Folge jedoch wieder Rh+ Blut transfundiert, dann kommt es zur AG-AK-Reaktion (es reagieren die gebildeten AK mit den AG des Spenderblutes) und zur Agglutination (Verklumpung) des Blutes.

AK können aber auch gebildet werden, wenn während der Geburt eines Rh+ Kindes einer Rh– Mutter kindliche Erythrozyten und somit Rh+ Antigene in den mütterlichen Organismus gelangen. Auch das spielt für die aktuelle Schwangerschaft häufig noch keine Rolle, je nach Zeitpunkt kann es aber auch schon zur Schädigung des ersten Kindes kommen. Bei einer neuerlichen Schwangerschaft mit einem Rh+ Kind gelangen die nun vorhandenen Antikörper der Mutter über die Plazenta in den kindlichen Organismus, was zu einer Schädigung des Kindes führt. Durch die Rhesusantikörper kommt es zur Hämolyse, dem Zerfall der kindlichen Erythrozyten, und in der Folge zu Blutarmut (Anämie) und daraus resultierendem Sauerstoffmangel. Das bei der Hämolyse anfallende Bilirubin hat eine Gelbsucht (Ikterus) beim Kind zur Folge, in schwerwiegenden Fällen tritt das Vollbild des **Morbus hämolyticus neonatorum** auf, welches lebensbedrohlich sein kann.

Zur Prophylaxe verabreicht man Rh– Müttern, die mit einem Rh+ Partner ein Rh+ Kind gezeugt haben, eine Anti-D-Prophylaxe, wobei der Mutter einmal während der Schwangerschaft und innerhalb der ersten 72 Stunden nach der Geburt des Kindes Anti-D-Immunglobuline verabreicht werden. Diese binden an die fetalen Rh+ Antigene, welche in das mütterliche Blut gelangt sind.

Auch im AB0-System besteht prinzipiell, wenn auch aufgrund der Größe der Antikörper viel seltener, die Möglichkeit des Übertrittes von Antikörpern in den kindlichen Kreislauf, die Symptome treten jedoch meist nur in abgeschwächter Form auf.

Unter Antigenen versteht man Stoffe, die im Organismus eine Abwehrreaktion (Immunreaktion) auslösen können. Antikörper sind vom Immunsystem gebildete Abwehrstoffe, die gegen Antigene gerichtet sind.

12.2.2 Weiße Blutzellen (Leukozyten)

Unter weißen Blutzellen werden unterschiedliche Zellen zusammengefasst, welche alle der Abwehr von Krankheitserregern und körperfremden Antigenen dienen. Da sie keinen Blutfarbstoff besitzen und farblos sind, werden sie als weiße Blutzellen bezeichnet.

Es lassen sich jedoch nach ihrem Aussehen, ihrer Funktion und auch nach der Färbbarkeit mit unterschiedlichen Farbstoffen folgende Zellen unterscheiden (siehe auch Abb. 105): neutrophile, eosinophile und basophile Granulozyten, Mastzellen, Monozyten, B- und T-Lymphozyten, natürliche Killerzellen und dendritische Zellen.

Granulozyten besitzen in ihrem Zytoplasma je nach Zelltyp unterschiedlich färbbare und unterschiedlich große Granula (Körnchen), welche verschiedene Stoffe mit Abwehrfunktion enthalten. Granulozyten werden im roten Knochenmark gebildet und können bei Bedarf schnell an das Blut abgegeben werden. Dort verweilen sie jedoch oft nur wenige Stunden, um in die Gewebe und den Ort der Entzündung auszuwandern, wo sie bei Abwehrvorgängen verbraucht werden. Granulozyten sind zum Teil **Mikrophagen (kleine Fresszellen)** und können entsprechend kleine Partikel, wie Bakterien oder Zellbruchstücke, phagozytieren. **Monozyten** sind große Zellen mit Fressfunktion, sie können ganze Zellen phagozytieren. Sowohl die Granulozyten als auch die Monozyten gehören der **unspezifischen, angeborenen Immunität** an.

Die **B- und die T-Lymphozyten** sind die Abwehrzellen der **spezifischen, erworbenen Abwehr**. Die natürlichen Killerzellen gleichen großen Lymphozyten und sind an der Schnittstelle zwischen angeborener und erworbener Immunität angesiedelt.

12.2.2.1 Neutrophile Granulozyten

Neutrophile Granulozyten sind runde Zellen, die mit einem Durchmesser von 9–12 µm größer sind als Erythrozyten. Sie machen etwa 55–70 % der weißen Blutzellen aus. Junge Neutrophile haben einen länglichen, stabförmigen, ältere Zellen einen zunehmend gelappten Kern. Deshalb werden junge Neutrophile auch als **„Stabkernige“**, ältere als **„Segmentkernige“** bezeichnet. Sie besitzen zahlreiche kleine, schwach färbbare (neutrophile) Granula in ihrem Zytoplasma.

Neutrophile Granulozyten sind **Mikrophagen**, sie werden durch Bakterien zur **Diapedese**, dem Auswandern aus dem Blut ins Gewebe, angeregt, phagozytieren diese Bakterien und verpacken sie in Membranbläschen (Phagosomen), welche mit den Granula der Zelle verschmelzen. Die in den Granula enthaltenen Enzyme greifen die Bakterien an, lösen die Erreger, aber auch die beteiligten Neutrophilen auf. Das so entstandene Material ist der Eiter, sie sind also **Eiterbildner**.

> Das gehäufte Auftreten von stabkernigen Neutrophilen wird als Linksverschiebung bezeichnet und tritt häufig bei bakteriellen Infektionskrankheiten auf, da das Knochenmark wegen des erhöhten Bedarfs vermehrt unreife Formen ins Blut abgibt. Bei der Rechtsverschiebung findet man überwiegend segmentkernige Neutrophile im Blut, was ein Hinweis auf eine Blutbildungsstörung sein kann.

12.2.2.2 Eosinophile Granulozyten

Eosinophile Granulozyten sind mit einem Durchmesser von 12–15 µm größer als die Neutrophilen und besitzen wesentlich größere, mit dem Farbstoff Eosin leuchtend rot färbbare Granula. Nur 1–4 % der Leukozyten sind Eosinophile.

Auch eosinophile Granulozyten können phagozytieren, greifen Bakterien jedoch in viel geringerem Ausmaß an als Neutrophile und bilden auch keinen Eiter. Sie sind jedoch sehr effektiv bei der Bekämpfung von Würmern und Protozoen (Urtierchen) und sind auch an allergischen Reaktionen beteiligt. In ihren Granula befinden sich Substanzen, die direkt toxisch auf Parasiten wirken.

12.2.2.3 Basophile Granulozyten

Basophile Granulozyten sind eher kleine Zellen mit einem Durchmesser von 8–10 µm, aber sie besitzen große Granula, welche intensiv blau färbbar sind. Basophile sind sowohl im Blut als auch im Gewebe anzutreffen. Ihr Anteil im Blut liegt bei unter 1 %. **Mastzellen**, welche den Basophilen in Aussehen und Funktion gleichen, findet man nur im Gewebe und da ganz besonders in den Schleimhäuten der Atemorgane und des Verdauungstraktes.

Die Granula der Basophilen und der Mastzellen beinhalten Histamin, Heparin und andere Entzündungsmediatoren. Histamin bewirkt eine Gefäßerweiterung und erhöht die Durchlässigkeit von Blutgefäßen, Heparin beeinflusst die Blutgerinnung. Diese Substanzen bewirken die typischen Erscheinungen bei allergischen und entzündlichen Reaktionen, wie die bessere Durchblutung und die Schwellung des betroffenen Gewebes.

12.2.2.4 Monozyten

Bei den Monozyten handelt es sich um die größten Leukozyten, sie weisen einen Durchmesser von 12–20 µm auf. Sie besitzen einen nierenförmigen Kern.

Monozyten wandern nach 1–2 Tagen aus dem Blut in die Gewebe aus und differenzieren sich dort zu gewebetypischen Makrophagen, großen Fresszellen. Sie phagozytieren Krankheitserreger und üben so eine wichtige Funktion im Rahmen der angeborenen Immunität aus und schützen die Organe vor Krankheitserregern. Monozyten gehören zu den antigenpräsentierenden Zellen, indem sie Erregerbestandteile an ihrer Zelloberfläche zeigen und den T-Zellen präsentieren. So wird die spezifische Abwehr aktiviert. Sie dienen sozusagen als Bindeglied zwischen angeborener und erworbener Abwehr.

Monozyten können sich in folgende Gewebsmakrophagen weiterentwickeln:

- Histiozyten im Bindegewebe
- Kupffer-Sternzellen in der Leber

- Alveolarmakrophagen in der Lunge
- Mikrogliazellen im Gehirn als Teil der Blut-Hirn-Schranke
- Makrophagen der serösen Häute wie Peritoneum (Auskleidung der Bauchhöhle), Perikard (Herzbeutel) und Pleura (Lungenfell)

12.2.2.5 T-Lymphozyten

Die T-Lymphozyten sind runde Zellen mit einem deutlich blau färbbaren, runden Kern. Sie werden im roten Knochenmark gebildet und wandern in den Thymus (Bries) aus, wo sie geprägt werden. Unter **Prägung** versteht man die Fähigkeit, körpereigene Zellen von körperfremden zu unterscheiden, damit nur fremde Zellen vom Immunsystem attackiert werden. Erkennt das Immunsystem Körperzellen dennoch als fremd, werden bei fehlerhafter Prägung nicht alle T-Zellen, die sich gegen körpereigene Proteine richten, eliminiert; Autoimmunerkrankungen sind die Folge. Fehlerhafte Prägung kann aber auch bewirken, dass das Immunsystem zu tolerant gegenüber Eindringlingen wird und den Organismus nicht ausreichend zu schützen vermag (Immunschwäche). T-Lymphozyten wandern erst nach der Prägung in die lymphatischen Organe ein.

T-Lymphozyten sind die Zellen der erworbenen, spezifischen Immunität. Man unterscheidet zytotoxische Zellen, Helferzellen und Suppressorzellen. **Zytotoxische Zellen** erkennen virusinfizierte Zellen und Tumorzellen und bekämpfen diese, **T-Helferzellen** bewirken das Heranreifen von B-Lymphozyten zu Plasmazellen, welche **Antikörper** produzieren, und **T-Suppressorzellen** verhindern überschießende Immunreaktionen, indem sie diese unterdrücken. **T-Gedächtnis-Zellen** sind langlebig und können sich auch später noch an die feindlichen Eindringlinge erinnern.

12.2.2.6 B-Lymphozyten

Optisch unterscheiden sich die B-Lymphozyten nicht von den T-Zellen, sie haben aber andere Eigenschaften und Funktionen. Beide gehören jedoch der erworbenen, spezifischen Immunität an.

B-Lymphozyten werden im Knochenmark (bone marrow) geprägt und wandeln sich bei Immunreaktionen in **Plasmazellen** um, welche Antikörper oder Immunglobuline bilden. Deshalb werden sie zur erworbenen humoralen Abwehr gezählt.

Sowohl bei den T- als auch den B-Lymphozyten gibt es Zellen, die sich bei einem neuerlichen Kontakt mit einem Antigen an dieses (Erreger, Fremdstoffe) erinnern können und eine sehr schnelle Abwehrreaktion bewirken. Diese Zellen heißen **Gedächtniszellen** oder „memory cells“.

12.2.2.7 Natürliche Killerzellen

Sie gehören auch zur Gruppe der Lymphozyten, sind aber Zellen der unspezifischen Immunität. Natürliche Killerzellen identifizieren virusbefallene Zellen und Krebszellen. Diese werden von Enzymen der NK-Zellen beschädigt und ihre Apoptose wird eingeleitet.

12.2.2.8 Dendritische Zellen

Ihren Namen tragen diese Abwehrzellen aufgrund der baumartigen Fortsätze. Ähnlich den Monozyten phagozytieren sie Mikroorganismen und Proteine, zerteilen diese und präsentieren deren Antigene den T-Zellen. Sie sind ein hocheffektives Überwachungssystem.

12.2.3 Blutplättchen (Thrombozyten)

Thrombozyten sind mit nur 1–4 µm Durchmesser die kleinsten Blutzellen; auch sie sind kernlos und entstehen durch die Aufspaltung ihrer Vorläuferzelle, dem kernhaltigen **Megakaryozyten**, im roten Knochenmark. Sie dienen der Blutstillung. Ein Teil der Thrombozyten wird in der Milz gespeichert, um schnell bei Blutungen zur Verfügung zu stehen.

12.3 Physiologie des Blutes

12.3.1 Blutbildung (Hämatopoese)

Hämatopoese ist der Fachbegriff der Vorgänge, welche sich im roten Knochenmark abspielen, um **alle** Blutzellen zu bilden. Die Entstehung der roten Blutzellen wird Erythropoese, die der weißen Blutzellen Leukopoese und jene der Blutplättchen Thrombopoese genannt.

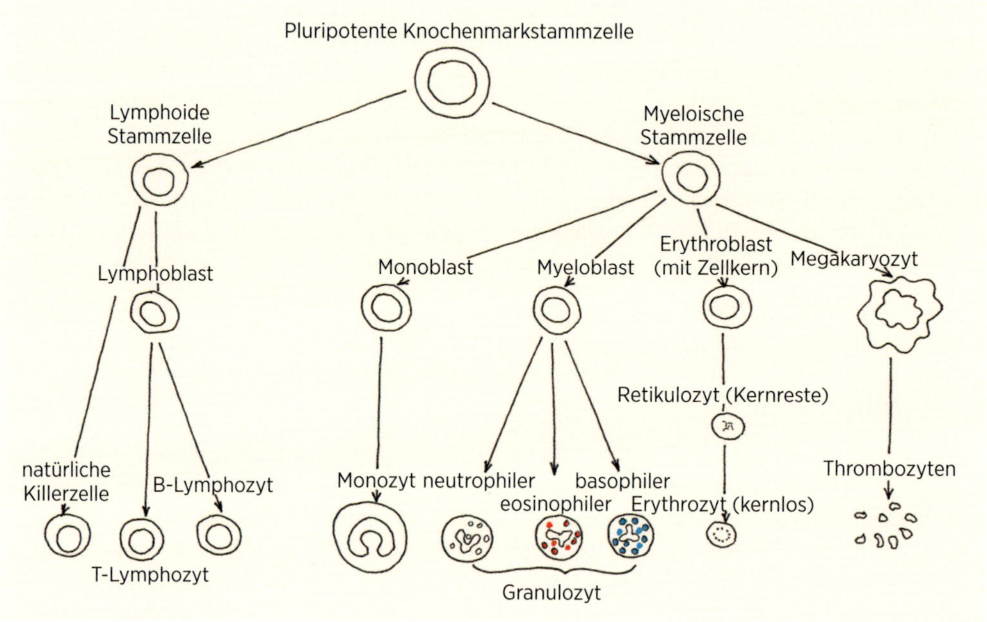

Abb. 107: **Hämatopoese**

Die Regeneration von Blutzellen geht immer von **Stammzellen** aus, welche auch im erwachsenen Organismus noch vorhanden sind. Stammzellen haben die Eigenschaft, sich sowohl teilen als auch differenzieren zu können. Sie können sich also vermehren und in unterschiedliche Zellen weiterentwickeln.

Die Differenzierungsmöglichkeiten adulter (erwachsener) Stammzellen sind gegenüber jenen embryonaler natürlich eingeschränkt, die Differenzierung ist nur innerhalb eines Gewebetyps möglich. So können sich Stammzellen der Epithelien nur in unterschiedliche Epithelzellen differenzieren und aus den Blutstammzellen (Knochenmarkstammzellen) können nur die unterschiedlichen Blutzellen entstehen.

Ausgangszelle aller Blutzellen ist die **pluripotente (vielkönnende) Knochenmarkstammzelle**, die sich in eine myeloische und eine lymphoide Knochenmarkstammzelle differenzieren kann. Aus der **myeloischen Stammzelle** entstehen durch weitere Differenzierungen die Zellen der myeloischen Reihe, das sind Erythrozyten, neutrophile, eosinophile und basophile Granulozyten, Monozyten und Thrombozyten. Aus der **lymphoiden Stammzelle** entstehen die T-Lymphozyten, die B-Lymphozyten und die natürlichen Killerzellen. Die Entwicklung dieser Zellen läuft über mehrere Stufen ab, welche in Abb. 107 dargestellt werden. Der Erythrozyt verliert erst im letzten Reifungsschritt seinen Kern zur Gänze, die unmittelbare Vorstufe ist der **Retikulozyt**, der noch Kernreste enthält. Erst die fertig entwickelten Zellen gelangen aus dem Knochenmark ins Blut. Besteht großer Bedarf, zum Beispiel nach einer Blutung, gelangen auch Retikulozyten ins periphere Blut.

Thrombozyten sind eigentlich keine vollständigen Zellen, sie sind Zellstücke, welche aus den Megakaryozyten entstanden sind.

12.3.2 Blutstillung und Blutgerinnung (primäre und sekundäre Hämostase)

Der menschliche Organismus verfügt über ein komplexes System, um schnell und effektiv auf Gefäßverletzungen reagieren zu können und Blutungen zu stillen. Dieser als Hämostase bezeichnete Vorgang läuft in zwei aufeinanderfolgenden Schritten ab: Der Vorgang der Blutstillung verschließt mit einem „provisorischen" weißen Thrombus aus Blutplättchen (Thrombozyten) die Wunde primär, die nachfolgende Blutgerinnung hat einen stabilen Wundverschluss durch einen roten Thrombus zum Ziel, welcher den weißen Thrombus ersetzt.

12.3.2.1 Blutstillung (primäre Hämostase)

Im Verlauf der primären Hämostase laufen drei Schritte – die **Thrombozytenadhäsion**, die **Thrombozytenaktivierung** und die **Thrombozytenaggregation** – hintereinander ab, welche mit der Ausbildung eines weißen Abscheidungsthrombus enden.

Thrombozytenadhäsion (Aneinanderhaften der Blutplättchen): Bei Verletzungen von Blutgefäßen kommen die Blutplättchen mit Kollagenfasern des umliegenden Gewebes in Kontakt. Durch den aus den verletzten Endothelzellen freigesetzten Von-Willebrand-Faktor haften die Blutplättchen an den Kollagenfasern an und bedecken die verletzte Stelle. Unverletztes Endothel verhindert in der Regel das Anlagern von Thrombozyten an die Gefäßwand. Das soll eine Thrombenbildung in den Blutgefäßen weitgehend verhindern.

Thrombozytenaktivierung: Aus den nun angelagerten Thrombozyten werden Substanzen wie Serotonin und Thromboxan A freigesetzt, welche eine Verengung der betroffenen Blutgefäße (Vasokonstriktion) bewirken. Dadurch verlangsamt sich der Blutfluss und die Blutplättchen können sich besser aneinander anlagern, um einen schnellen Wundverschluss zu gewährleisten. Zusätzlich verändern die Thrombozyten ihre Form und bilden Zytoplasmaausläufer, sogenannte Scheinfüßchen (Podozyten), aus, um aneinander anhaften zu können und den Thrombus zu stabilisieren.

Thrombozytenaggregation: Die ursprünglich flachen Blutplättchen nehmen eine rundliche Form an und die Scheinfüßchen verhaken sich ineinander. Gleichzeitig werden Fibrinogenrezeptoren aktiviert, Fibrinfäden lagern sich an den Thrombus an und die Blutplättchen „verkleben" miteinander. Dieser „Thrombozytenpfropf" verschließt nun die Wunde, dieser Vorgang nimmt nur etwa 1–3 Minuten in Anspruch.

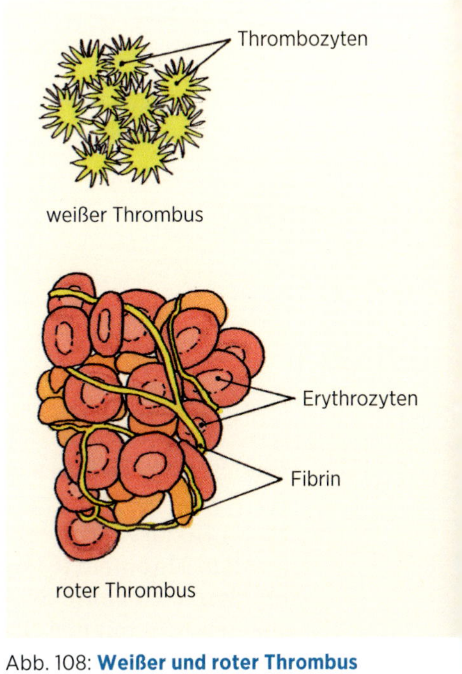

Abb. 108: **Weißer und roter Thrombus**

12.3.2.2 Blutgerinnung (sekundäre Hämostase)

An den Vorgang der Blutstillung schließt die eigentliche Blutgerinnung an, bei der insgesamt 13 Gerinnungsfaktoren, welche entsprechend den römischen Ziffern I bis XIII bezeichnet werden, stufenweise aktiviert werden können, je nachdem, ob die **intrinsische** oder die **extrinsische Gerinnungskaskade** abläuft. Diese beiden unterscheiden sich in ihrer Anfangsphase und führen auf zwei unterschiedlichen Wegen zur Aktivierung des Faktor X (10!!). Ab dieser Stufe laufen beide Systeme gleich ab. Der letzte Schritt ist die Aktivierung von Faktor I, dem Fibrin, aus seiner Vorstufe, dem Fibrinogen. Das Fibrin darf nur im Falle einer notwendigen Blutgerinnung aktiviert werden. Ist dies nicht der Fall, liegt es als nicht festes Fibrinogen vor.

Das Resultat der sekundären Hämostase sollte ein roter Thrombus aus Thrombozyten, Erythrozyten, Leukozyten und Fibrin sein, welcher die Wunde endgültig verschließt. Das stufenweise Aktivieren der Gerinnungsfaktoren soll gewährleisten, dass diese Vorgänge nur bei Bedarf ablaufen.

Intrinsisches oder endogenes System: Die Aktivierung des intrinsischen Systems wird durch den Kontakt mit Kollagen bei Verletzungen der Gefäßinnenwand (Endothel) oder mit körperfremden Materialien ausgelöst. Es läuft innerhalb von Blutgefäßen ab und nimmt einige Minuten in Anspruch, da über mehrere Schritte der Faktor X aktiviert wird. Als Auslöser der Gerinnungskaskade ist der Von-Willebrand-Faktor zu nennen.

Extrinsisches oder exogenes System: Das extrinsische System wird ausgelöst, wenn es zu einer Verletzung des Gewebes und seiner Gefäße nach außen gekommen ist. Die Aktivierung benötigt nur wenige Sekunden, da die Gefahr eines erheblichen Blutverlustes droht. Es benötigt daher weniger Schritte als das intrinsische System, um den Faktor X zu aktivieren. Als Auslöser der Gerinnungskaskade fungiert in diesem Fall das Gewebsthromboplastin, welches durch die Gewebszerstörung frei wird.

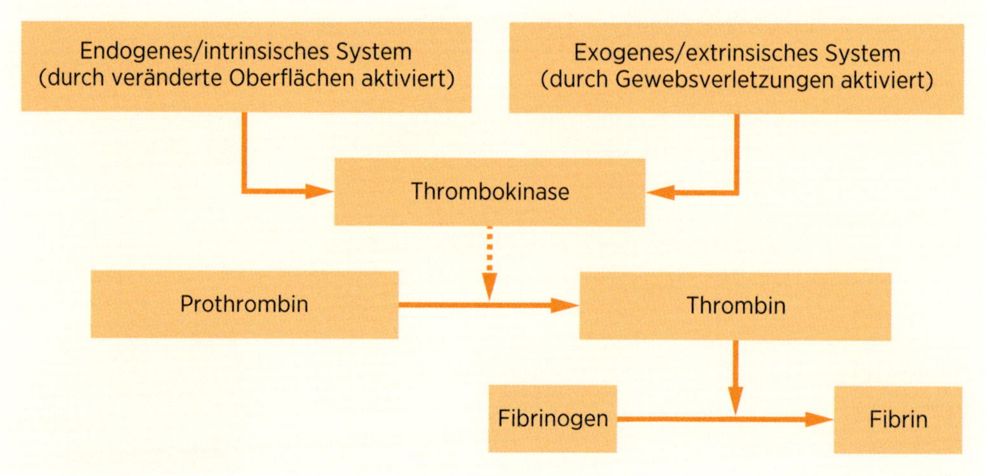

Abb. 109: **Aktivierung der Blutgerinnung**

Ist der Faktor X aktiviert, laufen beide Systeme gleich ab. Zuletzt wird Prothrombin (Faktor II) in Thrombin (Faktor IIa) umgewandelt, welches das inaktive Fibrinogen (Faktor I) im Plasma zu Fibrin aktiviert. Fibrin besteht aus fadenförmigen Eiweißstrukturen, welche netzartig mit den Blutzellen verkleben und ein Blutgerinnsel festigen. Fibrinogen, die Vorstufe des Fibrins, wird in der Leber gebildet, ins Blut abgegeben und darf erst im

Rahmen von Verletzungen aktiviert werden, um kein ungewolltes Blutgerinnsel in den Gefäßen zu erzeugen. Der fertige rote Thrombus zieht sich letztlich noch zusammen, wodurch sich die Wundränder einander annähern und die Wunde verkleinert wird. Gut geschützt kann nun unterhalb dieses roten Wundschorfes die Wundheilung ablaufen.

Einige Gerinnungsfaktoren benötigen für ihre Aktivierung das Vitamin K, welches ebenfalls in der Leber synthetisiert wird.

> Das Vitamin K kann durch Medikamente (Marcumar®) blockiert werden, wodurch eine Thrombenbildung verhindert werden kann.

12.3.3 Fibrinolyse

Thromben können im Organismus auch wieder abgebaut werden. Hierfür ist im Blutplasma Plasminogen, ein Eiweiß aus der Leber, vorhanden, welches durch die Urokinase aus der Niere oder durch den Gewebeplasminogenaktivator (tissue plasminogen activator, tPA) aus Gewebszellen in das aktive Plasmin umgewandelt wird. Plasmin ist ein Enzym, welches das Fibrin spaltet und abbaut, wodurch ein Thrombus, zumindest teilweise, auch wieder aufgelöst werden kann.

> D-Dimere sind Spaltprodukte des Fibrins. Ein Fehlen des Anstiegs von D-Dimeren im Blut wird als Ausschlussdiagnose für eine Thrombose oder Embolie herangezogen.

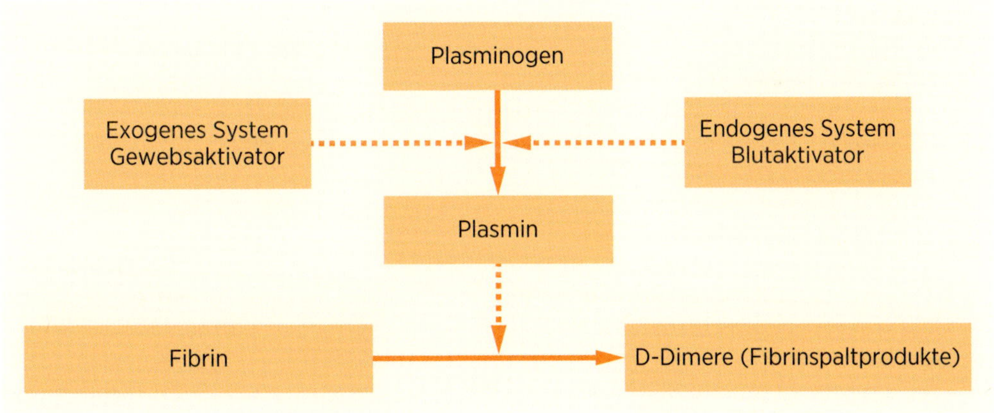

Abb. 110: **Fibrinolyse**

12.3.4 Das Immunsystem

Das menschliche Abwehrsystem lässt sich in eine **angeborene, unspezifische Immunität** und eine **erworbene, spezifische Immunität** unterteilen. Beide Systeme sind aber miteinander verknüpft und arbeiten eng zusammen.

Angeboren bedeutet, dass dieses Abwehrsystem bereits ab der Geburt funktionstüchtig ist und uns von unserem ersten Lebenstag an schützt. Unspezifisch heißt, dass die Komponenten der angeborenen Immunität jeden Eindringling in den Organismus bekämpfen, das Abwehrsystem arbeitet also nicht selektiv. Das angeborene, unspezifische System funktioniert ohne Antigen-Antikörper-Reaktionen, obwohl es durch Antigenkontakt aktiviert wird, und es besitzt keine Gedächtnisfunktion.

Erworben heißt, dass sich diese Immunität erst im Laufe des Lebens durch den Kontakt mit fremden Antigenen entwickelt. Spezifisch bedeutet, dass dieses System gegen Eindringlinge, mit denen es einmal Kontakt hatte, Abwehrstoffe bildet, die selektiv gegen deren Antigene gerichtet sind. Diese Abwehrstoffe sind die Antikörper.

Antigene sind Eiweiße an den Oberflächen unterschiedlicher Zellen und Krankheitserreger, die vom Immunsystem erkannt und gegen die Antikörper gebildet werden können.

Antikörper oder Immunglobuline werden von den Plasmazellen gebildet, sie binden an ihre spezifischen Antigene und regen das Immunsystem zu Abwehrreaktionen gegen den Träger dieser Antigene an.

In der Regel sind Antikörper so spezifisch, dass sie nur an die Struktur eines Antigens passen. Ein intaktes Immunsystem, welches während der Prägung erlernt hat, körpereigene Antigene zu tolerieren, richtet sich nur gegen fremde und potenziell gefährliche Antigene, welche in den Organismus gelangen. Werden jedoch gegen harmlose Antigene Abwehrmaßnahmen eingeleitet, spricht man von einer Allergie. Werden körpereigene Antigene als fremd bewertet und Antikörper dagegen gebildet, liegt eine Autoimmunerkrankung vor.

Die erworbene Immunität besitzt zusätzlich eine Gedächtnisfunktion, die das Immunsystem schnell gegen bereits bekannte Erreger handeln lässt. Sowohl die T- als auch die B-Zellen besitzen an ihrer Oberfläche Antikörper, welche ihr spezifisches Antigen erkennen und eine entsprechende Immunantwort auslösen.

Beide Abwehrsysteme bestehen außerdem aus einer **zellulären und einer humoralen Komponente**. Die zelluläre Komponente setzt sich aus den oben besprochenen Abwehrzellen zusammen, die humorale Komponente besteht aus gelösten Stoffen im Blut und in den Körperflüssigkeiten. Es handelt sich im Wesentlichen um Botenstoffe, welche Immunreaktionen hervorrufen und beschleunigen.

12.3.4.1 Angeborene, unspezifische Abwehr

Sie ist schon bei der Geburt vorhanden, funktioniert ohne Antigen-Antikörper-Reaktion und hat keine Gedächtnisfunktion. Eine erste Abwehrschranke soll von vornherein verhindern, dass Pathogene tiefer in den Organismus eindringen. Wird diese jedoch überwunden, werden in einer ersten Abwehrreaktion die unspezifischen Immunzellen und humoralen Substanzen aktiv.

Erste Abwehrschranke

Eine intakte Haut und unverletzte Schleimhäute verhindern weitgehend ein Durchdringen des Schutzepithels der Körperoberfläche. Chemische Substanzen wie der Säureschutzmantel der Haut, keimtötende Enzyme (Lysozyme) in Speichel, Tränenflüssigkeit und Schweiß oder die Salzsäure des Magensaftes sollen Erreger unschädlich machen. Das Flimmerepithel der Atemwege und die Peristaltik des Darmes befördern Krankheitserreger sehr effizient wieder aus dem Körper.

Zelluläre Komponente

Einige der unspezifischen Abwehrzellen sind Phagozyten, welche einerseits direkt Eindringlinge abtöten, andererseits das spezifische Abwehrsystem auf eingedrungene Erreger aufmerksam machen. Zu den Zellen der angeborenen Abwehr zählen die Granulozyten, die Mastzellen, die Monozyten, die dendritischen Zellen und die natürlichen Killerzellen. Die Gruppe der Granulozyten lässt sich nach der Färbbarkeit ihrer Granula, das sind kleine Vesikel im Zytoplasma, in neutrophile, basophile und eosinophile unterteilen.

Neutrophile Granulozyten sind Mikrophagen, sie phagozytieren und zerstören Bakterien und bilden durch lytische (auflösende) Enzyme im Rahmen ihrer Abwehrreaktion Eiter. **Eosinophile Granulozyten** bekämpfen durch Giftstoffe in ihren Granula Parasiten und sind an allergischen Reaktionen beteiligt. **Basophile Granulozyten** enthalten Histamin und Heparin, welche allergische und entzündliche Reaktionen hervorrufen.

Mastzellen findet man in zahlreichen Geweben des Körpers, auch sie besitzen Granula, in denen reichlich Histamin und Heparin zu finden sind. Daher sind sie wesentlich an allergischen Sofortreaktionen, wie einem Asthmaanfall oder Quaddelbildung auf der Haut, beteiligt.

Monozyten sind hingegen große Fresszellen, also Makrophagen, welche recht bald die Blutbahn verlassen und sich in verschiedenen Organen zu typischen **Gewebsmakrophagen**, wie den Kupffer-Sternzellen der Leber oder den Alveolarmakrophagen der Lunge, weiterentwickeln.

Natürliche Killerzellen entstammen der lymphatischen Knochenmarkszelle und erkennen Oberflächenveränderungen an mit Viren befallenen und bösartig veränderten Körperzellen. Ihre Enzyme lassen die Zellwände der erkrankten Zellen durchlässiger werden, wodurch diese die Apoptose einleiten und absterben.

Dendritische Zellen haben an ihrem Zellkörper Zytoplasmafortsätze, die an Dendriten erinnern. Sie erkennen in den Organen des Körpers fremde Antigene, phagozytieren diese und wandern weiter in die Lymphknoten. Dort präsentieren sie ihre phagozytierten Antigene an ihrer eigenen Zelloberfläche, wodurch die T-Lymphozyten eine spezifische Immunantwort einleiten. Sie sind ein hoch effektives Überwachungssystem unseres Körpers.

Dendritische Zellen und Monozyten zählt man zu den **„antigenpräsentierenden Zellen“**, sie sind ein wesentliches Verbindungsglied zwischen unspezifischer und spezifischer Immunität. Die Antigene phagozytierter Erreger werden an ihrer Zelloberfläche präsentiert und anderen Komponenten des Immunsystems zugänglich gemacht.

Humorale (stoffliche) Komponente

Zahlreiche stoffliche Anteile der angeborenen Immunität werden als humorale Komponente zusammengefasst.

Das **Komplementsystem** besteht aus neun Faktoren, welche in einer nicht aktiven Form im Plasma vorliegen. Wird ein Faktor durch Mikroorganismen oder durch einen Antigen-Antikörper-Komplex (AG-AK-Komplex) aktiviert, dann werden kaskadenartig die anderen Faktoren auch in ihre aktive Form umgewandelt. Dadurch laufen unterschiedliche Abwehr- und Entzündungsreaktionen ab. Das Komplementsystem markiert Erreger und macht sie so für Fresszellen erkennbar (Opsonisierung), es lockt Abwehrzellen an den Ort der Entzündung (Chemotaxis) und erhöht die Durchlässigkeit der Zellmembran körperfremder Zellen, was zu deren Untergang beiträgt.

Lysozyme sind Enzyme mit antibakterieller Wirkung in verschiedenen Körperflüssigkeiten.

Interferone schützen gesunde Körperzellen vor Virusbefall. Sie gehören ebenso wie die Interleukine zu den Zytokinen, hormonähnlichen Botenstoffen des Immunsystems.

Interleukine sind Abwehrstoffe, welche einerseits von Abwehrzellen gebildet werden, andererseits vielfältige Funktionen dieser Zellen beeinflussen. So fördern sie Vermehrung und Differenzierung von Abwehrzellen, locken Abwehrzellen an „den Ort der Entzündung“ (Chemotaxis) und tragen zur Umwandlung von B-Zellen in Plasmazellen bei.

Das **C-reaktive Protein (CRP)** aktiviert das Komplementsystem. Es zählt zu den sogenannten Akute-Phase-Faktoren und steigt besonders im Rahmen bakterieller Infektionen im Blut an. Im klinischen Alltag wird der CRP-Wert zur Einschätzung des Verlaufs entzündlicher Erkrankungen bestimmt und herangezogen.

Tab. 44: **Unspezifische Abwehr**

Erste Abwehrschranke intakte Haut und Schleimhäute; Säureschutzmantel der Haut; Abwehrstoffe in Speichel, Tränenflüssigkeit, Schweiß; Flimmerepithel der Atemwege; Peristaltik des Darms	
Zelluläre Komponente	**Humorale (stoffliche) Komponente**
Neutrophile Granulozyten: sind Mikrophagen, zerstören Bakterien und bilden Eiter. **Eosinophile Granulozyten:** bekämpfen durch Giftstoffe Parasiten und sind an allergischen Reaktionen beteiligt. **Basophile Granulozyten und Mastzellen:** enthalten Histamin und Heparin, sind an allergischen und entzündlichen Reaktionen beteiligt. **Monozyten:** große Fresszellen, entwickeln sich in Geweben zu typischen Makrophagen, wie den Kupffer-Sternzellen der Leber oder den Alveolarmakrophagen der Lunge, weiter. Gehören zu den antigenpräsentierenden Zellen. **Dendritische Zellen:** antigenpräsentierende Zellen **Natürliche Killerzellen:** bekämpfen direkt von Viren befallene und veränderte Körperzellen.	**Komplementsystem:** markiert Erreger und macht sie so für Makrophagen erkennbar (Opsonisierung), bewirkt die Auflösung von AG-AK-Komplexen (Lyse) und unterstützt durch Chemotaxis Entzündungsreaktionen im Körper. **Lysozyme:** sind Enzyme mit antibakterieller Wirkung in den Körperflüssigkeiten. **Interferone:** schützen noch gesunde Körperzellen vor Virusbefall. **Interleukine:** fördern die Vermehrung und die Differenzierung von Abwehrzellen, locken Abwehrzellen an „den Ort der Entzündung" (Chemotaxis) und tragen zur Umwandlung von B-Zellen in Plasmazellen bei. **C-reaktives Protein (CRP):** aktiviert das Komplementsystem, zählt zu den sogenannten Akute-Phase-Faktoren und steigt besonders im Rahmen bakterieller Infektionen im Blut an.

12.3.4.2 Erworbene, spezifische Abwehr

Sie wird im Laufe des Lebens erworben, funktioniert über Antigen-Antikörper-Reaktionen und besitzt eine Gedächtnisfunktion, erinnert sich also an einen Erreger und bekämpft ihn schnell und effektiv.

Zelluläre Komponente

Die Lymphozyten sind die Zellen der erworbenen Abwehr, wobei sich die T-Lymphozyten tatsächlich als Zellen mit ihren Oberflächenantikörpern an die fremden Antigene binden. Die B-Lymphozyten werden im Folgenden zur humoralen Immunität gezählt, da sie nach Antigen-Kontakt zu Plasmazellen werden und die humoralen Antikörper (Immunglobuline) bilden.

T-Lymphozyten werden im Thymus geprägt, erkennen mit ihrem Antikörper an der Zelloberfläche das passende Antigen und machen es unschädlich. Nach ihrer Funktion lassen sich unterschiedliche Gruppen von T-Zellen unterscheiden. Die zytotoxischen Zellen erkennen Zellen, welche von Viren befallen sind, sowie entartete Körperzellen, welche sie direkt angreifen und zerstören. T-Helferzellen aktivieren das Immunsystem, indem sie die Umwandlung von B-Zellen in Plasmazellen induzieren. T-Suppressorzellen unterdrücken schließlich überschießende Immunreaktionen.

Humorale Komponente
B-Lymphozyten erkennen über ihren Membranantikörper die entsprechenden Antigene (AG) und wandeln sich bei Kontakt mit „ihrem“ Antigen in Plasmazellen um, welche dann eine große Anzahl spezifischer Antikörper (AK) bilden.

Antikörper oder Immunglobuline sind Y-förmige Proteine, wobei an den beiden kurzen Armen die Antigene binden und der lange Arm mit anderen Abwehrzellen kommuniziert, wodurch entsprechende Abwehrreaktionen ausgelöst werden. Hat ein Antikörper an das Antigen eines Krankheitserregers angedockt, entsteht ein AG-AK-Komplex, welcher von Fresszellen erkannt und durch Phagozytose wieder eliminiert werden kann. AG-AK-Komplexe können dem Organismus aber auch Schaden zufügen, wie es nach der Verabreichung gruppenfremden Blutes oder im Rahmen von Immunerkrankungen der Fall ist.

Nach Aussehen und Funktion lassen sich fünf Antikörperklassen unterscheiden:

Immunglobuline M (IgM) bestehen aus 5 Y, welche sternförmig miteinander verbunden sind. IgM sind die ersten Antikörper, die bei einer Infektion im Blut ansteigen, sie werden dementsprechend auch als Frühantikörper bezeichnet. Sie dienen der Agglutination von Antigenen und neutralisieren diese. Auch die körpereigenen Blutgruppen-AK des AB0-Systems gehören dieser Immunglobulinfraktion an, sie können aufgrund ihrer Größe die Plazentaschranke nicht überwinden.

Immunglobuline G (IgG) sind kleine Antikörper, sie bestehen aus nur einer Y-Untereinheit und werden bei einem erneuten Kontakt mit einem Erreger gebildet. Sie machen den weitaus größten Anteil der AK im Blut aus und bleiben dort auch lange bestehen (Spätantikörper). IgG dienen dem immunologischen Gedächtnis und sind für die Immunität gegen Krankheiten nach Impfungen oder durchgemachter Erkrankung verantwortlich. Da sie so klein sind, sind sie plazentagängig und gelangen in den fetalen Blutkreislauf. So schützen sie das Neugeborene. Da jedoch auch die Rhesusantikörper zur Gruppe der IgG gehören, können sie das Ungeborene schädigen und einen Morbus haemolyticus neonatorum hervorrufen (siehe Kap. „Blutgruppen“).

Immunglobuline A (IgA) bestehen aus zwei Y-Untereinheiten und kommen in diversen Körperflüssigkeiten wie Speichel, Bronchialsekret oder Muttermilch vor (sekretorische Antikörper). Sie schützen den Organismus direkt an der Eintrittspforte der Schleimhäute und das gestillte Kind über die Muttermilch.

Immunglobuline E (IgE) sind wiederum kleine Immunglobuline, welche vor allem gegen Parasiten und bei allergischen Reaktionen ausgeschüttet werden. Sie bewirken die Freisetzung von Histamin, welches im Rahmen von anaphylaktischen Reaktionen die Gefäßweitstellung und einen Blutdruckabfall bewirkt.

Immunglobuline D (IgD) sitzen an der Oberfläche von B-Zellen und dienen der Erkennung von Antikörpern.

Tab. 45: **Spezifische Abwehr**

Zelluläre Komponente	Humorale Komponente
T-Lymphozyten: zytotoxische Zellen greifen die Zielzelle direkt an; T-Helferzellen aktivieren das Immunsystem; T-Suppressorzellen unterdrücken überschießende Immunreaktionen.	**Antikörper:** IgM, IgG, IgA, IgE, IgD

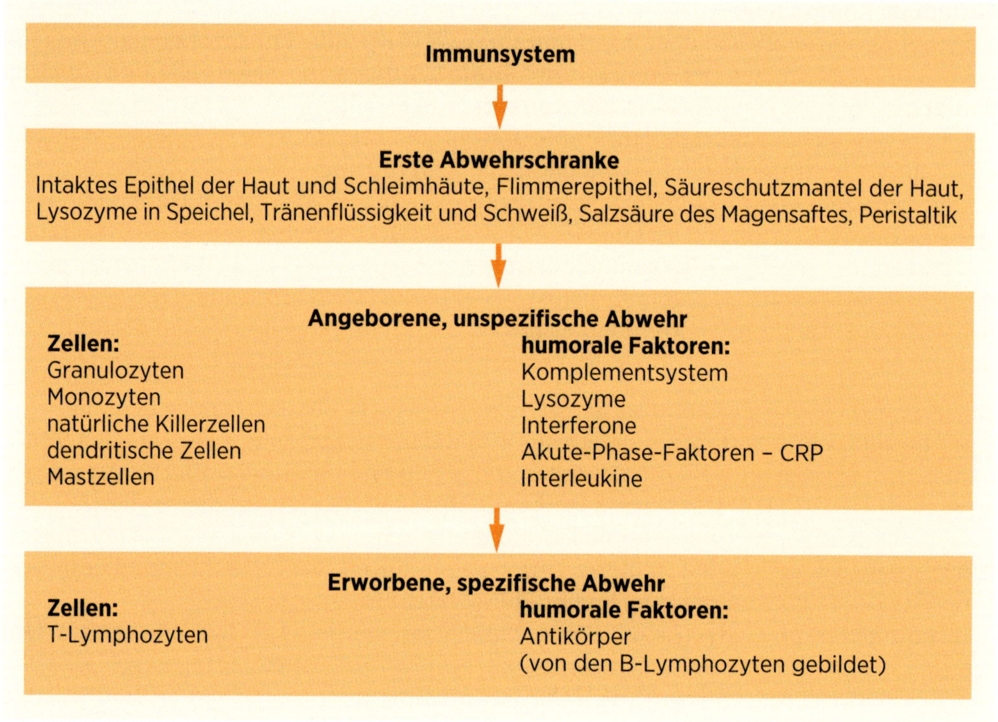

Abb. 111: **Immunsystem**

12.3.4.3 Wie funktioniert das Immunsystem?

Unterschiedliche Erreger versuchen ständig, die Schutzbarrieren unseres Körpers zu überwinden und in ihn einzudringen. Eine intakte äußere Barriere schafft es weitgehend, diese Eindringlinge daran zu hindern. Physikalische Einrichtungen wie das mehrschichtige Epithel unserer Haut, die ständig rachenwärts schlagenden Flimmerhärchen unserer Atemwege oder die peristaltischen Bewegungen unseres Darms bilden eine potente Schutzhülle gegen Eindringlinge. Chemische Substanzen wie Lysozyme in Tränenflüssigkeit, Speichel oder Nasensekret, der hoch konzentrierte saure Magensaft oder der pH-Schutzmantel der Haut tragen ebenfalls zur Abwehr von Erregern bei.

Werden diese äußeren Barrieren durchlässig und für Bakterien, Viren, Pilze oder Parasiten überwindbar, können selbst harmlose Erreger Krankheiten hervorrufen. Bevor dies geschieht, kommt die nächste Stufe unseres Immunsystems ins Spiel, welches über Abwehrzellen und zahlreiche humorale Komponenten verfügt.

Erreger tragen, wie jede andere Zelle auch, Antigene an ihrer Oberfläche. Diese **Antigene** sind Glykoproteine, welche eine Zelle eindeutig identifizieren lassen und vom Immunsystem erkannt werden.

Jede Körperzelle besitzt ihr spezifisches Antigen oder den sogenannten Haupthistokompatibilitätskomplex der Klasse I – MHC-1 (major histocompatibility complex) –, welcher sie eindeutig als körpereigen ausweist. Ein gesundes Immunsystem hat während der menschlichen Entwicklung gelernt, körpereigene Antigene von potenziell gefährlichen, körperfremden zu unterscheiden. Dieser Vorgang wird als **Prägung** bezeichnet, die überaus wichtigen T-Lymphozyten werden im Thymus geprägt. Läuft diese Prägung fehlerhaft ab, kann es vorkommen, dass harmlose Antigene, wie Pollen oder Nahrungsmittelantigene, als gefährlich eingestuft werden und das Immunsystem darauf reagiert. Dies ist zum Beispiel bei Allergien oder, wenn es sich um körpereigene Antigene handelt, bei den zahlreichen Autoimmunerkrankungen der Fall. Erkennt das Immunsystem gefährliche Antigene jedoch nicht, liegt eine Immundefiziterkrankung vor. In diesem Fall hat der Organismus Krankheitserregern kaum etwas entgegenzusetzen und erkrankt.

Das unspezifische Immunsystem unterscheidet sich nicht nur in seinen Abwehrzellen und humoralen Faktoren vom spezifischen, sondern auch in seinen drei wesentlichsten Eigenschaften. So ist die unspezifische Abwehr **angeboren**, sie ist **nicht erregerspezifisch** und entwickelt **keine Gedächtniszellen**. Sie richtet sich wie das spezifische Immunsystem gegen Antigene, jedoch nicht mit der Bildung von Antikörpern. Außerdem erkennt sie Antigene, ohne dass diese zuerst von Fresszellen zerlegt und präsentiert werden müssen, und reagiert **sehr schnell**.

Zu den zellulären Bestandteilen des unspezifischen Systems werden die Granulozyten, die Monozyten und die daraus entstehenden Gewebsmakrophagen, die Mastzellen, die dendritischen Zellen und die natürlichen Killerzellen gezählt.

Ist ein Krankheitserreger in den Körper eingedrungen, wird zuerst die unspezifische, angeborene Abwehr aktiv. Wird eine Körperzelle von einem Erreger befallen oder entwickelt sich eine Zelle in Richtung Tumorzelle, dann zeigen sich die veränderten Proteinsequenzen in den MHC-Molekülen, genauer gesagt **MHC-I-Molekülen**, der Zelloberfläche. Diese werden direkt von natürlichen Killerzellen erkannt und vernichtet.

Kommt es zu einer Entzündung, wird neben den Abwehrzellen auch das Komplementsystem aktiviert, welches Fresszellen (Phagozyten) an den Ort der Entzündung lockt. Dieses Heranlocken wird als **Chemotaxis** bezeichnet.

Neutrophile Granulozyten sind Mikrophagen, sie können nur kleine Bestandteile wie Bakterien fressen, verdauen diese und zerfallen zu Eiter. Monozyten und die daraus hervorgehenden Makrophagen phagozytieren auch größere Bestandteile, wie befallene Zellen. Eosinophile beherbergen Giftstoffe, mit denen sie Parasiten angreifen, Basophile und Mastzellen setzen Histamin im Rahmen allergischer Reaktionen frei, die natürlichen Killerzellen erkennen veränderte Oberflächenbestandteile von virusinfizierten und maligne veränderten Zellen und leiten deren Apoptose ein.

Reichen diese Maßnahmen nicht aus, um eine Entzündung zu beenden, tritt die **erworbene, spezifische Abwehr** in Aktion. Diese reagiert vorerst nicht so schnell, funktioniert über eine Antigen-Antikörper-Reaktion und bildet Gedächtniszellen aus.

Monozyten, Makrophagen und dendritische Zellen sind also in der Lage, Antigene zu phagozytieren, diese in ihre Bestandteile zu zerlegen und sie den T-Zellen des spezifischen Immunsystems zu präsentieren. Man bezeichnet sie daher als **antigenpräsentierende Zellen**. Die dabei entstandenen **HLA-II-Moleküle** können von den T-Lymphozyten erkannt und der Erreger kann identifiziert werden. Die antigenpräsentierenden Zellen wandern aus dem Gewebe in die Lymphknoten und andere lymphatische Organe, präsentieren dort das Antigen und den Histokompatibilitätskomplex der Klasse II den naiven (wenig differenzierten) T-Zellen, welche sich nun zu **T-Helferzellen** differenzieren. Diese locken die **B-Zellen** an und geben ihre Information über das Fremdantigen an diese weiter, indem die B-Zellen an die T-Helferzellen andocken. So werden die B-Zellen zur Vermehrung und Differenzierung in Plasmazellen angeregt, welche daraufhin mit der Produktion und Ausschüttung der gegen genau dieses HLA gerichteten Antikörper beginnen. Die freigesetzten Antikörper lagern sich an die passenden Antigene nach dem Schlüssel-Schloss-Prinzip an, was diese deaktiviert. Die AG-AK-Komplexe werden wiederum phagozytiert und zerstört.

Die T-Zellen differenzieren sich weiter in **T-Suppressorzellen**, welche eine Immunantwort auch wieder beenden oder eine überschießende Immunreaktion verhindern sollen. Einige T- und B-Lymphozyten entwickeln sich nach einem Antigenkontakt zu **Gedächtniszellen**, welche bei einem erneuten Befall mit dem Erreger nun sehr schnell die entsprechenden Maßnahmen einleiten können. Die durch Erregerkontakt gebildeten Antikörper und die Gedächtniszellen ermöglichen die Immunisierung gegen einen Erreger. **T-Killerzellen** zerstören eingedrungene Krankheitserreger.

Das **Komplementsystem** besteht aus einer Kette von Plasmaproteinen, die kaskadenartig aktiv werden und sowohl unspezifische als auch spezifische Immunreaktionen auslösen. Es kann auf direktem (klassischem) Weg durch Antigen-Antikörper-Komplexe und auf indirektem (alternativem) Weg durch Bakterienoberflächen aktiviert werden.

Auf beiden Wegen wird letztlich ein Enzym, die **C3-Plasmakonvertase**, aktiviert, die die **Opsonisierung**, also das Schmackhaftmachen eines Erregers für Fresszellen mit nachfolgender Phagozytose, und die **Chemotaxis** ermöglicht. Über weitere Aktivierungsschritte wird ein Membranangriffskomplex aktiviert, welcher die Zellwände befallener Zellen durchlöchert und diese zerstört.

Zytokine sind Eiweiße, die von zahlreichen Abwehrzellen gebildet werden und die die Kommunikation zwischen den Abwehrzellen, deren Teilungsfreudigkeit und Vermehrung (Proliferation) und die Differenzierung von Zellen steuern. Zu ihnen werden die große Gruppe der **Interleukine**, die **Interferone**, die **Akute-Phase-Proteine** und der **Tumornekrosefaktor** gezählt. Interleukine und Tumornekrosefaktor aktivieren unterschiedliche Abwehrzellen und das Gerinnungssystem und wirken als Pyrogene fiebersteigernd. Durch die Aktivierung der Blutgerinnung sollen Erreger in ihrer Ausbreitung über die Blutbahn behindert werden. Ein Fieberanstieg schafft optimale Bedingungen für die Funktion von Abwehrzellen. Interferone hemmen die Ausbreitung von Viren im Organismus und aktivieren die natürlichen Killerzellen. Zu den Akute-Phase-Proteinen gehört das C-reaktive Protein, welches das unspezifische Immunsystem aktiviert und als Entzündungsmarker Bedeutung hat.

12.4 Pathophysiologie des Blutes

Die Erythrozyten sind das Transportsystem für den Sauerstoff zu den Zellen, eine Verminderung macht sich schnell durch eine Unterversorgung der Gewebe bemerkbar. Sind Erythrozyten und/oder das Hämoglobin im Blut vermindert, spricht man von einer **Anämie**. Leukozyten sind an den unterschiedlichen Abwehrreaktionen beteiligt, überschießende Reaktionen führen zu Allergien oder Autoimmunerkrankungen, zu geringe Abwehrleistung hat Immundefiziterkrankungen zur Folge. Die Blutplättchen ermöglichen gemeinsam mit den zahlreichen Gerinnungsfaktoren die Blutgerinnung, eine ungewollte Gerinnung des Blutes innerhalb des Gefäßsystems wird als Thrombose bezeichnet.

Tab. 46: **Pathologische Veränderungen des Blutes**

Pathologische Veränderung	Ursachen/Folgen
Erythrozyten (Normalwerte der Erythrozyten: Mann 4,5–6,0 Mio/Mikroliter Blut, Frau 4,1–5,4 Mio/Mikroliter Blut)	
Anämie	Unter einer Anämie versteht man eine Verringerung der roten Blutzellen und/oder des Blutfarbstoffes Hämoglobin. Ursachen: vermehrter Untergang der Blutzellen, verminderte Bildung durch Mangel an Eisen oder Vitamin B12 Symptome: Blässe, Müdigkeit, Atemnot, Herzrasen, Kopfschmerzen, Schwindel

Leukozyten (Normalwerte der Leukozyten: 4.000–10.000/Mikroliter Blut)	
Autoimmunerkrankung	Die Zellen des Immunsystems erkennen körpereigene Strukturen als fremd, greifen diese an und zerstören sie. Beispiele: Diabetes mellitus Typ I: es werden die insulinproduzierenden B-Zellen des Pankreas zerstört; Multiple Sklerose: es kommt zur Zerstörung des Myelins im Nervensystem mit unterschiedlichsten neurologischen Symptomen.
Allergie	Das Immunsystem erkennt harmlose Substanzen als potenziell gefährlich und reagiert bei Kontakt mit Immunreaktionen. Beispiele: Die Haut kann mit einem allergischen Hautausschlag (Urticaria), die Atemwege können mit einer Verengung der kleinen Bronchien (allergisches Asthma) reagieren.
Leukozytose	Erhöhung der weißen Blutzellen Ursachen: Infektionen, Leukämien, Tumorerkrankungen
Leukozytopenie	Verminderung der weißen Blutzellen Ursachen: einige Infektionserkrankungen, wie zum Beispiel AIDS, Knochenmarksschädigung
Leukämie	bösartige Vermehrung der Leukozyten (Blutkrebs)
Blutgerinnung	
Thrombozyten (Normalwerte: 150.000–300.000/Mikroliter Blut)	
Thrombose	Ungewollte Blutgerinnung innerhalb eines Blutgefäßes
Embolie	Verschluss eines Blutgefäßes durch einen losgelösten Thrombus (Embolus). Es können aber auch Luft, Fett, abgebrochene Katheterspitzen, Fruchtwasser oder Tumorzellen Embolien verursachen. Die Folgen von Thrombosen und Embolien können Herzinfarkt, Schlaganfall und Beinvenenverschlüsse sein.

12.4.1 Medikamentöse Hemmung der Blutgerinnung und Auflösen von Thromben

Sowohl in den Mechanismus der Blutstillung als auch der Blutgerinnung kann bei bestehender Gefahr einer überschießenden Reaktion medikamentös eingegriffen werden. Durch den Verschluss von Blutgefäßen kann eine Thrombose gefährliche Folgen haben (Herzinfarkt, Schlaganfall).

Die **Blutstillung** kann durch Acetylsalicylsäure (Aspirin) gehemmt werden, da sie das Aneinanderlagern der Thrombozyten (Thrombozytenaggregation) verhindert. Ähnlich wirken auch die Wirkstoffe Clopidogrel und Ticlopidin. Abciximab, ein monoklonaler Antikörper, verhindert ebenfalls die Blutstillung.

Die **Blutgerinnung** wird einerseits durch Heparin, andererseits durch das Cumarinderivat Marcumar® gehemmt. **Heparin** steigert die Wirkung von Antithrombin III, welches einige Gerinnungsfaktoren hemmt. Aufgrund seiner geringen Halbwertszeit ist die Therapie mit Heparin gut steuerbar, es muss jedoch subkutan oder intravenös, also mit Spritzen, verabreicht werden.

Marcumar® ist ein Vitamin-K-Antagonist (Gegenspieler). Vitamin K wird in der Leber gebildet und bewirkt die Aktivierung von Gerinnungsfaktoren. Unter Marcumartherapie wird die Bildung dieser Faktoren gehemmt. Dieses Medikament wird als Tablette geschluckt, ist aber schlecht steuerbar und birgt die Gefahr von Blutungen nach Verletzungen.

Große Vorteile bringen eine Reihe von modernen **Antikoagulantien** (Gerinnungshemmern), die oral verabreicht werden und gut steuerbar sind. Zu dieser Gruppe zählen Dabigatran (es hemmt den Faktor II der Gerinnungskaskade), Apixaban, Edoxaban und Rivaroxaban (hemmen den Faktor X).

Auch die **Fibrinolyse**, das Auflösen von Thromben, kann medikamentös beeinflusst werden. Bewirkt wird dies durch Streptokinase, ein Protein, welches von Streptokokken gebildet wird, und Urokinase, einem Enzym aus der Niere. Sie können in der Therapie von Herzinfarkten, Thrombosen und Embolien eingesetzt werden. Therapeutisch kommt jedoch in erster Linie das gentechnisch hergestellte Produkt zur Anwendung.

Übungsfragen

1. Unterscheide die Begriffe Blutplasma und Blutserum.
2. Welche Funktionen erfüllt das Blut?
3. Nenne die Funktionen der beiden Bluteiweiße Albumine und Gammaglobuline.
4. Beschreibe Aussehen und Funktion der Erythrozyten. Nenne die physiologische Anzahl in der richtigen Einheit, den Bildungsort, die Lebensdauer und den Ort ihres Abbaus. Welche Funktion hat das Hämoglobin? Was versteht man unter einer Anämie?
5. Beschreibe Aussehen und Funktion der Leukozyten. Nenne die physiologische Anzahl in der richtigen Einheit, den Bildungsort und den Ort ihres Abbaus. Was verstehst du unter Leukozytose, Rechtsverschiebung und Linksverschiebung?
6. Unterscheide die verschiedenen Granulozyten nach ihrem Aussehen und ihrer Funktion. Bei welchen Erkrankungen treten sie jeweils vermehrt auf?
7. Erkläre die Funktion der Monozyten.
8. Erkläre die Prägung und die Aufgaben der B-Lymphozyten und der T-Lymphozyten. Unterscheide angeborene und erworbene Immunität und ordne die Abwehrzellen und die humoralen Komponenten richtig zu. Welche Funktionen haben die verschiedenen T-Zellen? Was versteht man unter einer Autoimmunerkrankung?
9. Beschreibe den Bildungsort und die Aufgabe der Thrombozyten.
10. Wo findet die Hämatopoese statt, aus welcher Zelle differenzieren sich alle Blutzellen? Welche Zellen differenzieren sich aus der myeloischen und aus der lymphoiden Stammzelle?
11. Unterscheide die primäre und die sekundäre Hämostase. Was versteht man unter einem weißen und einem roten Thrombus? Wie viele Gerinnungsfaktoren müssen bei der sekundären Hämostase aktiviert werden? Welcher Schritt läuft als letzter ab? Unterscheide die Begriffe Thrombus und Embolus.
12. Welche Antigene und welche Antikörper findet man bei den jeweiligen Blutgruppen? Wo sind die Blutgruppenantigene und die jeweiligen Antikörper lokalisiert? Welche Bedeutung haben die Blutgruppen bei Transfusionen? Welche Rhesuskonstellation kann bei Schwangerschaften „gefährlich“ werden? Warum treten Rhesusantikörper durch die Plazentaschranke hindurch, Antikörper des AB0-Systems aber nicht?

13 Lymphatisches System

Das lymphatische System ist ein über die Körperregionen verteiltes funktionelles Netzwerk, welches sich aus unterschiedlichen Organen und Geweben zusammensetzt. Ihre gemeinsame Aufgabe ist die Abwehr von Krankheiten und der Abtransport von Lymphflüssigkeit aus den Geweben. Zum Lymphsystem zählt man die Lymphknoten und die Lymphbahnen, die Mandeln (Tonsillen), die Bries (Thymusdrüse), die Milz (Lien), den Wurmfortsatz (Appendix vermiformis) und lymphatisches Gewebe im Bereich von Schleimhäuten, besonders des Darmes.

13.1 Lymphknoten und Lymphbahnen

Lymphknoten sind etwa 0,5–1 cm große, längliche Organe, welche in bestimmten Regionen des Körpers vermehrt vorkommen und dem Herausfiltern von Erregern, Fremdstoffen und entarteten Körperzellen aus der Gewebsflüssigkeit und deren Abwehr dienen. Fremde Antigene in der Lymphflüssigkeit aktivieren die T-Zellen und bewirken die Antikörperbildung der B-Zellen. Von einer äußeren bindegewebigen Kapsel ziehen Bindegewebssepten in die Tiefe, welche den Lymphknoten in mehrere Abschnitte unterteilen. Zwischen einem Netzwerk aus retikulären Fasern und Retikulumzellen befinden sich zahlreiche Abwehrzellen.

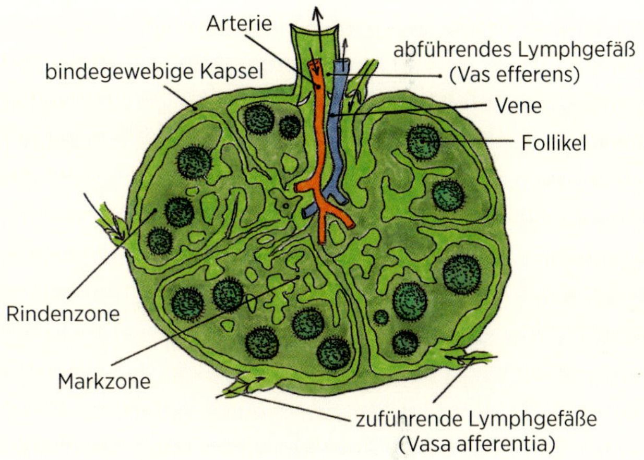

Abb. 112: **Lymphknoten**

Im Querschnitt kann man eine **Rindenzone (Cortex)** mit B-Lymphozyten, welche sich hier vermehren, eine darunterliegende parakortikale Zone mit T-Lymphozyten und eine **Markzone** mit Plasmazellen unterscheiden. Die Plasmazellen sind aus den B-Lymphozyten durch einen Antigenkontakt, also den Kontakt mit einem Erreger, entstanden und sind nun bereit, Antikörper zu bilden. An der Rindenseite ziehen zahlreiche zuführende Lymphgefäße (Vas afferens) in den Lymphknoten hinein, aus dem Mark verlässt ein wegführendes Lymphgefäß (Vas efferens) den Lymphknoten wieder. Die Lymphknoten sind außerdem gut durchblutet, um die bereitgestellten Abwehrzellen bei Bedarf ins Blut ausschwemmen zu können.

Die Lymphflüssigkeit wird aus dem Gewebe über Lymphbahnen gesammelt und zunächst in den regionalen, also am nächsten liegenden, Lymphknoten gefiltert. Erreger und Metastasen bleiben primär in diesen Lymphknoten hängen, können aber in der Folge auch weiterwandern. Die Lymphe des Körpers wird zunächst über mehrere große Lymphgänge gesammelt, welche dann zum größten Teil im **Milchbrustgang (Ductus thoracicus)** im Bereich der linken Körperhälfte zusammenfließen. Dieser beginnt im Bauchraum, zieht an der linken Körperseite nach oben, durchbricht das Zwerchfell und zieht durch den Brustraum, bis er schließlich im linken Venenwinkel, das ist die Stelle des Zusammenflusses der linken Vena subclavia mit der Vena jugularis, mündet und sich die Lymphflüssigkeit ins Blut ergießt. In seinen Verlauf münden zahlreiche Lymphgefäße. Der Ductus thoracicus sammelt auch die fettreiche Lymphe aus dem Darm, welche bei der Verdauung entsteht. Nur aus dem rechten Arm-, Kopf-, Hals- und Thoraxbereich wird die Lymphe im wesentlich kleineren **rechten Lymphgang (Ductus lymphaticus dexter)** gesammelt, welcher in den rechten Venenwinkel mündet.

13.2 Mandeln (Tonsillen)

Im Bereich der Mundhöhle und des Rachens befindet sich ein ganzer Ring (Waldeyer'scher Rachenring) aus lymphatischen Geweben, welcher Krankheitserreger schon an der Eingangspforte bekämpfen soll. Er setzt sich aus den paarigen **Rachen-, Gaumen- und Zungenmandeln** und den Seitensträngen zusammen, wobei die Gaumenmandeln (Tonsilla palatina) bei geöffnetem Mund zwischen den beiden Gaumenbögen sichtbar sind. Die Rachenmandeln (Tonsilla pharyngea) liegen darüber im Bereich des Nasenrachens, die Zungenmandeln (Tonsilla lingualis) am Zungengrund. Die Mandeln sind von einem mehrschichtigen unverhornten Epithel bedeckt und bestehen aus einem lockeren Bindegewebe mit zahlreichen eingelagerten Lymphfollikeln. Tiefe Einkerbungen, sogenannte Krypten, lassen ihre Oberfläche manchmal stark zerklüftet erscheinen und vergrößern diese. Auch in den Mandeln befinden sich sowohl B- als auch T-Lymphozyten.

13.3 Bries (Thymus)

Der Thymus ist ein lymphatisches Organ, welches hinter dem Brustbein (Sternum) liegt und aus zwei Lappen besteht. Beim Kind wiegt die relativ große Drüse etwa 30 Gramm, beim Erwachsenen ist sie auf die Hälfte geschrumpft und ihr lymphatisches Gewebe ist zum Großteil durch Fettgewebe ersetzt.

Der Thymus ist von einer bindegewebigen Kapsel umhüllt, von ihr abgehende Bindegewebsstränge unterteilen ihn in Läppchen, die aus einem Netzwerk aus stark verzweigten Retikulumzellen bestehen. In diesem Zellgerüst befinden sich zahlreiche T-Lymphozyten.

Die Funktion der Thymusdrüse ist in erster Linie die **Prägung der T-Lymphozyten** zur Unterscheidung von körpereigenen und körperfremden Antigenen, bevor sie über den Blutweg in die Lymphknoten und die Milz auswandern.

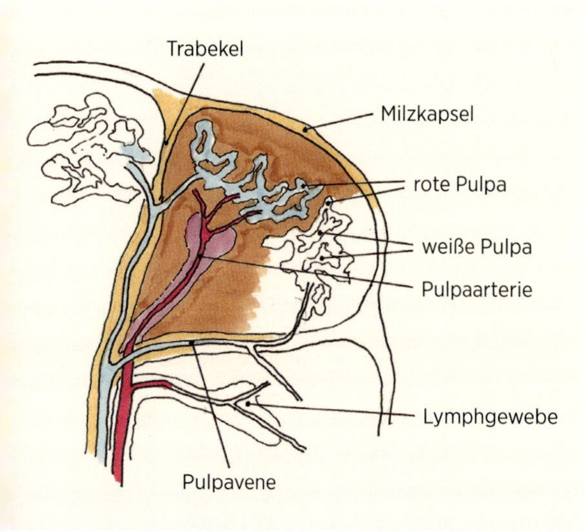

Abb. 113: **Milz (Ausschnitt)**

13.4 Milz (Lien)

Die Milz ist mit einer Größe von etwa 12 × 8 × 3 cm das größte lymphatische Organ des Menschen. Durch ihre Blutfülle hat sie eine blaurote Farbe, sie liegt unterhalb der Zwerchfellkuppel im linken Oberbauch und steht mit dem Pankreas, der linken Kolonflexur (Übergang vom Colon transversum zum Colon descendens) und der linken Niere in räumlicher Beziehung. Die Milz ist von einer bindegewebigen Kapsel überzogen, am Milzhilus (Milzstiel) treten die Milzarterie und

-vene in die Milz ein. Das Parenchym wird aus einer bindegewebigen weißen Pulpa gebildet, welche aus netzartig angeordneten retikulären Bindegewebsfasern, Lymph- und Blutgefäßen besteht. Ihre rote Pulpa setzt sich aus roten und weißen Blutzellen sowie Blutplättchen zusammen, welche sehr zahlreich im retikulären Netz der Milz vorhanden sind.

Die Milz dient als Speicher aller Blutzellen, sie hat Abwehrfunktion und ist am Abbau der Erythrozyten wesentlich beteiligt.

13.5 Wurmfortsatz (Appendix vermiformis)

Die etwa 2–20 cm lange Appendix hängt am blinden Ende des Blinddarms (Caecum) in den Bauchraum und zeigt eine Verbindung mit dem Darmlumen. Am Wurmfortsatz vereinigen sich die Tänien des Kolons, wodurch er eine kräftige Wand aus glatter Muskulatur besitzt. In seiner Schleimhaut liegen zahlreiche Lymphfollikel, welche auf eingedrungene Fäulnisbakterien mit einer Entzündung reagieren können. Die **Appendizitis** ist eine Entzündung des Wurmfortsatzes und nicht, wie fälschlich behauptet, eine Blinddarmentzündung.

Unterhalb des Schleimhautepithels befinden sich in der Submukosa der Organe des Verdauungstraktes, der Atemwege und der Harnorgane zahlreiche Lymphfollikel, welche an Ort und Stelle Erreger abwehren und den Organismus schützen.

13.6 Physiologie und Pathophysiologie

Die Physiologie und Pathophysiologie des Immunsystems wird im Kapitel Blut (S. 171) besprochen.

Übungsfragen

1. Beschreibe Aufbau und Funktion der Lymphknoten.
2. Erkläre den Abfluss der Lymphflüssigkeit in das Venensystem.
3. Was verstehst du unter dem Waldeyer'schen Rachenring?
4. Welche Funktion hat die Bries und wo liegt sie?
5. Beschreibe die Lage und die Funktion der Milz.
6. Welcher Teil des Dickdarms wird bei einer „Blinddarmentzündung" entfernt?

14 Verdauungssystem (Gastrointestinaltrakt)

Zum Verdauungssystem zählen das **Verdauungsrohr** vom Mund bis zum After und die großen und kleinen **Verdauungsdrüsen**. Der Verdauungsweg beginnt mit der Mundhöhle und setzt sich über den Rachen und die Speiseröhre in den Magen, Dünn- und Dickdarm bis zum After fort. In die Mundhöhle geben drei paarige Speicheldrüsen ihre Sekrete für die Verdauung der Speisen ab; die Produkte von Leber und Bauchspeicheldrüse, Gallensaft und Bauchspeichel, gelangen über Ausführungsgänge in den Zwölffingerdarm. Die gemeinsamen Funktionen der Verdauungsorgane sind die Zerkleinerung und das Aufspalten der Nahrung in ihre Bestandteile, die Aufnahme verwertbarer Bestandteile in das Blut und die Ausscheidung von Abfallprodukten.

Das Verdauungsrohr beginnt mit dem Mund im Kopf, setzt sich durch den Hals- und Brustraum nach kaudal fort, durchbricht das Zwerchfell und zieht durch den gesamten Bauchraum und das Becken bis zum After.

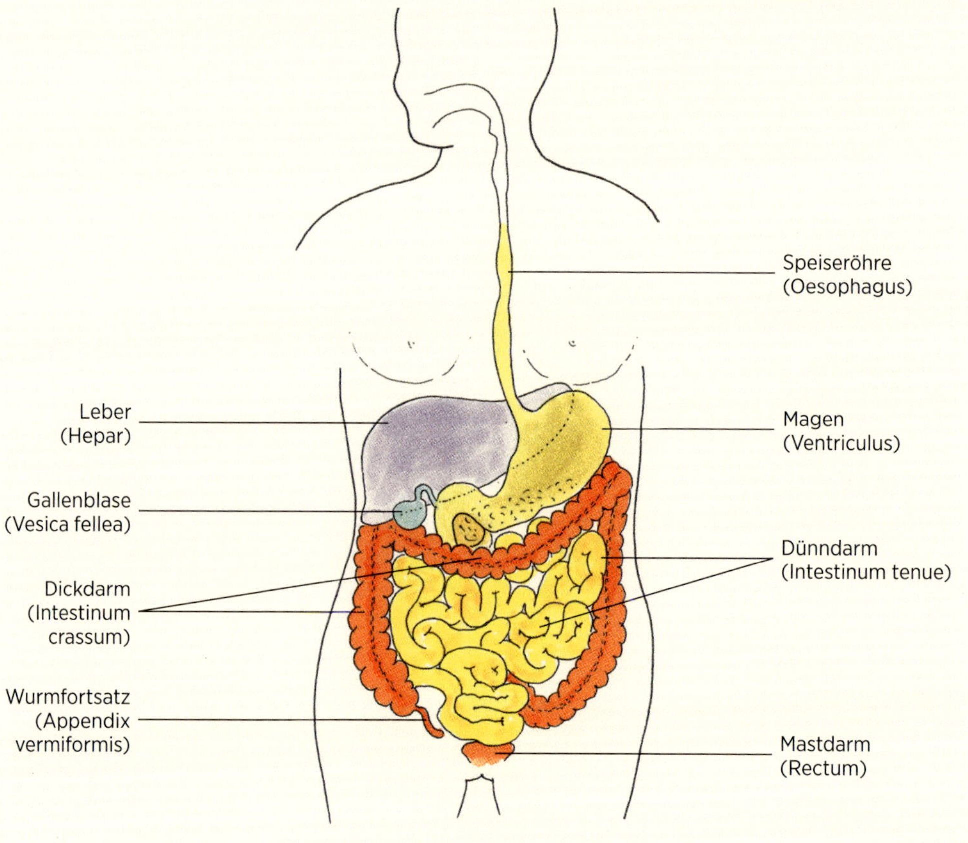

Abb. 114: **Verdauungsorgane**

Gelangt der Speisebrei einmal in die Speiseröhre, wird er durch unwillkürliche Wellenbewegungen, die **Peristaltik**, stetig durch das Verdauungsrohr weitertransportiert.

14.1 Mundhöhle (Cavitas oris)

Die eigentliche Mundhöhle wird gegen die Nasenhöhle im vorderen Bereich vom harten knöchernen und hinten vom weichen bindegewebigen Gaumen getrennt. Nach vorne und seitlich begrenzen die **Alveolarfortsätze** des Ober- und Unterkiefers mit den Zahnreihen die Mundhöhle, unten die Muskulatur und das Bindegewebe des Mundbodens. Nach hinten öffnet sich die Mundhöhle über die **Schlundenge (Isthmus faucium)** in den Rachen. Sieht man bei geöffnetem Mund von vorne auf die Schlundenge, fallen der vordere und hintere Gaumenbogen, die zwischen den Gaumenbögen liegenden **Gaumenmandeln (Tonsilla palatina)** und das in der Mitte liegende **Gaumenzäpfchen (Uvula)** auf.

Zwischen den Zahnreihen einerseits, den Wangen und Lippen andererseits liegt ein schmaler Spalt, der **Mundhöhlenvorhof (Vestibulum oris)**.

Die Mundhöhle wird von einem mehrschichtigen unverhornten Plattenepithel ausgekleidet, an den Lippen geht es kontinuierlich in das verhornte Epithel der Gesichtshaut über. Zahlreiche kleine einzelne und drei große paarige Speicheldrüsen geben ihr Sekret mit Verdauungsenzymen in die Mundhöhle ab.

In der Mundhöhle werden die Nahrungsmittel zerkleinert, indem sie von der Zunge zwischen die Zahnreihen geschoben und zerkaut werden. Der Bissen wird mit dem Speichel vermischt, wodurch er gleitfähig gemacht wird. Amylasen im Speichel beginnen bereits im Mund, die Kohlenhydrate zu verdauen. Anschließend wird der geformte Bissen durch die Zunge in den Rachen geschoben.

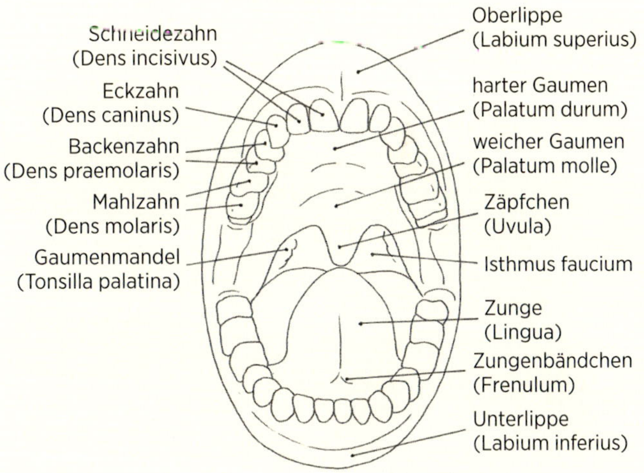

Abb. 115: **Mundhöhle**

14.1.1 Zunge (Lingua)

Die Zunge wird in eine am Zungenbein fixierte Zungenwurzel (Radix linguae), einen Zungenkörper (Corpus linguae) und eine Zungenspitze (Apex linguae) unterteilt. Sie besteht aus quergestreifter Skelettmuskulatur, die von einer Schleimhaut überzogen ist. Zungenkörper und Zungenspitze sind frei beweglich, wodurch der Bissen zwischen die Zahnreihen sowie in den Rachen geschoben werden kann und die Lautbildung möglich wird.

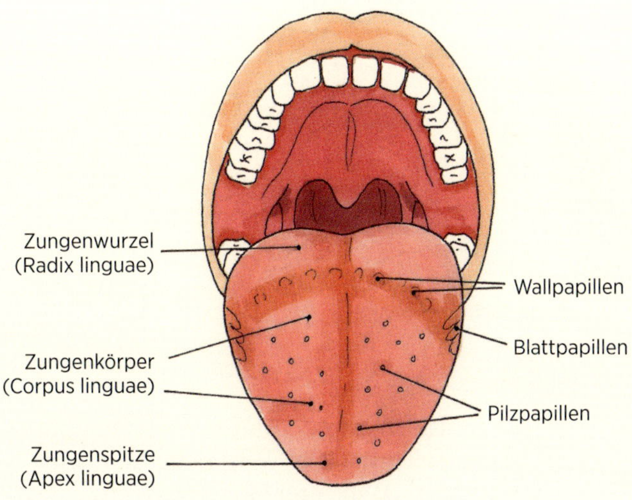

Abb. 116: **Geschmackspapillen**

An der Schleimhaut der Zungenoberfläche findet man ein mehrschichtig unverhorntes Plattenepithel und es können vier unterschiedliche Arten von Papillen unterschieden werden.

Die **fadenförmigen Papillen (Papillae filiformes)** bedecken die gesamte Zungenoberfläche und dienen dem Tastempfinden und der Temperaturwahrnehmung. Sie besitzen keine Geschmacksknospen.

Die **Pilzpapillen (Papillae fungiformes)** liegen über die vorderen zwei Drittel der Zungenoberfläche verteilt und besitzen zahlreiche Geschmacksknospen.

Die **Blattpapillen (Papillae foliatae)** imponieren als blattförmig gefaltete Strukturen im hinteren Drittel beidseits am Zungenrand und besitzen ebenfalls Geschmacksknospen.

Im hinteren Bereich des Zungenrückens liegt eine Reihe großer Papillen, die **Wallpapillen (Papillae vallatae)**, die ebenfalls der Geschmackwahrnehmung dienen.

Die Geschmacksknospen nehmen Geschmacksstoffe, die im Speichel gelöst sind, wahr (siehe Kapitel „Sinnesorgane"). Es können fünf Geschmacksrichtungen, süß, sauer, bitter, salzig und umami, unterschieden werden. Umami bedeutet so viel wie würzig, wohlschmeckend und beschreibt etwa den Geschmack gebratenen Fleisches. Scharf ist eine Schmerzempfindung, alle anderen zusätzlichen „Geschmäcker" sind Geruchswahrnehmungen. Das Geschmacksempfinden wird durch den **VII. (N. facialis)**, den **IX. (N. glossopharyngeus)** und den **X. Hirnnerv (N. vagus)** zum Gehirn geleitet.

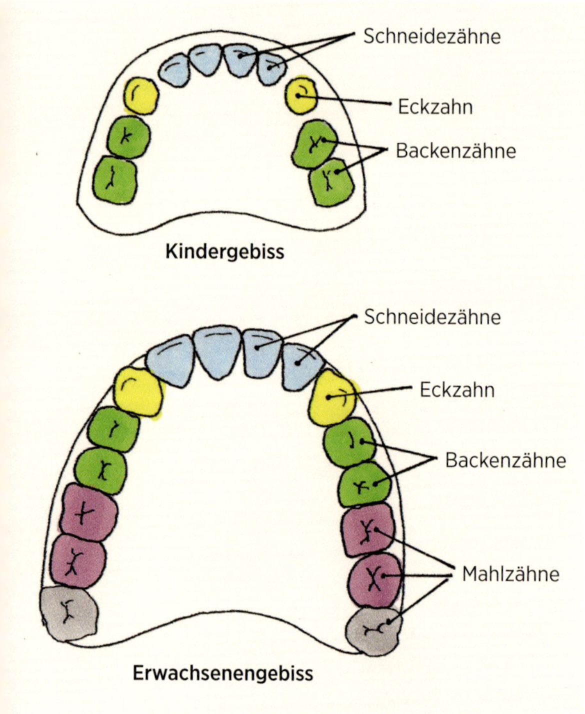

Abb. 117: **Gebiss**

14.1.2 Zahn (Dens)

Das menschliche Gebiss macht einmal im Leben einen Zahnwechsel durch, wobei nicht alle Zähne ersetzt werden. Dementsprechend sind die Ersatzzähne zweimal angelegt, die Zuwachszähne jedoch nur einmal.

Ein vollständiges **Kindergebiss** besteht aus **20 Milchzähnen**, in jedem Kieferviertel (Quadranten) sitzen demnach fünf Zähne, die spiegelsymmetrisch angeordnet sind. Ein Quadrant des Kindergebisses beherbergt zwei Schneidezähne (Incisivus), einen Eckzahn (Caninus) und zwei Backenzähne (Prämolare). Etwa ab dem 6. Lebensmonat brechen die mittleren Schneidezähne durch, dann die seitlichen Schneidezähne, danach die vorderen Backenzähne und die Eckzähne und zuletzt die hinteren Backenzähne. Bis zum dritten Lebensjahr sollten alle Zähne vollständig vorhanden und die Zahnreihen geschlossen sein.

Etwa im 6. Lebensjahr bricht dann der erste bleibende Zahn, der erste Mahlzahn, durch. Nun beginnt der Zahnwechsel und die 20 Milchzähne werden durch neue Zähne ersetzt. Mit dem 12. Lebensjahr kommt es zum Durchbruch des zweiten Mahlzahnes und etwa ab dem 17. Lebensjahr vervollständigt der dritte Mahlzahn (Weisheitszahn) das Erwachsenengebiss. Da die drei Mahlzähne Zuwachszähne sind, besteht nun ein Quadrant aus acht Zähnen und ein vollständiges Erwachsenengebiss aus 32 Zähnen.

Anatomisch besteht ein Zahn aus der **Krone**, dem **Zahnhals** und der **Wurzel**. Die Krone ist jener Zahnteil, der aus dem Zahnfleisch herausragt, der Hals ist nur vom Zahnfleisch bedeckt und die Wurzel steckt in Vertiefungen des knöchernen Ober- und Unterkiefers, den Alveolen. Die Anzahl der Wurzeln ist je nach Zahntyp unterschiedlich. Schneide- und Eckzähne besitzen, ebenso wie alle Milchzähne, jeweils eine Wurzel, die vorderen Backenzähne (Prämolare) 1–2 und die hinteren Backenzähne (Molare) 2–3 Wurzeln.

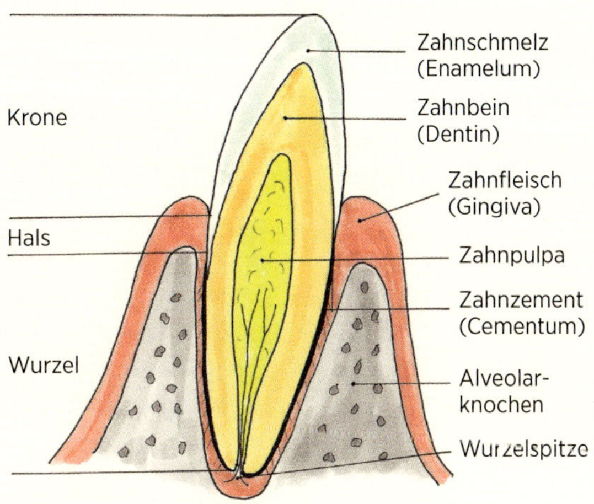

Abb. 118: **Zahn**

Zähne bestehen außerdem aus unterschiedlichen Materialien, den Hartsubstanzen. Die Grundstruktur des Zahnes wird aus dem **Zahnbein (Dentin)**, einer knochenähnlichen Substanz, aufgebaut. In seinem Inneren liegt ein mit Bindegewebe, der **Zahnpulpa**, ausgefüllter Hohlraum, in den die versorgenden Nerven und Blutgefäße durch die Wurzelspitze eintreten. Die Krone des Zahnes ist vom **Zahnschmelz (Enamelum)** überzogen, welcher die härteste Substanz im Organismus darstellt und bei Beschädigung oder Verlust nicht wieder aufgebaut werden kann. Zahnschmelz ist durch Säuren löslich und kann durch Anwendung fluoridhaltiger Zahnpasta wiederstandsfähiger werden. Zahnhals und Zahnwurzel werden außen vom **Zahnzement (Cementum)**, einer wesentlich weicheren Substanz als der Zahnschmelz, umhüllt. Zwischen dem Zahnzement und dem Knochen der Alveole verlaufen scherengitterartig angeordnete Bindegewebszüge, die den Zahn im Kieferknochen etwas beweglich verankern. Man spricht vom **Zahnhalteapparat**.

14.1.3 Kopfspeicheldrüsen

In der Mundschleimhaut liegen zahlreiche kleine Speicheldrüsen, die ihr Sekret in die Mundhöhle abgeben. Von besonderer Bedeutung sind aber die drei großen paarigen Speicheldrüsen, die Ohrspeicheldrüse, die Unterzungenspeicheldrüse und die Unterkieferspeicheldrüse. Es handelt sich um exokrine Drüsen, deren Sekret über Ausführungsgänge in die Mundhöhle fließt.

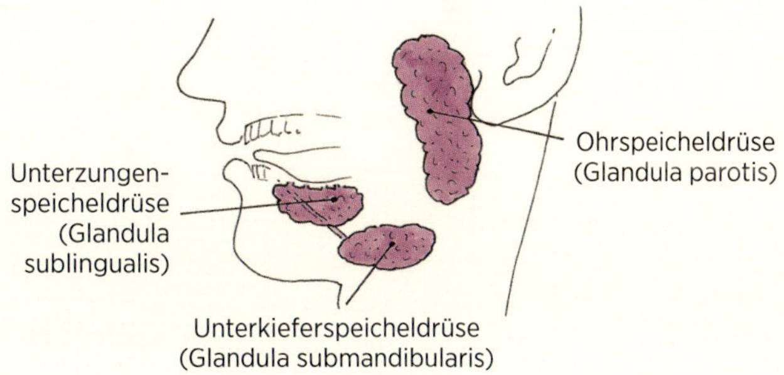

Abb. 119: **Speicheldrüsen**

Die **Ohrspeicheldrüse (Glandula parotis)** liegt vor und unterhalb des äußeren Ohres, ihr Ausführungsgang läuft an der Oberfläche des großen Kaumuskels, den er durchbricht, nach unten und vorne an die Innenseite der Wange gegenüber des zweiten oberen Backenzahnes, wo er in die Mundhöhle mündet. Die **Unterzungenspeicheldrüse (Glandula sublingualis)** liegt oberhalb der Mundbodenmuskulatur in das Gewebe unterhalb der Zunge eingebettet. Die **Unterkieferspeicheldrüse (Glandula submandibularis)** findet man unterhalb der Mundbodenmuskulatur an der Innenseite des Unterkiefers. Die Ausführungsgänge dieser beiden Speicheldrüsen münden gemeinsam an einer warzenförmigen Erhebung beiderseits des Zungenbändchens in die Mundhöhle.

Pro Tag wird etwa ein Liter Speichel produziert. Der Speichel besteht vor allem aus Wasser, in dem Verdauungsenzyme, Salze und Immunglobuline gelöst sind. Die Sekretion des Speichels wird durch Gerüche und Geschmacksreize angeregt. Speichel macht den Bissen gleitfähig, schützt die Mundschleimhaut vor dem Austrocknen sowie vor Infektionen und leitet bereits in der Mundhöhle die Kohlenhydratverdauung ein.

14.2 Rachen (Pharynx)

Der Rachen ist der Abschnitt nach der Mundhöhle und liegt oberhalb der Speiseröhre, in ihm kreuzen sich Atemweg und Speiseweg. Die Luft wird nach vorne in den Kehlkopf geleitet, der Speisebrei nach hinten in das Verdauungsrohr.

Die anatomische Beschreibung ist im Kapitel „Atemorgane“ nachzulesen.

14.3 Allgemeiner Wandaufbau des Verdauungsrohres

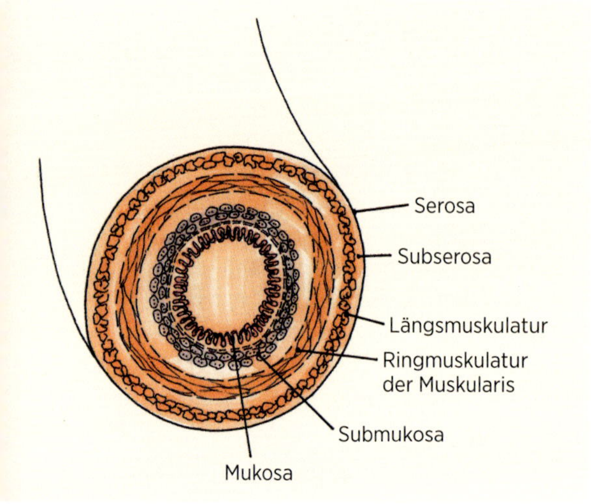

Abb. 120: **Darmwand**

Bevor nun die Abschnitte des Verdauungsrohres besprochen werden, soll auf den allgemeinen Wandaufbau eingegangen werden, der diesem Abschnitt zugrunde liegt. In den folgenden Kapiteln wird dann nur mehr auf die Besonderheiten und Unterschiede der jeweiligen Darmwand eingegangen.

Das gesamte Verdauungsrohr, von der Mundhöhle bis zum After, ist von einer **Schleimhautschicht**, der **Tunica mucosa**, ausgekleidet. Diese Schleimhaut setzt sich aus einer bindegewebigen Basalmembran und den darauf sitzenden Epithelzellen zusammen. Die Art der Epithelien, ob Plattenepithel oder Zylinderepithel, ob einschichtig oder mehrschichtig, ist der jeweiligen Aufgabe des Darmabschnittes angepasst. Je mehr Stoffe von der Schleimhaut aus dem Speisebrei aufgenommen oder von ihr in den Darmquerschnitt abgegeben werden, umso höher müssen die jeweiligen Epithelzellen sein.

Unter der Schleimhaut befindet sich eine dünne **bindegewebige Verschiebeschicht**, die **Tela submucosa**, die die Schleimhaut von der darunterliegenden Muskelschicht trennt.

Die mittlere Schicht, **Muskelschicht** oder **Tunica muscularis**, besteht aus glatter Muskulatur, die aus Lagen ringförmig verlaufender innerer und längs angeordneter äußerer Muskelfasern zusammengesetzt ist. Dieser besondere Aufbau macht die **Peristaltik**, die wellenförmige Darmbewegung, erst möglich.

Unter der Tunica muscularis liegt wiederum eine **bindegewebige Verschiebeschicht**, eine **Tela subserosa**, diesmal zur äußersten Schicht hin gewandt.

Die äußerste Schicht hat unterschiedliche Bezeichnungen, je nachdem, ob das Organ frei in der Bauchhöhle liegt oder ob es in Bindegewebe eingebettet ist. Eine freie Organoberfläche besteht aus einer Basalmembran mit einem einschichtigen zarten, glatten Plattenepithel und heißt **Tunica serosa.** Liegt das Organ hingegen eingebettet in lockeres Bindegewebe, dann spricht man von einer **Adventitia**.

In der Wand des gesamten Verdauungsrohres liegen netzartig angeordnete vegetative **Nervengeflechte**, die sowohl die Darmbewegungen als auch die Sekretion von Verdauungsenzymen und die Resorption von Nahrungsbestandteilen steuern. Sie können aber auch Empfindungen aus dem Verdauungsrohr leiten.

Im Bereich der Submukosa des gesamten Darmes findet man Lymphfollikel, die einen großen Anteil unseres Immunsystems repräsentieren. Besonders zahlreich kommen sie im Krummdarm (Ileum) als sogenannte Payer'sche Plaques und im Wurmfortsatz (Appendix) vor.

14.4 Speiseröhre (Ösophagus)

Die Speiseröhre ist ein etwa 25 cm langer Muskelschlauch, der den Rachen mit dem Magen verbindet. Ihren Anfang nimmt sie im Bereich des unteren Randes des Ringknorpels mit dem **Ösophagusmund**, verläuft vor der Wirbelsäule abwärts, durchbricht das Zwerchfell und mündet vor dem 11.–12. Brustwirbelkörper am Magenmund, der **Kardia**, in den Magen. Entlang ihres Verlaufes kann man einen Hals-, einen Brust- und einen sehr kurzen Bauchteil sowie drei Engen unterscheiden.

Die **obere Enge** liegt hinter dem Ringknorpel am Eingang des Ösophagus. Sie ist die engste Stelle und entspricht dem Ösophagusmund. Die **mittlere Enge** entsteht etwa in der Mitte der Speiseröhre dadurch, dass die Luftröhre und der Aortenbogen den Ösophagus von vorne kreuzen. Die **untere Enge** befindet sich etwa 3 cm oberhalb der Mündung der Speiseröhre in den Magen an ihrer Durchtrittsstelle durch das Zwerchfell. Hier bildet die Ringmuskulatur einen Schließmuskel, den **Ösophagussphinkter**.

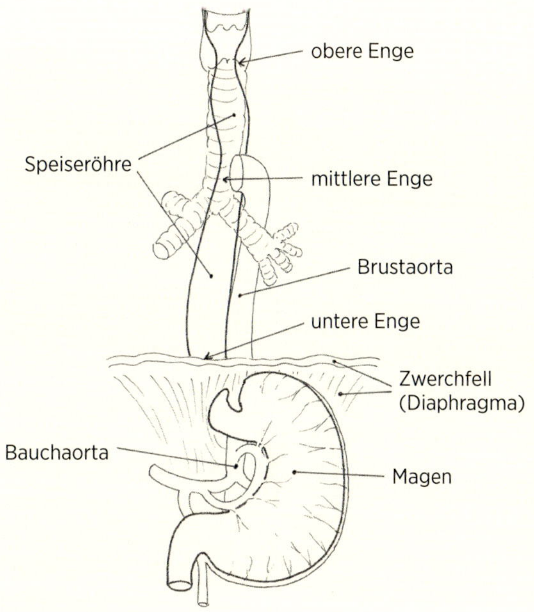

Abb. 121: **Speiseröhre**

Ein Sphinkter ist ein durch ringförmig verlaufende Muskelfasern gebildeter Schließmuskel. Kontrahieren sich die Muskelfasern, schließt sich die Öffnung.

Die Ösophaguswand weist die für den gesamten Rumpfdarm gültige Schichtung in eine innere Schleimhautschicht, eine mittlere Muskelschicht und eine äußere Adventitia auf. Die innere Schleimhautauskleidung der Speiseröhre bildet ein mehrschichtig unverhorntes Plattenepithel, die Muskelschicht setzt sich aus einer äußeren Längs- und einer inneren Ringmuskelschicht zusammen und weist eine Besonderheit auf: Sie besteht im oberen Drittel aus quergestreifter Muskulatur, die dann fließend in glatte Muskulatur übergeht. Durch die bindegewebige Adventitia ist die Speiseröhre locker in ihre Umgebung eingewachsen.

14.5 Bauchhöhle (Cavitas abdominalis) und Bauchfell (Peritoneum)

Die Bauchhöhle ist ein vollständig abgeschlossener Raum, in dem die Bauchorgane mehr oder weniger frei liegen. Diese Höhle ist an ihrer Innenseite von einer serösen Haut, dem **Bauchfell (Peritoneum)**, ausgekleidet. Die Organe der Bauchhöhle sind während der Entwicklung des Embryos von außen unterschiedlich weit in die Bauchhöhle eingewandert, indem sie das Bauchfell mit in die Bauchhöhle gezogen haben. Deshalb sind Organe, welche sich zur Gänze innerhalb der Bauchhöhle befinden, an ihrer gesamten Oberfläche von Bauchfell überzogen und stehen nur über Bauchfellduplikaturen, dem **Gekröse (Mesenterium)**, mit der Bauchwand in Verbindung. Unter einer Duplikatur versteht man eine doppelt angelegte Struktur, in diesem Falle besteht sie aus zwei zusammengefügten Bauchfellschichten. Diese Duplikaturen bestehen aus Bindegewebe, welches beidseits von Bauchfell überzogen ist und die Organe mit Blutgefäßen, Lymphgefäßen und Nerven versorgt. So hängen zum Beispiel der gesamte **Leer-** und **Krummdarm (Jejunum** und **Ileum)** an einer fächerförmigen Bauchfellfalte an der hinteren Bauchwand, in der sich alle versorgenden Strukturen dieser Darmabschnitte befinden.

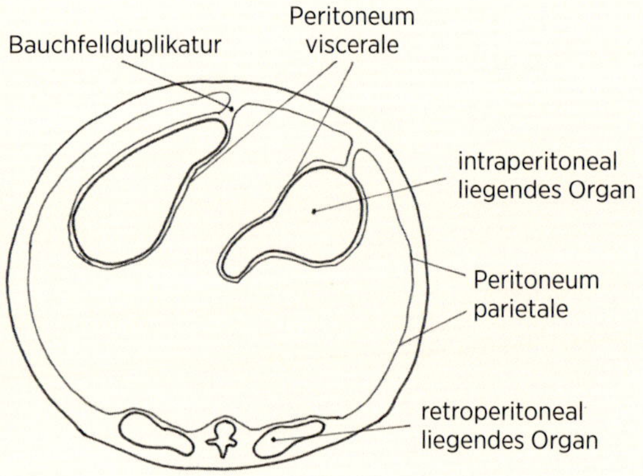

Abb. 122: **Peritoneum**

Jener Anteil des Bauchfells, der die Innenseite der Bauchhöhle auskleidet, heißt **Peritoneum parietale**, der Bauchfellüberzug der Organe heißt **Peritoneum viscerale**, wobei parietal „wandständig" und viszeral „dem Organ zugehörig" bedeutet. Es handelt sich um seröse Häute, die etwas Flüssigkeit sezernieren.

Organe, die tatsächlich innerhalb der Bauchhöhle liegen und bis auf die Ansatzstellen der Bauchfellduplikaturen vollständig von Peritoneum viscerale überzogen sind, bezeichnet man als **intraperitoneal liegende Organe**. Ihr Peritonealüberzug entspricht einer Tunica serosa. Organe, die nur teilweise in die Bauchhöhle eingewandert sind, liegen an der Hinterwand der Bauchhöhle und sind nur an ihrer Vorderseite von Peritoneum parietale bedeckt. Sie werden als **retroperitoneal liegende Organe** bezeichnet.

Folgende Organe liegen **intraperitoneal**: Magen (Ventriculus), Leerdarm (Jejunum), Krummdarm (Ileum), Blinddarm (Caecum) mit Wurmfortsatz (Appendix vermiformis), querverlaufender Grimmdarm (Colon transversum), Leber (Hepar) und Gallenblase (Vesica fellea), Milz (Lien), Eierstöcke (Ovarien) und Eileiter (Tuba uterina) bei der Frau.

Folgende Organe liegen **retroperitoneal**: Zwölffingerdarm (Duodenum), aufsteigender und absteigender Grimmdarm (Colon ascendens und descendens), Bauchspeicheldrüse (Pankreas), Niere (Ren) und Harnleiter (Ureter).

Gleich innerhalb der Bauchdecke hängt ebenfalls eine Bauchfellstruktur von der unteren Magenkante herab und verdeckt große Anteile des Darms. Diese als **„großes Netz" (Omentum maius)** bezeichnete Struktur enthält zahlreiche Lymphgefäße und kann große Mengen an Fettgewebe speichern. Sie dient vor allem der Immunabwehr.

14.6 Magen (Ventriculus)

Gleich nach ihrem Durchtritt durch das Zwerchfell mündet die Speiseröhre in den Magen. Der Magen ist eine sackförmige Erweiterung des Darmrohres, um den Speisebrei eine Zeit lang zu beherbergen und den Verdauungsvorgang fortzuführen. Er hat die Form eines Stierhornes und liegt mehr oder weniger steil im Bauchraum, zu zwei Dritteln im linken Oberbauch. Er wird zum größten Teil vom linken Rippenbogen und dem linken Leberlappen verdeckt. Makroskopisch lassen sich mehrere Abschnitte unterscheiden: der Magenmund, der Magengrund, der Magenkörper, der Magenvorhof und der Pförtner.

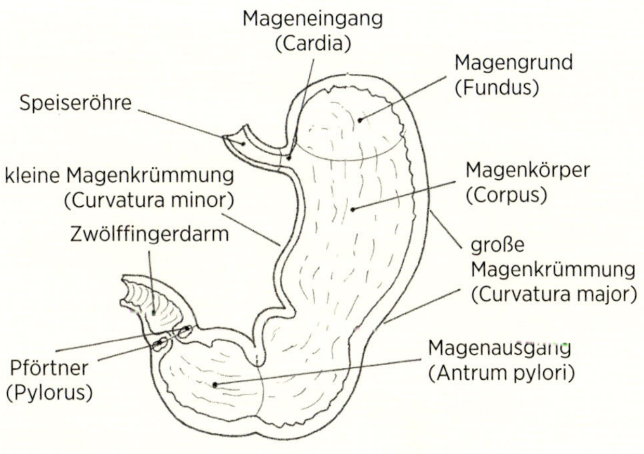

Abb. 123: **Abschnitte des Magens**

Der **Magenmund (Cardia)** ist jener Bereich, in den die Speiseröhre einmündet, der **Magengrund (Fundus)** liegt unter der linken Zwerchfellkuppel und entspricht einer luftgefüllten Ausweitung. Er ist der am höchsten liegende Magenteil. Den größten Anteil des Magens bildet der **Magenkörper (Corpus)**, an den dann der eher horizontal verlaufende **Vorhof (Antrum)** zum Pförtner anschließt. Der **Pförtner (Pylorus)** selbst ist ein Schließmuskel aus Ringmuskulatur und grenzt den Magen vom Zwölffingerdarm ab. Der kleinere, nach medial konkav geformte Rand wird als kleine Kurvatur, der laterale konvexe Rand als große Kurvatur bezeichnet.

Die Wandschichten des Magens entsprechen jenen des gesamten Darmrohres. Da er intraperitoneal liegt, ist er außen von einer Serosa, dem Peritoneum viscerale, überzogen. Seine Muskelschicht (Muscularis) besteht aus drei Lagen glatter Muskulatur, einer äußeren Längsmuskelschicht, einer mittleren Ringmuskelschicht, die auch den Pförtner bildet, und einer dieser mittleren Schicht aufliegenden schrägen Muskelschicht. Die innen der Muskelschicht aufliegende Schleimhautschicht (Mucosa) besteht aus einem einschichtigen hochprismatischen Epithel, welches die Magendrüsen auskleidet.

Sieht man sich die **Mucosa** des Magens an, dann fallen die groben, verstreichbaren Schleimhautfalten auf, die die Dehnung des Magens bei seiner Füllung ermöglichen. Sie sitzt locker, verschieblich durch eine dazwischenliegende Bindegewebsschicht, der Muscularis auf. Bei genauer Betrachtung der Magenschleimhaut mit einer Lupe kann man die zahlreichen kleinen Öffnungen der Magendrüsen erkennen. Diese Magen-

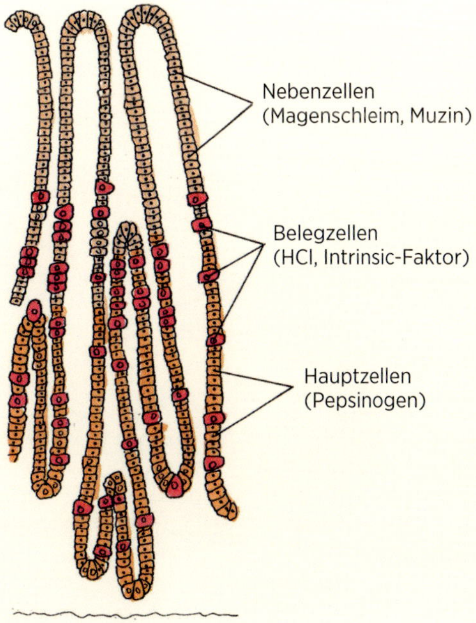

Abb. 124: **Magenschleimhaut (Magendrüsen)**

drüsen reichen tief in die Schleimhautschicht und setzen sich aus unterschiedlichen Zellen zusammen. Die **Belegzellen** sind für die Bildung der Salzsäure des Magensaftes und die Produktion des Intrinsic-Faktors zur Resorption von Vitamin B12 aus der Nahrung verantwortlich. Die **Nebenzellen** zeigen zahlreiche Mitosen (Zellteilungen), sie entsprechen den basalen Stammzellen der Magenschleimhaut. Sie sorgen für die Regeneration der Schleimhautzellen und für die Produktion des zähen, schützenden Magenschleims. Die **Hauptzellen** produzieren das Enzym Pepsinogen, das durch die Salzsäure in das eiweißspaltende Pepsin umgewandelt wird.

14.7 Dünndarm (Intestinum tenue)

Der Dünndarm schließt an den Magen an und mündet in den Dickdarm. Es lassen sich drei Anteile unterscheiden, der **Zwölffingerdarm (Duodenum)**, der **Leerdarm (Jejunum)** und der **Krummdarm (Ileum)**, wobei der Zwölffingerdarm retroperitoneal liegt und die beiden anderen Anteile intraperitoneal, d. h. abgesehen von der Ansatzstelle des Gekröses können sie bei geöffneter Bauchhöhle zur Gänze umfasst werden.

14.7.1 Zwölffingerdarm (Duodenum)

Der Zwölffingerdarm liegt retroperitoneal, fest mit der hinteren Bauchwand verwachsen, etwa vor dem 2. Lendenwirbelkörper; er ist nur an seiner Vorderseite von Peritoneum bedeckt und hat die Form eines nach links geöffneten C. In dieser Öffnung liegt der Kopf der Bauchspeicheldrüse, die über einen Ausführungsgang ihren Bauchspeichel in diesen Darmabschnitt ergießt. Gemeinsam mit diesem Ausführungsgang mündet auch der Gallengang an der Vater'schen Papille, um die Galle in den Dünndarm zu befördern. Sowohl Bauchspeichel als auch Gallensaft enthalten wichtige Verdauungsstoffe.

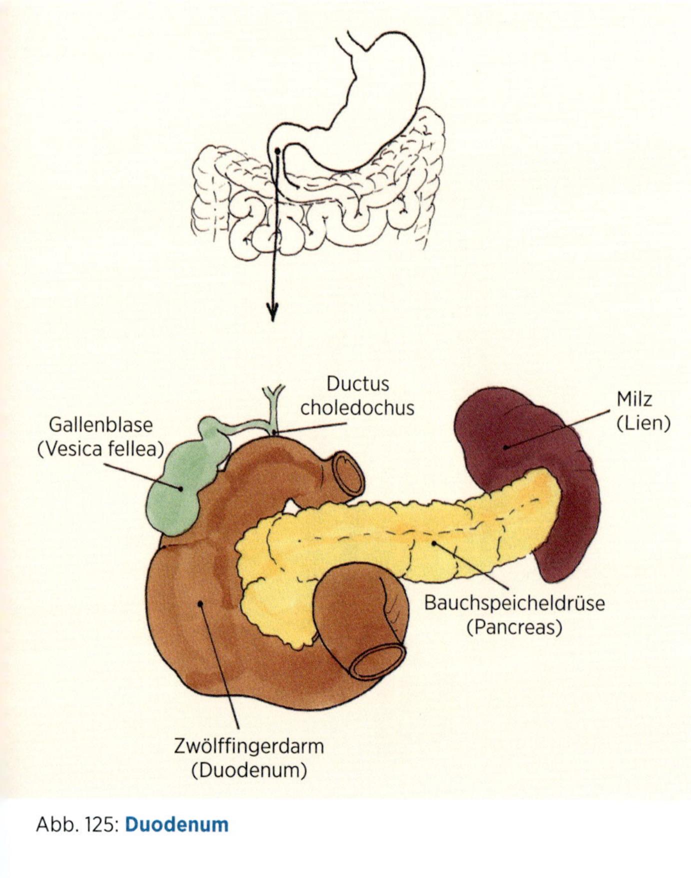

Abb. 125: **Duodenum**

Besonders auffallend ist die Schleimhaut des Zwölffingerdarms. Um eine möglichst große Oberfläche für die Aufnahme der Nahrungsstoffe aus dem Speisebrei zu erhalten, besitzt die Schleimhaut unterschiedliche Einrichtungen. Ringförmig angeordnete, nicht verschiebbare **Kerckring-Falten** verleihen der Duodenumschleimhaut ein geripptes Aussehen. Das Bindegewebe dieser Falten bildet zusätzlich zahlreiche kleine Ausstülpungen, die **Zotten**, welche der Schleimhaut ein samtiges Aussehen verleihen. Zwischen jeweils zwei Zotten befinden sich Einstülpungen, die **Krypten**. Die Oberfläche der Zotten und Krypten ist von einem einschichtigen hochprismatischen Epithel bedeckt, wobei jede einzelne dieser Epithelzellen zusätzlich fingerförmige Ausstülpungen, die **Mikrovilli**, aufweist. So gelingt es, eine resorptive Oberfläche von etwa 7 m^2 zu erzeugen. Im Bindegewebe der Zotten sind zahlreiche Blutkapillaren um ein zentrales Lymphgefäß angeordnet, in welche die resorbierten Nahrungsbestandteile gelangen. Wasserlösliche und kleine fettlösliche Nahrungsbestandteile werden durch die Zotten ins Blut aufgenommen und über die Pfortader zur Leber transportiert, größere Fettmoleküle nehmen zunächst den Weg in das zentrale Lymphgefäß und dadurch in die Lymphe. In der Submukosa des Duodenums liegen die **Brunner-Drüsen**, welche ein schleimiges Sekret zum Schutz der Schleimhaut gegen die aggressiven Verdauungsenzyme bilden.

Die **Dünndarmmuskulatur** besteht wiederum aus einer inneren Ringmuskelschicht und einer äußeren Längsmuskelschicht, die die Bewegungen dieses Darmabschnittes ermöglichen.

14.7.2 Leerdarm (Jejunum) und Krummdarm (Ileum)

An der **Zwölffingerdarm-Leerdarm-Biegung (Flexura duodenojejunalis)** wendet sich der Zwölffingerdarm nach vorne und geht in die intraperitoneal gelegenen Dünndarmabschnitte **Jejunum** und **Ileum** über. Sie sind durch eine fächerförmige Peritonealduplikatur, das **Mesenterium** oder **Gekröse**, mit der hinteren Bauchwand verbunden. Das Gekröse setzt in einem schmalen Bereich entlang der gesamten Ausdehnung von Jejunum und Ileum an. Bis auf diese Ansatzstelle sind diese beiden Darmabschnitte vollständig von **Peritoneum viscerale** umhüllt. Im Gekröse verlaufen die Blutgefäße, Lymphgefäße und Nerven.

Die Grenze zwischen Jejunum und Ileum ist fließend und nicht deutlich markiert, die Schleimhaut wird jedoch zunehmend flacher. Das Jejunum ist etwa 2–2,5 Meter, das Ileum bis zu 3 Meter lang, beide weisen einen Durchmesser von 3–4 cm auf. Sie füllen einen Großteil des Bauchraumes aus und sind während des Verdauungsvorganges in ständiger Bewegung. An der **Bauhin'schen Klappe** mündet der Krummdarm im rechten Unterbauch rechtwinkelig in den Dickdarm.

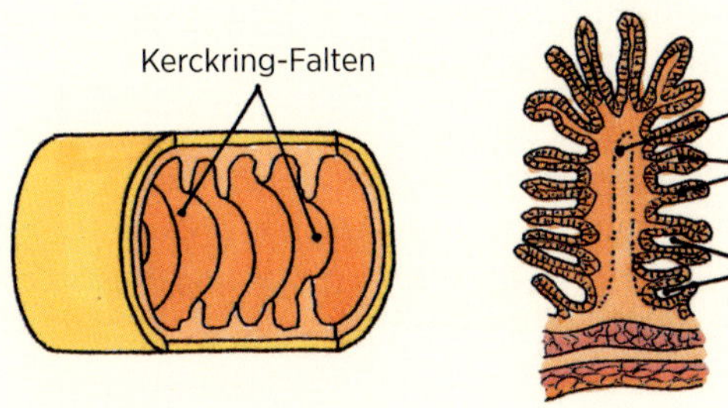

Abb. 126: **Dünndarmschleimhaut**

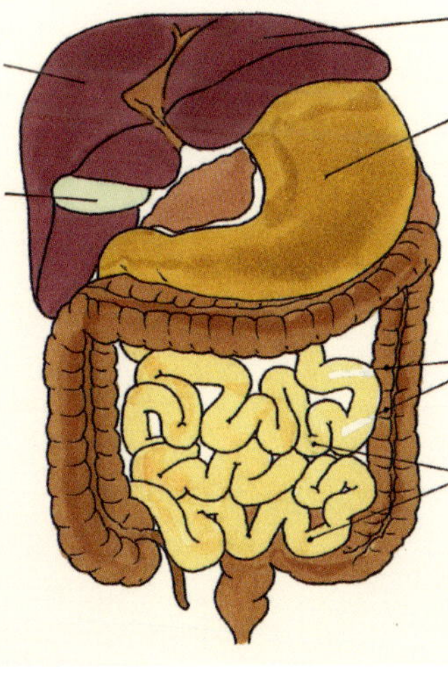

Abb. 127: **Bauchorgane**

14.8 Dickdarm (Intestinum crassum)

Auch der Dickdarm lässt sich in unterschiedliche, teils intraperitoneal, teils retroperitoneal gelegene Abschnitte unterteilen. Er ist insgesamt nur etwa 1,5 Meter lang, aber mit 5–8 cm Durchmesser doch deutlich dicker als der Dünndarm.

14.8.1 Abschnitte des Dickdarms

Der Dickdarm beginnt im rechten Unterbauch mit dem **Blinddarm (Caecum)**, einem blind endenden sackförmigen Darmabschnitt, an dessen kaudalem Ende der **Wurmfortsatz (Appendix vermiformis)** hängt. Diese beiden Abschnitte liegen intraperitoneal, in den Blinddarm mündet der Krummdarm an der Bauhin'schen Klappe.

Der Blinddarm geht nach kranial in den **aufsteigenden Grimmdarm (Colon ascendens)** über, der seitlich an der Bauchwand, retroperitoneal gelegen, vom rechten Unterbauch in den rechten Oberbauch bis zum rechten Leberlappen zieht. Dort macht er einen rechtwinkeligen Knick nach links und läuft als intraperitoneal gelegener, querverlaufender **Grimmdarm (Colon transversum)** in den linken Oberbauch bis zur Milz, wo er wiederum im rechten Winkel in den retroperitoneal liegenden **absteigenden Grimmdarm (Colon descendens)** übergeht.

Der Übergang vom Colon transversum in das Colon descendens wird als **linke Colonflexur** bezeichnet und hat deshalb große Bedeutung, weil bis zu dieser Grenze die Eingeweide vom N. vagus mit vegetativen (parasympathischen) Nervenfasern versorgt werden.

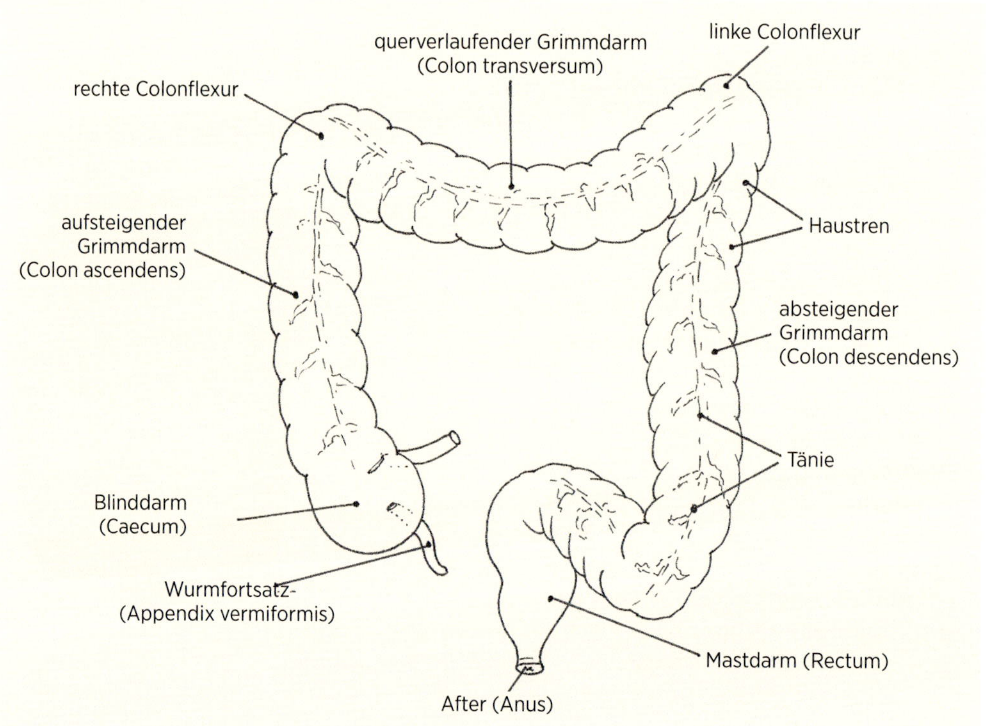

Abb. 128: **Dickdarm**

Colon ascendens, Colon transversum und Colon descendens liegen wie ein Rahmen um das Dünndarmkonvolut, aufsteigender und absteigender Anteil retroperitoneal, der querverlaufende Anteil hängt an einer bandförmigen Gekrösestruktur mehr oder weniger weit intraperitoneal in den Bauchraum hinein.

An den absteigenden Grimmdarm schließt der **s-förmige Grimmdarm (Colon sigmoideum)** an, der keine Beziehung zum Peritoneum hat und eingebettet in Bindegewebe s-förmig zur Körpermitte Richtung Becken zieht.

Der letzte Abschnitt des Dickdarms ist der **Mastdarm (Rectum)**, der mit dem **After (Anus)** nach außen mündet. Der Mastdarm hat den größten Durchmesser, er speichert in seiner weiten Ampulle den Stuhl, bis dieser ausgeschieden wird. Der After verschließt mit seinen beiden Schließmuskeln das Darmrohr.

14.8.2 Kennzeichen des Dickdarms

Der Wandaufbau des Dickdarms entspricht wieder dem des gesamten Darmrohres, jedoch mit ganz bestimmten Merkmalen, die den Dickdarm leicht vom Dünndarm unterscheiden lassen. Abgesehen von der Länge und dem Durchmesser weist der Dickdarm anatomische Besonderheiten auf, welche im Bereich des Dünndarms nicht vorhanden sind. Dazu zählen die Tänien, die Haustren und die Plicae semilunares.

Die **Tänien** sind drei etwa 1 cm breite Verdickungen der am Dickdarm ansonsten sehr spärlich ausgebildeten, äußeren Längsmuskulatur. Sie verlaufen in Längsrichtung über das gesamte Dickdarmrohr, um sich dann an der Spitze des Blinddarms in der Muskulatur des Wurmfortsatzes zu vereinigen. Eine dieser Tänien markiert den Ansatz des Dickdarmgekröses der intraperitoneal liegenden Dickdarmabschnitte. Da zwischen den Tänien die äußere Längsmuskelschicht fehlt, wird dort deutlich die Struktur der darunterliegenden Ringmuskulatur sichtbar. An den Tänien hängen mit mehr oder weniger Fett angefüllte Serosaanhängsel, die **Appendices epiploicae**.

Die **Haustren**, was so viel wie Schöpfkellen bedeutet, sind quer verlaufende schöpferartige Ausbuchtungen der Darmwand zwischen den Tänien. Sie werden durch Einschnürungen voneinander abgegrenzt.

An der Innenseite des Dickdarms sieht man, entsprechend den äußeren Einschnürungen (Vertiefungen), gegen das Darminnere vorgewölbte halbmondförmige Falten, die **Plicae semilunares**. Dies sind Kontraktionsfalten, die während peristaltischer Bewegungen den Darm entlangwandern.

Der Dickdarm besitzt etwa den doppelten Durchmesser (ca. 5–8 cm) des Dünndarms, ist aber mit 1,5 m Länge wesentlich kürzer als der Dünndarm mit einer Gesamtlänge von 5–6 Metern. Die Schleimhaut des Dickdarms zeigt keine Zotten mehr, aber drüsige Vertiefungen, die über kleine Öffnungen ihre Sekrete an den Darminhalt abgeben. Das Epithel ist ein einschichtiges Zylinderepithel mit reichlich Becherzellen, die Schleim produzieren, um den Stuhl gleitfähig zu machen. Im Dickdarm erfolgt vor allem die Resorption von Wasser und Elektrolyten aus dem Stuhl, um diesen einzudicken.

14.8.3 Analkanal (Canalis analis)

Der Darm öffnet sich am Beckenboden und muss den Stuhl, der in der Ampulle des **Mastdarms (Rectum)** gespeichert ist, zurückhalten können. Dazu bedarf es eines verlässlichen Verschlussmechanismus.

Der After wird durch zwei Schließmuskeln und durch ein Gefäßgeflecht in der Schleimhaut verschlossen. Der **innere Afterschließmuskel (M. sphincter ani internus)** wird von der glatten Ringmuskulatur des Mastdarms gebildet und vom vegetativen (unwillkürlichen) Nervensystem versorgt. Er unterliegt demnach nicht unserem Willen und wird bei entsprechender Füllung des Mastdarms reflektorisch geöffnet.

Der **äußere Afterschließmuskel (M. sphincter ani externus)** wird hingegen von der quergestreiften Beckenmuskulatur, die vom somatischen (willkürlichen) Nervensystem innerviert wird, gebildet. Er unterliegt also unserem Willen und kann auch bei gefülltem Mastdarm eine gewisse Zeit geschlossen gehalten werden.

Das hochprismatische Epithel der Darmschleimhaut geht nach kaudal zuerst in ein mehrschichtig unverhorntes Epithel, dann zunehmend in das verhornte Epithel der äußeren Haut über. Im Bereich des Anus findet man einzelne Haare, Schweiß- und Talgdrüsen. In der Schleimhaut befindet sich im Bereich der **Hämorrhoidalzone** ein arteriovenöser Schwellkörper, in den Blut gepumpt wird, um den Verschluss des Analkanals zu unterstützen.

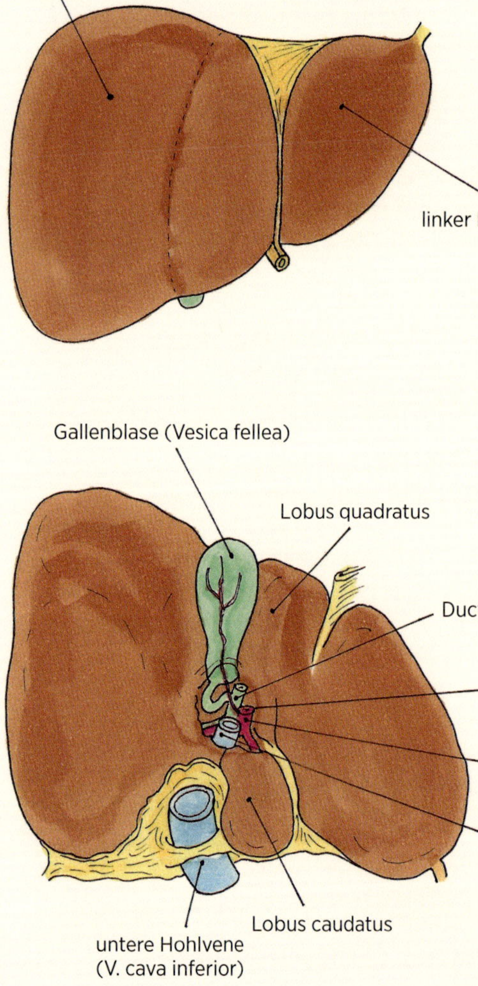

Abb. 129: **Leber**

14.9 Leber (Hepar)

Die Leber ist die größte Drüse des menschlichen Körpers, sie wiegt beim Erwachsenen etwa 1.500 Gramm. Sie liegt intraperitoneal im Bauchraum, direkt unter der rechten Zwerchfellkuppel, ihr kleinerer linker Lappen reicht etwas über die Mittellinie in den linken Oberbauch. Wegen der Blutfülle ist sie kräftig braunrot gefärbt.

Die Leber besteht aus einem großen rechten und einem kleineren linken Leberlappen, an ihrer Eingeweideseite lassen sich noch ein kleiner viereckiger Lobus quadratus und ein kaudal liegender Lobus caudatus sowie die Leberpforte unterscheiden. Durch die **Leberpforte (Porta hepatis)** ziehen die Gefäße in die Leber. Die Leber ist von einer derben bindegewebigen Kapsel **(Glisson-Kapsel)** umhüllt, deren bindegewebige Strukturen mit den Gefäßen durch die Leberpforte ins Innere der Leber gelangen und sie in zahlreiche kleine Leberläppchen unterteilen.

14.9.1 Prinzip der Leberdurchblutung

Über die **Leberpforte (Porta hepatis)** ziehen die **Leberarterie (A. hepatica)** und die **Pfortader (V. portae)** in das Innere der Leber, der **rechte und der linke Gallengang (Ductus hepaticus dexter** et sinister)** verlassen hier die Leber in Richtung Gallenblase. Die **Lebervene (V. hepatica)** verlässt die Leber nicht (!) durch die Leberpforte, sondern an ihrer Zwerchfellseite und mündet gleich nach ihrem Austritt aus der Leber in die untere **Hohlvene (V. cava inferior)**.

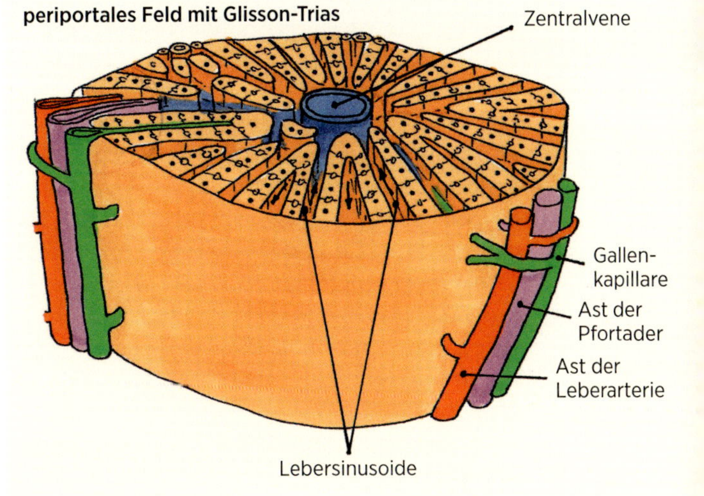

Abb. 130: **Leberläppchen**

Das Besondere an der Leberdurchblutung ist die Tatsache, dass zwei Gefäße, nämlich die Leberarterie und die Pfortader, Blut in die Leber hinein transportieren, aber nur eine Lebervene diese wieder verlässt. Die Leberarterie bringt das sauerstoffreiche Blut aus dem großen Kreislauf zur Versorgung des Lebergewebes, durch die Pfortader strömt das mit Nährstoffen, aber auch Giftstoffen angereicherte Blut aus dem Darm in die Leber, um dort verarbeitet zu werden. Das **Mischblut** aus Leberarterie und Pfortader fließt durch die Leberläppchen, es verlässt die Leber über die Lebervene.

Die Gallengänge transportieren den Gallensaft, welcher in den Leberzellen gebildet wird, zur Gallenblase und in weiterer Folge in den Dünndarm.

14.9.2 Feinbau der Leber

Die Leber wird von einer bindegewebigen Kapsel, der Glisson-Kapsel, umhüllt. Von dieser Kapsel ziehen Bindegewebssepten mit den eintretenden Gefäßen durch die Leberpforte ins Innere der Leber und begrenzen als zartes Bindegewebe ihre Grundeinheiten, die **Leberläppchen (Lobuli hepatici)**. Diese Leberläppchen sehen aus wie kleine Prismen von etwa 1 × 2 mm Durchmesser, ihr sechseckiger Querschnitt gleicht dem von Bienenwaben. Die Leber ist aus etwa einer Million solcher prismenförmigen Leberläppchen aufgebaut.

Im Zentrum jedes Leberläppchens verläuft die **Zentralvene (V. centralis)**, die das Blut aus Leberarterie und Pfortader, welches durch das Leberläppchen geflossen ist und dessen Inhaltsstoffe entlang des Weges durch das Leberläppchen verarbeitet wurden, aufnimmt und über die Lebervene wieder dem großen Kreislauf zuführt. An den sechs Kanten jedes Leberläppchens verlaufen jeweils drei Gefäße, die als **Glisson-Trias** zusammengefasst werden: Ein Ast, der aus der Pfortader entspringt und führt das Blut mit den bei der Verdauung aufgenommenen Substanzen aus dem Darm in das Leberläppchen, und ein weiterer Ast aus der Leberarterie versorgt das Leberläppchen mit sauerstoffreichem Blut. Die dritte Struktur ist ein Gallengang, der die Gallenflüssigkeit, welche von den Leberzellen gebildet wird, aus der Leber zur Gallenblase abtransportiert. An den Ecken der sechseckigen Leberläppchen stoßen immer jeweils drei Leberläppchen aneinander. Dieser bindegewebige Bereich, in dem die Glisson-Trias verläuft, trägt die Bezeichnung periportales Feld.

> Die Glisson-Trias setzt sich aus einer Gallenkapillare und jeweils einem zarten Gefäß aus der Pfortader und der Leberarterie zusammen.

Zwischen der äußeren Wand eines Leberläppchens und der in seiner Mitte liegenden Zentralvene verlaufen radiär angeordnete Säulen aus Leberzellen, sogenannte Leberzellbalken. Zwischen diesen Zellbalken befinden sich weite Kapillaren, die Lebersinusoide, in denen das Mischblut aus der Pfortader und der Leberarterie, an den Leberzellen vorbei, in Richtung Zentralvene fließt. Hier soll es zum Stoffaustausch zwischen Blut und Leberzellen kommen; verwertbare Stoffe und Abbauprodukte, welche bei der Verdauung ins Blut gelangt sind, kommen nun in die Leberzellen, um dort verarbeitet oder gespeichert zu werden. Die Produkte der Leber, wie zum Beispiel Gerinnungsfaktoren, Eiweiße oder Cholesterin, werden hier von den Zellen ins Blut abgegeben.

Die Leberzellen kommen aber nicht direkt in Kontakt mit dem Blut, sondern tauchen mit Zellausstülpungen, den **Mikrovilli**, in einen zarten kapillären Spalt, der sich zwischen den Lebersinusoiden und den Leberzellen befindet, ein. Dieser Spalt heißt **Dissé-Raum** und beinhaltet Plasma mit all den niedermolekularen Inhaltsstoffen, welche aus dem Blut in die Leberzellen aufgenommen werden sollen. Durch die Wand zwischen Lebersinusoiden und Dissé-Raum können nur die Flüssigkeit und die kleinen Bestandteile des Blutes durchtreten, die Blutzellen bleiben in der Kapillare zurück. Durch die große Oberfläche der Mikrovilli wird die Stoffaufnahme wesentlich erleichtert. Lebenswichtige Stoffwechselprodukte, die in den Leberzellen gebildet werden, werden in entgegengesetzter Richtung an das Blut abgegeben. In diesen Dissé-Räumen erfolgt so der gegenseitige Stoffaustausch zwischen Leberzellen und Blutplasma. In der Wand der Lebersinusoide findet man große Fresszellen (Makrophagen), die **Kupffer-Sternzellen**, die Fremdkörper und Bakterien aus dem vorbeiströmenden Blut phagozytieren und vernichten. Das verarbeitete Blut sammelt sich in der Zentralvene im Zentrum des Leberläppchens, das Blut aller Zentralvenen fließt in immer größer werdenden Venen, welche sich letztlich zur Lebervene vereinigen.

Am gegenüberliegenden Pol der Leberzellen verlaufen zwischen den Leberzellbalken zarte **Gallengänge**, in die die Gallenflüssigkeit sezerniert wird. In entgegengesetzter Richtung zum Blutstrom fließt die Gallenflüssigkeit in Gallengängen vom Zentrum des Leberläppchens nach außen. Die Galle wird also von den Leberzellen gebildet und in Gallenkapillaren in Richtung periportale Felder zu den Gallengängen der Glisson-Trias transportiert. Diese vereinigen sich im weiteren Verlauf zu immer größer werdenden Gallengängen und münden schließlich in einen rechten und einen linken Lebergallengang, den **Ductus hepaticus dexter et sinister**, die die Leber über die Leberpforte verlassen.

14.10 Gallenblase (Vesica fellea) und Gallenwege

In der Leber wird die für die Fettverdauung notwendige Galle produziert, sie wird über die Gallengänge in die Gallenblase und von dort in den Zwölffingerdarm abtransportiert. In der Gallenblase können bis zu 50 ml Gallenflüssigkeit gespeichert werden, welche im Bedarfsfall für die Verdauung zur Verfügung stehen.

Die **Gallenblase (Vesica fellea)** ist ein birnenförmiges Hohlorgan mit einer Länge von etwa 8–12 cm. Sie liegt an der Eingeweideseite der Leber und ist mit der Leberkapsel fest verwachsen. Ihre Funktion ist ausschließlich die Speicherung und die Bereitstellung der Gallenflüssigkeit für die Verdauung.

An ihrer freien Außenseite ist die Gallenblase von einer Serosa, also einem Peritoneum viscerale, bedeckt, ihre dünnwandige Muskelschicht hat eine scherengitterartige Struktur, um ein optimales Auspressen der Gallenflüssigkeit zu ermöglichen. Die sie auskleidende Schleimhaut weist netzförmige Falten auf, deren oberste Schicht aus einem einschichtigen Zylinderepithel besteht, welches einerseits ein schleimiges Sekret abgibt, andererseits der Gallenflüssigkeit Wasser entzieht, um sie einzudicken.

Die **Gallenflüssigkeit** besteht hauptsächlich aus Wasser, Elektrolyten, Bilirubin (einem Abbauprodukt des roten Blutfarbstoffes Hämoglobin), Gallensäuren und Cholesterin. Sie aktiviert im Darm die Pankreaslipase für die Fettverdauung.

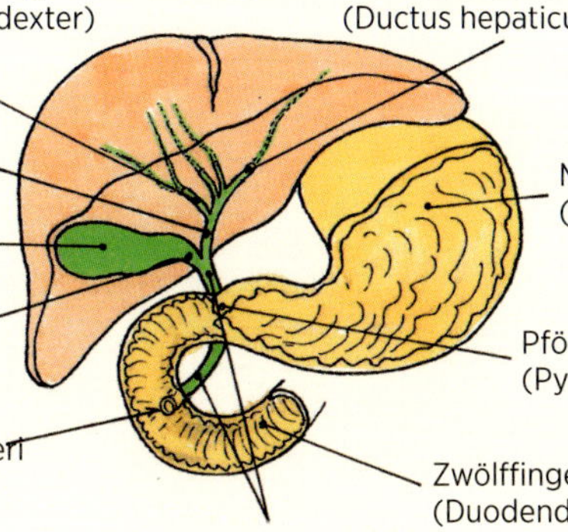

Abb. 131: **Gallengänge**

Die innerhalb der Leber liegenden Gallenwege werden als **intrahepatische Gallenwege** bezeichnet. Sie beginnen als kleinste Gallenkapillare innerhalb der Leberläppchen und vereinigen sich zu immer größeren Gallengängen bis zum **rechten Lebergang (Ductus hepaticus dexter)** aus dem rechten Leberlappen und dem **linken Lebergang (Ductus hepaticus sinister)** aus dem linken Lappen. Diese zählt man schon zu den äußeren, also außerhalb der Leber liegenden Gallengängen, da sie die Leber durch die Leberpforte verlassen.

Rechter und linker Lebergang vereinigen sich außerhalb der Leber zum **gemeinsamen Lebergang (Ductus hepaticus communis)**. Aus der Gallenblase zieht der **Gallenblasengang (Ductus cysticus)** in Richtung Ductus hepaticus communis, die beiden vereinigen sich in einem spitzen Winkel zum **Hauptgallengang (Ductus choledochus)**, welcher an der **Papilla Vateri**, einer Schleimhautfalte, in den Zwölffingerdarm mündet.

> Die Leber bildet die Gallenflüssigkeit, welche über den rechten und linken Lebergang, den gemeinsamen Lebergang und den Gallengang ins Duodenum rinnt. Die Gallenblase speichert überschüssige Gallenflüssigkeit.

Wird keine Galle benötigt und die Leber produziert dennoch Gallenflüssigkeit, verschließt ein Schließmuskel die Papilla Vateri des Zwölffingerdarms und die Galle staut über den Gallenblasengang in die Gallenblase zurück und wird dort gespeichert. Bei Bedarf kann die Gallenblase die Galle wieder in Richtung Dünndarm abfließen lassen.

14.11 Bauchspeicheldrüse (Pankreas)

Die Bauchspeicheldrüse ist ein graurötliches Organ, welches quer retroperitoneal an der hinteren Bauchwand liegt und vom Zwölffingerdarm zur Milz verläuft. Sie ist in drei Anteile, den **Pankreaskopf (Caput pancreatis)**, den **Pankreaskörper (Corpus pancreatis)** und den **Pankreasschwanz (Cauda pancreatis)**, unterteilt. Der Kopf liegt in der c-förmigen Schleife des Zwölffingerdarms, der Körper und der Schwanz sind etwas schmäler und laufen quer in horizontaler Richtung bis zur Milz. Das Pankreas weist eine Länge von etwa 13–18 cm auf und zeigt eine Läppchenstruktur, ähnlich den großen Mundspeicheldrüsen.

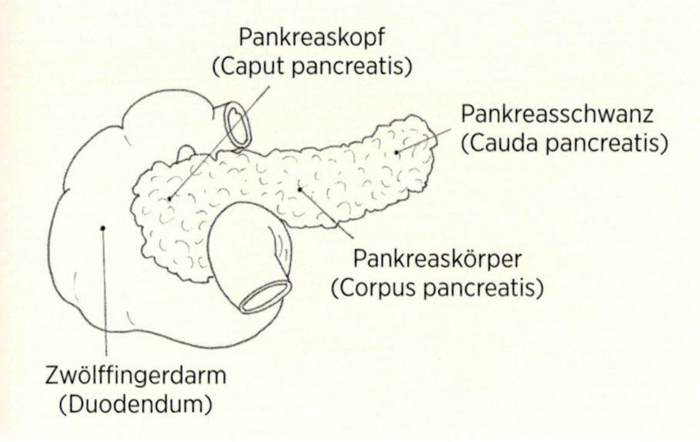

Abb. 132: **Pankreas**

14.11.1 Feinbau des Pankreas

Das Pankreas ist eine ganz besondere Drüse, es besteht aus zwei unterschiedlichen Drüsenanteilen, einer exokrinen Verdauungsdrüse und einer endokrinen Hormondrüse.

Den Großteil der Drüse macht der **exokrine Pankreasanteil** aus, welcher aus läppchenförmig zusammengefassten serösen Drüsenzellen besteht und den Bauchspeichel mit Enzymen für die Verdauung produziert. Die Drüse wird in ihrer ganzen Länge vom **Pankreasgang (Ductus pancreatis)** durchzogen, in den über zahlreiche kleine Seitenäste der Bauchspeichel sezerniert wird. Der Pankreasgang mündet gemeinsam mit dem Hauptgallengang (Ductus choledochus) an der Vater'schen Papille in den Zwölffingerdarm. Pro Tag werden 1–2 Liter „Bauchspeichel" produziert, dieser beinhaltet das Enzym Amylase für die Kohlenhydratverdauung, Pankreaslipase für die Fettverdauung, Elastase zur Aufspaltung von Elastin sowie Trypsin und Chymotrypsin für die Eiweißverdauung. Die beiden letztgenannten Enzyme werden als Vorstufen – Trypsinogen und Chymotrypsinogen – in den Darm abgegeben und erst dort aktiviert, damit es zu keiner Selbstverdauung des Pankreas kommt. Der Großteil des Pankreassaftes besteht jedoch aus Bikarbonat, welches das Milieu des sauren Speisebreis, der aus dem Magen in den Zwölffingerdarm übertritt, schlagartig ändert. Das basische Bikarbonat neutralisiert den sauren Magensaft im Duodenum und schafft einen alkalischen pH-Wert, der die Funktion der Pankreasenzyme erst möglich macht.

Der **endokrine Anteil des Pankreas** liegt als Zellansammlung, die **Langerhans-Inseln**, im exokrinen Anteil verteilt. Er besteht aus verschiedenen Zelltypen, die unterschiedliche Hormone produzieren und die nicht in den Darm, sondern direkt über zahlreiche Kapillaren in das Blut abgegeben werden.

Die **A-Zellen** produzieren das Hormon **Glukagon**, das den Blutzuckerspiegel durch einen erhöhten Glykogenabbau in der Leber anhebt. Das **Glykogen** ist der gespeicherte Zucker, der bei Bedarf mobilisiert werden kann. Glukagon ist ein Gegenspieler des Insulins.

Die **B-Zellen** stellen 80 % der endokrinen Pankreaszellen. Sie bilden das blutzuckersenkende Hormon **Insulin**, welches die Aufnahme von Glukose aus dem Blut in die Zellen des Körpers ermöglicht und so den Blutzuckerspiegel senkt. Die Zellen benötigen die Glukose zur Energiegewinnung; fehlt das Insulin, hungern die Zellen und erleiden mit der Zeit Schaden. Mangelhafte oder fehlende Insulinproduktion ruft das Krankheitsbild des Diabetes mellitus hervor.

Die **D-Zellen** bilden das Hormon **Somatostatin**, das die Ausschüttung von Insulin und Glukagon hemmt. Als Gegenspieler des Wachstumshormons bremst es zahlreiche Stoffwechselvorgänge.

14.12 Physiologie des Verdauungstraktes

14.12.1 Schluckakt und Verdauung der Nährstoffe

Die Aufgabe des Verdauungssystems ist es, dem Organismus lebensnotwendige Stoffe zuzuführen, bereitzustellen und nicht verwertbare oder schädliche Nahrungsbestandteile auszuscheiden. Dazu benötigt der Verdauungstrakt glatte Muskulatur, die den

Transport des Speisebreis gewährleistet, Enzyme und andere auflösende Stoffe, die die Nahrung zerkleinern, und eine spezielle Schleimhaut, die die Stoffaufnahme ins Blut ermöglicht. Drüsenzellen im gesamten Verlauf des Darmrohres und Speicheldrüsen im Kopf- und Bauchbereich steuern ihre dringend benötigten Sekrete bei.

Bereits in der **Mundhöhle** beginnt die mechanische und chemische Zerkleinerung der Nahrung. Die Zähne zermahlen die Lebensmittel zu einem schluckbaren Speisebrei (Chymus), die Kopfspeicheldrüsen geben Flüssigkeit und **α-Amylasen** (das Enzym Ptyalin) zur **Kohlenhydratverdauung** und **Zungengrundlipasen** zur **Fettverdauung** in die Mundhöhle ab. Nun wird der Bissen durch die Zunge in den Rachen geschoben. Dieser Vorgang ist willkürlich, das heißt, von uns bewusst steuerbar. Der Bissen gelangt in den **Rachen**, der Zungengrund verschließt die Mundhöhle, der weiche Gaumen die Nasenhöhle und der Kehlkopfdeckel den Kehlkopf. So rutscht der Bissen aus dem Rachen hinter dem Kehlkopf weiter in die **Speiseröhre**. Dort angekommen, beginnen sofort die wellenförmigen Bewegungen des Verdauungsrohres, die **Peristaltik**, die die Speisen stetig weitertransportieren. Dieser Vorgang läuft unwillkürlich ab, er ist nicht von unserem Willen steuerbar. Im **Magen** werden sowohl Flüssigkeit als auch **Salzsäure**, die antibakteriell wirkt, sowie das **Pepsinogen** aus den Magendrüsen dem Speisebrei zugeführt. Erst bei Anwesenheit von Nahrung wird das Pepsinogen in das aktive Pepsin umgewandelt. Die Salzsäure denaturiert die Eiweiße, das heißt, sie spaltet die Proteinstruktur und ermöglicht dem Pepsin die **Eiweißverdauung**. Im Magen werden die Enzyme und der Speisebrei gut durchmischt, schwer verdauliche Speisen können mehrere Stunden im Magen verweilen. Nun wird der Mageninhalt, gesteuert vom **Pförtner**, portionsweise in das **Duodenum** weitergegeben. Im Zwölffingerdarm kommen aus der Bauchspeicheldrüse die **Pankreaslipase zur Fettverdauung**, die **Pankreasamylase zur Kohlenhydratverdauung** sowie **Trypsin und Chymotrypsin zur Eiweißverdauung** dazu. Der überwiegende Anteil des Pankreassaftes besteht, wie bereits erwähnt, aus Bikarbonat, welches den sauren Magensaft nach seinem Übertritt ins Duodenum weitgehend neutralisiert und ein für die Aktivität der Pankreasenzyme notwendiges basisches Milieu schafft. Der **Gallensaft** fließt über den Ductus choledochus hinzu, emulgiert die Fette und aktiviert die Lipase. Der Gallensaft ist daher für die Fettverdauung wichtig. Im Verlauf des Dünndarms werden von der zottigen Schleimhaut, die großflächig mit dem Speisebrei in Berührung kommt, die Nährstoffe ins Blut und in die Lymphe aufgenommen.

> Im Dickdarm werden im Wesentlichen keine Nährstoffe mehr aufgenommen, dem Stuhl wird jedoch reichlich Wasser entzogen und er wird eingedickt.

Tab. 47: **Verdauungsenzyme**

Funktion	Enzyme	Produzierendes Organ
Kohlenhydratverdauung	Ptyalin (α-Amylase) Pankreasamylase	Kopfspeicheldrüsen Bauchspeicheldrüse
Eiweißverdauung	Pepsin (Vorstufe Pepsinogen) Salzsäure aktiviert Pepsinogen Trypsin Chymotrypsin	Magendrüsen (Hauptzellen) Magendrüsen (Nebenzellen) Bauchspeicheldrüse Bauchspeicheldrüse
Fettverdauung	Zungengrundlipase Gallensaft aktiviert Lipasen Pankreaslipase	Kopfspeicheldrüsen Leber Bauchspeicheldrüse

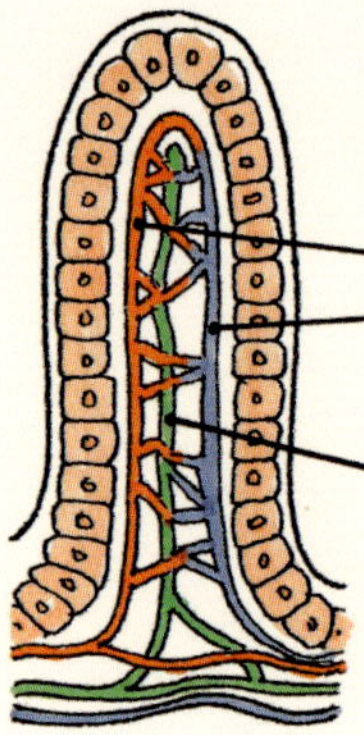

Abb. 133: **Darmzotte**

14.12.2 Resorption der Nährstoffe

Die Dünndarmschleimhaut besitzt zahlreiche Zotten zur Oberflächenvergrößerung, die im Verlauf des Darmrohres zunehmend flacher werden, bis sie im Dickdarm gar nicht mehr vorhanden sind. Jede Zotte enthält ein verzweigtes Netz von Blutgefäßen und in ihrem Zentrum ein **Lymphgefäß (Chylusgefäß)**. Wasserlösliche Substanzen aus dem Speisebrei werden in das Blut aufgenommen und gelangen über die Pfortader in die Leber, wo sie weiter ab- und umgebaut oder entgiftet werden. Die Leber ist imstande, ein überschüssiges Nahrungsangebot in Form von **Glykogen (Speicherzucker)** zu speichern, sie kann bei übermäßiger Nahrungszufuhr oder Schädigung der Leberzellen auch Fett einlagern (Fettleber). Die Fettsäuren aus der Nahrung werden hingegen in Form von Chylomikronen über das zentrale Chylusgefäß in den Darmzotten in die Darmlymphe aufgenommen und über den **Milchbrustgang (Ductus thoracicus)** im Bereich des linken Venenwinkels, das ist der Zusammenfluss der Drosselvene (Vena jugularis) mit der Unterschlüsselbeinvene (Vena subclavia), in das Blut befördert. Chylomikronen sind Lipoproteine, welche das Cholesterin und die Triglyceride aus der Nahrung „verpackt" transportieren.

Die Zusammensetzung der Nahrung und Diätformen werden in Teil IV, „Ernährung", S. 331 besprochen.

14.12.3 Funktionen der Leber

Das nährstoffreiche Blut aus dem Darm fließt über die Pfortader in die Leber. Dort werden die aufgenommenen Stoffe umgebaut, teilweise gespeichert und entgiftet. Überschüssige Glukose, Vitamine und Spurenelemente werden in den Leberzellen angereichert und bei Bedarf wieder an den Organismus abgegeben. Glukose wird von den Leberzellen aufgenommen und dort als „tierische" Stärke, das Glykogen, gespeichert. Sinkt der Blutzuckerspiegel, werden diese Depots beim Vorgang der Glykolyse (Abbau des Gykogens) mobilisiert, und Glukose (Blutzucker) strömt ins Blut und zu den Körperzellen. Andererseits kann die Leber bei einem Überangebot den gespeicherten Zucker in Fett umbauen und dieses in den Leberzellen speichern, oder es wird in Fettdepots des Körpers gelagert. Das kann einerseits eine Fettleber, andererseits Übergewicht zur Folge haben. Bei geleertem Zuckerspeicher besteht zusätzlich die Möglichkeit, dass in der Leber Eiweiße in Glukose umgewandelt werden.

Lebenswichtige Eiweiße, wie **Albumine** und **Gerinnungsfaktoren**, werden in der Leber synthetisiert und in das Blut abgegeben. Die Albumine erhalten im Blut den kolloidosmotischen Druck aufrecht, der Gewebsflüssigkeit in die Gefäße transportiert; ein Mangel führt zu Wasseransammlungen im Gewebe (Ödeme). Zahlreiche Gerinnungsfaktoren, darunter die Vorstufe des Fibrins, das Fibrinogen, werden in der Leber gebildet. Auch das für die Blutgerinnung notwendige Vitamin K wird von der Leber zur Verfügung gestellt. Sie synthetisiert auch Transportproteine, um Hormone und Eiweiße zu ihren Zielzellen gelangen zu lassen.

Neben dem Vitamin K ist die Leber auch an der Bildung von **Vitamin D**, welches Kalzium in den Knochen einlagert, beteiligt.

Gemeinsam mit der Milz phagozytiert die Leber alte Blutzellen und baut den roten Blutfarbstoff Hämoglobin zu **Bilirubin** ab, welches mit der Gallenflüssigkeit, die ebenfalls von den Leberzellen gebildet wird, in den Darm ausgeschieden wird. Die Grundstruktur der Gallensäuren bildet das **Cholesterin**, auch dieses wird von den Leberzellen synthetisiert. Die Gallenflüssigkeit wird bei fettreicher Nahrung in den Zwölffingerdarm gepresst, sie emulgiert die Speisefette und erleichtert so deren Verdauung.

Cholesterine bilden auch die Grundbausteine für die **Steroidhormone**; dazu zählen die Androgene, die Gestagene, das Aldosteron und das Cortisol. Androgene und Gestagene sind Geschlechtshormone und werden unter anderem in den Keimdrüsen gebildet, das Aldosteron aus der Nebennierenrinde erhöht die Wasserresorption in der Niere und steigert so den Blutdruck.

Die Leber ist wesentlich am Abbau von aufgenommenen Medikamenten, Hormonen und auch anderen Toxinen aus der Nahrung beteiligt. So baut sie das beim Eiweißabbau entstandene giftige Ammoniak in ungiftigen Harnstoff um und baut den toxischen Alkohol in mehreren Schritten letztlich zu Essigsäure ab. Das dabei entstehende Zwischenprodukt Acetaldehyd ist allerdings stark leberschädigend. Asiaten fehlt das dazu notwendige Enzym Alkoholdehydrogenase, was zu unangenehmen Begleiterscheinungen wie Übelkeit und Kopfschmerzen nach Alkoholgenuss führt.

In der Fetalzeit läuft in der Leber auch die **Hämatopoese**, die Bildung von Blutzellen, ab.

14.13 Pathophysiologie der Verdauungsorgane

Die Verdauungsorgane dienen der mechanischen und chemischen Zerkleinerung der Nährstoffe und deren Aufnahme über die Darmschleimhaut in das Blut. Unter Digestion versteht man die Aufspaltung der Nahrungsstoffe durch die Enzyme im Verdauungstrakt, unter Absorption die Aufnahme der aufgeschlüsselten Nährstoffe durch die Darmschleimhaut. Störungen dieser Vorgänge werden als **Maldigestion** und **Malabsorption** bezeichnet.

Bei den pathologischen Veränderungen der Zähne und des Zahnfleisches sind vor allem die Zahnfäule (Karies), die Zahnfleischentzündung (Parodontitis) und chronische Geschwüre (Aphthen) zu erwähnen.

Unter **Karies** versteht man eine Infektionskrankheit der Zähne, welche hauptsächlich durch Streptokokkus mutans hervorgerufen wird. Dieser Erreger vermehrt sich in Anwesenheit von Kohlenhydraten (Zucker) und bei mangelhafter Mundhygiene; er produziert Säuren, die den Zahnschmelz angreifen und den Zahn zunehmend zerstören und faulen lassen.

Eine **Parodontitis** ist eine ebenfalls durch Bakterien hervorgerufene Entzündung des Zahnfleisches (**Gingiva**) und des Zahnhalteapparates (**Parodontium**). Bei fortgeschrittener Entzündung kann es zum Lockern der Zähne und in der Folge zu deren Verlust kommen.

Zahn- und Zahnfleischentzündungen (Gingivitis) können Ursache schwerwiegender Herzklappen- und Herzmuskelentzündungen sein, wenn die Erreger ins Blut gelangen. Sie werden auch in Zusammenhang mit Gefäßverkalkungen (Arteriosklerose) und Nierenschädigungen gebracht.

Aphthen hingegen sind kleine, umschriebene Ulzerationen (Geschwüre) der Mundschleimhaut mit rötlichem Saum und weißlichem fibrinösen Belag. Aphthen neigen dazu, in Abständen immer wieder aufzutreten, als Ursache werden einige Bakterien und auch Viren genannt.

Tab. 48: **Verdauungsstörungen**

Verdauungsstörung	Ursachen/Symptome
Maldigestion	Durch angeborenen oder erworbenen Mangel an Verdauungsenzymen kommt es zu einer unzureichenden Verdauung der Nährstoffe, die teils unverdaut mit dem Stuhl ausgeschieden werden.
Malabsorption	Gestörte Aufnahme der Nahrungsbestandteile durch die Darmschleimhaut in das Blut, häufig durch chronisch entzündliche Darmerkrankungen. Mangelernährung, Gewichtsabnahme und Lebensmittelunverträglichkeiten sind die Folge.

Die Leber als unser wichtigstes Entgiftungsorgan erleidet häufig durch die übermäßige Zufuhr von Alkohol oder Medikamenten, aber auch durch Entzündungen **(Hepatitis)** Schaden. Ein auffallendes Symptom einer Leberzellschädigung ist der **Ikterus**, die Gelbfärbung der Haut und der Schleimhäute. Es ist wichtig zu wissen, dass der Ikterus nur ein Symptom ist und keine Krankheit an sich und dass ihm unterschiedliche Ursachen zugrunde liegen können. Allen Ursachen gemeinsam ist, dass es zu einem Anstieg von Bilirubin, einem Abbauprodukt des Hämoglobins (Blutfarbstoff), im Blut kommt. Bilirubin wird über die Gallenflüssigkeit ausgeschieden. Der Ikterus kann durch Erkrankungen „vor“ der Leber (prähepatischer Ikterus), „in“ der Leber (intrahepatischer Ikterus) und „nach“ der Leber (posthepatischer Ikterus) hervorgerufen werden.

Tab. 49: **Ikterus**

Form des Ikterus	Ursachen	Symptome
Prähepatischer Ikterus („vor der Leber“)	Auflösen der roten Blutkörperchen (Hämolyse) durch Anomalien der Erythrozyten, immunologische Vorgänge oder Gifte	Anämie (Blutarmut), Gelbfärbung der Haut und Schleimhäute, die Farbe des Stuhls und des Urins ist normal
Intrahepatischer Ikterus („in der Leber“)	Schädigung der Leberzellen durch Entzündungen (Hepatitis), Leberzirrhose, Leberzellkarzinom	Gelbfärbung der Haut und der Schleimhäute, Hautjucken, Erbrechen, Müdigkeit, evtl. Aszites (Bauchwassersucht) Stuhlfarbe hell, da die Leber nicht genügend Gallensaft mit Bilirubin in den Darm abgibt, Harn dunkel, da das überschüssige Bilirubin über die Niere ausgeschieden wird
Posthepatischer Ikterus („nach der Leber“)	Rückstau der Gallenflüssigkeit durch Verlegung der Gallenwege durch Steine oder Tumoren	Gelbfärbung der Haut und der Schleimhäute, Hautjucken, heller Stuhl, dunkler Harn

Da der Insulinmangel ein häufiges Krankheitsbild darstellt, wird kurz auf die beiden Formen des Diabetes mellitus, der „Zuckerkrankheit“, eingegangen. Insulin ist notwendig, um den Blutzucker (Glukose) in die Zellen zu transportieren, wo er in Energie umgewandelt wird. Beim Diabetes mellitus besteht die widersprüchliche Situation, dass mehr als ausreichend Glukose im Blut vorhanden ist, die Zellen aber keine Energie bilden können und geschädigt werden.

Tab. 50: **Diabetes mellitus**

	Diabetes mellitus Typ I	**Diabetes mellitus Typ II**
Ursache	Autoimmunerkrankung mit Zerstörung der B-Zellen, daraus resultiert ein absoluter Insulinmangel	Übermäßige Kalorienzufuhr macht die Körperzellen unempfindlich gegen Insulin, die Bauchspeicheldrüse produziert immer mehr Insulin und erschöpft. Es resultiert ein relativer Insulinmangel.
Symptome	Häufig dramatischer Beginn mit lebensbedrohlichem Koma, Durst, häufigem Wasserlassen, Austrocknen, Heißhunger, Gewichtsverlust, Leistungsknick, Sehstörungen	Langsamer, schleichender Beginn mit Durst, häufigem Wasserlassen und Austrocknen, es besteht meist Übergewicht
Spätsymptome	Schädigung der Arterien und Kapillaren mit Durchblutungsstörungen der Niere bis zum Funktionsverlust (Nephropathie), der Netzhaut bis zum Erblinden (Retinopathie), der Füße bis zur Gangrän (diabetischer Fuß), des Herzmuskels (Herzinfarkt) und des Gehirns (Schlaganfall)	
Therapie	Insulin, da es vollständig fehlt (absoluter Insulinmangel), Bewegung	Vermeiden von Zucker und „schnellen" Kohlenhydraten, Diät, Gewichtsreduktion, Bewegung, Medikamente zum Ankurbeln der Insulinproduktion, da diese noch nicht vollständig versiegt ist (relativer Insulinmangel), im fortgeschrittenen Stadium Insulin

Übungsfragen

1. Welche Organe zählt man zum Verdauungstrakt? Nenne die Organe des Verdauungsrohres in der richtigen Reihenfolge!
2. Welche Geschmackspapillen und welche Geschmacksrichtungen können unterschieden werden?
3. Wo liegen die drei großen Kopfspeicheldrüsen und wo münden sie?
4. Beschreibe den Aufbau des Zahnes anatomisch und nach seinen Hartsubstanzen. Welche ist die härteste Substanz im Körper? Unterscheide Milchgebiss und Erwachsenengebiss.
5. Wo genau liegt der Magen? Welche Abschnitte können unterschieden werden? Welche Substanzen werden von der Magenschleimhaut gebildet, was sind ihre Funktionen?
6. Wo findet man Peritoneum viscerale und parietale? Beschreibe die Lage zum Peritoneum (intra- und retroperitoneal) folgender Organe: Magen, Leber, Pankreas, Duodenum, Jejunum, Ileum, Colon ascendens, transversum und descendens, Caecum und Appendix vermiformis.
7. Beschreibe Abschnitte, Lage, Aufbau und Funktion des Dünn- und Dickdarms. Wodurch unterscheidet sich die Dünndarmschleimhaut von der Dickdarmschleimhaut? Wodurch bekommt die Dünndarmschleimhaut eine so große Oberfläche (alle 4 Einrichtungen!) und wozu braucht sie diese? Welche Merkmale sind typisch für den Dickdarm?
8. Unterscheide die beiden Schließmuskeln des Anus in ihrem Aufbau und ihrer Funktion.
9. Erkläre Aussehen, Aufbau, Lage und Funktion der Leber und der Gallenblase. Welche Gefäße gehören zur Glisson-Trias? Was geschieht im Dissé-Raum?
10. Wo liegt das Pankreas? Aus welchen Anteilen besteht es anatomisch und funktionell? Unterscheide die Ursachen des Diabetes mellitus Typ I und Typ II. Erkläre den Zusammenhang zwischen hohem Blutzuckerspiegel und Energiebildungsstörung der Zellen.

15 Hormonsystem – endokrines System

Das Hormonsystem ist ein Steuerungssystem des menschlichen Organismus, welches über Botenstoffe, die Hormone, Informationen weitergeben kann. Hormone werden von Drüsenzellen produziert, welche entweder einzeln verteilt in Geweben vorkommen oder zu größeren Hormondrüsen zusammengefasst sind.

Hormondrüsen sind endokrine Drüsen ohne Ausführungsgang nach außen, sie geben ihre Hormone ans Blut oder ihre Umgebung ab. Hormone haben eine ganz spezielle Struktur, die an den Rezeptoren ihrer Zielzellen andockt und so eine Reaktion auslöst. Sie passen wie der Schlüssel in sein Schloss **(Schlüssel-Schloss-Prinzip)**.

Man unterscheidet einerseits **Steuerhormone**, die untergeordnete Hormondrüsen steuern und wiederum zur Produktion ihrer spezifischen Hormone anregen, sowie andererseits **Effektorhormone**, die direkt auf die Zielorgane wirken.

Neurohormone sind Überträgersubstanzen im Nervensystem, die Informationen an Synapsen von einer Nervenzelle an die nächste oder über die motorische Endplatte von einer Nervenzelle auf eine Muskelzelle weitergeben können.

Hormone lassen sich auch nach ihrer chemischen Struktur einteilen:

Steroidhormone: Leiten sich vom Cholesterin ab und werden in der Nebennierenrinde, in den Hoden, den Ovarien und in der Plazenta synthetisiert. Dazu zählen die Mineralokortikoide, die Glukokortikoide, die Androgene und die davon abgeleiteten Sexualhormone Östrogen, Progesteron und Testosteron.

Aminosäurederivate: Diese Hormone setzen sich aus Aminosäuren zusammen, etwa Adrenalin, Noradrenalin oder Dopamin.

Peptidhormone: Sind aus Aminosäureketten, also Eiweißen aufgebaut, wie die Pankreashormone Insulin und Glukagon.

15.1 Hierarchie des Hormonsystems

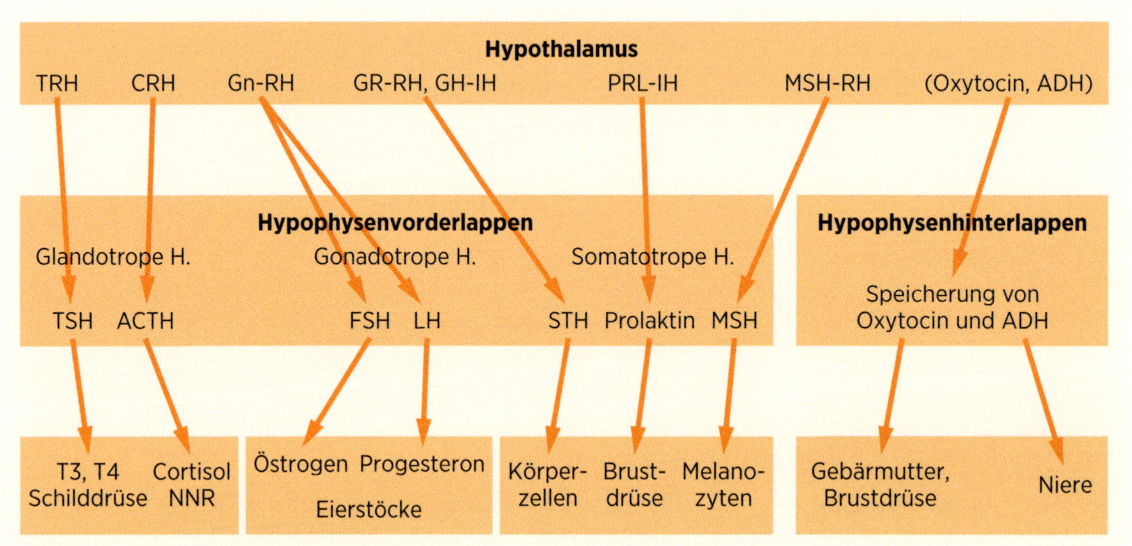

Abb. 134: **Hierarchie des Hormonsystems**

Die oberste Instanz des Hormonsystems ist der Hypothalamus, ein Anteil des Zwischenhirns, welcher mit seinen Releasing- (freisetzenden) und Inhibiting- (hemmenden) Hormonen den Hypophysenvorderlappen steuert. Dieser gibt bei Bedarf wiederum glandotrope Hormone für die Steuerung einiger Hormondrüsen (Schilddrüse, Nebennierenrinde), gonadotrope Hormone für die Steuerung der Keimdrüsen (Eierstock, Hoden) und somatotrope Hormone direkt an Körpergewebe ab.

Das Hormonsystem ist zu einem großen Teil hierarchisch strukturiert, wobei nicht alle Hormondrüsen dieser Hierarchie unterliegen und durch andere Parameter, wie zum Beispiel den Blutzuckerspiegel, zur Ausschüttung ihrer Hormone angeregt werden.

Das übergeordnete Steuerorgan ist der **Hypothalamus**, ein umschriebenes Areal im Bereich des Zwischenhirns. Er beeinflusst über Releasing-Hormone (stimulieren die Sekretion) und Inhibiting-Hormone (hemmen die Sekretion) den **Hypophysenvorderlappen** und gibt auch einige Hormone zur Speicherung an den Hypophysenhinterlappen weiter.

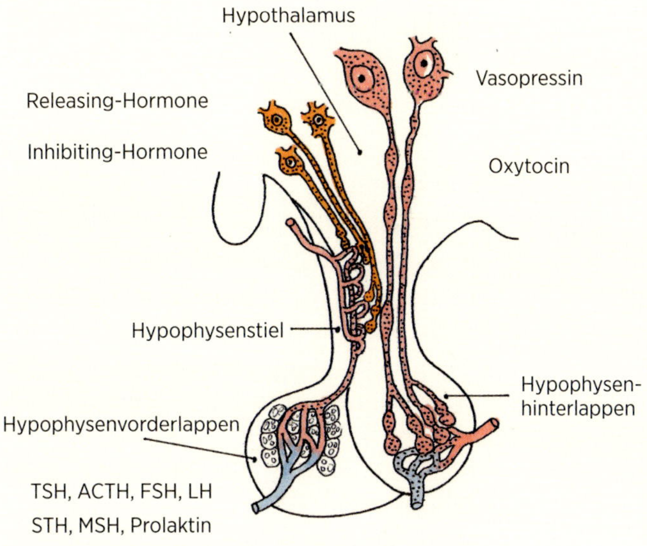

Abb. 135: **Hypothalamus, Hypophyse**

Die **Hypophyse** ist eine etwa erbsengroße Drüse. Sie befindet sich unterhalb des Hypothalamus, eingebettet in den knöchernen Türkensattel der Schädelbasis. Sie ist durch den Hypophysenstiel mit dem Hypothalamus verbunden und in zwei funktionell unterschiedliche Areale unterteilt. Der Hypophysenvorderlappen (HVL) oder Adenohypophyse fungiert als zweite, dem Hypothalamus untergeordnete Instanz des Hormonsystems. Dieser beeinflusst wiederum über Steuerhormone nachgeschaltete Hormondrüsen.

Durch Regelkreise, die nach dem Prinzip der positiven und negativen Rückkoppelung funktionieren, wird die Hormonausschüttung reguliert. Sind wenige Hormone in der Peripherie vorhanden, wird die Produktion von übergeordneten Steuerhormonen intensiviert und so die Hormonproduktion in der entsprechenden Drüse gesteigert. Ist der Hormonspiegel im Blut jedoch ausreichend hoch, wird die Sekretion der übergeordneten Steuerhormone reduziert.

Der **Hypophysenhinterlappen** (HHL), auch Neurohypophyse genannt, speichert die Hormone Oxytocin und Vasopressin, welche aus dem Hypothalamus über Nervenbahnen entlang des Hypophysenstiels dorthin gelangen.

15.1.1 Hypothalamus

Der **Hypothalamus** wird vom unteren Abschnitt des Zwischenhirns gebildet; wie der Name schon andeutet, liegt er unterhalb der beiden Thalamuskerne. Er gilt als oberste Steuerzentrale unseres Hormonsystems und bildet eine Vielzahl von Hormonen. Als oberste Befehlsinstanz regelt er die Hormonausschüttung in der ihm untergeordneten 2. Befehlsinstanz, der Hypophyse, mit der er über den Hypophysenstiel in Verbindung steht. Der Hypothalamus produziert zwei Arten von Hormonen, Steuerhormone und Effektorhormone:

Steuerhormone, die er über den Blutweg an den Hypophysenvorderlappen (Adenohypophyse) entsendet, nützen ein dichtes Kapillargeflecht, welches zwischen diesen beiden Drüsen besteht. Diese Steuerhormone lassen sich in **Releasing- und Inhibiting-Hormone** unterteilen. Releasing-Hormone oder **Liberine** sind „freisetzende Hormone", die die Sekretion der Hormone der Adenohypophyse anregen, Inhibiting-Hormone oder **Statine** sind „hemmende Hormone" und entfalten ihre Wirkung ebenfalls am Hypophysenvorderlappen.

Für die von der Adenohypophyse gebildeten Hormone schüttet der Hypothalamus folgende Hormone aus:

Steuerhormone

- Thyreotropin-Releasing-Hormon (TRH) für das TSH (thyreoideastimulierendes Hormon) entfaltet seine Wirkung letztlich an der Schilddrüse.
- Corticotropin-Releasing-Hormon (CRH) für das ACTH (adrenocorticotropes Hormon) ermöglicht vor allem die Freisetzung von Cortisol aus der Nebennierenrinde.
- Gonadotropin-Releasing-Hormon (Gn-RH) für die Hormone FSH (follikelstimulierendes Hormon) und LH (luteinisierendes Hormon), die auf die Geschlechtsdrüsen wirken.
- Somatotropin(GH, Growth-Hormon)-Releasing-Hormon (GH-RH) für das Wachstumshormon (STH).
- Melanozytenstimulierendes-Hormon-Releasing-Hormon (MSH-RH) ermöglicht, dass die Melanozyten in der Haut unter UV-Bestrahlung das bräunende Melanin erzeugen.
- Ein Prolaktin-Releasing-Hormon konnte nicht nachgewiesen werden; andere Faktoren, darunter TRH und Oxytocin, stimulieren die Ausschüttung von Prolaktin im Hypophysenvorderlappen.

Für einige Hormone gibt es zusätzlich Inhibiting-Hormone:

- Somatostatin (GH-IH) bremst das Wachstumshormon.
- Prolaktin-Inhibiting-Hormon (PRL-IH) reduziert die Milchproduktion.

Seine **Effektorhormone** sendet der Hypothalamus an den Hypophysenhinterlappen, die Neurohypophyse, wo diese nur gespeichert und erst bei Bedarf an die Zielorgane weitergegeben werden. Diese Hormone gelangen entlang der Nervenfasern, welche durch den Hypophysenstiel nach unten ziehen, vom Hypothalamus in den Hypophysenhinterlappen. Man nennt diesen Vorgang „Neurosekretion". Zu den Effektorhormonen zählen das Oxytocin und das Vasopressin.

- Oxytocin fördert die Wehentätigkeit der glatten Uterusmuskulatur während der Geburt, ermöglicht das Auspressen der Milch bei der stillenden Mutter und fördert zusätzlich die emotionale Mutter-Kind-Bindung.
- Das Vasopressin oder antidiuretische Hormon (ADH) erhöht den Blutdruck, indem es die Wasserrückresorption in der Niere und somit das Blutvolumen steigert.

Die Steuerhormone des Hypothalamus sind die Releasing-Hormone (freisetzende Hormone oder Liberine) und Inhibiting-Hormone (hemmende Hormone oder Statine), welche für die Regulation der Hormonausschüttung aus dem Hypophysenvorderlappen verantwortlich sind. Diese Steuerhormone gelangen über den Blutweg zum Hypophysenvorderlappen, auch Adenohypophyse genannt, wo sie wiederum die Produktion von HVL-Steuerhormonen bewirken.

Die Hypothalamus-Effektorhormone gelangen über Nervenbahnen vom Hypothalamus in den Hypophysenhinterlappen (HHL), wo sie gespeichert und bei Bedarf ins Blut abgegeben werden. Sie wirken dann direkt auf ihre Zielgewebe.

Tab. 51: **Hormone, die im Hypothalamus produziert werden**

Steuerhormone des Hypothalamus Sie gelangen über das Blut zum Hypophysenvorderlappen (HVL) und regen diesen zur Bildung weiterer Steuerhormone an.	**Effektorhormone des Hypothalamus** Sie gelangen über Nervenfasern in den Hypophysenhinterlappen, werden dort gespeichert und bei Bedarf ausgeschüttet.
Thyreotropin-Releasing-Hormon (TRH) setzt das glandotrope Hormon TSH (thyreoideastimulierendes Hormon) im HVL frei → für die Produktion der Schilddrüsenhormone Trijodthyronin und Thyroxin.	**Antidiuretisches Hormon (ADH) oder Vasopressin** vermindert die Harnausscheidung über die Niere und erhöht so den Blutdruck.
Corticotropin-Releasing-Hormon (CRH) setzt das glandotrope Hormon ACTH (adrenocorticotropes Hormon) im HVL frei → für die Produktion von Glukokortikoiden, Mineralokortikoiden, Androgenen aus der NNR.	**Oxytocin** wirkt auf glatte Muskelzellen und fördert die Wehentätigkeit des Uterus während der Geburt und die Milchsekretion der Brustdrüse der stillenden Mutter sowie die emotionale Mutter-Kind-Bindung.
Gonadotropin-Releasing-Hormon (Gn-RH) setzt die gonadotropen Hormone FSH und LH im HVL frei → für die Produktion der Sexualhormone Östrogen und Gestagen im Ovar und Testosteron im Hoden.	
Somatotropin-Releasing-Hormon (GH-RH) setzt das somatotrope Hormon Somatotropin (STH) (Wachstumshormon) im HVL frei → Wirkung auf die Körperzellen. **Somatostatin** hemmt die Freisetzung von Somatotropin (STH) im HVL.	
Prolaktin-Inhibiting-Hormon (PRL-IH) hemmt die Freisetzung von Prolaktin im HVL.	
Melanozytenstimulierendes-Hormon-Releasing-Hormon (MSH-RH) setzt das somatotrope melanozytenstimulierende Hormon (MSH) im HVL frei → Wirkung auf die Melanozyten der Haut und das Immunsystem. **MSH-IH** hemmt die Freisetzung des MSH im HVL.	

15.1.2 Hypophysenvorderlappen

Im **Hypophysenvorderlappen** (HVL) werden verschiedene Peptidhormone gebildet, die wiederum als Steuerhormone auf untergeordnete Hormondrüsen **(glandotrope Hormone)** anregend wirken oder in Form von Effektorhormonen direkt auf Körpergewebe Einfluss nehmen **(somatotrope Hormone)**.

Zusätzlich werden im Hypophysenhinterlappen die Hormone Oxytocin und Vasopressin aus dem Hypothalamus gespeichert und bei Bedarf an die Zielorgane ausgeschüttet.

Die **Steuerhormone** des Hypophysenvorderlappens wirken als glandotrope Hormone auf einige Hormondrüsen des Körpers, nämlich auf die Schilddrüse, die Nebennierenrinde und auf die Geschlechtsdrüsen (Gonaden), Eierstock und Hoden. Die Steuerhormone der Gonaden werden zur genaueren Klassifizierung auch als gonadotrope Hormone bezeichnet. Außerdem entsendet der HVL auch einige Effektorhormone, die keine untergeordneten Drüsen beeinflussen, sondern als somatotrope Hormone auf zahlreiche Gewebe und Organe im Körper wirken (soma, griech.: Körper).

Der HVL produziert folgende Steuerhormone:

Zu den Steuerhormonen zählen die beiden glandotropen Hormone (im engeren Sinn) TSH und ACTH sowie die gonadotropen Hormone FSH und LH.

- TSH (thyreoideastimulierendes Hormon) stimuliert die Schilddrüse zur Ausschüttung der Hormone Thyroxin (T_4) und Trijodthyronin (T_3).
- ACTH (adrenocorticotropes Hormon) stimuliert überwiegend die Glukokortikoidausschüttung (Cortisol) in der Nebennierenrinde, der Einfluss auf die Mineralokortikoide und die Androgene ist geringer..
- FSH (follikelstimulierendes Hormon) stimuliert die Follikelreifung sowie die Östrogenbildung in den Eierstöcken und die Spermatogenese im Hoden.
- LH (luteinisierendes Hormon, gelbkörperbildendes Hormon) wirkt ebenfalls auf die Gonaden. Es stimuliert den Eisprung und die Gelbkörperbildung im Ovar sowie die Testosteronbildung im Hoden. Da der Gelbkörper das Progesteron bildet, wird die Progesteronbildung ebenso durch das LH angeregt.

Die Effektorhormone des Hypophysenvorderlappens sind die somatotropen Hormone, die eine direkte stimulierende Wirkung auf verschiedene Körperzellen besitzen.

- STH (somatotropes Hormon, auch GH – Growth-Hormon oder Wachstumshormon genannt) stimuliert das Körperwachstum sowie die Verwertung von Fett und Speicherzucker (Glykogen). Bei einer Überproduktion kommt es zum Riesenwuchs.
- Prolaktin stimuliert die Milchproduktion in der Brustdrüse der stillenden Mutter.
- MSH (melanozytenstimulierendes Hormon) beeinflusst die Hautpigmentierung als Schutz vor UV-Strahlung.

Tab. 52: **Hormone des Hypophysenvorderlappens**

Steuerhormone des HVL	Effektorhormone des HVL (somatotrope Hormone)
Glandotrope Hormone, die auf untergeordnete Drüsen wirken: **Thyreoideastimulierendes Hormon (TSH)** regt die Schilddrüse zur Bildung der Hormone Trijodthyronin (T3) und Thyroxin (T4) an. **Adrenocorticotropes Hormon (ACTH)** setzt in der Zona fasciculata der Nebennierenrinde das Hormon Cortisol (Glukokortikoide) frei.	**Somatotropin (STH, Wachstumshormon)** wirkt auf die Körperzellen und regt das Körperwachstum an. **Melanozytenstimulierendes Hormon (MSH)** regt die Synthese des Pigments Melanin in den Melanozyten an.
Gonadotrope Hormone, die auf die Keimdrüsen einwirken: **Follikelstimulierendes Hormon (FSH)** bewirkt im Eierstock das Heranreifen des Primärfollikels zum sprungreifen Graaf-Follikel und die Bildung von Östrogen sowie im Hoden das Heranreifen der Keimzellen zu Spermien. **Luteinisierendes Hormon (LH)** bewirkt im Eierstock den Eisprung und die Bildung von Progesteron sowie die Synthese von Testosteron im Hoden.	**Prolaktin** fördert die Milchproduktion in der Brustdrüse bei der stillenden Mutter und unterdrückt die Bildung von FSH und LH.

15.1.3 Hypophysenhinterlappen

Der Hypophysenhinterlappen oder die **Neurohypophyse** ist ein Speicherorgan für die beiden Effektorhormone Oxytocin und Vasopressin (ADH) aus dem Hypothalamus. Er selbst produziert keine Hormone. Diese beiden Hormone gelangen nicht über das Blut aus dem Hypothalamus in die Hypophyse, sie sickern entlang von Nervenfasern in den Hypophysenhinterlappen.

Das **Oxytocin** wird häufig als „Kuschelhormon" bezeichnet, da es die zwischenmenschliche Beziehung und vor allem die emotionale Bindung zwischen Mutter und Kind fördert. Es entfaltet aber auch seine Wirkung an den glatten Muskelzellen der Gebärmutter und der Brustdrüse. So fördert es die Wehentätigkeit während der Geburt und bewirkt die Sekretion der Muttermilch bei der stillenden Frau. Bei Wehenschwäche wird es als Infusion (Wehentropf) verabreicht.

Das **Vasopressin** trägt auch die Bezeichnung **Adiuretin** oder **antidiuretisches Hormon (ADH)**. Im Namen Vasopressin steckt die eine Wirkung des Hormons, nämlich die Verengung der Blutgefäße (lat. vas: Gefäß). Der Name antidiuretisches Hormon bezeichnet seine zweite Wirkung, nämlich die Antidiurese (Diurese: Harnausscheidung). Diese bewirkt, dass weniger Harn über die Nieren ausgeschieden und vermehrt Wasser im Körper zurückgehalten wird. Beide Mechanismen führen zu einer Blutdruckerhöhung.

15.2 Zirbeldrüse (Epiphyse)

Die Zirbeldrüse ist ein etwa 1 cm großes Organ, das oberhalb des Mittelhirns liegt. Ihre Zellen reagieren auf Lichtreize, die sie über die Netzhaut (Retina) erhalten. Sie steuert **zirkadiane Rhythmen (Tag-Nacht-Rhythmus)** und produziert bei Dunkelheit das Hormon **Melatonin**. Dieses ermöglicht das Einschlafen. In einigen Schlafmitteln ist Melatonin als Inhaltsstoff enthalten.

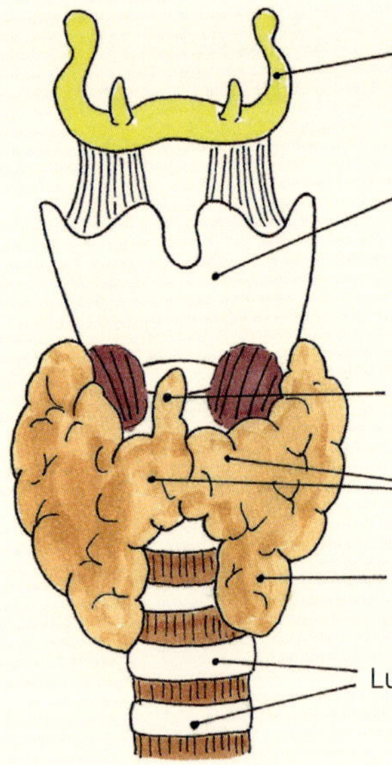

Abb. 136: **Schilddrüse**

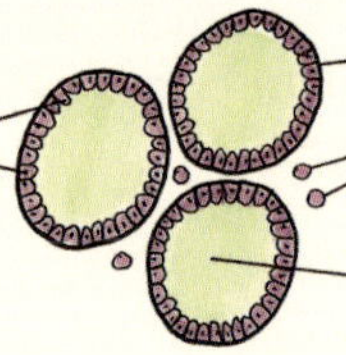

Abb. 137: **Follikel**

15.3 Schilddrüse (Glandula thyreoidea)

Die Schilddrüse ist eine Hormondrüse an der Vorderseite des Halses. Sie ist aus zwei längs gestellten birnenförmigen Lappen, die über ein schmales Querstück verbunden sind, zusammengesetzt. Das **Querstück (Isthmus)** liegt vor dem 2.–4. Luftröhrenring, die beiden Lappen **(Lobus dexter et sinister)** grenzen seitlich an den Schildknorpel, den Ringknorpel und die oberen Luftröhrenringe. Da die Schilddrüse von straffem Bindegewebe und Muskulatur verdeckt ist, ist sie bei normaler Größe kaum tastbar und nicht sichtbar. Eine Vergrößerung der Schilddrüse ist häufig ein Hinweis auf eine Funktionsstörung und wird als **Kropf (Struma)** bezeichnet.

Die bindegewebige Kapsel schickt einerseits Bindegewebssepten in die Tiefe der Drüse und unterteilt sie so in Läppchen, andererseits befestigt sie die Schilddrüse am Ringknorpel, weshalb die Schilddrüse den Bewegungen des Kehlkopfes beim Schlucken folgt.

Das Schilddrüsengewebe besteht aus kugeligen **Follikeln**, die je nach Füllungszustand von einem platten bis zylindrischen Epithel ausgekleidet sind und mit einer gelatinösen Substanz, dem **Kolloid**, gefüllt sind. Die Epithelzellen produzieren die **Schilddrüsenhormone Trijodthyronin (T3) und Thyroxin (T4)**, welche in den Follikeln gespeichert und bei Bedarf an das Blut abgegeben werden. Für die Synthese der Schilddrüsenhormone ist das Vorhandensein von **Jod** im Körper notwendig, welches mit der Nahrung zugeführt werden muss. In Ländern, in denen wenige jodreiche Lebensmittel wie Meeresfische auf dem Speiseplan stehen, wird zur Prophylaxe eines Jodmangels häufig das Kochsalz jodiert.

T3 besitzt drei Jodatome, T4 hingegen vier. T3 entsteht hauptsächlich aus T4, indem ein Jodatom abgespalten wird. T3 ist das stärker wirksame Hormon. Die Ausschüttung der Hormone T3 und T4 unterliegt dem Regelkreis des Hypothalamus-Hypophysen-Sys- tems. Sind zu wenige Hormone im Blut vorhanden, wird die Hypophyse angeregt, vermehrt TSH auszuschütten, um das Schilddrüsengewebe zu stimulieren. Ist der Hormonspiegel im Blut hoch, dann wird in umgekehrter Richtung die Produktion dieses Hormons gedrosselt.

Funktion der Schilddrüsenhormone T3 und T4

- Schilddrüsenhormone steigern den Grundumsatz, die Herztätigkeit und die Körpertemperatur.
- Sie fördern die Aktivität des Nervensystems.

- Sie fördern den Abbau von Fett und Glykogen (Speicherzucker), indem die Insulinausschüttung gesteigert wird.
- Für das Körperwachstum und die Entwicklung des Gehirns und somit das Gedeihen des Säuglings ist das Vorhandensein der Schilddrüsenhormone von Beginn an unbedingt notwendig. Schilddrüsenhormone erhöhen die Ausschüttung von Wachstumshormonen.

Zwischen den Follikeln findet man noch andere hormonproduzierende Zellen, die **C-Zellen (parafollikuläre Zellen)**, die das Hormon **Calcitonin** produzieren.

Funktion des Hormons Calcitonin

- Calcitonin reguliert gemeinsam mit dem Parathormon und dem Vitamin D den Kalziumhaushalt, es verhindert den Abbau von Kalzium aus dem Knochen und wirkt dadurch einer Osteoporose entgegen.
- Es steigert die Ausscheidung von Kalzium über die Niere und hemmt die Aufnahme durch den Darm; Calcitonin senkt also in der Folge den Blutkalziumspiegel.

15.4 Nebenschilddrüse (Glandula parathyreoidea)

An der Rückseite der Schilddrüse findet man, noch unterhalb der derben Bindegewebskapsel, jeweils ein oberes und ein unteres Paar bräunlich-gelblicher, linsengroßer Körperchen, die Nebenschilddrüsen. Sie produzieren das **Parathormon**, welches gemeinsam mit Calcitonin und Vitamin D den Kalziumhaushalt im Körper reguliert.

Funktion des Parathormons: Das Parathormon ist der Gegenspieler des Hormons Calcitonin. Es erhöht den Kalziumspiegel einerseits durch vermehrte Resorption von Kalzium in der Niere und im Darm, andererseits durch Mobilisation von Kalzium aus dem Knochen.

15.5 Nebenniere (Glandula suprarenalis)

Die beiden Nebennieren sitzen jeweils dem oberen Pol der Nieren auf, wobei die rechte Nebenniere im Querschnitt dreieckig erscheint, die linke eine eher halbmondförmige Gestalt aufweist. Sie werden gemeinsam mit der Niere von der äußeren, aus Fettgewebe bestehenden Nierenkapsel umhüllt. Im Querschnitt erkennt man deutlich eine etwas dunklere Rindenschicht, die sich vom innen liegenden Nebennierenmark abhebt.

15.5.1 Nebennierenrinde

Betrachtet man die Rinde unter dem Mikroskop, lässt sich eine außen liegende **Zona glomerulosa** von einer mittleren **Zona fasciculata** und der zum Mark gerichteten **Zona reticularis** unterscheiden.

In der Zona glomerulosa werden die **Mineralokortikoide** gebildet, ihr wichtigster Vertreter ist das blutdruckregulierende Hormon **Aldosteron**. Die Zellen der Zona fasciculata sind die Bildungs-

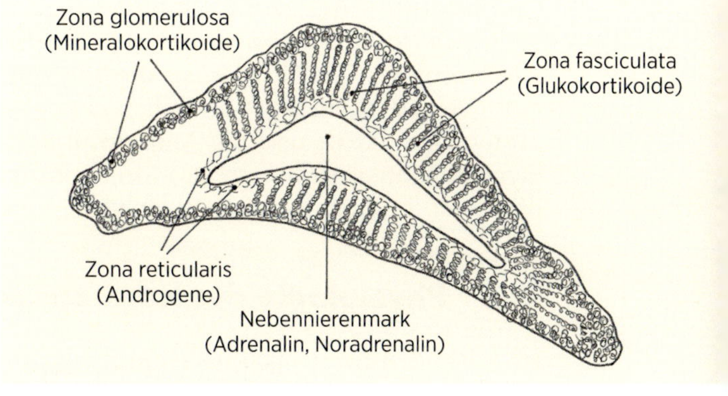

Abb. 138: **Nebennierenrinde**

stätten der **Glukokortikoide Cortison und Cortisol**, in der Zona reticularis werden die **Androgene**, die Ausgangshormone für das **Testosteron**, gebildet.

> Von den Nebennierenhormonen unterliegen vor allem die Glukokortikoide der Hierarchie des Hypothalamus-Hypophysen-Systems.

Wirkungen der Mineralokortikoide
Das wichtigste Mineralokortikoid **Aldosteron** steigert den Blutdruck durch eine vermehrte Resorption von Kochsalz und Wasser in der Niere und somit über die Erhöhung des Blutvolumens. Die Ausschüttung des Hormons wird zu einem guten Teil vom **Renin-Angiotensin-Aldosteron-System** gesteuert (siehe Kap. 16.1 „Niere“).

Wirkungen der Glukokortikoide

- Die **Glukokortikoide (Cortison und Cortisol)** haben eine entzündungshemmende und antiallergische Funktion und reduzieren die Aktivität des Immunsystems; diese Wirkungen werden therapeutisch genutzt.
- Sie steigern den Blutzuckerspiegel und die Lipolyse (Mobilisation von Fett).
- Glukokortikoide sind Stresshormone, sie mobilisieren die Energiereserven und steigern den Blutdruck.
- Sie haben auch einen osteoporotischen Effekt.

Wirkungen der Androgene
Die Androgene der Nebennierenrinde sind, wie die Hormone aus dem Hoden, männliche Geschlechtshormone, in geringem Ausmaß bildet sie auch der weibliche Organismus..

15.5.2 Nebennierenmark

Das Nebennierenmark ist Teil des Sympathikus und Bildungsort der Überträgersubstanzen **Noradrenalin** und **Adrenalin**. Adrenalin ist ein Stresshormon, es wird bei hoher Aktivität des Körpers ausgeschüttet und bewirkt eine Steigerung des Blutdrucks, erhöht die Herzfrequenz und sorgt für die Bereitstellung von Glukose (Zucker) für die Energiegewinnung der Körperzellen. Noradrenalin hat eine ähnliche Wirkung auf den Organismus. Es wird jedoch auch von den Nervenzellen des Sympathikus gebildet und dient der Erregungsweiterleitung an sympathischen Synapsen.

Nicht alle Hormondrüsen unterliegen der Hierarchie, einige werden durch andere Parameter stimuliert oder gebremst. So werden zum Beispiel die Inselzellen der **Bauchspeicheldrüse** durch den Blutzuckerspiegel zur Insulinausschüttung angeregt, die **Nebenschilddrüsen** reagieren auf den Kalziumgehalt des Blutes mit der Ausschüttung des Parathormons. Die Zirbeldrüse, die den Tag-Nacht-Rhythmus über das Hormon Melatonin steuert, unterliegt ebenfalls nicht der Hierarchie des Hormonsystems. Auch die Mineralokortikoide und die Androgene der Nebennierenrinde werden nicht nur vom Hypothalamus beeinflusst. Das Mineralokortikoid Aldosteron wird hauptsächlich über das Renin-Angiotensin-System aktiviert.

15.6 Physiologie des Hormonsystems

Im folgenden Kapitel soll noch einmal auf die unterschiedlichen Ebenen des Hormonsystems und auf die Wirkungen der Hormone eingegangen werden.

15.6.1 Hierarchische Steuerung des Hormonsystems

Das Hormonsystem ist teilweise hierarchisch strukturiert. **Eine übergeordnete Hormondrüse (Hypothalamus)** gibt Hormone ab, die **eine nachgeordnete Hormondrüse (Hypophysenvorderlappen)** zur Freisetzung weiterer Hormone stimulieren. Diese Hormone können wiederum periphere Hormondrüsen zur Hormonproduktion anregen. Hormone, die andere Drüsen zur weiteren Hormonausschüttung stimulieren, sind Steuerhormone, jene, die direkt eine Reaktion im Erfolgsorgan bewirken, nennt man Effektorhormone.

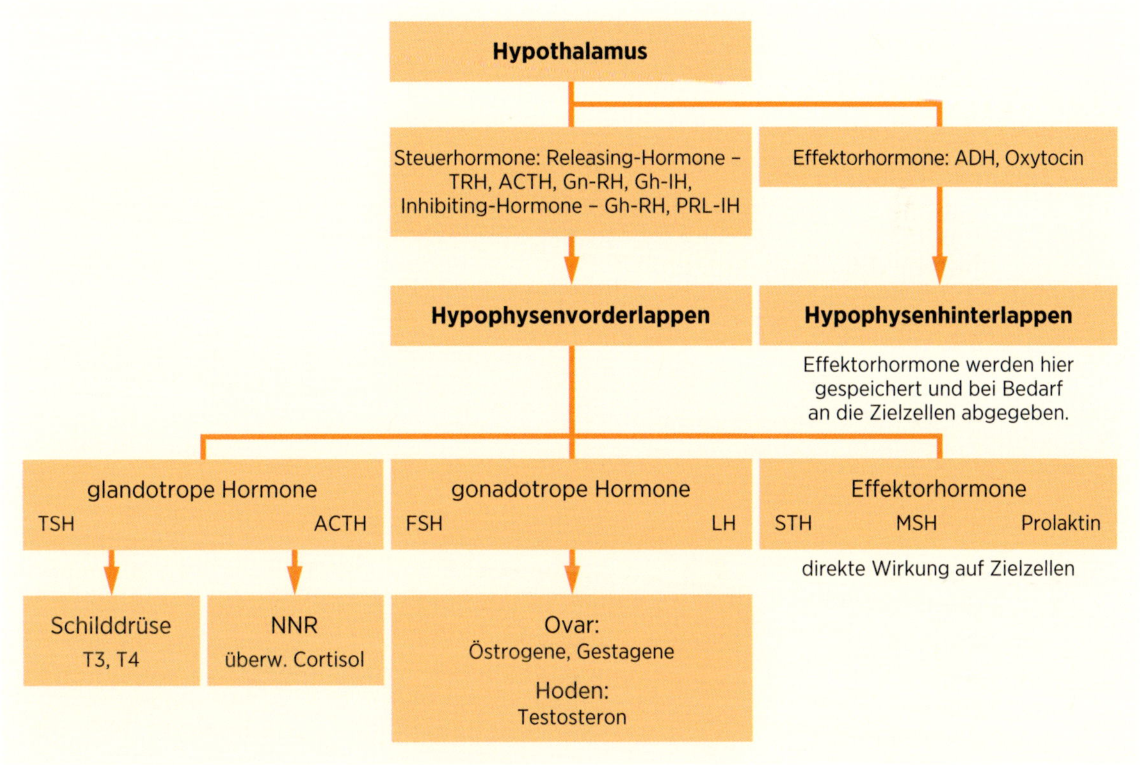

Abb. 139: **Hierarchische Steuerung des Hormonsystems**

15.6.2 Funktion der Hormondrüsen, die vom Hypothalamus-Hypophysen-System gesteuert werden

Zahlreiche Hormondrüsen unterliegen der Steuerung des Hypothalamus-Hypophysen-Systems. Die Ursachen für Funktionsstörungen dieser Hormondrüsen müssen nicht unbedingt in der Drüse selbst liegen, es kann auch eine Fehlsteuerung der Releasing-/Inhibiting-Hormone des Hypothalamus oder der Steuerhormone des HVL vorliegen.

Die Hormonausschüttung aus Hypothalamus und Hypophyse wird durch unterschiedliche Parameter gesteuert.

Die Freisetzung des TRH und des TSH für die Schilddrüse wird durch **negative Rückkoppelung** gesteuert. Das bedeutet, dass eine niedrige Konzentration an Schilddrüsenhormonen im Blut die übergeordneten Instanzen zur vermehrten Ausschüttung von Freisetzungshormonen und Steuerhormonen anregt, ein hoher Hormonspiegel die übergeordneten Drüsen in ihrer Hormonfreisetzung bremst. Dieser Regelkreis gewährleistet einen physiologischen Spiegel der Schilddrüsenhormone.

Das ACTH, welches vor allem die Cortisolsekretion in der Nebennierenrinde bewirkt, unterliegt einem zirkadianen Rhythmus, das heißt, es wird zu bestimmten Tageszeiten vermehrt ausgeschüttet. In den Morgenstunden ist die Konzentration von ACTH am höchsten und sinkt gegen die Abendstunden ab. Stress bewirkt ebenfalls eine Erhöhung der ACTH- und Cortisolproduktion. Auch die Cortisolausschüttung unterliegt einem Regelkreis.

Die Sekretion der gonadotropen Hormone FSH und LH unterliegt einem regelmäßigen Zyklus von durchschnittlich 28 Tagen, wobei das FSH in der ersten Zyklushälfte das Ei im Ovar heranreifen lässt und ein plötzliches Ansteigen des LH in der Zyklusmitte den Eisprung bewirkt.

Tab. 53: **Hormone, die vom Hypothalamus-Hypophysen-System gesteuert werden**

Hormon	Bildungsort	Wirkung
Trijodthyronin (T3), Thyroxin (T4)	Schilddrüse	Fördern die körperliche Entwicklung und die Gehirnentwicklung in der Fetalzeit und im Kindesalter Erhöhen den Grundumsatz und die Wärmeproduktion Steigern den Glukosestoffwechsel, regulieren den Fettstoffwechsel Erhöhen die Herzfrequenz und die Kontraktionskraft des Herzmuskels
Cortisol	Zona fasciculata der Nebennierenrinde	Wirkt entzündungshemmend und immunsuppressiv (therapeutische Wirkung) Erhöht den Blutzuckerspiegel Katabole Wirkung auf Eiweißstoffwechsel, fördert Knochenabbau Stresshormon → fördert die Sekretion von Magensäure Steigert den Blutdruck
Östrogen	Follikelzellen der Eierstöcke (NNR, Fettgewebe, Plazenta)	Bewirkt die Entwicklung der weiblichen Geschlechtsorgane und der sekundären Geschlechtsmerkmale Einfluss auf Menstruationszyklus (Proliferationsphase), bereitet die Gebärmutterschleimhaut auf die Einnistung des befruchteten Eies vor Fördert Skelettwachstum in der Pubertät
Gestagene (Progesteron)	Gelbkörper (Corpus luteum) der Eierstöcke	Vorbereitung der Gebärmutterschleimhaut (Sekretionsphase) auf eine Schwangerschaft und Erhaltung der Schwangerschaft
Androgene (Testosteron)	Leydig-Zwischenzellen des Hodens, NNR	Entwicklung der männlichen Geschlechtsorgane und der sekundären Geschlechtsmerkmale, Spermatogenese, Potenz Skelettwachstum

15.6.3 Funktion der Hormondrüsen, die nicht vom Hypothalamus-Hypophysen-System gesteuert werden

Nicht alle Hormondrüsen werden vom Hypothalamus-Hypophysen-System gesteuert. Das Wachstumshormon wird besonders während der Wachstumsphasen im Kindes- und Jugendalter ausgeschüttet, das Prolaktin während der Stillphase der Mutter.

Das Hormon Insulin, welches den Blutzucker in die Zelle transportieren soll, und auch sein Gegenspieler Glukagon werden über den Blutzuckerspiegel gesteuert, das Parathormon und das Calcitonin über den Blutkalziumspiegel.

Tab. 54: **Hormone, die nicht (oder kaum) der Steuerung des Hypothalamus-Hypophysen-Systems unterliegen**

Hormon	Bildungsort	Steuerung der Freisetzung	Wirkung
Insulin	β-Zellen des Pankreas	Freigesetzt durch Anstieg des Blutzuckerspiegels	Fördert die Aufnahme der Glukose in Muskelzellen und Fettzellen → senkt den Blutzuckerspiegel
Glukagon	α-Zellen des Pankreas	Freigesetzt durch Absinken des Blutzuckerspiegels	Bewirkt die Freisetzung von Glukose aus der Leber (Glykolyse) und die Neubildung von Glukose (Glukoneogenese) → hebt den Blutzuckerspiegel Gegenspieler des Insulins
Parathormon	Nebenschilddrüse (Glandula parathyroidea)	Freigesetzt durch Absinken des Blutkalziumspiegels	Steigert den Kalziumspiegel im Blut, indem es Kalzium aus dem Knochen mobilisiert und aus der Niere und dem Darm vermehrt resorbiert
Vitamin-D-Hormon	in der Leber; wird durch UV-Licht in seine aktive Form übergeführt		Fördert den Knochenaufbau und die Mineralisation des Knochens Fördert die Kalziumresorption in Niere und Darm
Calcitonin	C-Zellen der Schilddrüse	Freigesetzt durch Ansteigen des Blutkalziumspiegels	Gegenspieler des Parathormons, steigert den Einbau von Kalzium in die Knochen, senkt den Blutkalziumspiegel
Mineralokortikoide Aldosteron	Zona glomerulosa der Nebennierenrinde	Freigesetzt durch Blutdruckabfall (Renin-Angiotensin-Aldosteron-System)	Erhöht die Natrium- und Wasserrückresorption und die Kaliumausscheidung der Niere und steigert den Blutdruck
Androgene	Zona reticularis der Nebennierenrinde		Vorstufen der Hormone Östrogen und Testosteron
Noradrenalin Adrenalin	Nebennierenmark	Freigesetzt durch Aktivierung des Sympathikus	Noradrenalin ist eine Überträgersubstanz des sympathischen Nervensystems Beide Hormone bewirken die Reaktionen des Organismus in Stresssituationen

Die Hormone, welche die Geschlechtsdrüsen steuern, werden im Kapitel 17 „Geschlechtsorgane“ besprochen.

15.7 Pathophysiologie des Hormonsystems

Die Funktionsstörungen des Hormonsystems sind vielfältig. Besonders häufig treten Schilddrüsenerkrankungen mit Über- und Unterfunktion sowie Diabetes mellitus bei verminderter oder fehlender Insulinproduktion auf. Diabetes mellitus wird bei den Verdauungsorganen besprochen, da die Bauchspeicheldrüse die Bildungsstätte des Insulins ist.

Tab. 55: **Funktionsstörungen des Hormonsystems**

Funktionsstörung der Hormondrüse	Symptome
Hypophysenvorderlappen-Überfunktion	
Akromegalie	Überproduktion von Wachstumshormonen mit Wachstum der Akren wie der Nase, des Kinns, der Finger und Zehen und der Zunge. Es kann auch zur Größenzunahme innerer Organe wie des Herzens und einer Hypertonie kommen.
Morbus Cushing	Überproduktion von ACTH und somit Steigerung der Cortisolproduktion in der NNR mit Vollmondgesicht, Stammfettsucht, Stiernacken, Muskelschwäche, Osteoporose und Erhöhung des Blutzuckerspiegels
Schilddrüse	
Hyperthyreose	Überfunktion der Schilddrüse mit erhöhter Stoffwechselaktivität, Unruhe, Nervosität, Wärmeintoleranz, Erhöhung der Herzfrequenz (Tachykardie), Bluthochdruck, Gewichtsverlust
Hypothyreose	Unterfunktion der Schilddrüse mit verminderter Stoffwechselaktivität, Gewichtszunahme, Müdigkeit, langsamem Herzschlag (Bradykardie), trockener rauer Haut, Kälteintoleranz, Haarausfall Wird eine Unterfunktion im Säuglingsalter nicht von Anfang an behandelt, kommt es zu schwerwiegenden psychomotorischen Entwicklungsstörungen, allgemeiner Wachstumsstörung, irreversiblen Hirnschäden, Bewegungsstörungen, Schwerhörigkeit und zu langsamem Herzschlag. Die Schilddrüsenhormone werden deshalb beim Neugeborenenscreening mittels Fersenblut bestimmt.
Nebenschilddrüse	
Primärer Hyperparathyreoidismus	Überfunktion der Nebenschilddrüse mit Herauslösen von Kalzium aus den Knochen, Entstehung von Nierensteinen, Muskelschwäche, Müdigkeit
Hypoparathyreoidismus	Unterfunktion der Nebenschilddrüse und dadurch Absinken des Blutkalziumspiegels, wodurch es zu einer Übererregbarkeit der Muskulatur und zu Empfindungsstörungen kommt
Nebennierenrinde	
Morbus Cushing	Überproduktion von Cortisol; siehe oben
Morbus Addison	Ausfall der Nebennierenrinde, unbehandelt eine lebensbedrohliche Erkrankung, durch den Aldosteronmangel kommt es zum Salz- und Wasserverlust mit Absinken des Blutdrucks, durch den Cortisolmangel zu Schwäche, Blutzuckerabfall, Gewichtsverlust, durch den Androgenmangel kommt es bei der Frau zu einem Verlust der Schambehaarung und zu Zyklusstörungen, Pigmentierung der Haut durch eine Steigerung der Hypophysenhormone ACTH und MSH.

Nebennierenmark	
Phäochromozytom	Meist durch einen gutartigen Tumor des Nebennierenmarks hervorgerufen. Es führt zur Überproduktion der Katecholamine mit Bluthochdruck, Schwitzen, Kopfschmerzen, Herzklopfen.
Bauchspeicheldrüse	
Diabetes mellitus	Siehe Kapitel „Verdauungssystem“

Übungsfragen

1. Welche Funktion haben Hormone und welcher ist ein wichtiger Unterschied zwischen hormoneller und nervaler Informationsübertragung?
2. Erkläre die Hierarchie des Hormonsystems: Welche Hormone werden im Hypothalamus gebildet und was ist ihre Wirkung? Welche Hormone werden in der Hypophyse gebildet? Auf welche Organe wirken die glandotropen, gonadotropen und somatotropen Hormone?
3. Welche Hormone werden im Hypophysenhinterlappen gespeichert?
4. Beschreibe Lage und Aussehen der Schilddrüse. Welche Hormone werden in der Schilddrüse synthetisiert, welche Wirkungen haben sie? Welches chemische Element ist für die Produktion der Schilddrüsenhormone notwendig? Was ist eine Struma? Warum spielt die Schilddrüse auch eine Rolle im Kalziumstoffwechsel?
5. Beschreibe die Lage und das Aussehen der Nebennieren. Welche Hormone werden in der Nebennierenrinde synthetisiert und welche Wirkungen haben sie? Welches Hormon unterliegt der Steuerung durch das Hypothalamus-Hypophysen-System? Welche Wirkungen des Cortisols werden therapeutisch genutzt?
6. Welche Hormone beeinflussen den Kalziumstoffwechsel?
7. Welche Hormondrüsen unterliegen der Steuerung durch das Hypothalamus-Hypophysen-System, welche nicht?
8. Wodurch wird die Ausschüttung von Insulin gesteuert?

16 Harnorgane

Zu den Harnorganen zählen die **Nieren (Ren)**, die **Harnleiter (Ureter)**, die **Harnblase (Vesica urinaria)** und die **Harnröhre (Urethra)**. Nieren und Harnleiter sind paarig angelegte Organe, Harnblase und Harnröhre sind nur einfach vorhanden. Die Harnorgane dienen der Filterung des Blutes sowie der Ausscheidung von überschüssigem Wasser, Elektrolyten, Abbauprodukten und Giftstoffen (Medikamente) aus dem Körper. Eine weitere Aufgabe ist das Aufrechterhalten des pH-Wertes, des Blutdrucks und der Synthese von Hormonen.

16.1 Niere (Ren)

Die beiden Nieren sind rotbraune, bohnenförmige Organe von etwa 10–12 cm Länge und 5 cm Durchmesser, die retroperitoneal, unterhalb des Zwerchfells beidseits der Wirbelsäule liegen. Sie reichen etwa vom 12. Brustwirbelkörper bis zum 3. Lendenwirbelkörper, die rechte Niere liegt etwas tiefer als die linke. Die Nieren sind sowohl von einer bindegewebigen Kapsel als auch einer Fettkapsel umhüllt, die sie schützen und in ihrer Lage fixieren. An ihrem medialen Rand zeigt die Niere eine Einbuchtung, die **Nierenpforte (Nierenhilus)**, an der die **Nierenarterie (A. renalis)** in die Niere eintritt und die **Nierenvene (V. renalis)** und der **Harnleiter (Ureter)** die Niere verlassen.

Im Querschnitt zeigt das Organ eine Mark- und eine Rindenschicht. Das **Nierenmark (Medulla renalis)** ist in etwa 6–9 dreidimensionale **Markpyramiden** unterteilt, deren Pyramidenbasen zur Nierenrinde und deren Spitzen in Richtung Nierenbecken (Pelvis renalis) zeigen. Direkt unterhalb der Nierenkapsel liegt die **Nierenrinde (Cortex renalis)**, die ihrerseits Rindengewebe in Form von **Rindensäulen (Columnae renales)** zwischen die Markpyramiden in Richtung Nierenbecken schickt. Die Markpyramiden sind so in die Rindensubstanz eingebettet.

Im Bereich der Nierenrinde liegen die gewundenen Anteile der Nierenkanälchen und unzählige Nierenkörperchen zur Filtration des Blutes und zur Produktion des Primärharns. In das Nierenmark sind die geraden Anteile der Nierenkanälchen und die Sammelrohre eingebettet. Sie dienen der Konzentration des Primärharns zum Sekundärharn und seiner Ausscheidung.

An den Spitzen der Markpyramiden, den sogenannten **Nierenpapillen**, öffnen sich die feinen, porenförmigen Mündungen der Sammelrohre, aus denen der Harn in das bindegewebige **Nie-**

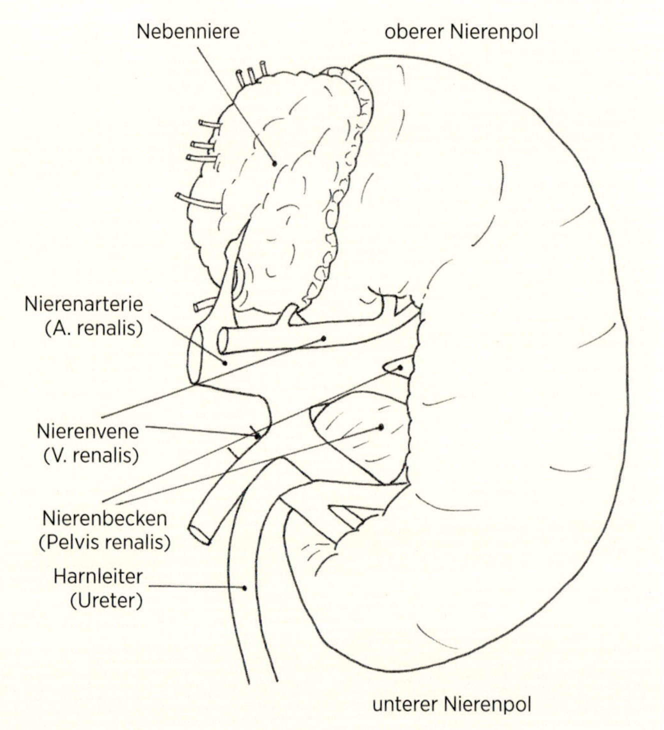

Abb. 140: **Niere**

renbecken träufelt, wo er gesammelt und über den Harnleiter zur Harnblase abgeleitet wird. Das Nierenbecken ist ein sackförmiger bindegewebiger Hohlraum, dessen **Nierenkelche** die Nierenpapillen umschließen, um den Harn aufzufangen. Das Nierenbecken verjüngt sich zum **Harnleiter (Ureter)**, der den Harn weiter zur Blase leitet.

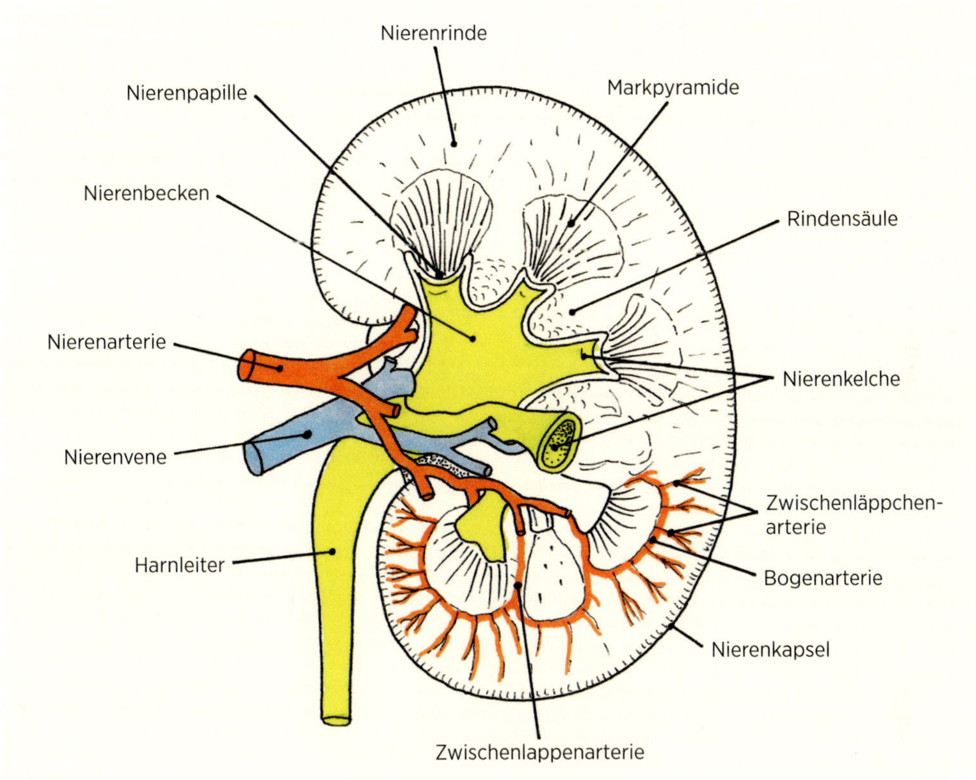

Abb. 141: **Längsschnitt Niere**

16.1.1 Aufteilung der Nierenarterien

Das Prinzip der Nierenfunktion ist, dass das Blut ständig über immer kleinere Arterien durch die Niere gepumpt, in den Nierenkörperchen (Malpighi-Körperchen) der Primärharn (180 Liter/24 Stunden) aus dem Blut filtriert und im Tubulussystem (Röhrchensystem der Niere) zum Sekundärharn (etwa 1,5 Liter/Tag) konzentriert wird. Für diese Vorgänge ist es notwendig, dass die Blutgefäße in enger Nachbarschaft zum Harnsystem verlaufen, damit im ersten Schritt der Primärharn aus dem Blut in die Bowman-Kapsel gefiltert und in einem zweiten Schritt ein Großteil dieses Primärharns wieder aus den harnführenden Nierentubuli in das Blut zurück resorbiert wird, um den Sekundärharn zu bilden, welcher dann über das Nierenbecken und den Harnleiter in die Harnblase ausgeschieden wird.

Aus der **Aorta** geht rechts und links jeweils eine **Nierenarterie (A. renalis)** ab, die durch die Nierenpforte in die Niere zieht. Dort teilt sich die Nierenarterie zunächst in zahlreiche **Zwischenlappenarterien (Aa. interlobares)** auf, die jeweils zwischen zwei Markpyramiden in Richtung Nierenrinde verlaufen. An der Grenze zur Nierenrinde, also an der Basis der Markpyramiden, geben die Zwischenlappenarterien die **Bogenarterien (Aa. arcuatae)** ab, die nun im rechten Winkel zu den Zwischenlappenarterien entlang der Pyramidenbasen verlaufen. Von diesen Bogenarterien gehen viele kleinere **Zwischenläppchenarterien (Aa. interlobulares)** in Richtung Nierenkapsel ab, von denen dann die unzähligen **Vasa afferentia** (zuführenden Gefäße) zu den Nierenkörperchen entspringen. Die Vasa afferentia bilden in ihrem weiteren Verlauf die **Glomeruli**, die **Kapillarknäuel**, aus denen die **Vasa efferentia** (wegführende Gefäße) wieder wegziehen. Die wegziehenden Kapillaren bilden in ihrem weiteren Verlauf ein zweites Kapillarnetz, welches das Tubulussystem, in dem der Harn fließt, umwickelt. Somit werden aus dem Primärharn Wasser und Inhaltsstoffe, die nicht ausgeschieden werden müssen, wieder in das Blut rückresorbiert. Erst jetzt sammeln sich die Kapillaren wieder zu den **Zwischenläppchenvenen**, die in die **Bogenvenen** und danach in die **Zwischenlappenvenen** münden, um als **Nierenvenen** die Niere wieder zu verlassen. Die Nierenvenen münden in die untere Hohlvene und das aufbereitete Blut wird wieder in den Kreislauf zurückgeführt.

16.1.2 Feinbau der Niere

Die funktionellen Einheiten der Niere sind die Nephrone, die aus den Nierenkörperchen und ihren Nierenkanälchen (Nierentubuli) bestehen. Pro Niere gibt es etwa eine Million solcher Nephrone.

Das **Nierenkörperchen (Malpighi-Körperchen)** besteht aus dem **Glomerulus**, einem Knäuel feinster Kapillaren, und der **Bowman-Kapsel**, die dieses Gefäßknäuel umschließt. Die Nieren werden in 24 Stunden von etwa 1.500 Litern Blut durchflossen, um in den Nierenkörperchen den Primärharn (etwa 180 Liter/24 Stunden) aus dem Blut zu filtrieren.

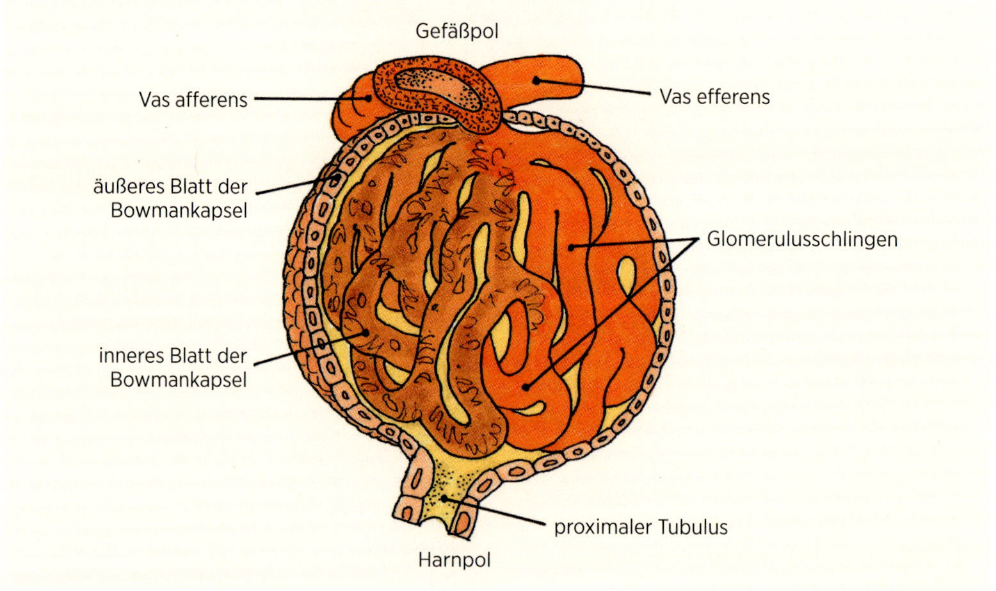

Abb. 142: **Nierenkörperchen**

Das Kapillarknäuel des **Glomerulus** wird über ein **zuführendes Gefäß (Vas afferens)**, welches zum Nierenkörperchen hinzieht, durchblutet, über ein **abführendes Gefäß (Vas efferens)** fließt das Blut wieder ab. Im Glomerulus wird aus dem Kapillarblut der Primärharn in den Hohlraum zwischen den beiden Blättern der Bowman-Kapsel filtriert. Den Kapillaren dieses Gefäßknäuels liegt eine Schicht platter Epithelzellen, das sogenannte innere Blatt der Bowman-Kapsel, eng an. Dieses innere Blatt geht in ein äußeres Blatt der Bowman-Kapsel über, sodass eine becherförmige Struktur um das Glomerulus herum entsteht, die den aus den Kapillaren filtrierten **Primärharn** auffängt. Am unteren Pol der Bowman-Kapsel, dem Harnpol, entspringt das Nierenkanälchen mit seinem gewundenen proximalen **Tubulus**, der den Harn weiterleitet. Vas afferens und Vas efferens treten beide am sogenannten **Gefäßpol** in das Nierenkörperchen ein und aus. Gefäßpol und Harnpol liegen einander gegenüber.

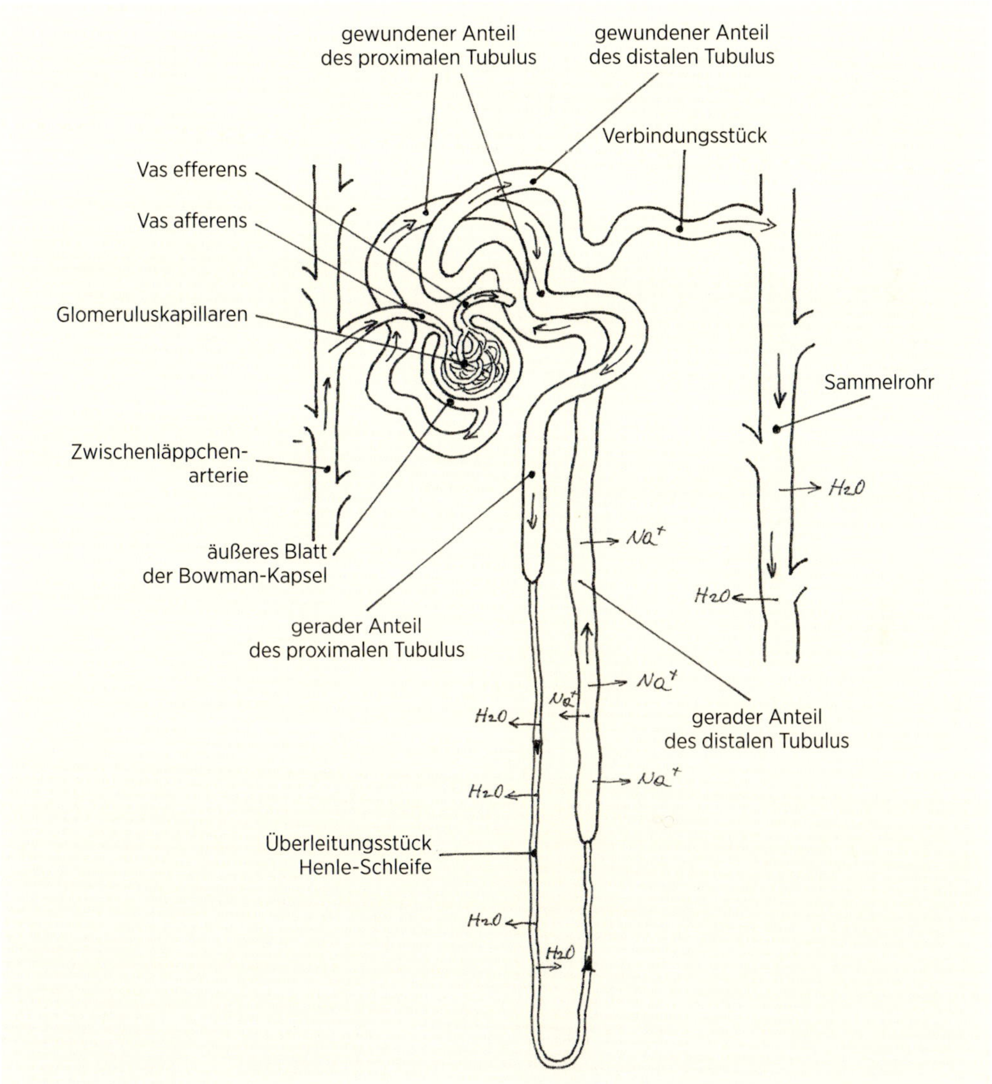

Abb. 143: **Nephron**

Das **Tubulussystem** besteht aus mehreren Abschnitten. Unmittelbar vom Harnpol des Nierenkörperchens geht der gewundene Anteil des **proximalen Tubulus** ab, der sich in den geraden Anteil des absteigenden proximalen Tubulus fortsetzt. Daran schließt sich ein u-förmiger Abschnitt geringeren Durchmessers an, der **Intermediärtubulus**, der wiederum in den aufsteigenden geraden Abschnitt des **distalen Tubulus** übergeht, dem wiederum ein gewundener Anteil folgt. Die geraden Anteile der Tubuli werden gemeinsam mit dem Intermediärtubulus als **Henle'sche Schleife** bezeichnet.

Der letzte Tubulusabschnitt, also der gewundene Anteil des distalen Tubulus, mündet über ein kurzes **Verbindungsstück** in das **Sammelrohr**, welches in einem geraden Verlauf zu den Nierenpapillen zieht, um in den Nierenkelch zu münden.

Die Glomeruli und die gewundenen Anteile des Tubulussystems liegen in der Nierenrinde. Die geraden Anteile und die Sammelrohre finden sich im Nierenmark, wodurch das Nierenmark ein längsgestreiftes Aussehen bekommt.

Das Nierenkörperchen oder Malpighi-Körperchen besteht aus dem Kapillarknäuel oder Glomerulus und der sie umhüllenden Bowman-Kapsel.

Das Tubulussystem setzt sich aus dem gewundenen und geraden absteigenden Anteil des proximalen Tubulus, dem u-förmigen Intermediärtubulus, dem aufsteigenden geraden und dem gewundenen Anteil des distalen Tubulus, dem kurzen Verbindungsstück und dem Sammelrohr zusammen. Absteigender Tubulus, Intermediärtubulus und aufsteigender Tubulus werden als Henle'sche Schleife zusammengefasst, Malpighi-Körperchen gemeinsam mit dem Tubulussystem bezeichnet man als Nephron. Nephrone sind die funktionellen Einheiten der Niere.

16.1.3 Juxtaglomerulärer Apparat

Unter dem juxtaglomerulären Apparat versteht man Zellen mit besonderen Eigenschaften, die sich in der Nähe des Glomerulus befinden (juxta: daneben). Er dient der **Blutdruckregulation** und der **Regulierung des Elektrolythaushaltes**.

Der juxtaglomeruläre Apparat befindet sich zwischen dem Gefäßpol des Nierenkörperchens und dem gewundenen distalen Tubulusabschnitt, welcher dem Nierenkörperchen hier sehr nahekommt. Er besteht aus unterschiedlichen Zellen, die spezifische Aufgaben erfüllen.

Die Zellen der **Macula densa**, des dichten Flecks, messen die Konzentration von Salz im Harn und steuern in der Folge Konzentration sowie Ausscheidung von Wasser und Salz. In den Epithelzellen des Polkissens des juxtaglomerulären Apparates wird das Hormon **Renin** produziert und ins Blut abgegeben. Sinkt der Blutdruck und somit die Nierendurchblutung oder ist die von der Macula densa gemessene Natriumkonzentration im Harn zu gering, dann wird die Reninausschüttung gesteigert.

Renin bewirkt im Blut die Umwandlung des Angiotensinogen aus der Leber in das Angiotensin I, welches durch das Angiotensin Converting Enzyme (ACE) in Angiotensin II umgewandelt wird. Angiotensin II verengt die Blutgefäße und lässt so den Blutdruck ansteigen. In einem weiteren Schritt bewirkt das Angiotensin II die Freisetzung von Aldosteron aus der Nebennierenrinde, welches durch vermehrte Rückresorption von Wasser in der Niere ins Blut den Blutdruck durch das nun erhöhte Blutvolumen zusätzlich ansteigen lässt. Dieses komplexe System zur Blutdruckregulation wird als **Renin-Angiotensin-Aldosteron-System** (RAA-System) bezeichnet.

Neben dem Hormon Renin wird auch das **Erythropoetin** hier gebildet. Es hat eine anregende Wirkung auf die Produktion der roten Blutzellen im Knochenmark und wird bei zu geringer Sauerstoffsättigung des Blutes vermehrt ausgeschieden. Dies kann der Fall sein, wenn sich der Mensch längere Zeit in ungewohnter Höhenlage, also im Gebirge, aufhält oder wenn das Blut aufgrund einer Lungenfunktionsstörung nicht ausreichend mit Sauerstoff angereichert werden kann. Erythropoetin wird missbräuchlich beim Doping als sogenanntes EPO verwendet.

16.2 Ableitende Harnwege

Zu den ableitenden Harnwegen zählen das Nierenbecken, die Harnleiter, die Harnblase und die Harnröhre.

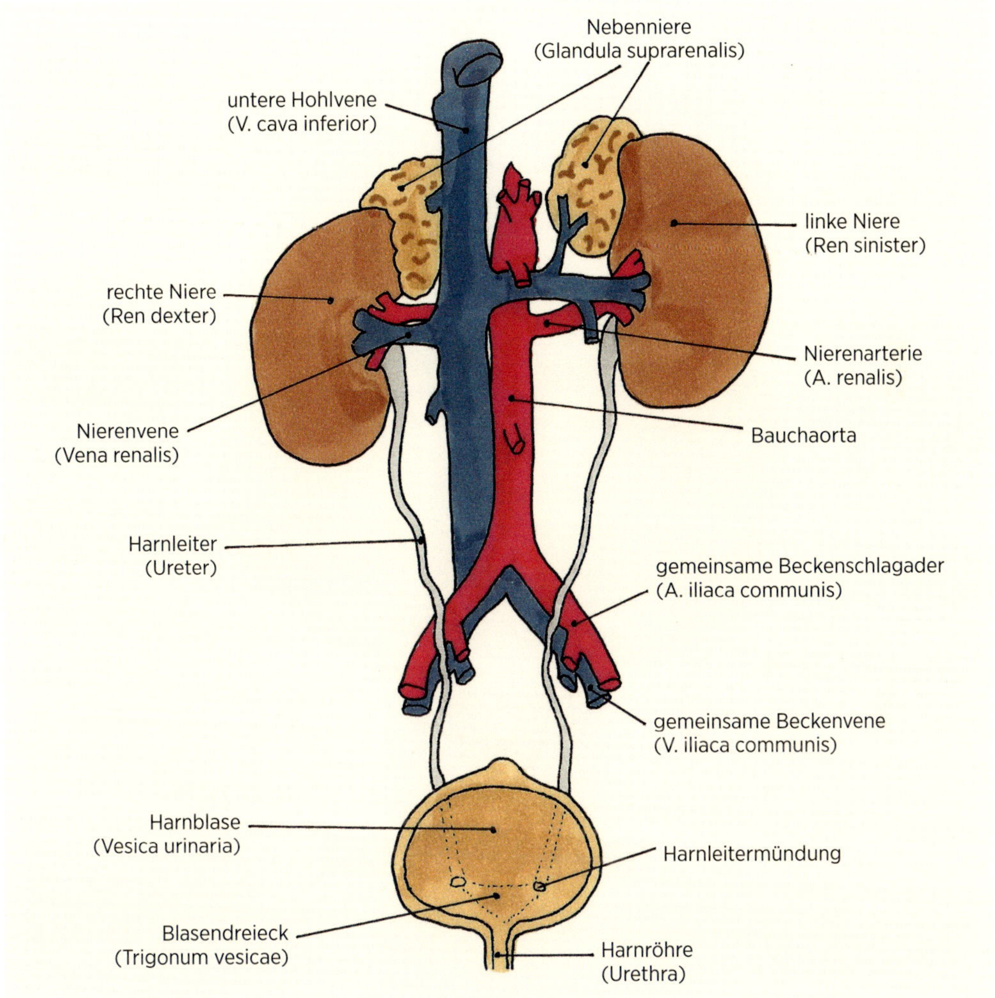

Abb. 144: **Ableitende Harnwege**

16.2.1 Nierenbecken (Pelvis renalis) und Harnleiter (Ureter)

Das Nierenbecken ist eine bindegewebige, sackartige Struktur, die den Harn, der aus den Nierenpapillen in die **Nierenkelche** träufelt, auffängt und in den Harnleiter (Ureter) weiterleitet. Es verjüngt sich zum Harnleiter hin und geht in diesen über.

Die beiden **Ureteren** verlaufen retroperitoneal entlang der hinteren Bauch- und Beckenwand vom Nierenbecken nach medial und unten zur Harnblase, in die sie seitlich hinten einmünden. Es handelt sich dabei um zarte Schläuche aus glatter Muskulatur, die, ebenso wie das Nierenbecken und die Harnblase, mit **Urothel (Übergangsepithel)** ausgekleidet und durch eine lockere Adventitia in ihre Umgebung eingebettet sind. Ihre Funktion ist es, den Harn in die Harnblase zu transportieren.

16.2.2 Harnblase (Vesica urinaria) und Harnröhre (Urethra)

Die Harnblase ist ein gut dehnbarer Hohlkörper aus glatter Muskulatur, der im leeren Zustand zusammengefaltet oberhalb der Symphyse im kleinen Becken liegt und sich im gefüllten Zustand kugelig gegen das große Becken vorwölbt. Bei der Frau liegt auf der Harnblase die nach vorne geknickte Gebärmutter, beim Mann befindet sich unmittelbar unterhalb der Blase die Prostata. Anatomisch lassen sich der oben liegende, von Peritoneum bedeckte Blasenscheitel (Apex vesicae), der bei Füllung stark dehnbare Blasenkörper (Corpus vesicae) und der zur Harnröhre gerichtete Blasengrund (Fundus vesicae) abgrenzen. Die Harnblase ist innen von einem gut dehnbaren Urothel ausgekleidet, welches durch lockeres Bindegewebe der darunterliegenden Muskelschicht aufliegt. An ihrer Oberseite ist sie außen vom Peritoneum bedeckt.

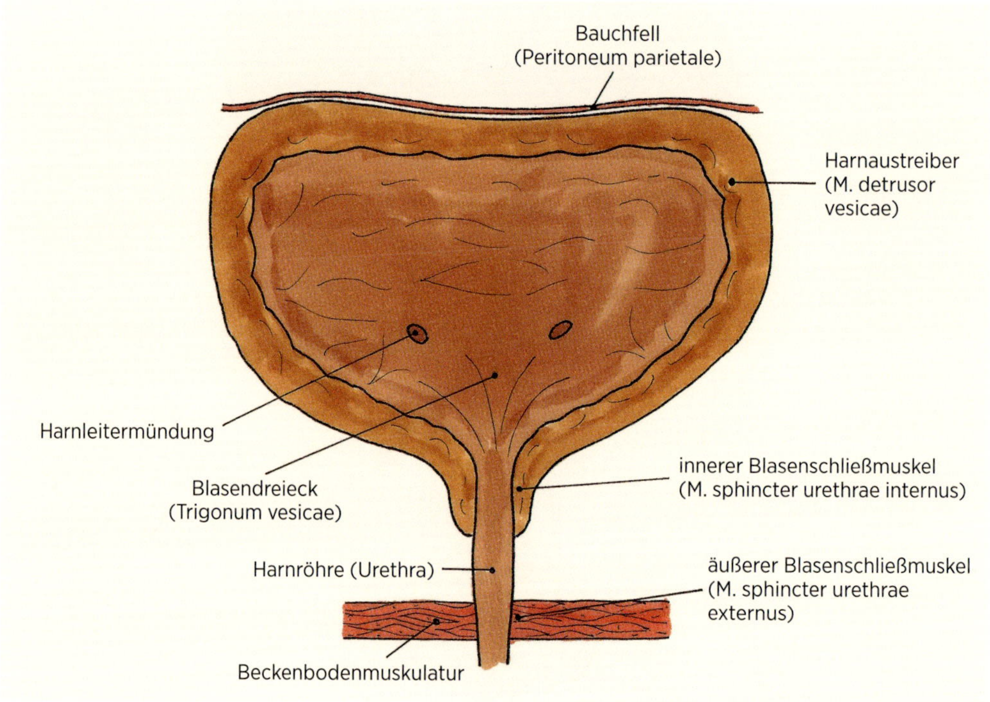

Abb. 145: **Harnblase**

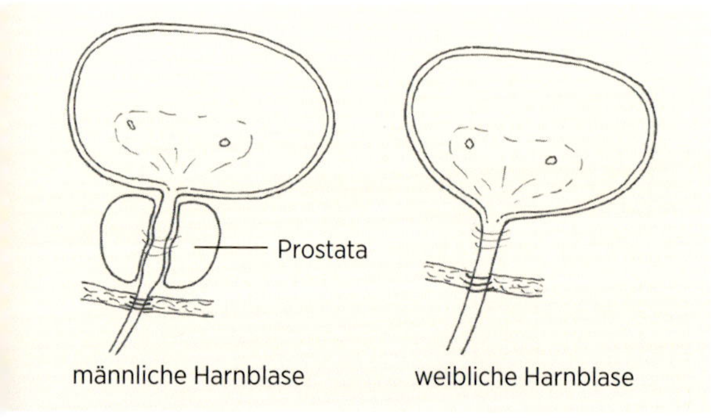

Abb. 146: **Männliche und weibliche Harnblase**

Die Harnblasenmuskulatur besteht aus drei übereinander gelagerten Schichten des **Harnaustreibermuskels (M. detrusor vesicae)**, welcher sich bei gefüllter Blase reflexartig kontrahiert, um den Harn zu entleeren. Die Dehnung des Muskels wird von parasympathischen Nervenfasern an die Reflexzentren im Rückenmark gemeldet. Diesem Entleerungsdrang wirken die Harnblasenschließmuskeln entgegen, die mithelfen, die Blasenentleerung zu steuern.

Im Frontalschnitt durch die Harnblase fällt in ihrem kaudal gelegenen Blasengrund ein verstärktes **Blasendreieck (Trigonum vesicae)** auf, welches oben durch die beiden Mündungen der Harnleiter und unten durch die Öffnung der Harnröhre aufgespannt wird. Da die Harnleiter schlitzförmig in die Harnblasenwand münden, verschließen sie sich bei Füllung der Harnblase zusehends, damit der Harn bei voller Blase nicht in Richtung des Nierenbeckens zurückgepresst werden kann.

Die **Harnröhre (Urethra)** ist ebenfalls ein Muskelschlauch, der bei der Frau schon nach kurzem Verlauf am Beckenboden mündet, beim Mann jedoch die Prostata durchläuft, wo beidseits die Samenleiter einmünden. Im weiteren Verlauf durchbricht auch die männliche Harnröhre unterhalb der Prostata den Beckenboden und zieht nun als **Harnsamenröhre**, umgeben vom **Harnröhrenschwellkörper (Corpus spongiosum penis)**, entlang des Penis, um an seiner Spitze nach außen zu münden.

Harnblase und Harnröhre werden durch zwei Schließmuskeln verschlossen, um den **Harnfluss (Miktion)** steuern zu können. Der **innere Blasenschließmuskel (M. sphincter urethrae internus)** besteht aus glatten Muskelzellen der Harnröhrenwand, befindet sich unmittelbar am Übergang zur Harnröhre und unterliegt dem vegetativen Nervensystem. Er ist nicht willentlich steuerbar, weshalb er sich bei voller Blase reflektorisch öffnet. Der **äußere Blasenschließmuskel (M. sphincter urethrae externus)** wird hingegen von der quergestreiften Beckenbodenmuskulatur gebildet und kann aus diesem Grund bewusst verschlossen werden, sodass der Harn in der Blase zurückgehalten werden kann.

Dehnt sich die glatte Muskulatur bei gefüllter Blase, wird diese Information über afferente vegetative Nerven zum Rückenmark geleitet und die Blasenfüllung wahrgenommen. Efferente Nerven geben Impulse an den unwillkürlichen Harnaustreibermuskel und den inneren Blasenschließmuskel weiter, wodurch sich der Harnaustreibermuskel reflexartig zusammenzieht und der innere Harnblasenschließmuskel entspannt. Einzig der quergestreifte äußere Blasenschließmuskel kann sich der Harnentleerung noch entgegenstellen und wird zur Blasenentleerung (Miktion) bewusst entspannt. Eine Harnblase hat ein durchschnittliches Fassungsvermögen von etwa 800 ml, bereits ab einer Blasenfüllung von 350 ml Harn wird der Harndrang wahrgenommen.

Im Kleinkindalter muss der bewusst gesteuerte äußere Harnblasenschließmuskel erst trainiert werden, um nicht sofort dem unwillkürlichen Entleerungsreiz nachzugeben.

16.3 Physiologie der Harnproduktion

Bei der Harnproduktion laufen entlang der Nephrone hintereinander geschaltete Filtrations-, Sekretions- und Resorptionsvorgänge ab, die im Folgenden kurz dargestellt werden. Für diese Vorgänge ist es notwendig, dass die harnführenden Anteile immer in enger Nachbarschaft zu den blutführenden Kapillaren verlaufen. So wird im Nierenkörperchen durch Filtration der unkonzentrierte Primärharn aus den Kapillaren des Glomerulus in die Bowman-Kapsel gepresst, und entlang des Tubulussystems werden durch Resorptionsvorgänge Wasser, Elektrolyte und andere für den Organismus wertvolle Stoffe aus dem Primärharn entfernt und über das Nierengewebe (Interstitium) in das Blut zurückgeführt. Es entsteht letztlich der Sekundärharn, der ausgeschieden werden soll.

> Der eigentliche Sinn der Harnproduktion ist die Regulation des Wasser- und Elektrolythaushaltes, die Ausscheidung von Abbauprodukten aus dem Stoffwechsel und die Aufrechterhaltung des Säure-Basen-Gleichgewichtes im Körper.

Filtration des Primärharns im Glomerulus

In den Nierenkörperchen wird aus dem Blut, welches ständig durch die Niere zirkuliert, der **Primärharn** durch die Blut-Harn-Schranke des inneren Blattes der Bowman-Kapsel gepresst und vom äußeren Blatt dieser Kapsel wie in einer Schüssel aufgefangen. Die Blut-Harn-Schranke besteht aus einer zarten Bindegewebsschicht, die auf der einen Seite von den Endothelzellen der Glomeruluskapillaren und auf der anderen Seite von den Podozyten, welche das innere Blatt der Bowman-Kapsel bilden, bedeckt ist. Die Kapillarwände des Glomerulus lassen Wasser und sehr kleine, niedermolekulare Blutbestandteile hindurchtreten, größere Anteile, wie die Blutzellen und größere Eiweißmoleküle, bleiben hingegen im Kapillarblut zurück. Beim so entstandenen Primärharn handelt es sich um ein sogenanntes **Ultrafiltrat**, welches Wasser, Elektrolyte und niedermolekulare Bestandteile, die durch die Gefäßwand gepresst werden können, in gleicher Konzentration wie das Blut enthält, es handelt sich eigentlich um Blutplasma. Beide Nieren produzieren gemeinsam etwa 180 Liter Primärharn in 24 Stunden. Aufgrund dieser Menge und weil viele für den Organismus lebensnotwendige Stoffe in diesem Primärharn vorhanden sind, müssen Wasser, zahlreiche Elektrolyte, Aminosäuren und Glukose, die mit dem Primärharn verloren gehen würden, im weiteren Verlauf der Harnkonzentrierung aus dem Tubulussystem wieder in das Blut zurücktransportiert werden. Das Tubulussystem kann man sich als ein komplexes Röhrensystem mit unterschiedlichen Abschnitten vorstellen, welches von einem Kapillarnetz umgeben ist.

> Der Vorgang, bei dem Flüssigkeit und darin gelöste Stoffe aus dem Blut in den Harn befördert werden, heißt Filtration; den Vorgang, bei dem Flüssigkeit und gelöste Substanzen aus dem Harn wieder ins Blut zurückgelangen, bezeichnet man als Resorption. Die Filtration des Primärharns findet im Nierenkörperchen statt, die Aufbereitung zum Sekundärharn durch Resorptions- und Sekretionsvorgänge geschieht im Tubulussystem.

Auf seinem Weg durch das Tubulussystem werden viele Bestandteile des Primärharns zurück ins Blut resorbiert, um den Primärharn zu konzentrieren und zum Sekundärharn zu reduzieren. Einige Stoffe, die zusätzlich aus dem Blut in den Harn ausgeschieden werden sollen, werden auch entlang des Tubulussystems noch aktiv in den Harn sezerniert (Sekretion). Der Sekundärharn, mit dem die harnpflichtigen Substanzen, Stoffwechselprodukte und Giftstoffe ausgeschieden werden, beträgt dann nur mehr etwa 1,5–2 Liter in 24 Stunden.

Resorption und Sekretion entlang des Tubulussystems

Das Tubulussystem besteht aus hintereinander geschalteten Abschnitten. Aus dem Harnpol des Nierenkörperchens entspringt der proximale Tubulus mit seinem gewundenen Anteil. Dieser geht in einen gerade verlaufenden absteigenden Abschnitt, den geraden Anteil des proximalen Tubulus, über. Daran schließt ein u-förmiger Intermediärtubulus geringeren Durchmessers an, welcher wieder in einen geraden aufsteigenden Anteil des distalen Tubulus übergeht, an den sich wieder ein gewundener Anteil anschließt. Der distale Tubulus mündet über ein Verbindungsstück in ein Sammelrohr, über die Sammelrohre wird der zunehmend konzentrierte Sekundärharn in das Nierenbecken ausgeschieden.

Die Konzentration des Primärharns zum **Sekundärharn** läuft zum Großteil entlang der Henle'schen Schleife ab und funktioniert, da die einzelnen Abschnitte der Henle'schen Schleife in unterschiedlichem Ausmaß für Wasser und Kochsalz (NaCl) durchlässig sind. Der absteigende Schenkel der Henle'schen Schleife ist gut durchlässig für Wasser, der aufsteigende Schenkel hingegen wasserundurchlässig, aber gut durchlässig für Kochsalz. Nun rinnt der Primärharn zuerst durch den absteigenden und danach durch den aufsteigenden Schenkel in Richtung Sammelrohre. Aus dem aufsteigenden Schenkel werden NaCl und Kaliumionen in das Niereninterstitium (Nierengewebe) filtriert, wodurch die Salzkonzentration im Nierengewebe gegenüber dem Primärharn im absteigenden Tubulusschenkel ansteigt. Dies hat zur Folge, dass aus dem absteigenden Schenkel, der wasserdurchlässig ist, Wasser in das Nierengewebe strömt, wodurch der weiterfließende Primärharn eine höhere Konzentration an Salz bekommt. Dieser höher konzentrierte Primärharn gelangt wieder in den aufsteigenden Schenkel, es wird wieder das Salz ins Interstitium gepumpt und die Salzkonzentration im Interstitium steigt weiter. Dadurch wird immer mehr Flüssigkeit aus dem absteigenden Schenkel ins Interstitium gesaugt und die Konzentration des Harns steigt immer weiter an. Auch aus dem Harn, der bereits in den Sammelrohren angekommen ist, gelangt noch Flüssigkeit ins Niereninterstitium. So wird die Menge des Primärharns immer weniger und die Konzentration immer höher, bis dann nur mehr etwa 1,5 Liter mehr oder weniger hoch konzentrierter Sekundärharn ins Nierenbecken ausgeschieden wird. Dieser Vorgang der Harnkonzentration durch sich in Gegenrichtung bewegende Flüssigkeiten im absteigenden und aufsteigenden Schenkel der Henle'schen Schleife wird **Gegenstromprinzip** genannt. Die Flüssigkeit, die sich im Nierengewebe ansammelt, wird in die Blutkapillaren, welche das Tubulussystem begleiten, rückresorbiert und gelangt so in den Blutkreislauf zurück. Für diese Konzentrationsvorgänge ist die Anwesenheit der Hormone Aldosteron aus der Nebennierenrinde und ADH (antidiuretisches Hormon) oder Vasopressin aus dem Hypothalamus-Hypophysen-System notwendig. Beide fördern die Rückresorption von Wasser und Salzen.

Bereits im Anfangsteil des **proximalen Tubulus** erfolgt die Resorption von Zucker (Glukose), Aminosäuren und zahlreichen Elektrolyten (Na, Cl, Bikarbonat) aus dem Primärharn zurück ins Blut. Ammoniak, ein Produkt aus dem Eiweißstoffwechsel, und Harnsäure aus dem Purinstoffwechsel werden, ebenso wie Abbauprodukte einiger Medikamente (Penicillin), aktiv in den Harn sezerniert, also aus dem Blut in den Harn abgegeben. Ab einer Glukosekonzentration von 10 mmol/l Primärharn wird die sogenannte **Nierenschwelle** überschritten und die überschüssige Glukose kann nicht mehr zur Gänze ins Blut zurückgeführt werden. In diesem Fall kommt es zur **Glukosurie**, der Zucker wird über den Harn ausgeschieden (Harnzucker).

Im **distalen Tubulus** werden weitere Elektrolyte wie Ca^{2+}, Mg^{2+} und Na^{+} aus dem Primärharn zurückgewonnen. Der gewundene Anteil des distalen Tubulus mündet über ein **Verbindungsstück** in ein **Sammelrohr**. Unter dem Einfluss von Aldosteron aus der Nebennierenrinde werden aus den Sammelrohren weitere Na^{+}-Ionen und Wasser aus dem Harn der Sammelrohre ins Blut transportiert sowie K^{+}-Ionen zusätzlich ausgeschieden. Der Harn wird hier also noch weiter konzentriert.

Nach all diesen Konzentrationsvorgängen entlang der Nierentubuli werden über die Sammelrohre an den Nierenpapillen wesentlich geringere Mengen eines konzentrierten Sekundärharns ausgeschieden, als Primärharn produziert wurde. Nachdem der Harn aber nicht nur konzentriert wurde, sondern auch jene Substanzen, welche ausgeschieden werden müssen, aktiv in den Harn abgegeben wurden, ist die Anwesenheit dieser harnpflichtigen Substanzen im Urin physiologisch, solange bestimmte Grenzwerte nicht überschritten werden.

16.3.1 Harnpflichtige Substanzen

Unter harnpflichtigen Substanzen versteht man Stoffwechselprodukte aus dem Körper, die mit dem Harn ausgeschieden werden müssen. Passiert das nicht, kommt es zu einer Anhäufung dieser Stoffe, was letztlich nicht mehr mit dem Leben vereinbar ist. Sie entstehen beim Abbau von Eiweißen und Zellen aus dem Körper oder aus der Nahrung. Die wichtigsten harnpflichtigen Substanzen sind der **Harnstoff**, ein Abbauprodukt aus dem Aminosäurestoffwechsel, und die **Harnsäure** aus dem Purinstoffwechsel. Beide entstehen beim Zelluntergang im Körper und bei der Verdauung von Fleisch und Eiweiß. **Kreatinin** stammt aus dem Energiestoffwechsel der Muskulatur.

Bei Erkrankungen der Niere und der ableitenden Harnwege kann es zum Auftreten pathologischer Urinbestandteile kommen, die einen hohen diagnostischen Wert besitzen. Finden sich vermehrt **Eiweiße** im Urin, spricht man von einer **Proteinurie**; dies ist ein Hinweis auf eine (entzündliche) Schädigung der glomerulären Kapillarwände, welche durchlässig für die großen Eiweißmoleküle werden. Ein mehr oder weniger gehäuftes Vorkommen von **Erythrozyten** im Urin heißt **Hämaturie**, man findet sie bei Harnwegsinfekten, Tumoren der Harnorgane oder bei Nieren- und Blasensteinen. Ein vermehrtes Vorkommen von **Bakterien** (Bakteriurie) und **Leukozyten** (Leukozyturie) erwartet man bei Harnwegsinfekten.

Auch bei Diabetes mellitus erlaubt die Urindiagnose wesentliche Rückschlüsse auf die Erkrankung. Steigt der Blutzuckerspiegel über 180 mg/dl, wird die sogenannte Nierenschwelle überschritten und **Glukose** kann im Urin nachgewiesen werden (Glukosurie). Kommt es im Rahmen der Zuckerkrankheit zu einem Entgleisen des Kohlenhydratstoffwechsels und einem vermehrten Fettabbau, werden **Ketonkörper** als Abbauprodukte der Fettsäuren über die Niere ausgeschieden (Ketonurie).

16.3.2 Glomerulärer Filtrationsdruck – Autoregulation der Nierendurchblutung

Pro Minute wird etwa 1 Liter Blut durch die Nieren und somit durch die Glomerula gepumpt. Um dem Blut den Harn abzupressen, ist ein bestimmter Blutdruck in den Glomeruluskapillaren erforderlich.

Um die sogenannte **glomeruläre Filtration** zu gewährleisten, ist ein **glomerulärer Blutdruck** von **50 mmHg** aufrechtzuhalten. Es muss also innerhalb der Glomeruluskapillaren ein Blutdruck von 50 mmHg herrschen, sonst kann der Primärharn nicht in die Bowman-Kapsel gepresst werden.

Diesen Druck kann die Niere durch **Autoregulation** (Selbststeuerung) der Nierengefäße beeinflussen, indem sie den Gefäßdurchmesser der Nierenarterie reguliert. Bei zu niedrigem Blutdruck wird die zuführende Nierenarterie weiter gestellt und die ableitende verengt, um den Blutdruck zu steigern. Bei zu hohem Druck wird über Engstellen der zuführenden Arterie der Druck in den Kapillaren gesenkt. An dieser Autoregulation ist das Renin-Angiotensin-Aldosteron-(RAA-)System beteiligt.

Bei zu hohem oder zu niedrigem systemischem Blutdruck, das ist der Blutdruck im Körperkreislauf, funktioniert diese Autoregulation nicht mehr. Sinkt der systemische Blutdruck systolisch unter 80 mmHg, kommt es in der Folge zur **Oligurie** (stark eingeschränkte Harnmenge) oder sogar zur **Anurie** (keine Harnproduktion). Die Gefahr eines

Blutdruckabfalls und somit der Minderdurchblutung der Niere besteht vor allem beim Schock. Steigt der systolische Blutdruck auf über 180 mmHg, kommt es zur **Druckdiurese** mit der vermehrten Ausscheidung großer Mengen unkonzentrierten Harns.

Der **glomeruläre Filtrationsdruck** setzt sich aus allen Drücken, die innerhalb eines Nierenkörperchens herrschen, zusammen. Er soll **10 mmHg** betragen und errechnet sich so:

Im Glomerulus muss ein hydrostatischer (Blut-)Druck von 50 mmHg herrschen, damit ausreichend Primärharn filtriert werden kann. Von diesen 50 mmHg müssen 25 mmHg abgezogen werden, diese entsprechen dem kolloidosmotischen Druck des Glomerulusblutes, der durch die Eiweiße im Blut entsteht und dem hydrostatischen Druck entgegenwirkt. Also: 50 mmHg – 25 mmHg = 25 mmHg. Von diesen 25 mmHg müssen zusätzlich 15 mmHg abgezogen werden. Dieser Druck von 15 mmHg entspricht dem hydrostatischen Druck, der durch den filtrierten Primärharn zwischen den beiden Blättern der Bowman-Kapsel erzeugt wird. Auch dieser Druck wirkt dem Blutdruck im Glomerulus entgegen und muss demnach subtrahiert werden: 25 mmHg – 15 mmHg = 10 mmHg

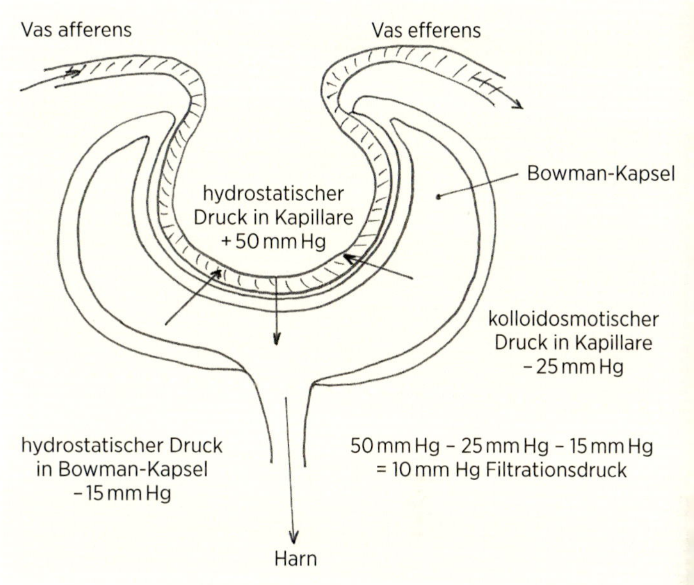

Abb. 147: **Glomerulärer Filtrationsdruck**

50 mmHg (hydrostatischer Glomerulusdruck) – 25 mmHg (kolloidosmotischer Druck im Glomerulus) – 15 mmHg (hydrostatischer Druck in der Bowman-Kapsel) = 10 mmHg (glomerulärer Filtrationsdruck)

Um diesen Druck aufrechtzuerhalten, verfügt die Niere über Mechanismen zur Steuerung des Blutdrucks. Sie gibt bei zu niedrigem Druck und reduzierter Nierendurchblutung das Hormon **Renin** an das Blut ab, welches das Angiotensinogen, das hauptsächlich aus der Leber stammt, in Angiotensin I und letztlich in Angiotensin II umwandelt.

In einem weiteren Schritt wirkt das Angiotensin II auf die Nebennierenrinde, da es diese zur Ausschüttung von **Aldosteron** in das Blut anregt. Aldosteron fördert die Resorption von Na^+ und Wasser aus den Nierentubuli in das Blut, erhöht somit das Blutvolumen und steigert auf diesem Weg ebenfalls den Blutdruck.

16.4 Pathophysiologie der Harnorgane

Pathologische Harnbestandteile

Neben den erwähnten physiologischen Bestandteilen des Harns können auch Substanzen im Harn zu finden sein, die einen Krankheitswert haben und Rückschlüsse auf pathologische Vorgänge zulassen.

Tab. 56: **Pathologische Harnbestandteile**

Pathologischer Harnbestandteil	Ursache
Zucker – Glukosurie Ketonkörper – Ketonurie	Diabetes mellitus
Eiweiß – Proteinurie	Entzündungen der Niere und/oder der ableitenden Harnwege
Bakterien – Bakteriurie Leukozyten – Leukozyturie	Harnwegsinfekte
Blut – Hämaturie Mikrohämaturie (nicht mit bloßem Auge sichtbar) Makrohämaturie	Kann harmlos sein, aber Abklärung dringend erforderlich Harnwegsinfekte, Steine, Tumoren

Vesikourethraler Reflux

Der Harn darf nur in eine Richtung, nämlich von der Niere über den Harnleiter in die Harnblase, transportiert werden. Dazu ist es notwendig, einen effektiven Verschluss der Harnleiter gegenüber einer vollen Harnblase zu erreichen, damit der Harn nicht wieder zurückfließen kann. Die Ureteren münden schlitzartig in die Harnblasenwand und werden bei Füllung der Blase abgedrückt und fest verschlossen. Bei angeborener Fehlanlage dieser Uretermündung kann es zum Aufsteigen des Harns in Richtung Nierenbecken kommen, was häufige Harnwegsinfekte, eine Ausweitung des Nierenbeckens (Hydronephrose) und eine zunehmende Schädigung mit Funktionseinbußen des Nierengewebes nach sich zieht. Um Schädigungen der Niere hintanzuhalten, ist eine rechtzeitige chirurgische Korrektur erforderlich.

Harninkontinenz

Ein häufig auftretendes Problem besonders im höheren Lebensalter ist die sogenannte Harninkontinenz, das Unvermögen, den Harn bewusst zurückzuhalten. Die verschiedenen Formen werden in der Tabelle dargestellt.

Tab. 57: **Harninkontinenz**

Harninkontinenz-Typ	Definition	Ursachen
Belastungs-(Stress-) Inkontinenz	Unwillkürlicher Harnverlust meist kleiner Harnmengen bei Druckerhöhung durch Husten, Lachen, Niesen, Tragen von Lasten	Schwächung des Blasenschließmuskels und des Beckenbodens **Frauen:** nach Geburten, Östrogenmangel in den Wechseljahren **Männer:** nach Prostataoperationen
Dranginkontinenz	Unfähigkeit, den Harn schon während der Füllungsphase zurückzuhalten	
Sensorische Form	Harnabgang mit Harndrang	Reizung der Blasenwand durch Tumoren, Steine oder Entzündungen
Motorische Form durch unbeeinflussbare Kontraktionen des Harnaustreibermuskels	häufiger Harnabgang ohne Harndrang	Bei neurologischen Erkrankungen wie Morbus Parkinson, Morbus Alzheimer, Schlaganfall, Hirntumoren, Multipler Sklerose, Rückenmarksläsionen

Überlaufinkontinenz	Harnverlust bei einer vollen Blase	Abflusshindernisse durch Prostatavergrößerung, Tumoren oder Störungen der Blasenentleerung bei Rückenmarksverletzungen, Multipler Sklerose
Funktionelle Inkontinenz	Harnverlust bei normaler Anatomie und Physiologie, die Ursachen liegen außerhalb des Urogenitaltraktes	
	Störung der Mobilität	Bettlägerige Patientinnen
	Sensorische Störungen	Sehbehinderung
	Kognitive Störungen	Demenz, Verwirrtheit

Harnsteine

Entlang der ableitenden Harnwege können **Konkremente** entstehen, die aus unterschiedlichen Substanzen zusammengesetzt sind und zum Teil schwerwiegende Folgen haben.

Am häufigsten bestehen diese Steine aus Kalziumoxalat, relativ häufig sind auch Uratsteine (Harnsäuresteine). Als Ursachen für die Entstehung solcher Konkremente werden eine übermäßige Zufuhr ihrer Bestandteile mit der Nahrung, eine zu geringe Harnproduktion durch zu geringe Flüssigkeitsaufnahme, Entzündungen und Stoffwechselerkrankungen angenommen. Harnsäuresteine treten besonders häufig beim Krankheitsbild der Gicht auf, der ein Harnsäureüberschuss im Körper zugrunde liegt. Harnsteine entstehen in Form von **Nierensteinen** im Bereich des Nierenbeckens oder in der Blase als **Blasensteine**. Kleinere Nierensteine können in den Harnleiter geschwemmt werden und sehr schmerzhafte **Nierenkoliken** auslösen. Konkremente im Bereich der ableitenden Harnwege führen nicht selten zu Abflussbehinderungen und einem Rückstau von Harn mit nachfolgender Schädigung des Nierengewebes. Häufig sind Nierensteine auch Auslöser von Harnwegsinfekten oder einer Dranginkontinenz. Blutiger Urin und Schmerzen können Hinweise auf Steine in den Harnwegen sein.

Übungsfragen

1. Beschreibe die genaue Lage und das Aussehen der Niere.
2. Erkläre die Aufteilung der Nierenarterien von der A. renalis bis zum Glomerulus.
3. Wie ist ein Nephron aufgebaut? Unterscheide Gefäßpol und Harnpol, wo „rinnt“ Blut, wo „rinnt“ Harn?
4. Woraus besteht das Tubulussystem?
5. Welche Anteile eines Nephrons befinden sich in der Nierenrinde, welche im Bereich des Nierenmarks?
6. Was versteht man unter Primärharn und Sekundärharn? Wo entsteht der Primärharn und wo der Sekundärharn, wie viel wird jeweils in 24 Stunden davon gebildet?
7. Nenne die wichtigsten physiologischen und einige pathologische Bestandteile des Harns.
8. Welche Funktionen haben die Hormone Erythropoetin und Renin?
9. Was versteht man unter dem glomerulären Filtrationsdruck? Wie errechnet er sich?
10. Erkläre die Lage und den anatomischen Aufbau von Nierenbecken, Harnleiter, Harnblase und Harnröhre.

17 Geschlechtsorgane

Die äußeren und inneren Geschlechtsorgane entwickeln sich während der Embryonalzeit bei beiden Geschlechtern aus einer identen, indifferenten Anlage. Sie differenzieren sich im Laufe der Entwicklung, je nachdem, ob der Chromosomensatz des heranwachsenden Embryos weiblich (46 XX) oder männlich (46 XY) angelegt ist, in die unterschiedlichen geschlechtsspezifischen Organe.

Es werden primäre und sekundäre Geschlechtsmerkmale unterschieden, wobei zu den **primären** die inneren und äußeren Geschlechtsorgane gehören, welche schon beim Neugeborenen vorhanden sind, zu den **sekundären** zählt man jene, die sich während der Pubertät unter dem Einfluss der geschlechtsspezifischen Hormone entwickeln. Sekundäre Merkmale sind die unterschiedliche Körperbehaarung von Mann und Frau, die Scham- und Achselbehaarung, das Wachsen des Kehlkopfes (Adamsapfel) beim Mann, aber auch der kräftigere männliche Körperbau und die vermehrte Muskelmasse. Bei der Frau zählt man das Brustwachstum, den typisch weiblichen Körperbau und die Regelblutung dazu.

Bereits ab der 4. Embryonalwoche bilden sich paarige Genitalleisten aus, in die sich die noch undifferenzierten Urkeimzellen einnisten. Je nach dem chromosomalen Geschlecht entwickeln sich daraus die entsprechenden Geschlechtsdrüsen (Gonaden), also entweder die Eierstöcke oder die Hoden. In der 6. Woche bilden sich die beiden Genitalgänge, der Urnierengang oder Wolff-Gang und der Müller-Gang, aus.

Ab der 7. Schwangerschaftswoche beginnt die Entwicklung der unterschiedlichen Geschlechtsorgane, je nach genetisch determiniertem Geschlecht. Ganz wesentlich für die Entwicklung männlicher oder weiblicher Geschlechtsorgane ist ein Gen, welches sich beim Mann am kurzen Arm des Y-Chromosoms befindet.

Dieses SRY-Gen beinhaltet den Code für den Hoden-determinierenden Faktor. Dieser bewirkt nun die Differenzierung der ursprünglichen embryonalen Genitalanlage in Richtung männlich. So kann sowohl Testosteron in den sich differenzierenden Leydig-Zellen als auch das Anti-Müller-Hormon gebildet werden.

Das Testosteron induziert die Ausbildung der männlichen Geschlechtsorgane, das Anti-Müller-Hormon bewirkt die Rückbildung der Müller'schen Gänge beim männlichen Embryo. Aus den erhalten gebliebenen Wolff-Gängen entstehen Nebenhoden, Samenleiter und Bläschendrüsen. Die Prostata entwickelt sich aus dem Urogenitalkanal, aus dem auch Harnblase und Harnröhre entstehen.

Beim weiblichen Geschlecht fehlt aufgrund der genetischen Konstellation (XX-Chromosomen) die Bildung von Testosteron und Anti-Müller-Hormon. Der Müller-Gang bleibt also erhalten und entwickelt sich zu Gebärmutter, Eileiter und oberem Scheidenteil weiter. Der untere Teil der Vagina, die Harnblase und die Harnröhre entstammen wiederum dem Urogenitalkanal.

Die äußeren Geschlechtsorgane entwickeln sich ab der 9. Embryonalwoche in männliche oder weibliche Richtung. Bis zu diesem Zeitpunkt besteht eine gemeinsame Anlage aus Genitalhöcker, Genitalwülsten und Genitalfalten.

Tab. 58: **Entwicklung der Geschlechtsorgane**

Ursprüngliche Anlage	Weibliches Geschlecht	Männliches Geschlecht
Genitalleiste	Eierstock (Ovar)	Hoden (Testis)
Müller-Gang	Gebärmutter (Uterus), Eileiter (Tuba uterina), oberer Scheidenteil (Vagina)	bildet sich zurück
Wolff-Gang		Nebenhoden (Epididymis), Samenleiter (Ductus deferens), Bläschendrüsen (Glandula vesiculosa)
Urogenitalkanal	Unterer Scheidenanteil, Harnblase (Vesica urinaria), Harnröhre (Urethra)	Vorsteherdrüse (Prostata), Harnblase, Harnröhre
Genitalhöcker, Genitalwülste, Genitalfalten	Kitzler (Klitoris), große und kleine Vulvalippen (Labia majora et minora)	Penis mit den Schwellkörpern und der Eichel (Glans), Hodensack (Skrotum)

17.1 Anatomie der männlichen Geschlechtsorgane

Die **inneren Geschlechtsorgane** des Mannes setzen sich aus den Hoden (Testis), den Nebenhoden (Epididymis), den Samenleitern (Ductus deferens), der Vorsteherdrüse (Prostata), den Bläschendrüsen (Glandula vesiculosa) und den Cowper'schen Drüsen zusammen.

Zu den **äußeren männlichen Geschlechtsorganen** zählen das männliche Glied (Penis) und der Hodensack (Skrotum).

17.1.1 Hoden (Testis)

Die paarigen, pflaumengroßen Hoden sind die Keimdrüsen des Mannes. Sie liegen im Hodensack, obwohl sie sich während der Embryonalzeit in der Bauchhöhle entwickeln. Die Wanderung der Hoden in den Hodensack **(Descensus testis)** sollte bei der Geburt des Knaben abgeschlossen sein, dies gilt als Reifezeichen. Der Grund, dass die Hoden aus der Bauchhöhle in den **Hodensack (Skrotum)** verlagert werden, ist die Intoleranz der Spermien für Wärme.

Die Hoden hängen eingehüllt von mehreren bindegewebigen Hodenhüllen und Faszien am **Samenleiter (Ductus deferens)** innerhalb des Hodensackes. Seinem oberen Pol liegt der **Nebenhoden (Epididymis)** wie eine Kappe direkt auf. Der Hodensack besteht aus mehreren bindegewebigen Schichten, die äußere Hodenhaut liegt locker ihrer Unterlage auf. Der Hoden selbst ist von einer derben weißen Bindegewebsschicht, der Tunica albuginea,

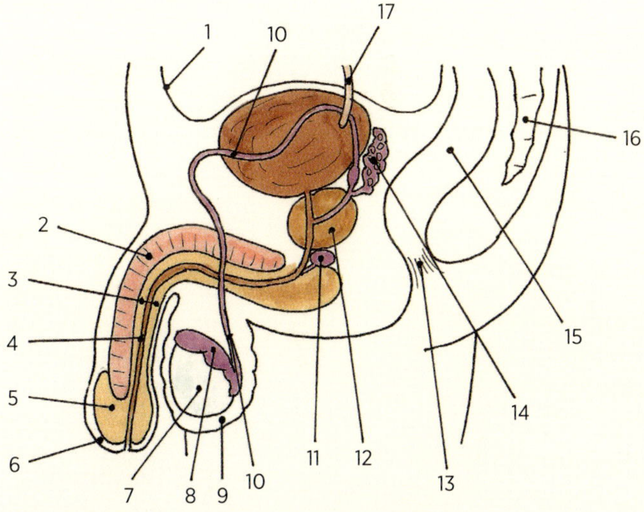

1 Bauchfell (Peritoneum), **2** Penisschwellkörper (Corpus cavernosum penis), **3** Harnröhrenschwellkörper (Corpus spongiosum penis), **4** Harnröhre (Urethra), **5** Eichel (Glans penis), **6** Vorhaut (Praeputium), **7** Hoden (Testis), **8** Nebenhoden (Epididymis), **9** Hodensack (Scrotum), **10** Samenleiter (Ductus deferens), **10** Cowper-Drüse, **11** Vorsteherdrüse (Prostata), **12** After (Anus), **13** Bläschendrüse (Glandula vesiculosa), **14** Mastdarm (Rectum), **15** Kreuzbein (Os sacrum), **16** Harnleiter (Ureter)

Abb. 148: **Männliche Geschlechtsorgane**

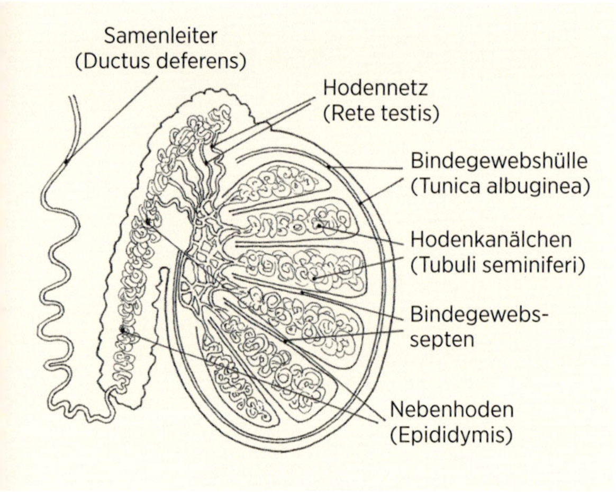

Abb. 149: **Hoden und Nebenhoden**

umhüllt. Um diese herum befinden sich die beiden serösen Hüllen des Hodens, sie entsprechen dem Peritoneum viscerale und dem Peritoneum parietale, welche während des Descensus des Hodens aus der Bauchhöhle mit ausgestülpt wurden.

In seinem Inneren wird der Hoden durch Bindegewebssepten in etwa 300 Läppchen unterteilt, in denen die stark gewundenen **Hodenkanälchen** liegen. Am dem Nebenhoden zugewandten Rand sieht man das bindegewebige **Zentrum der Drüse (Mediastinum testis)**, wo sich die Kanälchen des **Hodennetzes (Rete testis)** und Blutgefäße befinden. Das Rete testis besteht aus zahlreichen geraden Hodenkanälchen, die in die Kanälchen des Nebenhodens übergehen. Die Nebenhodenkanälchen sind eigentlich die Fortsetzung der Hodenkanälchen.

In den Hodenkanälchen (Tubuli seminiferi) findet man drei unterschiedliche Zellarten. Einer zarten Basalmembran liegen im Inneren der Hodenkanälchen **Sertoli-Stützzellen** auf, welche den Kanälchen eine gewisse Festigkeit geben und der Ernährung der Keimzellen (Samenzellen) dienen. Dazwischen befinden sich die **Leydig-Zwischenzellen**, die für die Synthese der männlichen Geschlechtshormone (Testosteron, Androgene) im Hoden verantwortlich sind. Als dritte Zellart findet man die **Samenzellen**, aus denen im Verlauf der Spermatogenese (Spermienbildung) die **Spermien** heranreifen. Sie machen zahlenmäßig den größten Anteil aus. Eingebettet sind die Hodentubuli in gut durchblutetes Bindegewebe.

Die Funktion des Hodens ist demnach die Bildung des **Testosterons** und die Reifung der Spermienzellen unter dem Einfluss des FSH (follikelstimulierendes Hormon) und LH (luteinisierendes Hormon) des Hypophysenvorderlappens (s. Kapitel „Hormonsystem“).

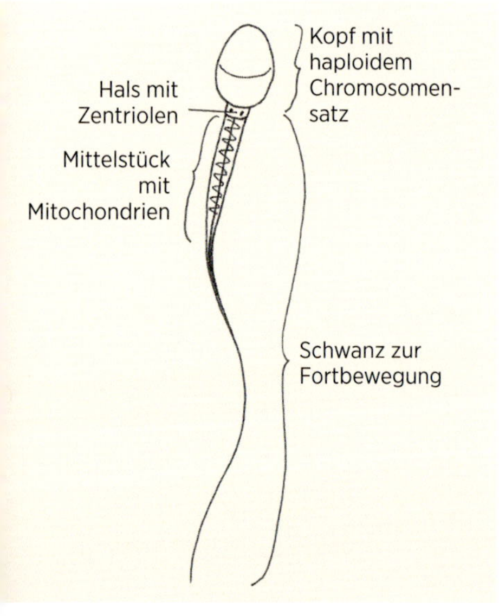

Abb. 150: **Spermienzelle**

17.1.2 Nebenhoden (Epididymis) und Samenleiter (Ductus deferens)

Der Nebenhoden liegt dem oberen hinteren Pol des Hodens auf und lässt sich in einen kranialen Nebenhodenkopf, einen mittleren Nebenhodenkörper und einen kaudal gelegenen Nebenhodenschwanz unterteilen, wobei dieser am unteren Ende des Nebenhodens in den Samenleiter (Ductus deferens) übergeht.

Der **Nebenhoden (Epididymis)** beinhaltet den stark gewundenen Nebenhodengang, dessen Wand aus glatter Muskulatur und einer inneren Auskleidung von Flimmerepithelzellen besteht. Im Nebenhoden werden die Spermienzellen gereift und gespeichert, durch Kontraktion der glatten Muskelzellen werden sie in den Samenleiter, im Wesentlichen ein Muskelschlauch, weitergeleitet. Die schlagenden Flimmerhärchen unterstützen den Transport der Spermien.

Der **Samenleiter (Ductus deferens)** ist ein 30–40 cm langer Muskelschlauch, welcher aus dem Nebenhodenschwanz hervorgeht. Er mündet in die Harnröhre und befördert während der **Ejakulation** die Spermien in die Harnsamenröhre des Penis. Der Samenleiter zeigt einen interessanten Verlauf, da er während des Descensus testis die Wanderung des Hodens aus der Bauchhöhle mitgemacht hat. Er beginnt am kaudalen Ende des Nebenhodens und zieht hinter ihm nach oben, um gemeinsam mit Blutgefäßen und Nerven den sogenannten **Samenstrang (Funiculus spermaticus)** zu bilden. Danach zieht er über dem **Leistenband (Ligamentum inguinale)** durch den Leistenkanal hindurch in die Bauchhöhle. In der Bauchhöhle verläuft der Ductus deferens, bedeckt vom Peritoneum parietale, entlang der Bauchwand in das kleine Becken, bis er unterhalb der Harnblase zur **Prostata** gelangt. Diese durchbricht er von seitlich hinten, um dann, wie der Samenleiter der Gegenseite, innerhalb der Prostata in die **Harnröhre** einzumünden.

17.1.3 Vorsteherdrüse (Prostata) und andere Drüsen

Die **Vorsteherdrüse** ist eine unpaare Drüse, sie liegt zwischen der Harnblase und dem Beckenboden des Mannes und wird vom Verlauf der Harnröhre durchzogen. Sie hat die Form und Größe einer Kastanie, ihre Basis zeigt zur Harnblase, ihre Spitze gegen den Beckenboden.

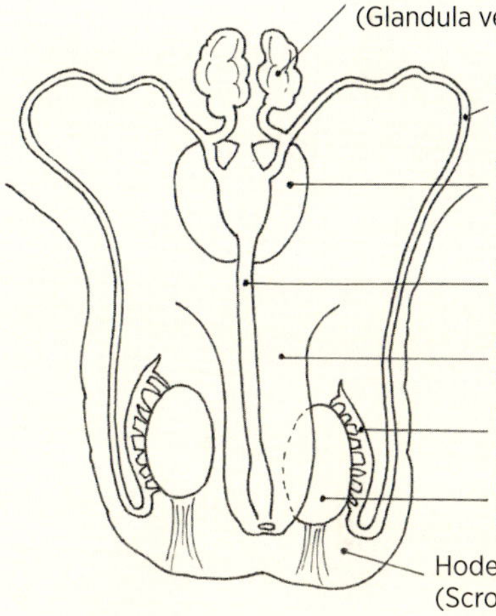

Abb. 151: **Männliche Geschlechtsdrüsen**

Die Prostata besteht aus zahlreichen Einzeldrüsen, die mit vielen kleinen Ausführungsgängen in die Harnröhre münden. Das leicht saure **Prostatasekret** macht etwa 30 % des Spermas aus, es enthält Enzyme, welche die Beweglichkeit der Spermien erhöhen und dem Sperma seinen typischen Geruch verleihen.

Die längliche **Bläschendrüse (Glandula vesiculosa)** liegt paarig an der Hinterseite der Harnblase und mündet, bevor dieser in die Prostata eintritt, in den Samenleiter. Das Sekret der Bläschendrüsen macht 70 % des Ejakulates aus, es ist basisch und enthält Nährstoffe für die Spermien.

Innerhalb der Beckenbodenmuskulatur befindet sich noch ein weiteres kleines Drüsenpaar, die **Cowper'schen Drüsen**, welche unterhalb der Prostata in die Harnröhre münden. Ihr schleimiges Sekret soll die Harnröhre reinigen und die Eichel gleitfähig machen.

17.1.4 Glied (Penis)

Der Penis gehört zu den äußeren Geschlechtsorganen, er dient der Kopulation und der Harnausscheidung. Er wird in seiner gesamten Länge von der Harnsamenröhre durchzogen. Der Penis besteht aus einer **Wurzel (Radix penis)**, dem **Körper (Corpus penis)** und der an der Penisspitze sitzenden **Eichel (Glans penis)**, welche von der **Vorhaut (Praeputium)** bedeckt ist. Er besitzt insgesamt drei Schwellkörper, einen paarigen **Penisschwellkörper (Corpus cavernosum penis)** an der Penisoberseite und den unpaaren **Harnröhrenschwellkörper (Corpus spongiosum penis)** an der Unterseite des Penis, welcher die Urethra beherbergt und an dessen Ende die Eichel sitzt. Die Penisschwellkörper sind mit den Schambeinästen und dem **Diaphragma urogenitale** des Beckenbodens fest verbunden. Jeder Schwellkörper ist von einer bindegewebigen Hülle umgeben, gemeinsam liegen sie innerhalb einer Faszie. Die äußere Penishaut sitzt mit ihrer fettarmen Subcutis dieser Faszie locker verschieblich auf.

Die Schwellkörper bestehen aus venösen Blutleitern, in die Blut hineingepumpt werden kann, um eine Erektion des Gliedes zu erzielen. Der Harnröhrenschwellkörper bleibt bei der Erektion weicher, damit er kein Hindernis für den Samenerguss durch die Harnröhre darstellt.

Die Eichel bildet das Ende des Penis, sie ist durch die Penisfurche vom Schaft des übrigen Gliedes etwas abgesetzt. In ihrem Inneren setzt sich der Harnröhrenschwellkörper fort, an ihrer Spitze mündet die Harnröhre, sie wird von der verschieblichen Vorhaut bedeckt.

17.2 Anatomie der weiblichen Geschlechtsorgane

Auch bei den weiblichen Geschlechtsorganen lassen sich innere und äußere unterscheiden.

Zu den inneren zählen die Eierstöcke (Ovarien), die Eileiter (Tuba uterina), die Gebärmutter (Uterus) und die Scheide (Vagina). Eierstöcke und Eileiter werden zusammen als **Adnexe** bezeichnet, was so viel wie „Anhängsel" des Uterus bedeutet. Die äußeren weiblichen Geschlechtsorgane (Vulva) setzen sich aus dem Schamberg (Mons pubis), dem Scheidenvorhof (Vestibulum vaginae), den großen und kleinen Vulvalippen (Labia majores et minores) und dem Kitzler (Clitoris) zusammen.

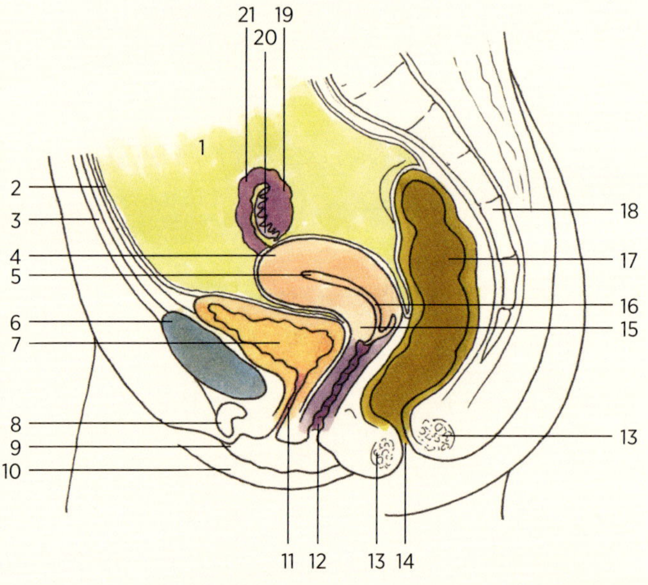

1 Bauchhöhle, **2** Bauchfell (Peritoneum parietale), **3** Bauchmuskulatur, **4** Gebärmutter (Uterus), **5** Gebärmutterhöhle (Cavum uteri), **6** Symphyse, **7** Harnblase (Vesica urinaria), **8** Kitzler (Clitoris), **9** Innere Vulvalippen (Labia minora), **10** Äußere Vulvalippen (Labia majora), **11** Harnröhre (Urethra), **12** Scheide (Vagina), **13** Afterschließmuskel (M. sphincter ani), **14** After (Anus), **15** Scheidenteil der Gebärmutter (Portio uteri), **16** Gebärmutterhals (Cervix uteri), **17** Mastdarm (Rectum), **18** Kreuzbein (Os sacrum), **19** Eileitertrichter (Infundibulum) mit Fimbrien, **20** Eierstock (Ovar), **21** Eileiter (Tuba uterina)

Abb. 152: **Weibliche Geschlechtsorgane**

17.2.1 Eierstock (Ovarium) und Eileiter (Tuba uterina)

Die Eierstöcke sind die paarig angelegten Keimdrüsen der Frau, sie liegen im kleinen Becken. **Eierstock** und auch **Eileiter** sind durch Bänder mit der **Gebärmutter (Uterus)** und der seitlichen Beckenwand verbunden.

Das **breite Gebärmutterband (Ligamentum latum uteri)** ist eine Peritonealduplikatur, welche flächig von der Gebärmutter zur seitlichen Beckenwand zieht. Sowohl das Ovar als auch der Eileiter sind durch weitere Bänder am Ligamentum latum beweglich fixiert.

Der zur Gebärmutter gerichtete Pol des Ovars ist über das **Eierstockeigenband (Ligamentum ovarii proprium)** mit der Gebärmutter und der laterale Pol über das **Aufhängeband des Eierstocks (Ligamentum suspensorium ovarii)** mit der seitlichen Beckenwand verbunden.

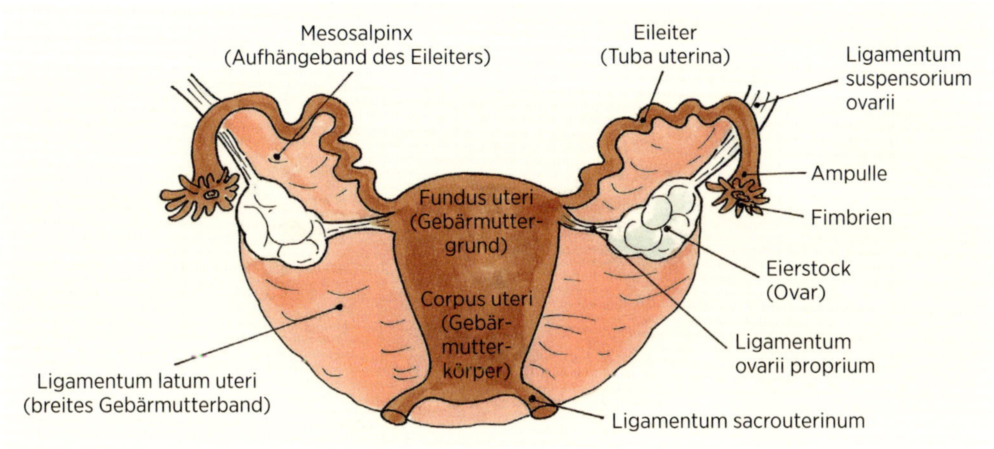

Abb. 153: **Uterusbänder**

Das Ovar ist ein ovales Organ von etwa 3–4 cm Länge, es liegt intraperitoneal. Unter einer bindegewebigen Organkapsel befindet sich die **Rindenzone** des Ovars, in welcher die Eizellen in den **Follikeln** heranreifen. Pro Eierstock sind beim neugeborenen Mädchen bis zu 500.000 **Primärfollikel**, welche die Keimzellen beinhalten, angelegt. Diese reduzieren sich bis zum 20. Lebensjahr auf etwa 200.000; ab der Pubertät reifen bis zur Menopause etwa 400 dieser Follikel heran. Im Zentrum des Eierstocks liegt die Markzone, welche im Wesentlichen aus Bindegewebe und den versorgenden Gefäßen besteht.

Der **Eileiter (Tuba uterina)** ist ein etwa 12–15 cm langer Muskelschlauch, welcher am Oberrand des Ligamentum latum uteri von der Gebärmutter zum Eierstock verläuft. Mit der Gebärmutter ist er fest verwachsen, sein ovariales Ende ist zum **Fimbrientrichter (Infundibulum)** erweitert, welcher sich beim Eisprung über das Ovar stülpt, um das Ei aufzufangen und in die Gebärmutter zu befördern. Unter Fimbrien versteht man fächerförmige Fransen am freien Ende des Eileiters, welche das aus dem Eierstock entlassene Ei in die trichterförmige Öffnung des Eileiters transportieren. Die Befruchtung des Eies durch die Spermienzelle findet im Eileiter statt, wellenförmige Bewegungen (Peristaltik) der glatten Muskulatur und das Flimmerepithel des Eileiters bewegen das Ei in Richtung Gebärmutter.

17.2.2 Gebärmutter (Uterus)

Der Uterus ist bei Frauen, die noch nie geboren haben, ein etwa hühnereigroßes Hohlorgan, wobei seine Muskelschicht sehr dick ist und der innere Hohlraum sehr schmal. Der Uterus befindet sich in der Mitte des kleinen Beckens, er liegt nach vorne gebogen der Harnblase auf. Bei Füllung der Harnblase richtet sich die Gebärmutter entsprechend gegen das große Becken auf.

Am Uterus lassen sich der **Uterusgrund (Fundus uteri)**, der **Uteruskörper (Corpus uteri)** und der **Uterushals (Cervix uteri)** unterscheiden. Der Fundus ist der gewölbte Anteil oberhalb der Mündungsstelle der Eileiter, der Körper macht den Großteil des Uterus aus, die Cervix uteri ist der schlanke Halsteil, der sich nach oben über den **inneren Muttermund (Ostium uteri internum)** in die Gebärmutter und nach unten über den **äußeren Muttermund (Ostium uteri externum)** in die Scheide öffnet.

Die Gebärmutter weist einen dreischichtigen Aufbau auf: Außen überzieht eine Serosa (Perimetrium) das Organ, in der Mitte liegt eine kräftige Muskelschicht (Myometrium)

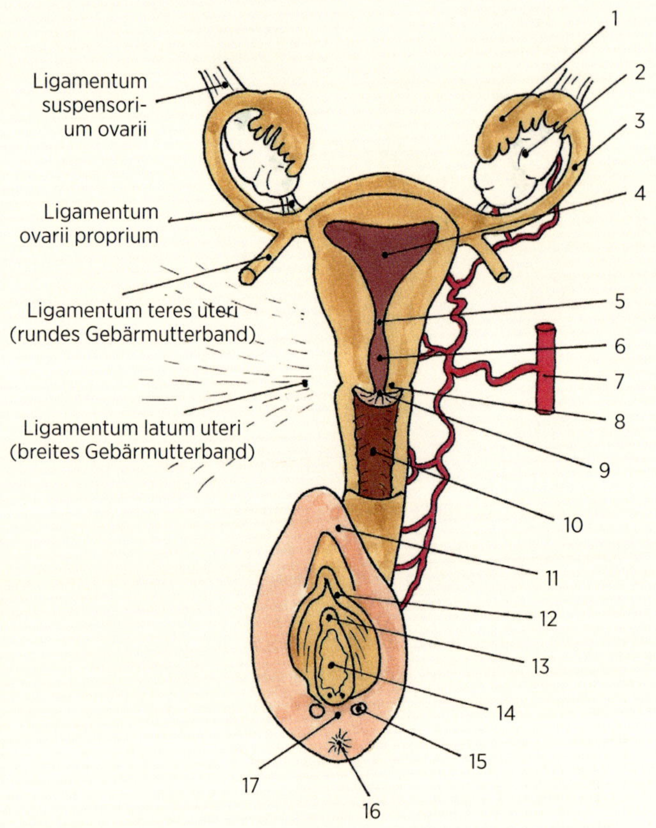

1 Fimbrientrichter, 2 Eierstock (Ovar), 3 Eileiter (Tuba uterina), 4 Gebärmutterhöhle (Cavum uteri), 5 innerer Muttermund (Ostium uteri internum), 6 Gebärmutterhals (Cervix uteri), 7 versorgende Arterie (A. uterina), 8 Scheidenteil der Gebärmutter (Portio), 9 äußerer Muttermund (Ostium uteri externum), 10 Scheide (Vagina), 11 große Vulvalippen (Labia majora), 12 kleine Vulvalippen (Labia minora), 13 Kitzler (Clitoris), 14 Scheidenvorhof (Vestibulum vaginae), 15 Bartholini-Drüse, 16 After (Anus), 17 Damm (Perineum)

Abb. 154: **Innere und äußere weibliche Geschlechtsorgane**

und innen befindet sich die Schleimhaut (Endometrium). Das Endometrium gliedert sich wiederum in eine Basalzone (Basalis), welche der Muskelschicht eng verzahnt aufliegt, und eine Funktionsschicht (Functionalis), die während der Menstruation abgestoßen wird.

Im Frontalschnitt fällt die dreieckige Form der Uterushöhle auf, die beiden oberen Ecken repräsentieren die Mündungsstellen der beiden Eileiter, die untere Spitze des Dreiecks wird durch die Öffnung zur Scheide gebildet. Der untere Teil der Cervix ragt zapfenförmig in die **Scheide (Vagina)** hinein, dieser Cervixteil wird **Portio uteri** (Scheidenteil der Gebärmutter) genannt. Seine Öffnung ist der **äußere Muttermund (Ostium uteri externum).**

Das breite Gebärmutterband (Ligamentum latum uteri) fixiert den Uterus an der seitlichen Bauchwand, an seinem oberen Rand verläuft der Eileiter vom Uterus zum Ovar. Auch Gefäße und Nerven der inneren weiblichen Geschlechtsorgane finden sich darin.

17.2.3 Scheide (Vagina)

Die Scheide ist ein 8–10 cm langer Muskelschlauch aus glatter Muskulatur und verläuft von der Portio uteri bis zu ihrer Öffnung im Scheidenvorhof am Beckenboden. Sie ist vor dem ersten Geschlechtsverkehr vom **Jungfernhäutchen (Hymen)** teilweise verschlossen. Die Scheidenschleimhaut besteht aus einem unverhornten mehrschichtigen Plattenepithel und zeigt zahlreiche querverlaufende Falten, die durch Geburten zunehmend verstreichen. Die Vaginalschleimhaut wird neben dem abgesonderten Zervixschleim auch von einem Transsudat aus der Epithelschicht benetzt.

Die Vagina dient dem ungeborenen Kind als Geburtskanal. Die bindegewebige Brücke zwischen Scheide und Rektum, der **Damm (Perineum)**, wird während des Geburtsvorgangs manchmal eingeschnitten, um nicht einzureißen.

17.2.4 Äußere weibliche Geschlechtsorgane (Vulva)

Als Vulva fasst man den Schamberg (Mons pubis), die großen und kleinen Vulvalippen (Labia majora et minora), den Kitzler (Clitoris) und den Scheidenvorhof (Vestibulum vaginae) zusammen.

Als **Schamberg (Mons pubis)** bezeichnet man die Erhebung vor und oberhalb der Symphyse, welche bei der geschlechtsreifen Frau von Schamhaaren bedeckt ist. Er setzt sich nach hinten unten in die **großen Vulvalippen (Labia majora)** fort, die den Scheideneingang bedecken und deren Haut ebenfalls Schamhaare besitzt. Die Haut der Innenseite der Vulvalippen ähnelt eher einer Schleimhaut. Verdeckt von den großen Vulvalippen liegen die **kleinen Vulvalippen (Labia minora)**, die als zarte dünne Hautfalten den **Scheidenvorhof (Vestibulum vaginae)** einrahmen. Sie treffen sich an ihren ventralen Enden im Bereich des **Kitzlers (Clitoris)**. Die Klitoris besteht aus den paarigen **Klitorisschwellkörpern (Corpora cavernosa clitoris)**, analog den Penisschwellkörpern. Auch sie schwellen bei sexueller Erregung an, indem ihre Venen mit Blut gefüllt werden. In den Scheidenvorhof, jenen Bereich zwischen den kleinen Vulvalippen, münden vorne die Harnröhre und dahinter die Scheide nach außen. Der Scheideneingang ist bei der Jungfrau in der Regel nicht vollständig vom Jungfernhäutchen verschlossen.

Die Haut der großen Vulvalippen ist mit zahlreichen Duftdrüsen bestückt, im Bereich der kleinen Vulvalippen sitzen am Scheidenausgang die beiden Bartholini-Drüsen zum Befeuchten der Scheide. Ihnen entsprechen die Cowper'schen Drüsen beim Mann.

17.2.5 Brustdrüse (Mamma)

Die Brustdrüse sitzt den darunterliegenden Muskelfaszien verschieblich auf und lässt sich in einen Drüsenkörper und einen Fettgewebskörper, in den das Drüsenparenchym eingebettet ist, unterteilen. Die weibliche Brust macht während der Pubertät eine Wachstums- und Reifungsphase durch und unterliegt danach den hormonellen Einflüssen der weiblichen Geschlechtshormone. In der Schwangerschaft nimmt sie an Volumen zu, um nach der Geburt ausreichend Muttermilch für das zu stillende Kind sezernieren zu können. Die Milchproduktion wird durch das Hormon Prolaktin angeregt und der Milchfluss vom **Oxytocin** unterstützt.

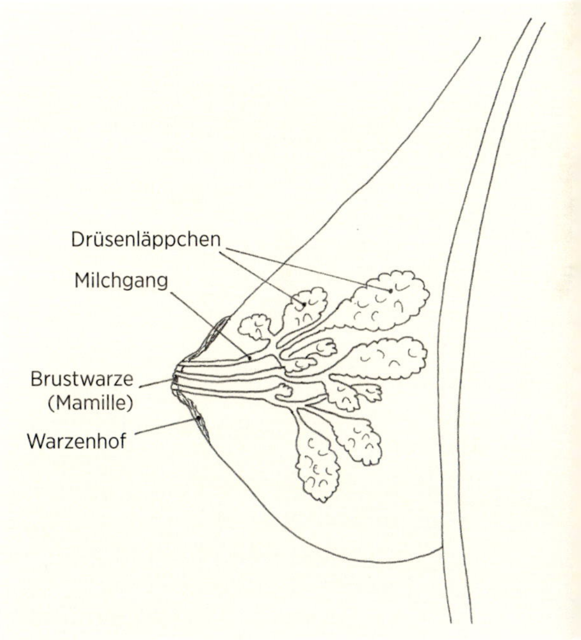

Abb. 155: **Brustdrüse**

Der Drüsenkörper der weiblichen Brust ist in etwa 20 durch Bindegewebssepten getrennte, Lappen unterteilt, wobei jeder Lappen einen **Ausführungsgang (Ductus lactiferus)** besitzt, der an der **Brustwarze (Mamille)** mündet. Die Lappen sind wiederum aus kleineren Läppchen zusammengesetzt, in denen sich zahlreiche **Milchsäckchen (Alveolen)** befinden, deren kleinere Milchgänge in den jeweiligen größeren Ausführungsgang eines Lappens münden. Vollständig ausgebildet werden die Milchsäckchen erst während der Schwangerschaft. Üblicherweise überwiegen weitgehend das Bindegewebe und das Fettgewebe.

Die Alveolen und die Ausführungsgänge sind mit einem kubischen Epithel ausgekleidet und von glatten Muskelzellen, welche sich zum Auspressen der Milch kontrahieren können, umgeben. Das Hormon Oxytocin entfaltet seine Wirkung an dieser glatten Muskulatur und ermöglicht den Milchfluss.

Um die Brustwarze herum befinden sich zahlreiche Duftdrüsen.

17.3 Physiologie der Geschlechtsorgane

In diesem Abschnitt wird im Speziellen auf die Wirkungen der männlichen und weiblichen Geschlechtshormone, die Spermatogenese sowie den Menstruationszyklus der Frau eingegangen.

17.3.1 Geschlechtshormone

Man unterscheidet Steuerhormone aus dem Hypothalamus und aus dem Hypophysenvorderlappen, welche sowohl beim Mann als auch bei der Frau die Freisetzung der Effektorhormone aus Hoden und Ovar beeinflussen.

Spezielle Steuerhormone des Hypothalamus, die **Gonadotropin-Releasing-Hormone (GnRH)**, regen den Hypophysenvorderlappen zur Sekretion des **follikelstimulierenden Hormons (FSH)** und des **luteinisierenden Hormons (LH)** an. Diese bewirken die Freisetzung des Androgens Testosteron im Hoden und der Östrogene und Gestagene im Ovar.

Die unterschiedlichen Geschlechtshormone, ihr Bildungsort und ihre Wirkung
Die Geschlechtshormone sind Steroidhormone, ihr Grundbaustein ist das Cholesterin.

Androgene werden bei beiden Geschlechtern in der Nebennierenrinde, beim Mann zusätzlich im Hoden und bei der Frau im Ovar gebildet. Das wichtigste Androgen ist das **Testosteron**, welches beim Mann in einer wesentlich höheren Konzentration vorkommt als bei der Frau. Bei beiden Geschlechtern bewirkt es während der Pubertät das Körperwachstum sowie die Entwicklung der Skelettmuskulatur und fördert die Mineralisierung der Knochen. Ein Zuviel an Androgenen kann bei der Frau zur Vermännlichung **(Virilisierung)** führen. Beim Mann bewirkt Testosteron während der Pubertät das Wachstum und die Reifung der primären Geschlechtsmerkmale, also des Hodens, des Nebenhodens und des Penis sowie die Ausbildung der sekundären männlichen Geschlechtsmerkmale wie Bartwuchs, tiefe Stimme, Muskelwachstum und verstärkte Körperbehaarung. Es hat einen steigernden Einfluss auf das sexuelle Verlangen (Libido) und bewirkt ein aggressiveres Verhalten. Im Hoden ist es an der Reifung der Spermienzellen beteiligt.

Östrogene werden unter dem Einfluss des follikelstimulierenden Hormons in den Follikelzellen der Eierstöcke und auch im Fettgewebe gebildet, während der Schwangerschaft zusätzlich in der Plazenta. Östrogene bewirken das Heranreifen der primären und sekundären weiblichen Geschlechtsmerkmale, wie das Wachsen der weiblichen Brust in der Pubertät. Die Östrogene werden im Ovar in der ersten Zyklushälfte gebildet und bewirken das Heranwachsen der Gebärmutterschleimhaut (**Proliferation**), um diese für ein befruchtetes Ei vorzubereiten. Jener Anteil an Östrogenen, der im Fettgewebe (Bauchfett) entsteht, kann beim Mann im fortgeschrittenen Alter durch den relativen Testosteronmangel zu einer Verweiblichung mit einer Brustvergrößerung (**Gynäkomastie**) führen.

Östrogene fördern das Skelettwachstum und die Härtung des Knochens und am Ende der Pubertät den Verschluss der Epiphysenfugen. Zusätzlich beeinflussen sie die Blutgerinnung und auch die Entstehung von Thromben und greifen in den Fettstoffwechsel und den Eiweißstoffwechsel ein.

Gestagene werden vom Gelbkörper (Corpus luteum) unter dem Einfluss des luteinisierenden Hormons in der zweiten Zyklushälfte im Ovar gebildet. Das wichtigste Gestagen ist das **Progesteron**, es bewirkt die Einlagerung von Glukose in die Gebärmutterschleimhaut (**Sekretionsphase**), um Energie für das befruchtete Ei bereitzustellen. Gestagene verändern den Schleim im Gebärmutterhals, um das Durchwandern der Spermien zu ermöglichen, und sie fördern die Ausbildung der Brustdrüse.

Tab. 59: **Geschlechtshormone und ihre Wirkungen**

	Androgene (Testosteron)	Östrogene	Gestagene (Progesteron)
Wirkungen beim Mann	▸ Entwicklung der primären und sekundären männlichen Geschlechtsmerkmale ▸ Förderung des Skelettwachstums ▸ Zunahme der Muskelmasse (anabole Wirkung) ▸ Steigerung von Libido und Potenz ▸ Spermatogenese (zusammen mit FSH)	▸ Brustwachstum (Gynäkomastie) ▸ verminderter Bartwuchs ▸ Prostatavergrößerung (gemeinsam mit Testosteronmangel)	
Wirkungen bei der Frau	▸ fördert Knochen- und Muskelwachstum in der Pubertät ▸ Virilisierung (männlicher Behaarungstyp, tiefe Stimme, Geheimratsecken, Kopfglatze)	▸ Entwicklung der primären und sekundären weiblichen Geschlechtsmerkmale ▸ steigert Knochenaufbau ▸ Steuerung des Menstruationszyklus ▸ Proliferation der Gebärmutterschleimhaut und Vorbereitung auf das befruchtete Ei ▸ erhöht die Durchlässigkeit des Zervixschleims für die Spermien ▸ fördert das Brustwachstum während der Schwangerschaft	▸ bewirkt Sekretionsphase der Gebärmutterschleimhaut ▸ bereitet sie auf Schwangerschaft vor ▸ bewirkt Uteruswachstum während der Schwangerschaft und vermindert seine Kontraktionsbereitschaft ▸ bereitet Milchdrüse auf Milchproduktion vor ▸ Erhöhung der Basaltemperatur um ca. 0,5° C

17.3.2 Spermatogenese

Die Entwicklung der Spermienzellen aus Urkeimzellen kann im Prinzip ab der Pubertät während des gesamten Lebens, unter dem Einfluss von FSH und LH, ablaufen. Urkeimzellen sind auch beim geschlechtsreifen Mann in großer Anzahl im Hoden vorhanden, bei der Frau verharren die potenziellen Eizellen nach durchlaufender 1. Reifeteilung der Meiose schon beim neugeborenen Mädchen in den Eierstöcken.

Die Entwicklung der Spermien verläuft in drei Phasen:

1. Vermehrung: Urkeimzellen (Spermatogonien Typ A) teilen sich durch Mitose, es entsteht eine Spermatogonie Typ A (die sich wieder teilen kann) und eine Spermatogonie Typ B. Beide Zellen besitzen einen diploiden Chromosomensatz.
2. Reifung: Die Spermatogonie Typ B entwickelt sich weiter zur Spermatozyte, welche sich im Rahmen der Meiose zweimal teilt (einmal während der 1. und noch einmal während der 2. Reifeteilung). So entstehen 4 Spermatiden mit haploidem Chromosomensatz, jeweils zwei davon tragen ein X-Chromosom, zwei ein Y-Chromosom.
3. Differenzierung (Spermiogenese): Die Spermatiden verlieren nun ihr Zytoplasma und bilden einen Halsteil mit zahlreichen Mitochondrien und einen Schwanzteil zur Fortbewegung aus.

Der gesamte Ablauf der Spermatogenese dauert beim Menschen durchschnittlich 74 Tage, wobei die heranreifenden Geschlechtszellen in das Lumen der Hodenkanälchen und weiter in den Nebenhoden wandern.

17.3.3 Menstruationszyklus

Unter dem Menstruationszyklus versteht man den immer wiederkehrenden Aufbau der Gebärmutterschleimhaut zur Vorbereitung auf eine Schwangerschaft und deren Abstoßung bei Ausbleiben einer Schwangerschaft. Ein Zyklus dauert etwa 28 Tage und wiederholt sich ständig bei der nicht schwangeren, gebärfähigen Frau zwischen Pubertät und Menopause.

Der Menstruationszyklus lässt sich in vier Phasen unterteilen, er beginnt am ersten Tag der Regelblutung mit der **Desquamationsphase** (Menstruationsphase), auf die hintereinander die **Proliferationsphase**, **Sekretionsphase** und **Ischämiephase** folgen, bis wiederum die neue Regelblutung beginnt.

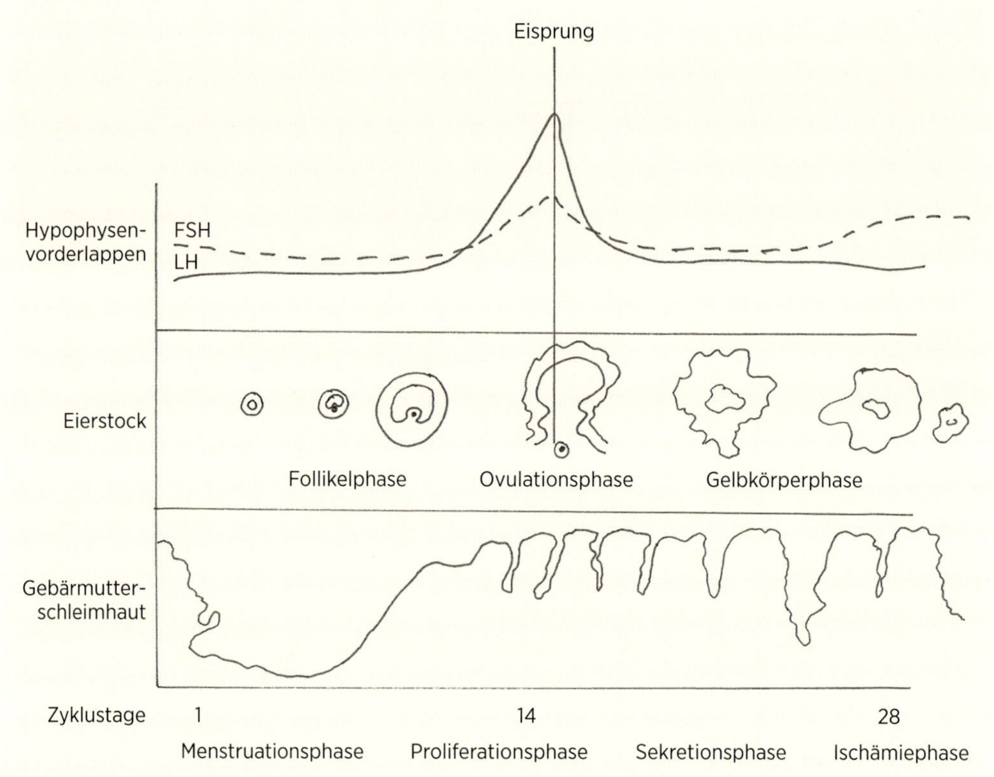

Abb. 156: **Menstruationszyklus**

Die Menstruation läuft unter dem Einfluss der Hypophysenvorderlappenhormone FSH und LH und in der Folge des Östrogens und Progesterons aus dem Ovar ab.

Der weibliche Zyklus kann entsprechend der Sekretion dieser Hormone in eine **Follikelphase**, eine **Ovulationsphase** und eine **Gelbkörperphase** unterteilt werden. Die Follikelphase entspricht der ersten Zyklushälfte, die Ovulationsphase dem Eisprung in der Zyklusmitte und die Gelbkörperphase der zweiten Zyklushälfte.

1. Phase – Follikelphase

Unter dem Einfluss des follikelstimulierenden Hormons aus dem Hypophysenvorderlappen reifen einige **Primärfollikel** im Ovar zu **Sekundärfollikeln** heran. Im weiteren Verlauf setzt sich ein dominanter Follikel durch, welcher sich in der Folge zum **Tertiärfollikel** und schließlich zum sprungbereiten **Graaf-Follikel** weiterentwickelt. Die übrigen stimulierten Follikel gehen zugrunde.

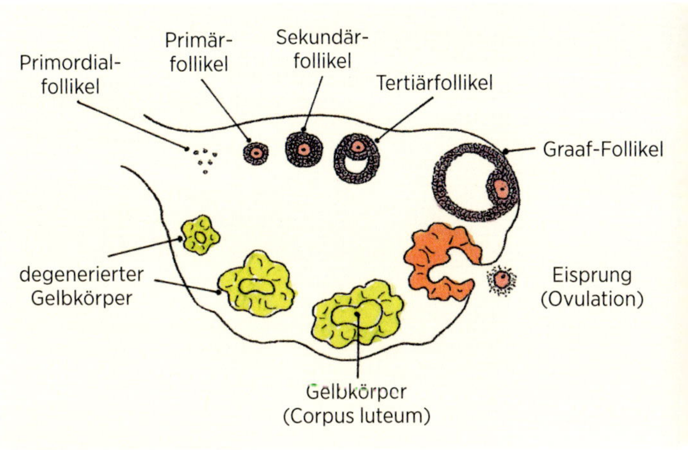

Abb. 157: **Follikelreifung**

Primärfollikel bestehen aus einer zirkulär um die zentrale Keimzelle angeordneten Reihe aus kubischen Follikelzellen. Diese Zellschichten nehmen während der Follikelreifung zum Sekundär- und Tertiärfollikel zu, bis mehrere Zellschichten um die Keimzelle angeordnet sind. Die Keimzelle hat schon während der Embryonalzeit mit der Meiose begonnen, die sie erst mit dem Eisprung vollendet. Beim sprungreifen Graaf-Follikel wird innerhalb der Follikelzellschicht eine flüssigkeitsgefüllte Follikelhöhle um die Eizelle herum ausgebildet, um durch die Flüssigkeit den Druck auf die Follikelzellwand zu erhöhen. Die Follikelzellen produzieren Östrogene, welche wiederum auf die Gebärmutterschleimhaut wirken und ihre Drüsen zum Wachsen anregen. Unter dem Einfluss von Östrogen wird die **Proliferationsphase** der Uterusschleimhaut (Endometrium) eingeleitet, und die Functionalis nimmt an Höhe zu.

2. Phase – Ovulationsphase

Um den 14. Zyklustag steigt die Ausschüttung des luteinisierenden Hormons aus dem Hypophysenvorderlappen sprunghaft an, wodurch im Ovar der Eisprung (Ovulation) hervorgerufen wird. Dabei platzt der Graaf-Follikel, welcher sich nun ganz dicht an der Oberfläche des Eierstocks befindet, und die Eizelle wird mit der Flüssigkeit in den Fimbrientrichter des Eileiters geschleudert, welcher sich schon vorher über genau diese Stelle gelegt hat. Das Ei wandert nun entlang des Eileiters in Richtung Gebärmutter.

> Im Eileiter treffen Eizelle und Spermienzelle aufeinander, die Befruchtung findet also im Eileiter statt. Eizellen sind nach dem Eisprung etwa 24 Stunden befruchtungsfähig, Spermienzellen können sogar 3–5 Tage im Körper der Frau überleben.

3. Phase – Gelbkörperphase

Das nach dem Eisprung im Ovar verbleibende Follikelepithel des Graaf-Follikels baut sich zum Gelbkörper (Corpus luteum) um und beginnt seinerseits mit der Bildung des **„Gelbkörperhormons“ Progesteron**. Dieses bewirkt an der Uterusschleimhaut (Endometrium) eine bessere Durchblutung und die Einlagerung von Glykogen (Speicherform der Glukose) als Energiequelle für das befruchtete Ei, falls es zu einer Schwangerschaft kommen sollte. Diese Phase des Menstruationszyklus heißt auch **Sekretionsphase**. Das Endometrium wird also für eine etwaige Schwangerschaft vorbereitet und Zucker für die Versorgung der befruchteten Eizelle (Zygote) bereitgestellt.

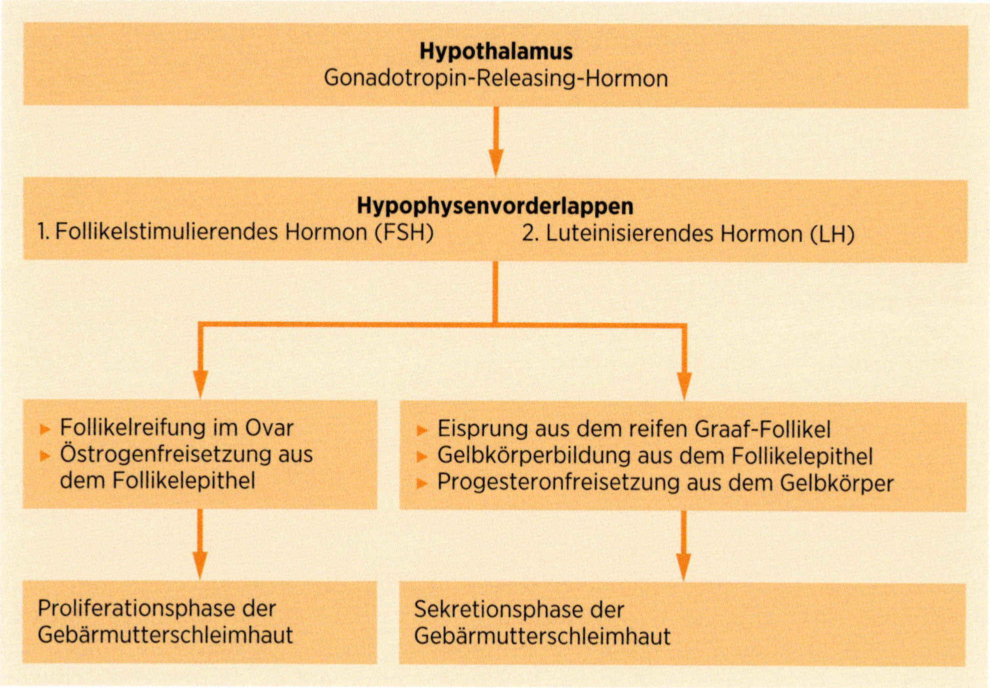

Abb. 158: **Hormonelle Steuerung des weiblichen Zyklus**

Bleibt jedoch eine Befruchtung aus, bildet sich der Gelbkörper im Eierstock zurück und die Progesteronproduktion sinkt. Dadurch wird die Durchblutung der Schleimhaut des Uterus gedrosselt, die Gebärmutterschleimhaut stirbt ab (**Ischämiephase**) und wird ausgestoßen. Die **Dequamationsphase oder Menstruationsphase** eines neuen Zyklus beginnt.

Als erster Tag des Menstruationszyklus wird der erste Tag der Regelblutung gezählt.

Kommt es zu einer Befruchtung und somit zu einer Schwangerschaft, dann bleibt der Gelbkörper und in der Folge die Gebärmutterschleimhaut bestehen, bis die Progesteronproduktion von der Plazenta übernommen wird.

Eine vollständig ausgetragene Schwangerschaft dauert 40 Wochen, wenn sie vom ersten Tag der letzten Regelblutung der Frau gerechnet wird, oder 38 Wochen, wenn sie vom letzten Eisprung und somit vom Zeitpunkt der Befruchtung berechnet wird.

Oogenese (Eireifung):
Die Entwicklung der menschlichen Keimzellen (Gameten) zu befruchtungsfähigen Eizellen läuft in drei Phasen ab:

Noch vor der Geburt, also während der Fetalzeit, entstehen durch Differenzierung der **Urkeimzellen (Gonozyten)** in den Eierstöcken die **Ureizellen (Oogonien)**. Diese vermehren sich durch mitotische Teilung, sodass am Ende dieser **Vermehrungsphase** 1–2 Millionen solcher Zellen mit diploidem Chromosomensatz vorliegen. Bis zur Geburt hat sich die Anzahl der Oogonien auf etwa 700.000 bis 1 Million reduziert. In der daran anschließenden **Wachstumsphase** treten die Oogonien noch vor der Geburt des Mädchens in die erste Reifeteilung der Meiose ein und werden ab da **Oozyten 1. Ordnung** genannt. Sie verharren in diesem Stadium bis zur Geschlechtsreife (Pubertät) der Frau. Da zahlreiche Oogonien I bis zur Pubertät degenerieren, sind bis dahin nur mehr etwa 400.000 von ihnen vorhanden. Ab der Pubertät laufen weitere Schritte der Teilung und Ausreifung zur Eizelle ab, diese Phase heißt entsprechend **Reifephase**. In jedem Zyklus beenden einige Oozyten 1. Ordnung die 1. Reifeteilung der Meiose und werden fortan **Oozyten 2. Ordnung** genannt. Diese Oozyten II treten in die 2. Reifeteilung ein, und meist vollendet nur eine davon diesen Schritt, indem sie von einer Spermienzelle befruchtet wird. Erst jetzt besitzt sie einen einfachen (haploiden) Chromosomensatz und wird Eizelle (Ovum) genannt. Wir erinnern uns, dass nach der 1. mitotischen Reifeteilung eine Oozyte 2. Ordnung sowie ein Polkörperchen und nach der 2. Reifeteilung eine Eizelle sowie drei Polkörperchen entstanden sind, da sich auch die Polkörperchen teilen. Die weibliche Keimzelle ist zunächst von einem Saum eines einschichtigen Follikelepithels umgeben, welches während der Wachstums- und Reifephase mehrschichtig wird und das Hormon Östrogen produziert.

17.3.4 Fruchtbarkeit – Fertilität

Unter **Fertilität** versteht man die Fähigkeit, durch Fortpflanzung Nachkommen zu zeugen. Beim Menschen beginnt die Fruchtbarkeit mit der **Pubertät** und endet bei der Frau mit dem Ende der Regelblutung im Wechsel, beim Mann ist die Fortpflanzungsfähigkeit prinzipiell auch noch im hohen Lebensalter erhalten. Die erste Regelblutung heißt **Menarche** und tritt beim Mädchen etwa zwischen dem 10. und 15. Lebensjahr auf, Abweichungen um 1–2 Jahre sind durchaus physiologisch. Um das 45.–55. Lebensjahr ändert sich der weibliche Hormonhaushalt, diese als **Klimakterium** bezeichneten Wechseljahre bewirken letztlich das Ausbleiben der Menstruationsblutungen. Die letzte dieser Blutungen im Leben einer Frau wird als **Menopause** bezeichnet.

Die Fruchtbarkeit nimmt weltweit bei beiden Geschlechtern ab, viele Umweltfaktoren werden als Ursache dafür genannt. So vermindern Nikotin- und Alkoholabusus die Fertilität, einige Medikamente wie Zytostatika zur Krebstherapie, einige Antidepressiva und Mittel gegen Bluthochdruck können die Fruchtbarkeit beider Geschlechter ungünstig beeinflussen. Auch Mikroplastik, welches über Nahrungsmittel oder Kosmetika in unsere Körper gelangt, steht im Verdacht, zur **Unfruchtbarkeit (Infertilität)** beizutragen. Bei Männern spielt auch eine zu hohe Temperatur der Spermien eine Rolle, dieser Tatsache wird von der Natur durch die rechtzeitige Verlagerung der Hoden aus der warmen Bauchhöhle in den Hodensack Rechnung getragen.

Der Zeitpunkt des ersten Auftretens der Regelblutung wird Menarche genannt. Das allmähliche Ausbleiben der Regelblutung mit unregelmäßigen Blutungen bezeichnet man als Klimakterium (Wechseljahre). Als Menopause gilt der Zeitpunkt der letzten Menstruationsblutung.

17.3.5 Empfängnisverhütung – Kontrazeption

In einigen Kulturen ist Kinderreichtum ein Segen und ein Statussymbol, in zahlreichen Regionen unserer Erde wird jedoch mit vielfältigen Methoden eine selbstbestimmte Familienplanung gesteuert. Im Folgenden wird auf die gängigsten Verhütungsmethoden eingegangen.

Sterilisation
Unter Sterilisation versteht man die dauerhafte Unterbrechung der Eileiter bei der Frau oder der Samenleiter beim Mann. Diese Methode muss wohlüberlegt sein und darf nur durchgeführt werden, wenn kein Kinderwunsch mehr besteht, da sie nicht mehr umkehrbar ist. Bei der Frau werden unter Vollnarkose beide Eileiter durchtrennt oder durch Metall- oder Kunststoffclips verschlossen. Der Fachausdruck für diese Methode heißt **Tubenligatur.** Beim Mann werden meist in lokaler Betäubung (Lokalanästhesie) die beiden Samenleiter im Hodensack durchtrennt. Dies wird als **Vasektomie** bezeichnet.

Hormonelle Methoden
Der wohl revolutionärste Schritt in Richtung Selbstbestimmung der Frau war die Entwicklung der **Anti-Baby-Pille** durch Carl Djerassi. Die verschiedenen Formen der Pille enthalten Östrogene und Gestagene in unterschiedlichen Dosierungen und werden meist über 21 Tage verabreicht und 7 Tage pausiert. Östrogenfreie Präparate werden über 28 Tage eingenommen. In beiden Fällen werden Eireifung und Eisprung verhindert. Die Pille ist im Allgemeinen gut verträglich, es können aber Nebenwirkungen wie Kopfschmerzen, Unwohlsein, Gewichtszunahme und Schädigung der Leber auftreten. Besonders in Kombination mit Rauchen ist das Thromboserisiko deutlich erhöht, die Pille kann sich auch ungünstig auf das Wachstum von Brustkrebs oder anderen Tumoren der weiblichen Geschlechtsorgane auswirken.

Hormone zur Schwangerschaftsverhütung können auch über die Haut in Form von **Verhütungspflastern** oder intramuskulär als **Dreimonatsspritze** verabreicht werden. Die Injektion ist dadurch auf wenige Male im Jahr beschränkt.

Die **Pille danach** ist ein reines Gestagenpräparat und verhindert den Eisprung, wenn dieser noch nicht stattgefunden hat. Bei erfolgtem Eisprung und bei Einnahme der Pille später als 72 Stunden nach dem Geschlechtsverkehr ist sie wirkungslos.

Die T-förmige **Hormonspirale** wird in die Gebärmutter eingesetzt und gibt lokal Gestagen ab, welches die Spermien in ihrer Funktion beeinträchtigt und das Wachstum der Gebärmutterschleimhaut verhindert. Die Hormone werden kaum vom weiblichen Organismus aufgenommen, weshalb die Nebenwirkungen geringer sind als bei der Pille. Trotzdem gibt es zahlreiche Kontraindikationen, die das Einsetzen der Hormonspirale verbieten: So kann sie bei Fehlbildungen der Geschlechtsorgane, Entzündungen oder Tumoren nicht eingesetzt werden.

Mechanische und chemische Methoden
Vom Aussehen und der Anwendung her ist die **Kupferspirale** der Hormonspirale nicht unähnlich, sie gibt jedoch keine Hormone ab. Ein Kupferfaden, mit dem die Spirale umwickelt ist, gibt Kupferionen in die Gebärmutter ab und hemmt die Beweglichkeit der Spermien. Diese Methode ist bedenkenlos auch von der stillenden Frau zu verwenden. Bei Kupferallergien, Entzündungen der Gebärmutter und bei Blutgerinnungsstörungen sollte sie nicht eingesetzt werden. Sowohl die Hormonspirale als auch die Kupferspirale werden als **Intrauterinpessare** bezeichnet.

Zur Anwendung kommen auch einige **chemische Substanzen**, die spermientötend (spermizid) wirken. Sie werden in Form von Zäpfchen, Tabletten oder Cremen in die Scheide etwa 10 Minuten vor dem Geschlechtsverkehr eingeführt.

Unter einem **Diaphragma** versteht man eine kuppelförmige Gummimembran, welche vor den Muttermund geschoben wird, um diesen zu verschließen. Zusätzlich muss eine Spermien abtötende Creme auf das Diaphragma aufgebracht werden.

Das **Kondom** ist die einzige Verhütungsmethode, die vom Mann ohne endgültige Sterilisation angewandt werden kann. Es besteht aus einer dünnen Latexmembran und wird über das erigierte männliche Glied gezogen. Das Kondom schützt nicht nur vor ungewollten Schwangerschaften, sondern auch vor der Übertragung zahlreicher Geschlechtskrankheiten.

Pearl-Index
Der Pearl-Index ist ein Maß für die Sicherheit eines Verhütungsmittels. Er wird über die Anzahl ungewollter Schwangerschaften bei richtiger Anwendung des jeweiligen Verhütungsmittels berechnet. Die Sterilisation hat einen Pearl-Index von 0,1, jener von Kombinationspillen liegt zwischen 0,2 und 0,6. Je höher der Pearl-Index, umso unsicherer ist die jeweilige Methode.

17.4 Pathophysiologie der Geschlechtsorgane

Es gibt zahlreiche Abweichungen von der Norm eines eindeutig männlichen oder weiblichen Geschlechts. Damit sind nicht die empfundenen Zugehörigkeiten zum anderen Geschlecht bei eindeutiger anatomischer und hormoneller Zuordnung zu einem Geschlecht gemeint, sondern Variationen an den inneren und äußeren Geschlechtsorganen, am Hormonstatus oder den Geschlechtschromosomen. Die Schwierigkeit der eindeutigen Zuordnung zu einem Geschlecht spiegelt sich in dem Begriff der **Intersexualität** wider.

Tab. 60: **Abweichungen von der Norm**

Abweichung von der Norm	Ursache/Symptome
Adrenogenitales Syndrom (AGS)	Häufigste Form der Intersexualität, eindeutige Geschlechtschromosomen. Ursache ist eine vererbte Störung der Produktion der Nebennierenrindenhormone Aldosteron und Cortisol, weshalb das Hypothalamus-Hypophysen-System die Nebennierenrinde (NNR) zu vermehrter Produktion anregt. Deshalb werden zu viele Androgene gebildet, was zu einer Vermännlichung betroffener Mädchen und einem vorzeitigen Wachstumsstopp (Kleinwuchs) führt. Gleichzeitig kommt es durch einen Mangel an Aldosteron zu einer Störung des Wasser- und Elektrolythaushaltes.
Hermaphroditismus – Zwitter – drittes Geschlecht	Beim echten Hermaphroditismus liegen äußere und innere Geschlechtsmerkmale vor, die keinem Geschlecht eindeutig zugeordnet werden können.
Pseudohermaphroditismus	Beim Pseudohermaphroditismus stimmen die Geschlechtschromosomen und die Anlage der inneren Geschlechtsorgane nicht mit den äußeren überein. Männliche Form: innere Geschlechtsorgane männlich, äußere Geschlechtsorgane weiblich Weibliche Form: innere Geschlechtsorgane weiblich, äußere Geschlechtsorgane männlich

Turner-Syndrom	Es liegt ein Chromosomensatz 45 Xo vor, das Krankheitsbild betrifft Mädchen mit einem fehlenden X-Chromosom. Symptome: Minderwuchs, breiter, schildförmiger Thorax mit ausgeprägter seitlicher Halsfalte (Flügelfell), Fehlbildungen an den Geschlechtsorganen und an der Niere, häufig Regelstörungen und Unfruchtbarkeit, keine geistige Beeinträchtigung
Klinefelter-Syndrom	Es liegt ein Chromosomensatz 47 XXY vor, das Krankheitsbild betrifft Knaben mit einem zusätzlichen X-Chromosom. Symptome: meist großwüchsige Knaben, die eher eine weibliche Körperbehaarung und eine Brustvergrößerung aufweisen, die Hoden sind klein, der Testosteronspiegel vermindert, meist liegt Unfruchtbarkeit vor; es besteht keine geistige Retardierung.
Triple-X-Syndrom	Es liegt ein Chromosomensatz 47 XXX vor, das Krankheitsbild betrifft Mädchen mit einem zusätzlichen X-Chromosom. Symptome: meist großwüchsige Frauen mit Funktionsstörungen der Ovarien und verminderter Östrogen- und Progesteronproduktion, es besteht eine eingeschränkte Fruchtbarkeit und häufig eine geistige Retardierung.
Gynäkomastie	Unter Gynäkomastie versteht man eine vergrößerte Brust beim Mann, die durch ein Ungleichgewicht der männlichen (Testosteron) und weiblichen Geschlechtshormone (Östrogen) zustande kommt. Im Alter kommt es besonders bei Zunahme des Fettgewebes, welches vermehrt Gestagene in Östrogene umwandelt, und durch die verminderte Testosteronproduktion zum Brustwachstum beim Mann. In der Pubertät ist ein vorübergehendes Anschwellen der männlichen Brust physiologisch.

Übungsfragen

1. Welche Organe zählen zu den äußeren, welche zu den inneren weiblichen Geschlechtsorganen?
2. Wo liegen die Eierstöcke, wie sind sie aufgebaut?
3. Erkläre das Heranreifen der Eizelle bis zum sprungreifen Follikel. Ab wann sind die Eizellen im weiblichen Ovar angelegt? Welches Hormon wird von den Follikelzellen gebildet? Was bewirkt dieses Hormon an der Uterusschleimhaut? Woraus entsteht der Gelbkörper, welches Hormon bildet er und was bewirkt dieses Hormon in weiterer Folge am Endometrium?
4. Beschreibe die zyklischen Veränderungen an der Gebärmutterschleimhaut. Wie heißen die einzelnen Zyklusphasen in der richtigen Reihenfolge?
5. Welche Organe zählen zu den äußeren, welche zu den inneren männlichen Geschlechtsorganen?
6. Wie ist der Hoden aufgebaut, wo liegt er und welche unterschiedlichen Zellen findet man im Hoden? Was versteht man unter dem Descensus testis und wozu findet er statt?
7. Wo liegt die Prostata und was ist ihre Funktion?
8. Welche Wirkungen hat das Testosteron auf den männlichen Organismus?
9. Woraus besteht das Sperma?
10. In welchem Organ kommt es zur Befruchtung? Wie lange ist eine Eizelle befruchtungsfähig?
11. Was weißt du über den Chromosomensatz von Ei- und Spermienzelle? Welchen Chromosomensatz hat die Zygote? Wie teilen sich die Ei- und die Spermienzellen, wie die Zygote?

18 Nervensystem – Allgemeines

Das Nervensystem setzt sich aus mehreren Anteilen unterschiedlicher Funktionen zusammen, die jedoch eng miteinander kommunizieren und so wieder ein großes Ganzes ergeben.

18.1 Anatomische Grundlagen

Das Nervensystem kann nach Funktion in ein somatisches oder willkürliches und ein vegetatives oder unwillkürliches, nach Lage (Topografie) in ein zentrales und ein peripheres Nervensystem unterteilt werden.

Unterteilung nach der Funktion (funktionelle Einteilung)
Das **somatische Nervensystem** ist nach außen gerichtet, der Mensch kommuniziert auf diesem Weg mit der Umwelt. Es funktioniert willkürlich, das heißt, es kann von unserem Willen gesteuert werden. Das **vegetative oder viszerale Nervensystem** dient der Kommunikation unserer Organe und wird in zwei antagonistisch wirkende Anteile, den Sympathikus und den Parasympathikus, sowie in das enterische Nervensystem, welches in der Darmwand sitzt, unterteilt. Das vegetative Nervensystem arbeitet unwillkürlich, seine Funktionen können nicht von unserem Willen beeinflusst werden.

Unterteilung nach der Lage (topografische Einteilung)
Nach der Lokalisation kann das **zentrale Nervensystem** (ZNS) vom **peripheren Nervensystem** (PNS) unterschieden werden. Das zentrale Nervensystem besteht aus jenen Anteilen, die geschützt innerhalb knöcherner Strukturen liegen. Dazu gehören das Gehirn innerhalb des knöchernen Schädels und das Rückenmark im Wirbelkanal. Alle Strukturen, die Gehirn und Rückenmark verlassen, bilden das periphere Nervensystem. Aus dem Gehirn treten 12 paarige Hirnnerven und aus dem Rückenmark 31 (bis 32) Paare von Spinalnerven aus. Auch die Ganglien, Anhäufungen von Nervenzellkörpern, und die Sinneszellen zählen zum peripheren Nervensystem.

18.1.1 Das Neuron – die funktionelle Einheit des Nervensystems

Die funktionelle Einheit des Nervensystems ist die Nervenzelle, das Neuron. Nervenzellen besitzen wie jede Zelle einen Zellkörper mit Zellkern und Zellorganellen, sie haben aber auch besondere Fortsätze – Dendriten und Neuriten. **Dendriten** sind die kurzen, baumartig verzweigten Fortsätze, sie dienen der Reizaufnahme. An den Dendriten docken die Synapsen anderer Nervenzellen an, sie nehmen Reize auf und leiten sie zum Nervenzellkörper weiter. Der lange Fortsatz heißt **Neurit** oder **Axon** und dient der Weiterleitung des Reizes vom Nervenzellkörper weg zur nächs-

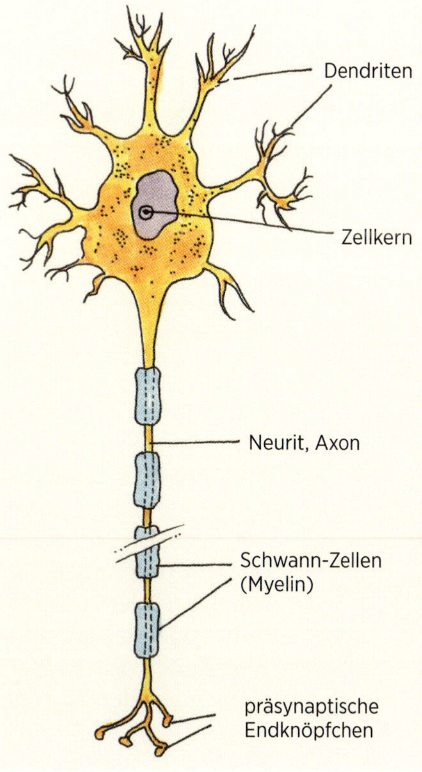

Abb. 159: **Neuron**

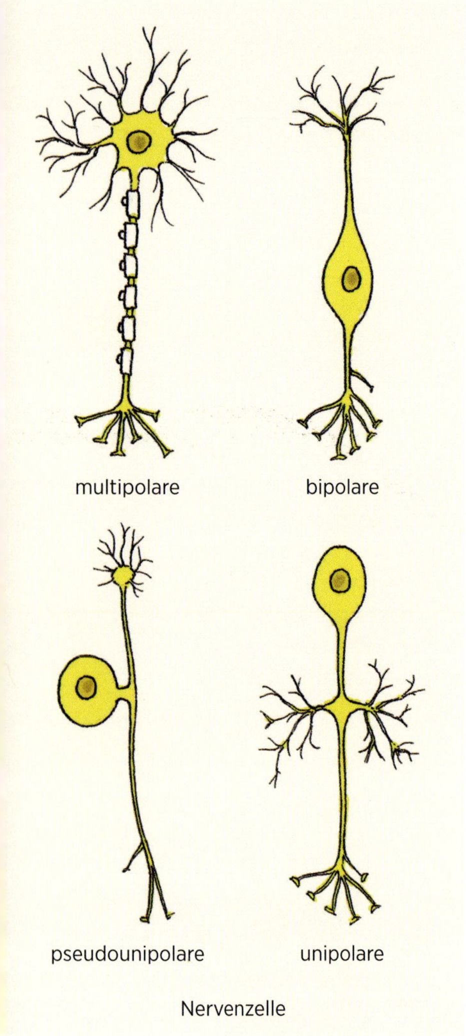

Abb. 160: **Arten der Nervenzellen**

ten Nervenzelle, zu einer Muskelzelle oder einer Drüsenzelle. Das Ende eines Axons teilt sich baumartig auf und bildet Verdickungen, die synaptischen Endknöpfchen, als Verbindung zu anderen Nervenzellen oder motorischen Endplatten zur Weiterleitung des Reizes an Muskelzellen.

Je nach Funktion und Lokalisation können folgende Nervenzellformen unterschieden werden:

Unipolare Nervenzellen besitzen an einem Ende einen Rezeptor oder Empfänger für einen Reiz, aber keine Dendriten, und am gegenüberliegenden Pol ein Axon, um den Reiz weiterzuleiten. Unipolare Nervenzellen sind zum Beispiel die 1. Neurone der Sinneszellen in der Netzhaut des Auges oder die Riechzellen in der Nase.

Pseudounipolare Nervenzellen entlassen aus ihrem Zellkörper einen kurzen Fortsatz, welcher sich sehr bald in einen Dendriten und einen Neuriten aufteilt. Diese Art der Nervenzellen findet man im sensiblen Spinalganglion.

Bipolare Nervenzellen zeichnen sich durch einen Dendriten zur Reizaufnahme und einen gegenüberliegenden Neuriten zur Reizweiterleitung aus. Man findet sie etwa als 2. Neuron in der Netzhaut, wo sie den Reiz vom 1. (unipolaren) Neuron aufnehmen und weiter in Richtung Sehnerv leiten.

Multipolare Nervenzellen besitzen zahlreiche Dendriten und einen einzelnen Neuriten. Die meisten Nervenzellen sind multipolar.

Afferenzen und Efferenzen

Dendriten sind afferent, das heißt, sie leiten den Reiz zur Nervenzelle hin, Neuriten sind efferent, sie leiten den Reiz von der Nervenzelle weg. Unter einer afferenten Leitung versteht man entweder jene Nervenzellfortsätze, die einen Reiz zum Nervenzellkörper hinleiten, oder Nervenbahnen, die Reize aus der Körperperipherie zu den Zellen des zentralen Nervensystems transportieren. Da natürlich nur Empfindungen oder Sinnesreize wie Schmerz, Temperatur, Berührung, Druck oder auch Seh-, Hör- oder Geschmacksempfindungen in der Peripherie von Sinneszellen aufgenommen und zum Gehirn geleitet werden, spricht man von sensiblen Reizen. Afferente Nerven sind also immer sensible Nerven. Dienen diese sensiblen Nerven der Kommunikation mit der Umwelt, dann sprechen wir von somatosensiblen oder somatoafferenten Nerven. Transportieren sie Empfindungen aus den Eingeweiden, dann handelt es sich um viszerosensible oder viszerafferente Nerven.

Nerven, die Informationen vom zentralen Nervensystem in die Peripherie leiten, sind efferent und enden immer an Muskelzellen. Daher sind efferente Nerven motorische Nerven. Enden sie an Skelettmuskelzellen, sind sie somatomotorisch oder somatoefferent, enden sie an der glatten Eingeweidemuskulatur, handelt es sich um viszeromotorische oder viszeroefferente Nerven.

Die zentralen Nervenzellen für das somatomotorische Nervensystem findet man im Bereich der Rinde und den Basalganglien des Großhirns und in der Hirnrinde des Kleinhirns; im Bereich des Rückenmarks befinden sich die motorischen Nervenzellkörper für die Skelettmuskulatur im Vorderhorn.

Somatosensible Nervenzellkörper sind ebenfalls an der Großhirnrinde, aber auch im Thalamus sowie im Hinterhorn des Rückenmarks lokalisiert. Vegetative, also viszeromotorische und viszerosensible Nervenzellen, sind im Hypothalamus, in den grauen Kernen einiger Hirnnerven und im Seitenhorn des Rückenmarks angesiedelt. Innerhalb des Gehirns und des Rückenmarks werden unterschiedliche Neurone durch Interneurone verschaltet.

Tab. 61: **Afferenzen und Efferenzen**

	Qualität der Nervenfaser	Funktion
efferent	somatomotorisch	Impulse werden von den zentralen Anteilen des somatischen Nervensystems zur quergestreiften Skelettmuskulatur geleitet und Skelettmuskelzellen erregt.
	viszeromotorisch	Impulse werden von den zentralen Anteilen des vegetativen Nervensystems (Sympathikus und Parasympathikus) zur glatten Muskulatur (Eingeweidemuskulatur) geleitet und diese wird erregt.
afferent	somatosensibel	Impulse werden von der Körperperipherie (Haut, Gelenke, Muskeln, große Sinnesorgane) zum zentralen Nervensystem geleitet und erzeugen dort Empfindungen wie Schmerz, Temperatur, die Stellung von Gelenken und Muskeln ...
	viszerosensibel	Empfindungen werden aus den Eingeweiden zu den vegetativen Kernen des zentralen Nervensystems geleitet.
	sensorisch oder speziell sensibel	Sinneseindrücke von den großen Sinnesorganen, wie Sehen, Hören, Riechen und Schmecken, werden zum Gehirn geleitet.

Die Sinnesreize der großen Sinnesorgane wie Sehen, Hören, Riechen und Schmecken sind natürlich auch sensible Reize, werden aber häufig als sensorisch bezeichnet.

> Das somatische Nervensystem ermöglicht die Kommunikation mit der Umwelt (lat. somato: den Körper betreffend).
> Das vegetative oder viszerale Nervensystem dient der Kommunikation unseres Gehirns mit den Eingeweiden (lat. viscero: die Eingeweide betreffend).

18.1.2 Synapsen

Die Weiterleitung eines Reizes entlang einer Nervenzelle erfolgt elektrisch; Grundlage ist die Änderung des elektrischen Potenzials, basierend auf einer Verschiebung geladener Ionen zwischen dem Innenraum einer Nervenzelle und ihrer Außenseite durch die Zellmembran.

Die Weiterleitung von Erregungen einer Nervenzelle auf die nächste erfolgt in den meisten Fällen chemisch, indem Überträgersubstanzen den Zwischenraum zwischen diesen Nervenzellen überwinden können. Erregungen können in manchen Fällen aber auch elektrisch, einfach durch Ionenströme, von einer Zelle auf die andere weitergeleitet werden. Diese Art der Erregung funktioniert, wenn Zellen sehr nahe aneinander liegen, und kommt zum Beispiel in der Herzmuskulatur, in der glatten Muskulatur oder in der Netzhaut des Auges vor.

Im Folgenden werden aber die chemischen Synapsen zwischen zwei Nervenzellen oder zwischen einer Nervenzelle und einer Muskelzelle, die sogenannten motorischen Endplatten, besprochen. Die Übertragung an chemischen Synapsen erfolgt durch Überträgersubstanzen (Neurotransmitter).

Aufbau einer Synapse

Eine Synapse besteht aus einem präsynaptischen Anteil, der dem „ersten" Neuron (Nervenzelle) angehört, einem postsynaptischen Anteil des nachgeschalteten Neurons und dem dazwischenliegenden Synapsenspalt.

Der **präsynaptische Anteil** der Synapse wird vom aufgetriebenen Ende des Axons einer Nervenzelle, dem synaptischen Endknöpfchen, gebildet. Die dem Synapsenspalt zugewandte Zellwand wird präsynaptische Membran genannt. Im Endknöpfchen befinden sich Bläschen (Vesikel), welche mit Überträgersubstanzen (Neurotransmittern) gefüllt sind. Ist der Nervenreiz am präsynaptischen Endknöpfchen angelangt, verschmelzen die Vesikel mit der präsynaptischen Membran, und die Neurotransmitter gelangen durch Exozytose in den Synapsenspalt.

An den Dendriten der nächsten Nervenzelle findet man den **postsynaptischen Anteil** der Synapse mit seiner postsynaptischen Membran. In dieser Membran liegen Rezeptoren, an die die Überträgersubstanzen binden können und so eine Erregung auslösen.

Zwischen der präsynaptischen und der postsynaptischen Membran befindet sich der Synapsenspalt, der zu breit ist, um die elektrische Nervenleitung von einer Nervenzelle auf die nächste weiterzuleiten.

Aufbau einer motorischen Endplatte

Eine motorische Endplatte gleicht in ihrem Aufbau einer Synapse, sie befindet sich am Übergang einer efferenten (also motorischen) Nervenzelle zu einer Muskelzelle. Das präsynaptische Ende sitzt etwas breiter und flächiger als ein synaptisches Endknöpfchen einer Muskelzelle auf. Aus dem präsynaptischen Nervenanteil wird die Überträgersubstanz Acetylcholin in den Synapsenspalt abgegeben, welche die postsynaptische Muskelzelle erregt.

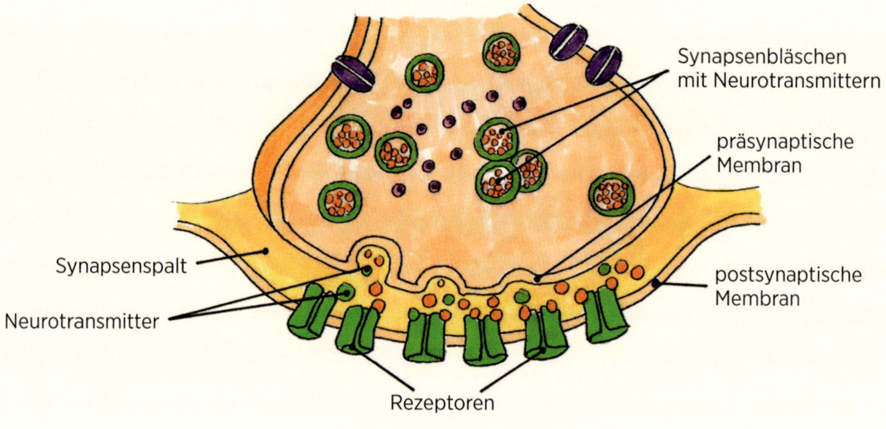

Abb. 161: **Synapse**

18.1.3 Stützzellen des Nervensystems – zentrale und periphere Gliazellen

Auch das Nervengewebe benötigt Stützzellen, ein Stroma, in das die Nervenzellen eingebettet sind. Im Gehirn und im Rückenmark findet man die zentralen Gliazellen, **Astrozyten und Oligodendrozyten**, im peripheren Nervensystem die **Schwann'schen Zellen.** Die Gliazellen erfüllen neben ihrer Stützfunktion auch Stoffwechselfunktionen. So ist die zentrale Glia Teil der Blut-Hirn-Schranke, die den Durchtritt verschiedenster Stoffe aus dem Blut ins Gehirn regelt.

Zentrale Gliazellen
Zu den zentralen Gliazellen zählt man die Astrozyten, die Oligodendrozyten, die Mikrogliazellen und die Ependymzellen. Man findet sie im Gehirn und im Rückenmark.

Astrozyten sind sternförmige Zellen mit kleinem Zellkörper und zahlreichen Fortsätzen. Sie bilden ein dreidimensionales Stützgerüst, in das die Nervenzellen im Gehirn und im Rückenmark eingebettet sind.

Oligodendrozyten umwickeln, analog den Schwann'schen Zellen im peripheren Nervensystem, Schicht für Schicht die Axone der zentralen Nervenzellen mit einer fetthaltigen Myelinscheide, ähnlich der Isolierschicht eines Stromkabels. Dadurch wird die Nervenleitung ermöglicht.

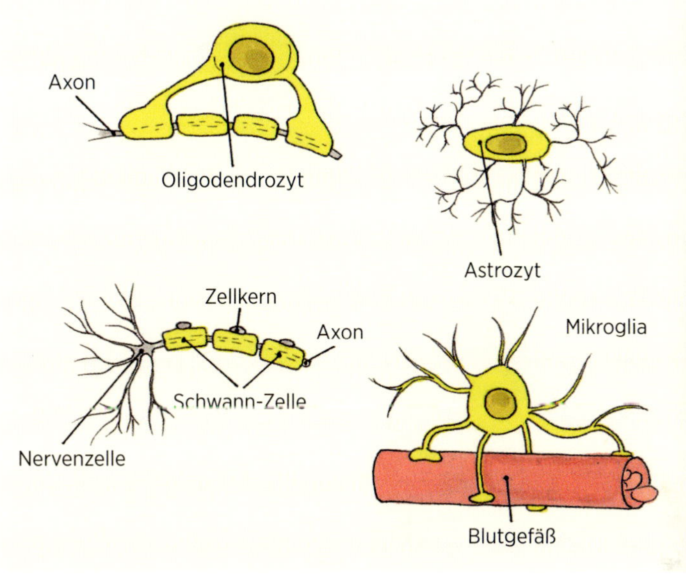

Abb. 162: **Gliazellen**

Mikrogliazellen sind die kleinsten Gliazellen, sie sind mobile Zellen und gehören dem zellulären Immunsystem an. Mikrogliazellen wandeln sich bei Bedarf in Makrophagen um und phagozytieren eingewanderte Mikroorganismen oder zugrunde gegangenes Hirngewebe.

Ependymzellen kleiden als einschichtiges Epithel die Hirnventrikel und den Zentralkanal des Rückenmarks aus. Sie regeln den Flüssigkeitsaustausch zwischen Liquorraum und Gehirn.

Periphere Gliazellen
Die **Schwann'schen Zellen** stellen die Gliazellen des peripheren Nervensystems dar. Ihre Nervenzellkörper wandern um einen Axonabschnitt herum und wickeln ihn mit einer Isolierschicht aus Myelin ein. Entlang eines Axons reiht sich eine ganze Kette von Schwann'schen Zellen aneinander, die am sogenannten **Ranvier'schen Schnürring** zusammenstoßen.

> Nervenzellen mit viel Myelin leiten schnell, wir nennen sie **markhaltige oder markreiche** Nervenzellen; Nervenzellen mit wenig Myelin leiten langsamer, sie sind **markarm.**

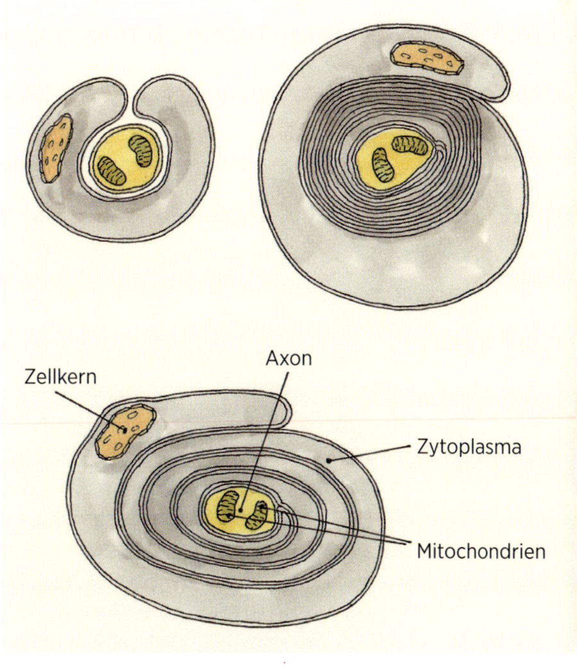

Abb. 163: **Schwann'sche Zelle**

Myelin ist eine fetthaltige Substanz, die die Axone umgibt. Sie erscheint deshalb weiß, ist also Anteil der weißen Substanz des Nervensystems. Bei der Multiplen Sklerose werden körpereigene Antikörper gegen das Myelin gebildet, es wird als körperfremd eingestuft und in unterschiedlichen

Arealen des Gehirns sowie des Rückenmarks zerstört. Je nach Lokalisation dieser Herde kann die Multiple Sklerose zu den unterschiedlichsten Ausfällen des Nervensystems führen (Sehstörungen, motorische oder sensible Störungen).

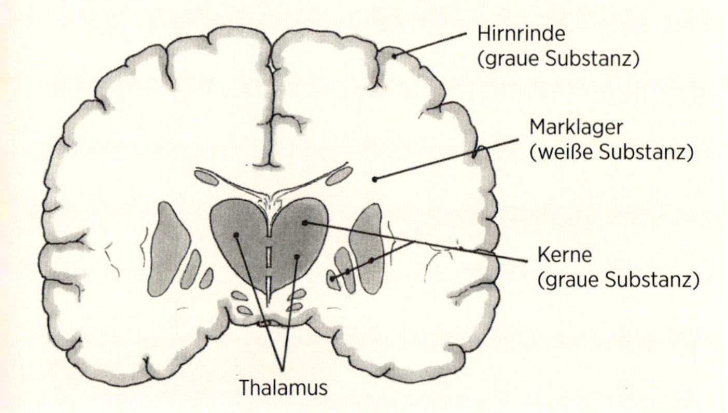

Abb. 164: **Graue und weiße Substanz des Gehirns**

18.1.4 Graue und weiße Substanz

Unter **grauer Substanz** versteht man die Nervenzellkörper mit ihren Dendriten. Man findet sie im Gehirn an der Hirnrinde und in den sogenannten Kernen des Gehirns. In der Mitte des Rückenmarks findet man graue Substanz, welche im Querschnitt die Form eines Schmetterlings aufweist.

Die **weiße Substanz** besteht aus den Axonen mit ihren Myelinschichten. Sie bilden im zentralen Nervensystem die Bahnen, die von den Ausläufern der Oligodendrozyten eingehüllt sind und unterschiedliche Hirnareale untereinander oder mit dem peripheren Nervensystem verbinden. Weiße Substanz findet man im Gehirn unterhalb der Hirnrinde und im Rückenmark als äußere Schicht, welche den zentralen „Schmetterling" umgibt.

Die langen Bahnen, die motorische Impulse vom Gehirn in die Peripherie oder sensible Impulse aus der Peripherie zum Gehirn leiten, heißen **Projektionsbahnen**. Die größte Projektionsbahn ist die Pyramidenbahn, welche die Signale von der primären motorischen Hirnrinde in Richtung Skelettmuskulatur befördert.

Kommissurenbahnen verbinden die rechte mit der linken Hirnhälfte; die wichtigsten sind der Balken (Corpus callosum), das Gewölbe (Fornix) und die Adhaesio interthalamica, die Verbindung zwischen rechtem und linkem Thalamuskern.

Assoziationsbahnen sind Verbindungen unterschiedlicher Hirnareale innerhalb einer Hirnhälfte; ihre Aufgabe ist die Verschaltung unterschiedlicher Rindenbezirke miteinander.

18.2 Physiologie der Nervenerregung und der Nervenleitung

18.2.1 Erregungsleitung entlang der Nervenzelle

Die Vorgänge der Erregungsleitung, die an Nervenzellen ablaufen, gelten prinzipiell für alle Zellen. Sie spielen natürlich vor allem bei der Weiterleitung von Reizen an Nervenzellen, aber auch an Muskelzellen die größte Rolle.

Voraussetzung für eine Nervenzellerregung sind unterschiedliche Konzentrationen einiger Ionen – positiv geladener Kationen und negativ geladener Anionen – im Inneren und außerhalb einer Nervenzelle sowie die Änderung der Durchlässigkeit der Zellwände für diese Ionen während der Erregung. So befinden sich in einer nicht erregten Nervenzelle im Zellinneren etwa 30-mal so viele Kaliumionen (K^+) wie in der Zellumgebung. Bei Natrium verhält es sich genau umgekehrt, in der Zelle sind viel weniger positiv geladene Natriumionen (Na^+) vorhanden als außerhalb. Die Innenseite der Zelle ist jedoch aufgrund einer hohen Konzentration großer Anionen, welche die Zellwand nicht passieren können, negativ geladen. An der Zellmembranaußenseite kommen Anionen vor allem in Form von Chloridionen (Cl^-) vor.

In Ruhe strömen die Na-Ionen passiv in die Zelle hinein, da sie von den negativen Anionen angezogen werden, die K-Ionen strömen aus der Zelle heraus, da ein so großer Konzentrationsunterschied zwischen innen und außen besteht. Dieses Durchtreten der Ionen erfolgt so lange, bis ein elektrochemisches Gleichgewicht erreicht ist. In Ruhe entsteht deshalb ein Ruhe-Membranpotenzial, bei dem sich keine Ionen zwischen Intra- und Extrazellularraum mehr bewegen. Dieses liegt zwischen –60 und –80 mV (Millivolt).

Volt ist die Einheit der elektrischen Spannung. Als elektrischen Strom bezeichnet man die Bewegung von Ionen. Die elektrische Spannung ist quasi die treibende Kraft, die durch die Ladungsunterschiede innerhalb und außerhalb der Zellmembran entsteht, um den Strom, also die Erregungsleitung, in der Zelle zu erzeugen.

Ionen bewegen sich aber nicht nur passiv durch die Zellmembran, Na- und K-Ionen werden auch aktiv durch die sogenannte Na-K-ATPase durch die Zellwand befördert.

Nervenzellen, aber im Prinzip auch andere Körperzellen, können an ihrer Zellmembran ein Ruhepotenzial aufbauen. Grundvoraussetzung dafür ist die Tatsache, dass Zellmembranen für bestimmte Ionen (geladene Atome) teilweise (selektiv) durchlässig sind und dass die sogenannte Na^+/K^+-Pumpe ständig aktiv Na^+ aus der Zelle hinaus- und K^+ in die Zelle hineintransportiert.

Um einen Reiz in einer Nervenzelle entstehen und diesen Reiz entlang der Nervenzelle fließen zu lassen, muss das Membranpotenzial zuerst gestört und am Ende der Erregung auch wiederhergestellt werden, um die Nervenzelle erneut zu erregen.

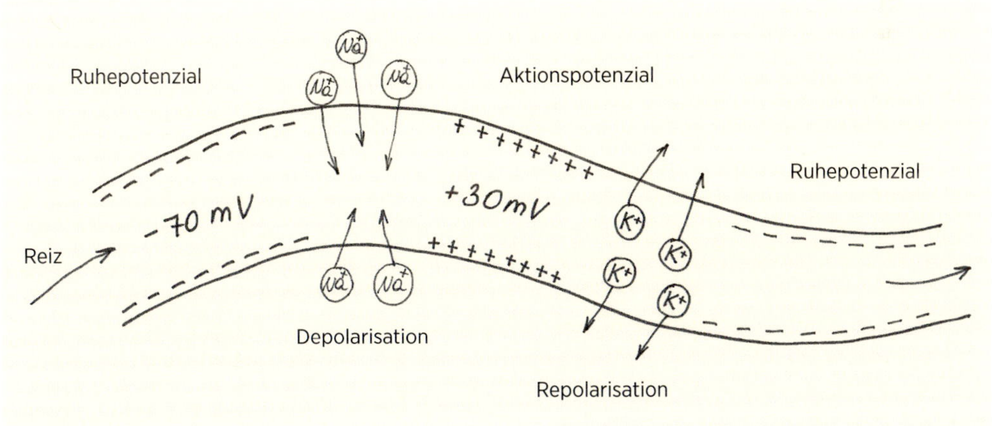

Abb. 165: **Erregungsleitung**

Ruhepotenzial
In Ruhe besteht ein Gleichgewicht zwischen dem Einströmen und Ausströmen von Kalium und Natrium durch die Zellmembran.

Ein **Ruhepotenzial** kommt dadurch zustande, dass sich Ionen oder Ladungen, welche die Zellmembran durchwandern können, ab einem bestimmten elektrochemischen Gleichgewicht nicht mehr zwischen Intra- und Extrazellularraum durch die Zellmembran hindurchbewegen. Es besteht ein Membranpotenzial von –60 bis –80 mV an der Innenseite der Zellmembran gegenüber der Außenseite, also ist die Innenseite gegenüber der Außenseite negativ geladen.

Aktionspotenzial
Treffen nun Reize auf diese Nervenzelle, etwa durch die Reizung von Sinneszellen oder durch Überträgersubstanzen an Synapsen, dann entsteht das **Aktionspotenzial.** Aktionspotenziale entstehen aber nur, wenn die eintreffenden Reize stark genug sind. Sind sie zu schwach, dann kommt es zu keiner Erregung der Nervenzelle. Man nennt dies **„Alles oder nichts"-Prinzip**. Ist der Reiz, das sogenannte **Schwellenpotenzial**, aber ausreichend, dann öffnen sich blitzartig Natriumkanäle in der Zellwand, die Zellwand wird durchlässig für Natrium, und positiv geladene Natriumionen werden vom negativ geladenen Zellinneren angezogen und strömen in die Zelle hinein. Durch diesen Vorgang ändert sich die Ladung in der Zelle, bis ein Aktionspotenzial von etwa +30 mV im Inneren erreicht wird. Dieser Vorgang wird als **Depolarisation** bezeichnet. Je positiver die Innenseite der Zelle wird, umso mehr Natriumkanälchen schließen sich wieder, bis letztlich alle geschlossen sind. Die Depolarisation läuft entlang des Axons der Nervenzelle ab, bis die Erregung das Ende der Nervenzelle erreicht hat und an einer Synapse an die nächste Nervenzelle weitergegeben werden kann.

Das Aktionspotenzial wandert entlang der Nervenzellmembran des Neuriten (Axons) und depolarisiert einen Membranabschnitt nach dem anderen. Die Wanderungsgeschwindigkeit entlang der Nervenzelle entspricht der Reizleitungsgeschwindigkeit und ist umso größer, je besser myelinisiert ein Axon ist. Die Reizleitung ist im Grunde ein Informationstransport entlang der Nervenzelle.

Repolarisation
Kurz nach dem Aufgehen der Na^+-Kanäle öffnen sich K^+-Kanäle in der Zellmembran, durch die sich nun K^+-Ionen aus dem Zellinneren nach außen bewegen. Na^+-Kanäle schließen sich, durch die ausströmenden positiv geladenen K^+-Ionen ändert sich die Ladung wieder, es kommt zur **Repolarisation** der Zellmembran. Eine kurzfristige Hyperpolarisation (überschießende negative Ladung) der Membran wird durch die Na^+-K^+-Pumpe wieder ausgeglichen, es entsteht wiederum ein **Ruhepotenzial** von –60 bis –80 mV.

Ähnliche Vorgänge laufen auch während der Reizübertragung an Muskelzellen ab.

Die Auslösung einer Reizentstehung benötigt, wie schon erwähnt, einen bestimmten **Schwellenwert**, also eine bestimmte Stärke der stimulierenden Reizauslöser. Kommt es nun zu einer Reizentstehung, dann läuft der Reiz maximal ab, die Nervenzelle wird vollständig erregt und nicht nur teilweise. Ist die Stimulation zu gering, erfolgt keinerlei Reizantwort. Auch eine Muskelzelle wird entweder vollständig oder gar nicht erregt.

Verschiedene Zellen besitzen außerdem unterschiedliche **Refraktärzeiten**, das ist jene Zeit, in der nach einem Aktionspotenzial **kein** neues ausgelöst werden kann. Es handelt sich also um eine Pause zwischen zwei Erregungen, in der kein Reiz entsteht. Sie beträgt in Nervenzellen etwa 2 ms, Herzmuskelzellen haben eine wesentlich längere Refraktärzeit von 300 ms. Dadurch soll das Herz vor einer zu schnellen Abfolge von Erregungen geschützt und einem Kammerflimmern vorgebeugt werden.

18.2.2 Erregungsleitung an der Synapse

Erreicht eine elektrische Erregung entlang des Axons einer Nervenzelle ihre Endknöpfchen, verschmelzen die mit Transmittersubstanzen gefüllten Vesikel mit der präsynaptischen Membran. Dabei werden die Überträgerstoffe freigesetzt, überwunden, den Synapsenspalt und docken an die Rezeptoren der postsynaptischen Membran der nächsten Nervenzelle an. Dadurch wird diese nächste Nervenzelle erregt, und die Erregung kann wieder als elektrischer Nervenreiz die Nervenzelle entlanglaufen.

An einer Synapse wird der elektrische Nervenreiz durch chemische Substanzen (Neurotransmitter) von einer Nervenzelle an die nächste weitergegeben. Die elektrische Nervenleitung wird in eine chemische umgewandelt und von Neuron zu Neuron weitergeleitet.

In den Synapsen unterschiedlicher Abschnitte des Nervensystems wirken auch verschiedene Neurotransmitter.

Tab. 62: **Einige wichtige Neurotransmitter**

Überträgersubstanz	Wirkungen und Erkrankungen bei Mangel
Adrenalin, Noradrenalin	„Stresshormone", Überträgersubstanzen des Sympathikus; wirken leistungssteigernd auf den Organismus
Acetylcholin	Überträgersubstanz an der motorischen Endplatte, vermittelt die Kontraktion der Skelettmuskulatur
Dopamin	Überträgersubstanz in den Basalganglien des Gehirns, ist demnach für die Übertragung der extrapyramidalen Motorik verantwortlich; ein Mangel führt zu Morbus Parkinson (Schüttellähmung)
GABA – Gamma-Amino-Buttersäure	wichtigster hemmender Neurotransmitter im Gehirn und somit Gegenspieler von Glutamat
Glutamat	häufigster erregend wirkender Transmitter im zentralen Nervensystem; übermittelt sowohl sensorische als auch motorische Impulse. Bei Morbus Alzheimer liegt auch ein Mangel an Glutamat vor
Serotonin	Überträgersubstanz im Gehirn für psychische Funktionen und Schmerzleitung; ein Mangel führt zu Depressionen

Übungsfragen

1. Nach welchen Gesichtspunkten lässt sich das Nervensystem einteilen?
2. Beschreibe das Aussehen einer Nervenzelle. Aus welchen Anteilen besteht sie?
3. Wie erfolgt die Überleitung von einer Nervenzelle auf die nächste?
4. Erkläre den Aufbau einer Synapse. Unterscheide die Reizleitung entlang eines Axons und an der Synapse.
5. Was sind Gliazellen? Beschreibe Aussehen und Funktion der Astrozyten, der Oligodendrozyten und der Schwann'schen Zellen (markreich und markarm).
6. Was bedeutet afferent, efferent, sensibel und motorisch, bezogen auf eine einzelne Nervenzelle und auf Nervenbahnen, die das Gehirn mit der Peripherie verbinden?
7. Woraus bestehen weiße und graue Substanz und wo findet man sie im Gehirn und im Rückenmark?
8. Nenne die wichtigsten Neurotransmitter.
9. Unterscheide die Begriffe somatomotorisch, somatosensibel, viszeromotorisch, viszerosensibel und sensorisch.

19 Zentrales Nervensystem

Zum zentralen Nervensystem (ZNS) werden all jene Teile des Nervensystems gezählt, welche innerhalb der knöchernen Strukturen des Schädels und der Wirbelsäule liegen. Dazu zählen das Gehirn und das Rückenmark. Die Anteile des ZNS werden zusätzlich von den Gehirn- und Rückenmarkshäuten eingehüllt.

Die Nerven, die das Gehirn und das Rückenmark verlassen, gehören dem peripheren Nervensystem (PNS) an.

19.1 Gehirn (Cerebrum)

Das menschliche Gehirn liegt in mehreren Etagen der vorderen, mittleren und hinteren Schädelgrube der knöchernen Schädelbasis auf. Es wird von den drei Hirnhäuten und der knöchernen Schädelkalotte umgeben und geschützt. Im Bereich des großen Hinterhauptloches (Foramen magnum) geht es ohne sichtbare anatomische Grenze in das Rückenmark über.

Das Gehirn des Menschen wiegt etwa 1.100–1.300 Gramm, es besitzt die unvorstellbare Anzahl von 10^{10}–10^{12} (10 Milliarden bis 1 Billion) Nervenzellen und noch zehnmal so viele Stützzellen oder Gliazellen.

Von oben betrachtet fallen seine längsovale Form, die großen **Furchen (Sulci)**, die das Großhirn in seine Lappen unterteilen, die zahlreichen **Windungen (Gyri)** und die dazwischenliegenden kleinen Furchen der Gehirnoberfläche auf. Für die Hirnleistung ist nicht allein seine Größe, sondern vor allem die Anzahl seiner Windungen und somit die Größe der Hirnoberfläche und dadurch die Zahl der dort angesiedelten Nervenzellen verantwortlich. Das Großhirn überdeckt Hirnanteile, die tief in seinem Inneren verborgen liegen und von außen nicht eingesehen werden können.

Am hinteren unteren Ende des Großhirns liegt, getrennt durch das Kleinhirnzelt der harten Hirnhaut, in der hinteren Schädelgrube das **Kleinhirn (Cerebellum)**, welches ebenfalls zahlreiche zarte Windungen an seiner Oberfläche aufweist.

Aus dem Großhirn ragen nach unten noch die kräftigen Bahnenstrukturen der **Brücke (Pons)** und das **verlängerte Mark (Medulla oblongata)** hervor, welches in das Rückenmark übergeht.

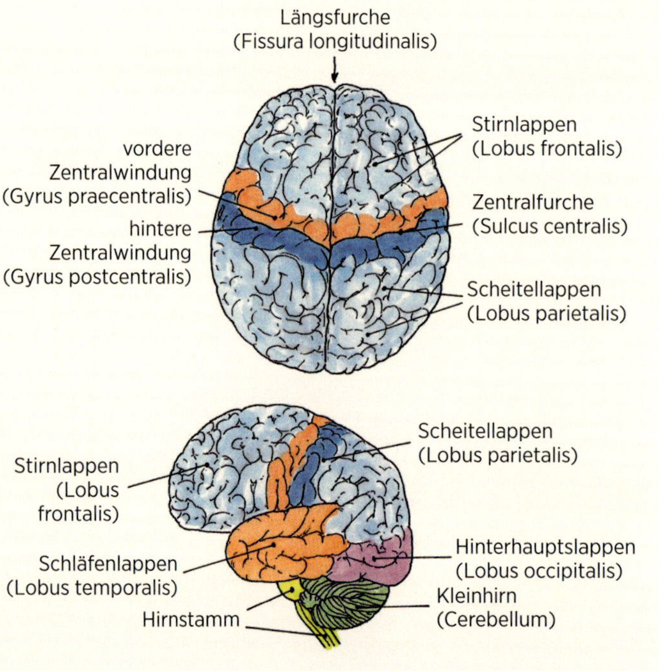

Abb. 166: **Gehirn von oben und von der Seite**

19.1.1 Ansichten des Gehirns

Ansicht des Gehirns von oben

Am Gehirn lassen sich zwei Hirnhälften, die **rechte und die linke Hemisphäre des Großhirns**, unterscheiden. Sie sind durch eine tiefe Längsfurche

(Sulcus longitudinalis) in der Medianebene voneinander getrennt und in der Tiefe durch den Balken (Corpus callosum), ein Bahnensystem aus weißer Substanz, miteinander verbunden. Eine weitere Furche, die Zentralfurche (Sulcus centralis), welche im rechten Winkel zur Längsfurche verläuft, trennt die vorne gelegenen Stirnlappen von den beiden Scheitellappen. Dorsal werden durch eine weitere seichte Furche, die Hinterhauptsfurche (Sulcus parietooccipitalis), die Hinterhauptslappen von den Scheitellappen abgegrenzt.

Ansicht von der Seite

Auch von lateral betrachtet fällt die Masse des Großhirns auf. Hier sind ebenfalls die Stirn-, Scheitel- und Hinterhauptslappen deutlich erkennbar. Ein weiterer großer Lappen, der Schläfenlappen, stellt sich unterhalb des Stirn- und des Scheitellappens in der Seitenansicht deutlich dar. Auch er wird durch eine tiefe Furche, die Lateralfurche (Sulcus lateralis), von den darüberliegenden Lappen abgegrenzt. Unterhalb der Großhirnhemisphären werden die nach vorne weisende Brücke (Pons), das darunterliegende verlängerte Mark (Medulla oblongata) und das dorsal liegende Kleinhirn (Cerebellum) sichtbar.

Ansicht von medial

Teilt man das Gehirn entlang der Medianebene, sind die mediale Fläche der Hemisphäre und der darunterliegende Balken deutlich zu sehen. Im Balken verlaufen Nervenfasern (Axone), welche beide Hirnhälften miteinander verbinden. Unterhalb des Balkens (Corpus callosum) liegt eine weitere Bahnenstruktur, das **Gewölbe** oder der **Fornix**. Sowohl Balken als auch Gewölbe bestehen aus weißer Substanz. Zwischen Balken und Gewölbe spannt sich eine durchscheinende Membran (Septum pellucidum), welche die Hohlräume innerhalb der Hemisphären, die sogenannten Seitenventrikel, zur Mitte hin begrenzt. Unterhalb des Fornix wird das Zwischenhirn mit seinem zentral liegenden Hohlraum, dem 3. Ventrikel, sichtbar, welcher beidseits bis an den Thalamuskern reicht. Durch den 3. Ventrikel verläuft die **Adhaesio interthalamica**, eine Brücke aus Nervenbahnen, die die beiden Thalamuskerne miteinander verbindet. Nach vorne zieht der Sehnerv zu seiner Austrittsstelle in die knöcherne Augenhöhle, unterhalb des Thalamus befinden sich der Hypothalamus und die Hypophyse, welche durch den Hypophysenstiel verbunden sind. An das Zwischenhirn grenzt nach hinten unten das Mittelhirn, welches ebenfalls von einem dünnen Hohlraum, dem Aquädukt, durchzogen wird. Der unterste Hirnabschnitt, das Rautenhirn (Rhombencephalon), setzt sich schließlich aus der vorne liegenden Brücke (Pons), dem verlängerten Mark (Medulla oblongata) und dem dorsal liegenden Kleinhirn (Cerebellum) zusammen. Im Rautenhirn befindet sich ein weiterer Hohlraum, der 4. Ventrikel, welcher über den Aquädukt mit dem 3. Ventrikel in Verbindung steht.

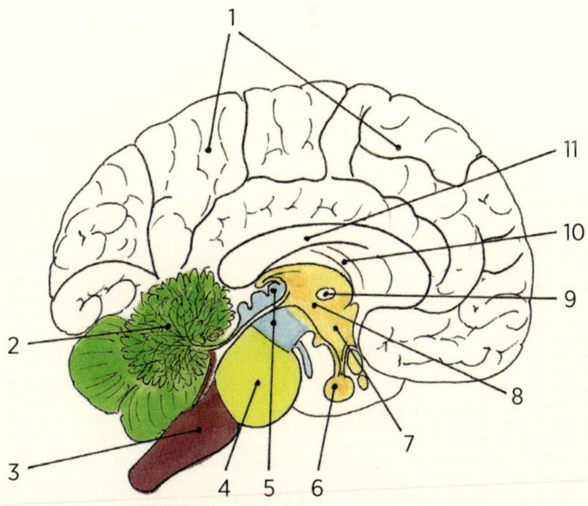

1 Großhirn (Telencephalon), 2 Kleinhirn (Cerebellum), 3 verlängertes Mark (Medulla oblongata), 4 Brücke (Pons), 5 Mittelhirn (Mesencephalon), 6 Hirnanhangsdrüse (Hypophyse), 7 Hypothalamus, 8 Zwischenhirn (Diencephalon), 9 Adhaesio interthalamica, 10 Fornix, 11 Balken (Corpus callosum)

Abb. 167: **Gehirn, Medianschnitt**

Ansicht von unten (basal)

In der vorderen Schädelgrube liegen die Stirnlappen. Beidseits der Längsfurche verlaufen die beiden Riechbahnen ins Gehirn, welche aus den vorne liegenden Riechkolben (Bulbi olfactorii) entspringen. Dahinter werden die beiden Sehnerven und die Sehnervkreuzung sichtbar, welche den Hypophysenstiel umgrenzen. An diesem hängt die rundliche Hirnanhangsdrüse (Hypophyse). In der mittleren Schädelgrube liegen beidseits die Schläfenlappen, in der hinteren Schädelgrube das Kleinhirn. Zwischen den Schläfenlappen ist deutlich die nach vorne weisende Brücke und daran anschließend das verlängerte Mark zu sehen. Zahlreiche Hirnnerven verlassen das Gehirn an seiner Basis.

19.1.2 Anteile des Gehirns

Das Gehirn lässt sich in das Großhirn (Telencephalon), das Zwischenhirn (Diencephalon), den Hirnstamm (Truncus cerebri), welcher sich aus dem Mittelhirn (Mesencephalon), der Brücke (Pons) und dem verlängerten Mark (Medulla oblongata) zusammensetzt, und das Kleinhirn (Cerebellum) unterteilen. Brücke, verlängertes Mark und Kleinhirn werden auch als Rautenhirn bezeichnet.

Hirnrinde

Die Oberfläche des Groß- und Kleinhirns besteht aus grauer Substanz, sie bildet die sogenannte Hirnrinde; in ihr liegen die Nervenzellkörper, die ihre Neuriten in die Peripherie entlassen. An der Großhirnrinde lassen sich Rindenfelder abgrenzen, dabei handelt es sich um umschriebene Areale von Nervenzellansammlungen, welche funktionell bestimmten Körperregionen zugeordnet sind. Motorische Rindenfelder erzeugen Impulse, welche in die Peripherie zur Muskulatur geleitet werden und diese erregen. Sensorische Rindenfelder empfangen Reize von Sinneszellen der Körperperipherie und der großen Sinnesorgane und verarbeiten diese Eindrücke. In der großen Hirnwindung des Frontallappens vor der Zentralfurche, dem sogenannten Gyrus praecentralis (vordere Zentralwindung), befinden sich die primär motorischen Neurone der bewussten Bewegungen. Im Gyrus postcentralis (hintere Zentralwindung), das ist die Hirnwindung hinter der Zentralfurche im Scheitellappen, liegen die primär sensorischen Rindenfelder, hierhin projizieren sich die bewussten Empfindungen. Die sekundären Rindenfelder liegen verteilt an der Hirnrinde.

Bahnen des Gehirns

Die Bahnen des Gehirns bestehen aus den Axonen (Neuriten) der Nervenzellen und ihren myelinhaltigen Markscheiden. Sie machen die weiße Substanz des Gehirns aus und wurden in Kap. 18.1.4 beschrieben.

> Am Gehirn findet man graue Substanz im Bereich der Hirnrinde und als Kerne in der Tiefe der weißen Substanz, die unterhalb der Hirnrinde liegt. Die weiße Substanz wird von den Axonen der Nervenzellen gebildet, welche zu Bahnen gebündelt werden. Die fetthaltigen Myelinscheiden lassen diese Bahnen weiß erscheinen.

19.1.3 Großhirn (Telencephalon)

Das Großhirn liegt, getrennt von den Hirnhäuten, dem Boden der vorderen und mittleren Schädelgrube auf. Es überragt mit seiner Masse die übrigen, entwicklungsgeschichtlich älteren Anteile des Gehirns, nämlich das Zwischenhirn und Teile des Hirnstamms. Das Großhirn besteht aus zwei Hirnhälften, den **Hemisphären**, welche durch den **Balken (Corpus callosum)**, das mächtigste Bahnensystem des Gehirns, verbunden sind. Jede Hemisphäre umfasst eine Hirnrinde, den **Cortex cerebri**, bestehend aus grauer Substanz, das **Marklager** aus weißer Substanz und die sogenannten **subkortikalen** (grauen) **Kerne** oder **Basalganglien** in der Tiefe der Markschicht. Im Inneren der Hemisphären befinden sich der 1. und der 2. Ventrikel, dabei handelt es sich um mit Liquor (Hirnflüssigkeit) gefüllte Hohlräume. Der Hohlraum in der linken Hirnhälfte wird als 1., jener in der rechten Hirnhälfte als 2. Ventrikel definiert. Einige große Furchen unterteilen das Großhirn in **Lappen (Lobi)**, deren Bezeichnungen den sie bedeckenden Schädelknochen entsprechen. Die **kleineren Windungen (Gyri)** und **Furchen (Sulci)** der Hirnrinde variieren von Mensch zu Mensch, sogar zwischen rechter und linker Hemisphäre gibt es Unterschiede. Durch diese Strukturen bekommt die Hirnrinde eine große Oberfläche und somit viel Platz für Nervenzellen.

19.1.3.1 Furchen und Lappen des Großhirns

Rechte und linke Hirnhälfte sind durch eine tiefe mediane Furche, die **Längsfurche** oder **Fissura longitudinalis**, voneinander getrennt. Quer über das Gehirn verläuft von rechts nach links die wesentlich seichtere **Zentralfurche (Sulcus centralis)**, die die Stirnlappen von den beiden dahinter liegenden Scheitellappen abgrenzt. Betrachtet man das Großhirn von der Seite, sieht man eine weitere Furche zwischen Scheitellappen und Schläfenlappen, die **Lateralfurche (Sulcus lateralis)**. Zwischen Hinterhauptslappen und den beiden Scheitellappen liegt schließlich die **Scheitel-Hinterhauptsfurche (Sulcus parieto-occipitalis)**. Durch die Furchen wird die Oberfläche des Großhirns mehr oder weniger deutlich in seine Lappen unterteilt.

Der **Stirnlappen (Frontallappen)** ist der Sitz unserer Persönlichkeit, hier werden Entscheidungen getroffen, er ermöglicht uns das Nachdenken und die Aufmerksamkeit für die Geschehnisse in unserer Umgebung. Er ist aber auch Sitz der willkürlichen Motorik, welche unsere Skelettmuskulatur steuert. Beim Rechtshänder ist das motorische **Broca-Sprachzentrum**, welches die Sprechmuskulatur innerviert, im linken Frontallappen lokalisiert, beim Linkshänder meist in der gegenüberliegenden Hemisphäre.

Die beiden **Scheitellappen (Parietallappen)** liegen an der Oberseite des Gehirns, rechts und links der Längsfurche. Sie grenzen vorne an den Stirnlappen, seitlich an den Schläfenlappen und hinten an den Hinterhauptslappen. An ihrer Hirnrinde enden unter anderem die Impulse der bewussten Sensorik, also Empfindungen wie Druck, Berührung, Schmerz und Temperatur aus der Körperperipherie (Haut, Gelenke, Muskeln).

Der **Schläfenlappen (Temporallappen)** bildet die seitliche Masse des Gehirns. Dort findet man das sogenannte **Wernicke-Sprachzentrum**, das sensorische Sprachzentrum, welches für die Wortfindung und das Sprachverständnis verantwortlich ist. Nur bei intaktem Wernicke-Zentrum können wir Gesprochenes verstehen und sinnvolle Wörter und Sätze formulieren. Auch die **primäre und sekundäre Hörrinde** sind im Schläfenlappen angesiedelt.

Der **Hinterhauptslappen (Okzipitallappen)** liegt getrennt vom Kleinhirnzelt, einem Gebilde der harten Hirnhaut, oberhalb des Kleinhirns und grenzt nach vorne an die beiden Scheitellappen. Im Hinterhauptslappen sind die **primäre und sekundäre Sehrinde** lokalisiert, hier endet die Sehbahn.

19.1.3.2 Hirnrinde (Cortex cerebri)

Die Hirnrinde setzt sich aus mehreren Schichten, gebildet aus Nervenzellkörpern und Gliazellen, zusammen. Sie weist eine Dicke von 2–5 mm auf.

Es lassen sich drei Arten von Nervenzellen unterscheiden. Pyramidenzellen sind große dreieckige Zellen, deren Basis zur Gehirnoberfläche und deren Spitze zum Mark gerichtet ist. Von den Spitzen gehen die Axone ab, welche nach unten ziehen. Einige reichen bis ins Rückenmark, wo sie auf das nächste Neuron umschalten. Pyramidenzellen findet man besonders in den motorischen Arealen der Hirnrinde.

Körnerzellen sind hingegen kleinere runde Zellen, welchc etwa über den Thalamus sensible Informationen aus der Peripherie, aber auch aus anderen Hirnarealen erhalten. Ihre Anzahl überwiegt in den sensiblen Hirnarealen.

Interneurone sind unterschiedlich geformte Zellen der Hirnrinde. Ihre Axone verlassen die Hirnrinde nicht. Sie dienen der Verschaltung von Rindenarealen innerhalb des Cortex. Neben den Nervenzellen findet man zahlreiche Astrozyten und Oligodendrozyten, welche das Stützgewebe der Hirnrinde bilden.

Die Hirnrinde lässt sich in die motorischen und sensorischen Rindenfelder, deren Nervenzellen funktionell bestimmten Körperregionen zugeordnet sind, unterteilen.

Primäre motorische Rindenfelder erzeugen Impulse, welche über die Pyramidenbahn in die Peripherie zur Muskulatur geleitet werden und diese erregen. **Sekundäre motorische Rindenfelder** ermöglichen, dass Muskelbewegungen koordiniert ablaufen.

Primäre sensorische Rindenfelder empfangen direkt aus dem Thalamus Reize von Sinneszellen der Körperperipherie sowie der großen Sinnesorgane und bringen diese ins Bewusstsein. **Sekundäre sensorische Rindenfelder** ermöglichen die Interpretation und Zuordnung dieser Empfindungen.

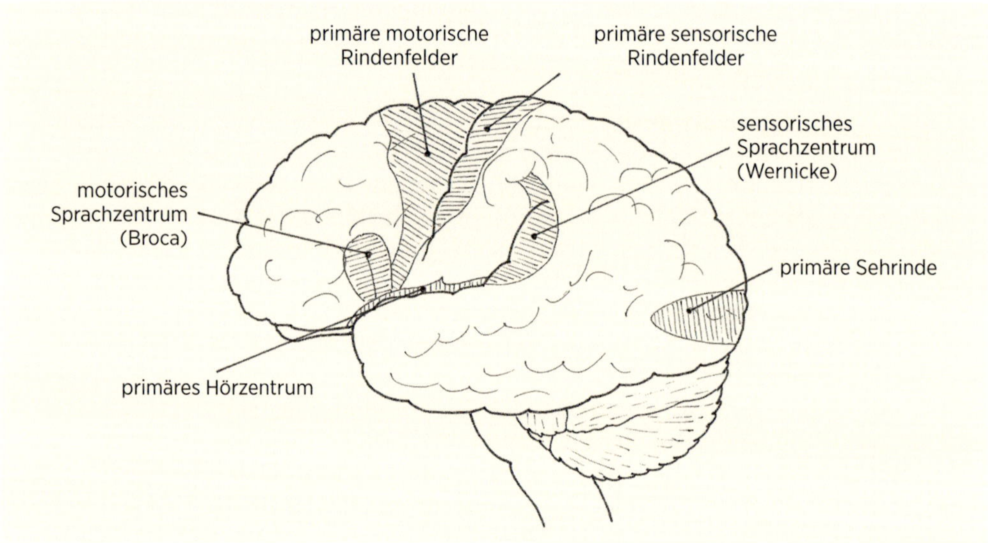

Abb. 168: **Rindenfelder**

Motorische Rindenfelder

In der vorderen, unmittelbar vor der Zentralfurche liegenden Zentralwindung (Gyrus praecentralis) des Stirnlappens liegen die primären motorischen Rindenfelder. Sie steuern die willkürlichen Bewegungen der quergestreiften Skelettmuskulatur der gegenüberliegenden Körperhälfte.

Das bedeutet, dass die primären motorischen Rindenfelder der rechten Hirnhälfte die bewussten Bewegungen der linken Körperseite steuern und umgekehrt. Die Skelettmuskulatur projiziert sich quasi auf die Hirnrinde dieses Gyrus praecentralis, und zwar so, dass Körperareale, die dicht mit Nerven versorgt sind und fein abgestimmte Bewegungen durchführen können, groß auf der Hirnrinde repräsentiert werden; jenen, die weniger dicht innerviert sind, sind nur kleinere Areale zugewiesen. So sind die sehr fein abstimmbaren kleinen Handmuskeln auf einem großen Rindenareal repräsentiert; die großen Rückenmuskeln, die keine fein abgestimmten Bewegungen machen können, sind einem wesentlich kleineren Rindenareal zugeordnet, da weniger Nervenzellen dafür notwendig sind. Zeichnet man über die motorischen Rindenareale des Gyrus praecentralis die projizierten Körperregionen, dann entsteht ein „Menschlein" mit entsprechend verschobenen Proportionen, der **motorische Homunculus**.

Die Axone der Nervenzellen (Pyramidenzellen) der vorderen Zentralwindung sammeln sich zu den Nervenfasern der **Pyramidenbahn**, die durch das Zwischenhirn und den Hirnstamm nach unten in das Rückenmark zieht. Sie ist die efferente Bahn (Projektionsbahn) der bewussten Motorik und bringt die Erregungen zu den Skelettmuskeln der gegenüberliegenden Körperseite, da sie im Bereich des Hirnstamms auf die andere Seite kreuzt.

Ebenfalls an der Rinde des Stirnlappens liegen die **sekundären motorischen Rindenfelder**, die an der Rinde des Frontallappens zwar geordnet, aber nicht zusammengefasst auf eine Hirnwindung lokalisiert sind.

Sekundäre motorische Rindenfelder oder Assoziationsfelder sind den primären Rindenfeldern übergeordnet, sie steuern komplexe Bewegungsabläufe der Muskeln. Die primären motorischen Rindenfelder ermöglichen die willkürliche Bewegung der Muskeln, die sekundären machen daraus sinnvolle Bewegungsabläufe, wie Schreiben oder Tanzen, und speichern diese.

Auch das übergeordnete sekundäre **motorische Sprechzentrum (Broca-Areal)** befindet sich in der dominanten Hemisphäre (bei der Rechtshänderin meist in der linken Hemisphäre und umgekehrt) im Bereich des Frontallappens. Es koordiniert die Sprechmuskeln, also Kehlkopf-, Zungen- und Lippenmuskulatur, um Worte bilden zu können. Die Bewegungsimpulse für diese Muskeln gelangen über einige Hirnnerven an ihr Erfolgsorgan.

Sensorische Rindenfelder

Im Bereich der hinteren Zentralwindung (Gyrus postcentralis) der Schläfenlappen, also unmittelbar hinter der Zentralfurche lokalisiert, liegen zusammengefasst die **primären sensorischen Rindenfelder**, die für die bewussten Empfindungen zuständig sind.

Primäre sensorische Rindenfelder empfangen die bewussten somatischen Empfindungen sensibler Nerven wie Schmerz, Temperatur, Druck und Berührung aus der Haut, den Muskeln, den Gelenken und Knochen. Auch hier lassen sich die Körperregionen entsprechend ihrer Innervation an der Hirnrinde als **sensorischer Homunculus** darstellen. Beim sensorischen Homunculus sind jene Körperregionen groß repräsentiert, die gut innerviert sind und fein abgestimmte Empfindungen wahrnehmen können. Hier fallen vor allem der große Mund und die große Zunge, die zahlreiche Sinneszellen besitzen, auf. Auch die Geschmacksempfindungen projizieren sich auf die primären sensorischen Rindenfelder im Gyrus postcentralis.

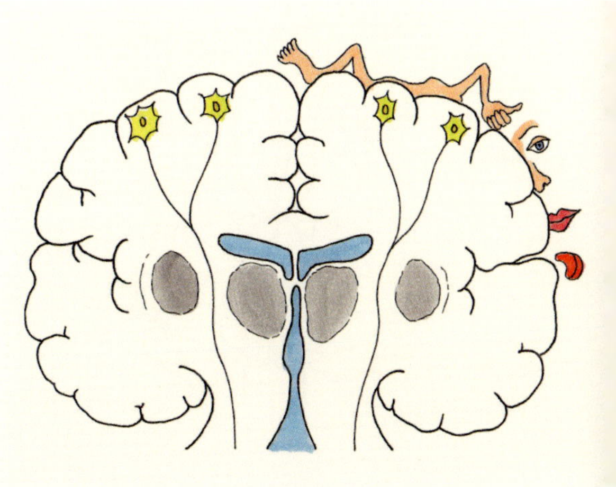

Abb. 169: **Beispiel: Darstellung des Homunculus**

Sekundäre sensorische Rindenfelder außerhalb der hinteren Zentralwindung ermöglichen wiederum die Zuordnung dieser Impulse, also das (Wieder-)Erkennen diverser Empfindungen.

Auch für die Spracherkennung ist ein sensorisches Rindenareal in der dominanten Hemisphäre des Schläfenlappens zuständig. Dieses **Wernicke-Zentrum** ermöglicht es, Sprechinhalte zu verarbeiten und zu verstehen.

Unsere großen Sinnesorgane besitzen an der Hirnoberfläche eigene zugeordnete Rindenfelder. Die Rindenfelder für das Sehen liegen in der Sehrinde des Hinterhauptslappens. So empfangen etwa die primären sensorischen Rindenfelder unseres Sehsinns die Bilder, die auf die Netzhaut projiziert werden, die sekundären lassen uns das Gesehene erkennen und zuordnen.

Die primäre Hörrinde liegt im Schläfenlappen und ist dafür verantwortlich, dass wir Schall wahrnehmen können, die sekundäre Hörrinde lässt uns Gehörtes zuordnen und verstehen.

Primäre Rindenfelder senden motorische Impulse in die Peripherie oder nehmen diese aus der Peripherie auf und lassen sie in unser Bewusstsein gelangen. In den sekundären Rindenfeldern sind Erfahrungen gespeichert, wie Bewegungsabläufe sinnvoll ablaufen, und sie lassen uns Empfindungen wiedererkennen und deuten.

Die primären motorischen Rindenfelder steuern über die Pyramidenbahn die bewussten Bewegungen unserer Skelettmuskeln. In den sekundären motorischen Rindenfeldern sind Bewegungsabläufe, die wir schon erlernt haben, gespeichert. Sie geben ihre Informationen an die primären Rindenfelder weiter und lassen Bewegungen sinnvoll und geschmeidig ablaufen.

Dasselbe gilt für die sensorischen Rindenfelder und die Rindenfelder unserer großen Sinnesorgane. Primäre sensorische Rindenfelder ermöglichen uns Eindrücke wie Schmerz, Temperatur usw. wahrzunehmen, sekundäre Rindenfelder lassen uns diese Empfindungen richtig deuten und zuordnen.

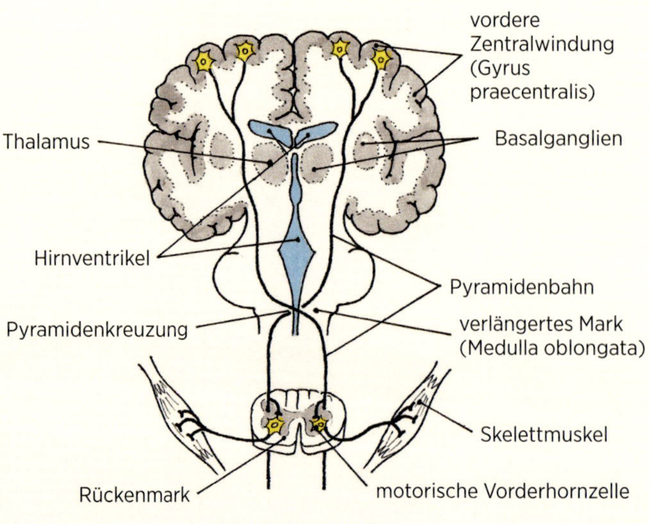

Abb. 170: **Pyramidenbahn**

Assoziationsfelder

Der größte Anteil der Hirnrinde sind jedoch Assoziationsfelder, welche die vorher besprochenen Rindenfelder untereinander verknüpfen und der Verarbeitung ihrer Informationen dienen. Über Assoziationsfelder stehen sowohl primäre und sekundäre als auch sensorische und motorische Rindenfelder miteinander in Verbindung.

19.1.3.3 Pyramidenbahn

Die von den Nervenzellen (Pyramidenzellen) der primären motorischen Rindenfelder der vorderen Zentralwindung abgehenden Nervenfasern bilden die Pyramidenbahn. Diese zieht nach unten, unterteilt als sogenannte innere Kapsel (Capsula interna) die Kerngebiete im Marklager unterhalb der Hirnrinde, kreuzt im Bereich des Hirnstammes großteils zur gegenüberliegenden Seite und schaltet an den motorischen Vorderhornzellen im Rückenmark auf das nächste Neuron um. Die Nervenfasern aus dem Vorderhorn der Pyramidenbahn verlassen je nach Versorgungsgebiet in unterschiedlicher Höhe das Rückenmark über die Vorderwurzel der Spinalnerven und ziehen zu ihren Erfolgsorganen, den quergestreiften Muskeln.

19.1.3.4 Basalganglien – extrapyramidal motorisches System

In der Tiefe des Großhirns liegen inmitten der weißen Substanz graue motorische Kerngebiete, zu denen die sogenannten Basalganglien gehören. Sie sind Anhäufungen zahlreicher Nervenzellkörper und setzen sich aus dem **Schweifkern (Nucleus caudatus)**, dem **Schalenkern (Putamen)** und dem **bleichen Kern (Pallidum)** zusammen. Andere graue Kerne werden unterschiedlichen Systemen, wie etwa dem limbischen System, zugeordnet.

Die Basalganglien sind mit anderen Hirnarealen, wie der motorischen Hirnrinde, dem Mittelhirn, dem Thalamus, dem Kleinhirn, dem Gleichgewichtssinn und dem Sehsinn, über Bahnensysteme verbunden und steuern die Richtung, die Kraft und das Ausmaß von Bewegungen. Sie sind auch für die groben Bewegungen der proximalen Extremitätenmuskulatur (z. B. Oberarm) zuständig, während die distale Extremitätenmuskulatur (z. B. Hände, Finger) zugleich feine Bewegungen durchführt. Die motorischen Abschnitte der Hirnrinde und die Basalganglien wirken bei komplexen Bewegungsabläufen, wie etwa beim Aufziehen einer Uhr, zusammen. In den Basalganglien entstehen Bewegungsprogramme für komplexe Bewegungen.

> Das extrapyramidal motorische System steuert unwillkürliche Muskelbewegungen und den Muskeltonus und beeinflusst auch die willkürliche Motorik.

Die motorischen Fasern der Neurone der Basalganglien ziehen nicht mit der Pyramidenbahn, sondern als extrapyramidale Bahnen in Richtung Rückenmark.

19.1.3.5 Limbisches System

Das limbische System ist eine ringförmige Struktur, die sich an den Balken schmiegt und einen inneren und einen äußeren Ring um diesen bildet. Sie setzt sich aus Anteilen unterschiedlicher Hirnareale zusammen, bildet aber von ihrer Funktion her eine Einheit. So gehören der Mandelkern (Amygdala), ein Anteil der subkortikalen Kerne, der Hippocampus (Seepferdchen), ein entwicklungsgeschichtlich alter Anteil des Temporallappens, und die Mamillarkörper des Mittelhirns dazu. Zusätzlich bestehen enge Verbindungen zum Thalamus und zum Riechhirn. Entwicklungsgeschichtlich alte Gehirnanteile, zu denen auch das Riechhirn gehört, steuern vor allem essenzielle Körperfunktionen und archaische Bedürfnisse wie Hunger oder Sexualität. Die neueren Hirnanteile (Neocortex) sind für höhere, komplexere Hirnleistungen zuständig. So spielt das limbische System eine wichtige Rolle für die Steuerung von Trieben, wie eben Hunger und Sexualität, bei Angstreaktionen bewirkt es einen Blutdruckanstieg, eine Erhöhung der Herzfrequenz und Fluchtreaktionen. Es steuert neben der Angst auch Emotionen wie Wut und Aggression. Es ist aber auch notwendig, um Gedächtnisinhalte aus dem Kurzzeit- in das Langzeitgedächtnis zu verschieben, es ermöglicht also das Lernen und das Erinnern des Erlernten.

19.1.4 Zwischenhirn (Diencephalon)

Unterhalb des Großhirns liegt das Zwischenhirn, in seinem Zentrum befindet sich der 3. Ventrikel. Das Zwischenhirn besteht vor allem aus dem paarig angelegten Thalamuskern und seinen umgebenden Strukturen, wie dem Epithalamus, dem Hypothalamus und der Hypophyse.

19.1.4.1 Epithalamus

Der wesentlichste Anteil des Epithalamus wird von der Zirbeldrüse (Epiphyse) gebildet. Diese kleine Drüse im dorsalen Bereich des Zwischenhirns reagiert auf Lichtreize, welche auf die Sinneszellen der Netzhaut treffen. Bei Dunkelheit schüttet sie vermehrt das Hormon Melatonin aus, welches die Schlafbereitschaft fördert, die Körpertemperatur senkt und die Aktivität anderer Hormondrüsen dämpft.

19.1.4.2 Thalamus

Die beiden eiförmigen Thalamuskerne stehen durch eine Brücke, die **Adhaesio interthalamica**, die durch den 3. Ventrikel zieht, miteinander in Verbindung. Der Thalamus besteht aus grauer Substanz, an seinen Nervenzellen schalten die sensiblen Bahnen um, die aus der Körperperipherie zum Großhirn (also ins Bewusstsein) ziehen. Das bedeutet, dass der Thalamus Sinneseindrücke filtert, bevor sie ins Bewusstsein gelangen. Daher wird er auch als das **„Tor zum Bewusstsein“** bezeichnet. Er entscheidet also, welche Eindrücke in einer bestimmten Situation wichtig genug sind, um an die sensible Hirnrinde weitergeleitet zu werden. Nur die **Riechbahn** wird im Thalamus nicht zur Gänze umgeschaltet. Geruchseindrücke gelangen großteils ungefiltert ins Großhirn.

19.1.4.3 Hypothalamus

Der Hypothalamus ist gemeinsam mit dem limbischen System an zahlreichen vegetativen und emotionalen Reaktionen beteiligt. Emotionale Ereignisse wie Stress oder Angst können über den Hypothalamus durchaus körperliche Reaktionen und Beschwerden hervorrufen. Der Hypothalamus wurde als oberste Befehlsinstanz des Hormonsystems schon im Kapitel „Hormonsystem“ besprochen. Er produziert eine Vielzahl von Hormonen und steuert zahlreiche Körperfunktionen:

- Über sein antidiuretisches Hormon werden Flüssigkeit und Elektrolyte im Organismus zurückgehalten und der Blutdruck gesteigert.
- Das Oxytocin beeinflusst die zwischenmenschlichen Beziehungen und vor allem die Mutter-Kind-Bindung.
- Die Releasing- und Inhibiting-Hormone bewirken die Freisetzung der glandotropen, gonadotropen und somatotropen Hormone im Hypophysenvorderlappen.
- Über die Verbindung zur Zirbeldrüse und das Hormon Melatonin ist er an der Steuerung des Schlaf-Wach-Rhythmus beteiligt.
- Als Teil des limbischen Systems beeinflusst er Emotionen wie Angst, Wut, Aggression und das Sexualverhalten.
- Er ist an der Steuerung der Körpertemperatur, dem Hungergefühl und somit der Nahrungsaufnahme beteiligt.

19.1.4.4 Hypophyse (Hirnanhangsdrüse)[1]

Die Hypophyse ist durch den **Hypophysenstiel** mit dem Hypothalamus verbunden und liegt im Türkensattel (Sella turcica) der knöchernen Schädelbasis.

1 Die Hypophyse wird eingehend im Kapitel „Hormonsystem“ besprochen.

Den überwiegenden Anteil der Hypophyse macht ihr Vorderlappen oder die **Adenohypophyse** aus, welche die 2. Instanz des hierarchischen Hormonsystems darstellt. Unter dem Einfluss der Releasing- und Inhibiting-Hormone des Hypothalamus setzt sie die glandotropen Hormone TSH für die Schilddrüse sowie ACTH für die Cortisolproduktion in der Nebennierenrinde, die gonadotropen Hormone FSH und LH mit Wirkung auf die Ovarien und den Hoden, außerdem die somatotropen Hormone, also das Wachstumshormon für die Körperzellen, sowie das Prolaktin für die Milchproduktion in der Brustdrüse frei. Der kleinere Hypophysenhinterlappen oder die Neurohypophyse ist keine hormonproduzierende Drüse, er dient als Speicherorgan für das Vasopressin (Adiuretin, ADH) und das Oxytocin aus dem Hypothalamus.

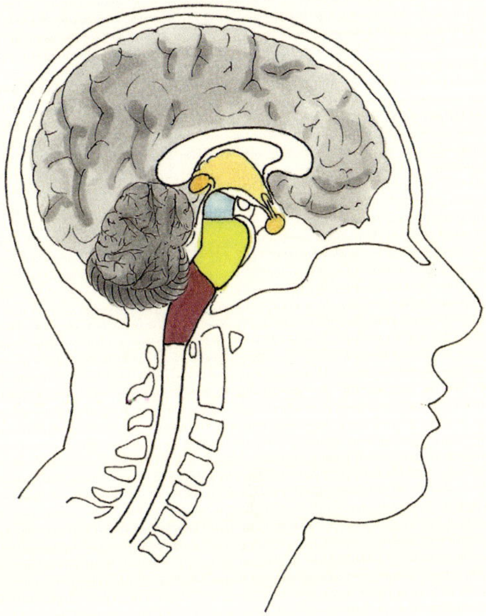

Abb. 171: **Zwischenhirn und Hirnstamm**

19.1.5 Hirnstamm (Truncus cerebri)

Unterhalb des Zwischenhirns liegt als unterster Hirnabschnitt der Hirnstamm. Er setzt sich aus dem **Mittelhirn (Mesencephalon)**, der **Brücke (Pons)** und dem verlängerten Mark **(Medulla oblongata)** zusammen. Durch das Mittelhirn zieht ein mit **Liquor cerebrospinalis** (Gehirnflüssigkeit) gefüllter Hohlraum, der **Aquädukt**, welcher den 3. Ventrikel im Zwischenhirn mit dem 4. Ventrikel zwischen Brücke und Kleinhirn verbindet.

Im Hirnstamm liegen zahlreiche Kerne aus grauer Substanz, aus denen die Hirnnerven III bis XII entspringen und deren Nervenfasern an der Hirnbasis dieses Abschnittes das Gehirn verlassen.

19.1.5.1 Mittelhirn (Mesencephalon)

Das Mittelhirn erstreckt sich vom Zwischenhirn bis zur Brücke und setzt sich aus der dorsal des Aquädukts liegenden **Vierhügelplatte**, der vor dem Aquädukt liegenden **Mittelhirnhaube** und den beiden vor der Mittelhirnhaube liegenden **Hirnschenkeln (Crura cerebri)** zusammen. Die Hirnschenkel sind mächtige Bahnensysteme, in denen die Nervenfasern vom Großhirn in Richtung Rückenmark und Kleinhirn verlaufen. Einen nicht unwesentlichen Anteil der Hirnschenkel bildet die Pyramidenbahn. Zusätzlich sind im Mittelhirn die Kerne einiger Hirnnerven angesiedelt, welche hier das Gehirn verlassen.

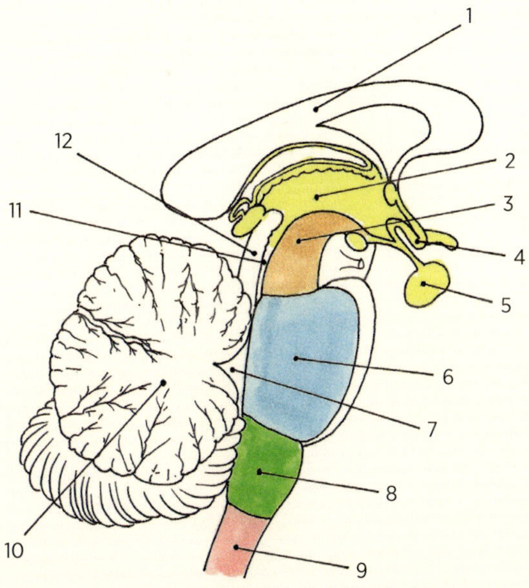

1 Balken (Corpus callosum), 2 Zwischenhirn (Diencephalon) mit 3. Ventrikel, 3 Mittelhirn (Mesencephalon), 4 Sehnervkreuzung (Chiasma opticum), 5 Hirnanhangsdrüse (Hypophyse), 6 Brücke (Pons), 7 4. Ventrikel, 8 verlängertes Mark (Medulla oblongata), 9 Rückenmark (Medulla spinalis), 10 Kleinhirn (Cerebellum), 11 Aquädukt, 12 Vierhügelplatte (Mittelhirn)

Abb. 172: **Medianschnitt Hirnstamm**

Die Vierhügelplatte zeigt zwei obere und zwei untere Hügel, die durch eine kreuzförmige Furche voneinander getrennt sind. Sie dient als akustisches (Hören) und optisches (Sehen) Reflexzentrum.

Im Bereich der Mittelhirnhaube liegen die Kerngebiete des III. (N. oculomotorius) und des IV. (N. trochlearis) Hirnnervs sowie einige motorische Kerngebiete, von denen der Nucleus ruber (roter Kern) und die Substantia nigra (schwarze Substanz) mit den Basalganglien in Verbindung stehen und als Schaltstelle des extrapyramidalmotorischen Systems (EPMS, steuert unwillkürliche Bewegungen) zu verstehen sind.

Zu den Aufgaben des Hirnstamms zählen die Aufrechterhaltung des Muskeltonus und der Körperspannung, die Koordination komplexer Bewegungsabläufe und die Regulation der Augenmotorik.

19.1.5.2 Brücke (Pons)

Die quergestreift erscheinende Brücke gehört gemeinsam mit dem verlängerten Mark zum Rautenhirn. Die Querstreifung entsteht durch Nervenfaserbündel, welche das Großhirn mit dem Rückenmark und dem Kleinhirn verbinden. In der Tiefe der Brücke liegen wiederum Kerne, die als Schaltstellen zwischen Groß- und Kleinhirn dienen. Außerdem entspringen auch hier mehrere Hirnnerven.

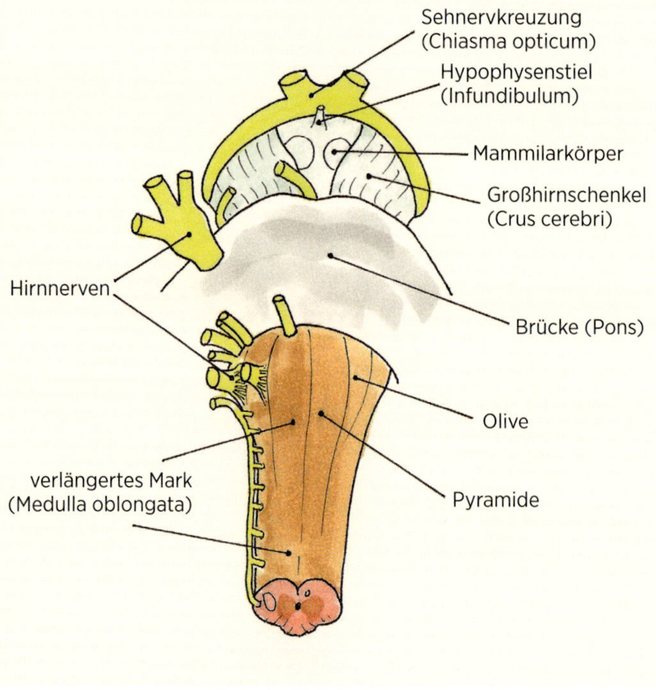

Abb. 173: **Verlängertes Mark**

19.1.5.3 Verlängertes Mark (Medulla oblongata)

Der unterste Abschnitt des Gehirns, die Medulla oblongata, liegt unterhalb der Brücke und geht im Bereich des großen Hinterhauptsloches auf Höhe des 1. Halswirbels in das Rückenmark über. Zwei seitliche Vorwölbungen, die Pyramiden, entstehen durch die Fasern der Pyramidenbahn, welche in diesem Bereich großteils die Seite kreuzt. Das erklärt, warum die Rindenfelder der rechten Hirnhälfte Muskeln der linken Körperhälfte versorgen und umgekehrt. Dieser sehr sensible Hirnabschnitt beherbergt lebensnotwendige funktionelle Reflexzentren wie das Kreislaufzentrum und das Atemzentrum. Auch das Schluck- und das Brechzentrum sind hier lokalisiert.

Wie in den beiden oberhalb liegenden Anteilen des Hirnstamms entspringen auch aus dem verlängerten Mark einige Hirnnerven (IX., X., XI. und XII.).

19.1.5.4 Formatio reticularis

Auch im Bereich des Hirnstamms gibt es eine Struktur aus grauer und weißer Substanz, die eine funktionelle Einheit darstellt. Aufgrund ihres netzartigen Aussehens wird sie Formatio reticularis (netzartige Formation) genannt, sie erstreckt sich vom verlängerten Mark bis zum Zwischenhirn.

Die Formatio reticularis spielt eine große Rolle bei der Steuerung der Bewusstseinslage, besonders im Rahmen des Schlaf-Wach-Rhythmus. Sie ist funktionell eng mit dem Thalamus verknüpft. Reize aus der Umwelt, welche die Aktivität der Neurone des Hirnstamms erhöhen, werden vom Thalamus an die Hirnrinde weitergeleitet und bewirken einen Zustand der Wachheit. Im Schlaf werden hingegen durch absteigende Bahnen Signale an die Muskulatur gesendet, welche in den unterschiedlichen Schlafphasen unterschiedliche Spannungszustände aufweist.

Entsprechend dem Wechsel von Helligkeit und Dunkelheit können bei den meisten Menschen zirkadiane Rhythmen von etwa 24 Stunden nachgewiesen werden, welche unseren Schlaf, die Produktion einiger Hormone, die Körpertemperatur, den Blutdruck und selbst die Harnproduktion steuern. Wird dem Menschen der natürliche Tag-Nacht-Rhythmus etwa durch andauernde Finsternis oder Helligkeit verwehrt, ändert sich auch der zeitliche Ablauf der zirkadianen Rhythmen.

Im Hirnstamm liegt der letzte Abschnitt des Ventrikelsystems, der 4. Ventrikel. Er befindet sich zwischen dem dorsal gelegenen Kleinhirn und der ventral liegenden Brücke sowie dem verlängerten Mark.

19.1.5.5 Hirnstammreflexe

Im Bereich des Hirnstamms liegen zahlreiche vegetative Zentren, deren motorische Anteile auf unterschiedliche sensible Reize mit einer motorischen Reizantwort reagieren. Unter einem Reflex versteht man einen komplexen Ablauf, dessen Ziel es ist, eingehende Informationen zu verarbeiten und darauf zu reagieren. Der ausgelöste Reiz wird über sensible Bahnen ins Gehirn oder Rückenmark geleitet und über motorische efferente Fasern wird eine Reizantwort an das Zielorgan (Muskel) weitergegeben. Man spricht von einem Reflexbogen.

So sind einige dieser Reflexe, wie der Atemreflex, absolut lebensnotwendig. Über ihn wird sowohl die Dehnung des Brustkorbes und der Lungen als auch der Gehalt an CO_2 und O_2 des Blutes gesteuert.

Am Auge bewirkt der Pupillenreflex eine Anpassung der Weite der Pupille über den M. sphincter und den M. dilatator pupillae. Der Reizauslöser ist das einfallende Licht. Unter Akkomodationsreflex versteht man die Änderung der Brechkraft der Linse durch den Ziliarmuskel bei Fixierung eines nahen Gegenstandes. Der Lidreflex und der Tränenreflex sind Schutzreflexe, die aber auch durch Emotionen ausgelöst werden können.

Durch das Betrachten, Riechen oder Verzehren von Speisen speichelt der Mensch reflexartig, um den Bissen gleitfähig zu machen. Ursache dafür ist der Speichelreflex. Auch hier wird die Reizantwort durch (glatte) Muskelzellen, welche die Speicheldrüsen auspressen, gesetzt. Der Schluckreflex, welcher die Peristaltik der Ösophagusmuskulatur in Gang setzt, wird ebenfalls durch den Essvorgang ausgelöst.

19.1.6 Kleinhirn (Cerebellum)

Das Kleinhirn liegt, vom Hinterhauptslappen durch das Kleinhirnzelt getrennt, in der hinteren Schädelgrube. Es liegt dorsal dem Hirnstamm auf und bildet das Dach des 4. Ventrikels. Es ist über die drei Kleinhirnstiele, in denen afferente und efferente Bahnen verlaufen, mit dem Hirnstamm, dem Großhirn, dem Gleichgewichtsorgan und dem Rückenmark verbunden. Das Cerebellum besteht aus zwei Hemisphären, welche in der Mitte durch den unpaaren Anteil des Kleinhirns, den **Kleinhirnwurm (Vermis cerebelli)**, miteinander verbunden sind. Die Oberfläche des Kleinhirns ist in mehrere kleinere Lappen unterteilt und zeigt zahlreiche dicht gedrängte zarte Windungen. Im Inneren des Kleinhirns sieht man die baumartig strukturierte weiße Substanz.

Funktionell ist das Kleinhirn ein übergeordnetes Koordinationszentrum für die Motorik. Es steuert den **Muskeltonus**, durch seine Verbindung zum Gleichgewichtsorgan ist es für den Erhalt des Gleichgewichts beim Gehen und Stehen verantwortlich und es koordiniert räumliche Bewegungen. Das Kleinhirn nimmt die Stellung der Extremitäten im Raum wahr und ermöglicht den sinnvollen zeitlichen Ablauf komplexer Bewegungen.

Tab. 63: **Anteile des Gehirns**

Anteil des Gehirns	Anteile/Funktion
Großhirn (Telencephalon)	
Frontallappen (Lobus frontalis)	Vordere Zentralwindung (Gyrus praecentralis): Sitz der willkürlichen Bewegung, steuert die bewussten Bewegungen der Skelettmuskulatur Broca-Areal: übergeordnetes motorisches Sprachzentrum (nur in der dominanten Hemisphäre), steuert die Bewegungen der Sprechmuskulatur Steuerung der bewussten Augenbewegungen Sitz der Persönlichkeit, der Aufmerksamkeit und des Gedächtnisses
Pyramidenbahn	Leitet die motorischen efferenten Signale der vorderen Zentralwindung zu den motorischen Vorderhornzellen des Rückenmarks, leitet die Signale der bewussten Bewegungen der Skelettmuskulatur
Scheitellappen (Lobus parietalis)	Hintere Zentralwindung (Gyrus postcentralis): Sitz der primären, bewussten Sensibilität, steuert die bewussten Empfindungen wie Berührung, Druck und Temperatur
Schläfenlappen (Lobus temporalis)	Sitz des Hörzentrums, des übergeordneten sensorischen Sprachzentrums (Wernicke-Areal) Spielt eine wesentliche Rolle für Gedächtnis und Erinnerung
Okzipitallappen (Lobus occipitalis)	Lokalisation der primären Sehrinde, ermöglicht das Sehen an sich (Bilder), die sekundäre Sehrinde lässt uns das Gesehene erkennen und zuordnen
Balken (Corpus callosum)	Verbindet als größte Kommissurenbahn die rechte mit der linken Hirnhälfte, besteht aus weißer Substanz
Zwischenhirn (Diencephalon)	Beherbergt den 3. Ventrikel Sitz des Hypothalamus und des Thalamus Die Zirbeldrüse (Epiphyse) produziert das Hormon Melatonin – steuert den Tag-Nacht-Rhythmus
Thalamus	„Tor zum Bewusstsein", steht mit der Hirnrinde in Verbindung und filtert die Sinneseindrücke, welche zur Hirnrinde weitergeleitet werden sollen, filtert Empfindungen aus Haut, Muskulatur und Gelenken, visuelle Sinneseindrücke (Sehsinn), akustische Sinneseindrücke (Hörsinn) und gustatorische Sinneseindrücke (Geschmackssinn), nicht jedoch den Geruchssinn
Hypothalamus	Steuert vegetative Funktionen wie Hunger, Durst Produziert die Releasing- und Inhibiting-Hormone sowie Oxytocin und Vasopressin
Basalganglien	Graue Kerngebiete in der Tiefe der weißen Substanz Regulation der unbewussten Motorik der Skelettmuskulatur, der mimischen Muskulatur und der Kau- und Schluckmuskulatur, beeinflusst auch die bewusste Motorik
Hypophyse	Hypophysenvorderlappen: produziert die glandotropen, gonadotropen und somatotropen Steuerhormone Hypophysenhinterlappen: speichert Oxytocin und Vasopressin

Hirnstamm	Unterster Anteil des Gehirns; setzt sich aus dem Mittelhirn, der Brücke und dem verlängerten Mark zusammen
Mittelhirn (Mesencephalon)	Wird vom Aquädukt durchbrochen Hirnschenkel: Fasersysteme, wie die Pyramidenbahn, welche die Signale von der Hirnrinde zum Rückenmark leiten Vierhügelplatte: motorisches Reflexzentrum für schnelle Augenbewegungen (etwa beim Lesen) oder Lidbewegungen (Lidschluss, wenn sich etwa ein Ball auf uns zubewegt); Verschaltung mit der Hörbahn bedingt Augenbewegungen in Richtung des Gehörten
Brücke (Pons)	Liegt oberhalb des verlängerten Markes Besteht aus Fasern, die die Großhirnrinde mit dem Kleinhirn verbinden; dadurch können Bewegungen besser abgestimmt werden Im Bereich der Pons entspringen die Hirnnerven III bis VIII
Verlängertes Mark (Medulla oblongata)	Dieser letzte Abschnitt des Hirnstamms geht im Bereich des Foramen magnum in das Rückenmark über. Im Bereich der Medulla kreuzt der Großteil der Pyramidenbahn die Seite und es entspringen die Hirnnerven IX bis XII. Beherbergt Herz-Kreislauf-Zentrum, Atemzentrum, Hustenzentrum, Brechzentrum
Kleinhirn (Cerebellum)	Liegt unterhalb des Großhirns in der hinteren Schädelgrube Koordiniert die Motorik, beeinflusst Gleichgewicht, motorische Koordination und Feinmotorik
Limbisches System	Funktionelle Struktur, die sich aus Anteilen unterschiedlicher Hirnregionen zusammensetzt Beeinflusst Gefühle, Emotionen, Sexualität und ermöglicht das Abspeichern von Lerninhalten in das Langzeitgedächtnis
Ventrikelsystem	1. und 2. Ventrikel in den beiden Hemisphären; 3. Ventrikel im Zwischenhirn, angrenzend an die beiden Thalamuskerne; 4. Ventrikel im Hirnstamm, geht in den Zentralkanal des Rückenmarks über Gefüllt mit Hirnflüssigkeit (Liquor cerebrospinalis), steht mit den äußeren Liquorräumen in Verbindung
Hippocampus	Wurmartige Struktur beidseits am Boden der Seitenventrikel Ermöglicht das Erlernen neuer Inhalte

19.1.7 Physiologie und Pathophysiologie des Gehirns

Das menschliche Gehirn ermöglicht mit seinen motorischen Anteilen die Bewegungen der Skelettmuskulatur, aber auch der glatten Eingeweidemuskulatur. Es ermöglicht uns, Sinneseindrücke wahrzunehmen, wie Schmerz, Berührung, Temperaturempfinden, aber auch das Sehen, Hören, Riechen und Schmecken. Auch das Erlernen von neuen Gedächtnisinhalten und das Erinnerungsvermögen, das Entstehen von Emotionen, die Steuerung von Atmung und Kreislauf sind hochkomplexe Hirnleistungen. Unser Gehirn ist zudem Sitz der obersten Instanzen unseres Hormonsystems, steuert den Schlaf-Wach-Rhythmus und die Stimmungslage.

Gedächtnis und Erinnerung

Das menschliche Gehirn besitzt die Fähigkeit, neue Erfahrungen zu bewerten, aufzunehmen und abzuspeichern und das Abgespeicherte auch wieder abzurufen. Dazu werden unterschiedliche Ebenen des Gedächtnisses aktiviert.

Sensorisches Gedächtnis (Ultrakurzzeitgedächtnis): Das sensorische Gedächtnis nimmt Sinneseindrücke wahr, bewertet diese nach ihrer Wichtigkeit oder Relevanz für den Betroffenen und speichert diese nur für wenige Sekunden. Da ständig eine große Anzahl sensorischer Eindrücke wahrgenommen wird, ist sein Speichervermögen groß. Visuelle Reize (Sehen) gelangen in das sogenannte **ikonografische Gedächtnis**, akustische Reize (Hören) in das **echotische** und Empfindungsreize in das **haptische Gedächtnis.**

Arbeitsgedächtnis (Kurzzeitgedächtnis): Ein kleiner Teil der Eindrücke gelangt weiter ins Kurzzeitgedächtnis, wo sie in der Reihenfolge ihres Eintreffens für Sekunden bis Minuten gespeichert werden. So werden Sätze und auch Zahlenreihen in der richtigen Abfolge festgehalten. Die Speicherkapazität ist allerdings begrenzt, es können etwa 7–9 Ziffern richtig wiedergegeben werden. Gelangen diese Gedächtnisinhalte in das Langzeitgedächtnis, dann bleiben sie erhalten. Wenn nicht, dann gehen sie wieder verloren, werden durch neue Inhalte überschrieben und vergessen.

Langzeitgedächtnis: Im Langzeitgedächtnis können Inhalte tage- bis jahrelang abgespeichert werden, bei entsprechender Übung (Wiederholen) bleiben sie ein ganzes Leben lang erhalten. Es werden auch neu erlernte Fakten mit bestehendem Wissen verknüpft. Die Gedächtnisinhalte können aus dem Langzeitgedächtnis in Form von **Erinnerung** abgerufen werden, unwichtig gewordene Fakten werden durch Überschreiben von neuen Inhalten wieder vergessen.

Viele Hirnleistungen wurden erst durch den Ausfall von Hirnregionen und die dadurch aufgetretenen Defizite erkannt. In der folgenden Tabelle sollen einige wichtige Funktionen, Symptome bei Läsionen (Schädigungen) und deren Lokalisationen dargestellt werden.

Tab. 64: **Funktionen und Funktionsstörungen unterschiedlicher Hirnabschnitte**

Lokalisation im Gehirn		Funktion	Symptome bei Läsion
Frontallappen		Sitz des Bewusstseins	z. B. Pick-Demenz (frontotemporale Demenz): Denkstörungen, Gedächtnisstörungen, Störungen der Selbstkontrolle, Antriebsstörungen
	Vordere Zentralwindung	Primäre motorische Rindenfelder: bewusste Motorik (Bewegung) der Skelettmuskulatur der gegenüberliegenden Körperhälfte	z. B. Schlaganfall: Lähmung der betroffenen Muskeln
		Sekundäre motorische Rindenfelder	Störung von Bewegungsabläufen
		Motorisches Broca-Sprachzentrum	Störung der Sprachmotorik und der Sprachkoordination: motorische Aphasie
		Primäres Riechzentrum	Verlust des Geruchssinns
		Sekundäres Riechzentrum	Gerüche können wahrgenommen, aber nicht zugeordnet werden
Parietallappen	Hintere Zentralwindung	Primäre sensorische Rindenfelder Bewusste Sensorik: Druck, Berührung, Schmerz, Temperatur auf der Haut, den Gelenken und Muskeln der gegenüberliegenden Körperhälfte	Empfindungsstörungen
		Sekundäre sensorische Rindenfelder	Empfindungen können nicht zugeordnet werden

Temporallappen		Sensorisches Wernicke-Sprachzentrum	Sprachverständnis ist gestört: sensorische Aphasie
		Primäre Hörrinde	Rindentaubheit
		Sekundäre Hörrinde	Gehörtes kann nicht zugeordnet werden
Okzipitallappen		Primäre Sehrinde	Rindenblindheit
		Sekundäre Sehrinde	Gesehenes kann nicht zugeordnet werden
Pyramidenbahn		Leitet die Impulse der primären motorischen Rindenfelder der vorderen Zentralwindung zur Skelettmuskulatur	Lähmung der Muskulatur der kontralateralen Körperhälfte (Schlaganfall)
Extrapyramidal-motorisches System – Basalganglien		Steuern die unbewusste Motorik, wichtigste Überträgersubstanz ist das Dopamin	M. Parkinson (Dopaminmangel) Chorea Huntington

Amnesie: Als Amnesie wird ein kompletter oder teilweiser Gedächtnisverlust bezeichnet. Sie tritt häufig bei Verletzungen des Gehirns im Rahmen eines Schädel-Hirn-Traumas auf. Als **retrograde Amnesie** wird ein Verlust von Gedächtnisinhalten, welche sich auf einen Zeitraum vor dem traumatischen Ereignis beschränken, bezeichnet. Man kann sich an das Ereignis selbst nicht mehr erinnern. Eine **anterograde Amnesie** ist hingegen der Verlust von Gedächtnisleistungen, die in der Zukunft, also nach dem traumatischen Ereignis, liegen. Es können keine neuen Informationen mehr gespeichert werden.

Apallisches Syndrom (Wachkoma): Unter einem apallischen Syndrom versteht man einen Zustand bei schwersten Schädigungen des Gehirns und erhaltener Funktion des Hirnstamms und des Zwischenhirns. Die Betroffenen machen einen wachen Eindruck, können aber weder mit der Umwelt kommunizieren noch einfachste Tätigkeiten ausüben.

Schlaganfall (Insult): Bei einem Schlaganfall kommt es aufgrund einer verminderten Hirndurchblutung oder einer Hirnblutung zu einer Zerstörung unterschiedlicher Hirnareale mit dementsprechenden Ausfällen wie Sprachstörungen und Lähmungen der Muskulatur der gegenüberliegenden Körperseite. Nicht selten treten kognitive Einschränkungen und emotionale Veränderungen auf.

Demenz: Bei der Demenz handelt es sich um eine fortschreitende Erkrankung unterschiedlicher Ursache, die eine Beeinträchtigung von Gedächtnis, Denk- und Lernfähigkeit, der Orientierung und des Urteilsvermögens zur Folge hat. Im weiteren Verlauf kommt es zu einer Störung des Emotional- und Sozialverhaltens und letztlich zu vollkommener Abhängigkeit mit Inkontinenz und Immobilität. Eine häufige Form der Demenz ist der **Morbus Alzheimer**, bei dem Abläufe im Gehirn durch Eiweißablagerungen zunehmend gestört werden. Als **vaskuläre Demenz** bezeichnet man den Verlust zahlreicher Hirnfunktionen, hervorgerufen durch Schlaganfälle und Minderdurchblutung des Gehirns. Die **Pick-Demenz** (frontotemporale Demenz) zeichnet sich durch einen besonderen Abbau der Hirnmasse des Frontal- und Temporallappens aus, weshalb Veränderungen der Persönlichkeit, wie erhöhte Aggression und Distanzlosigkeit, im Vordergrund stehen.

19.2 Rückenmark (Medulla spinalis)

Das Rückenmark beginnt am großen Hinterhauptsloch und verläuft innerhalb des Wirbelkanals bis zum 2. Lendenwirbelkörper. Darunter findet man im Wirbelkanal nur mehr die Nervenfasern, welche aus dem Rückenmark zu ihren Austrittsstellen der Wirbelsäule ziehen. Aufgrund ihres Aussehens bezeichnet man diese Nervenfasern als Pferdeschwanz oder **Cauda equina**. Das Rückenmark ist in seiner ganzen Ausdehnung von den Rückenmarkshäuten umhüllt.

Aus dem Rückenmark treten **31 Spinalnervenpaare** aus, welche die Wirbelsäule durch die Zwischenwirbellöcher (Foramina intervertebralia) verlassen.

Entsprechend den Abschnitten der Wirbelsäule lässt sich das Rückenmark in ein Halsmark (Zervikalmark), ein Brustmark (Thorakalmark), ein Lendenmark (Lumbalmark), ein Kreuzmark (Sakralmark) und ein Steißmark (Coccygealmark) unterteilen. Da aus diesen Anteilen die Spinalnerven entspringen und zwischen den Wirbeln nach draußen ziehen, werden die Spinalnerven den entsprechenden Wirbelabschnitten zugeordnet:

- 8 Zervikalnervenpaare (C1–C8) verlassen das Halsmark
- 12 Thorakalnervenpaare (Th1–Th12) entspringen aus dem Brustmark
- 5 Lumbalnervenpaare (L1–L5) verlassen das Lendenmark
- 5 Sakralnervenpaare (S1–S5) kommen aus dem Kreuzmark
- 1 Coccygealnervenpaar (Co1) entspringt aus dem Steißmark

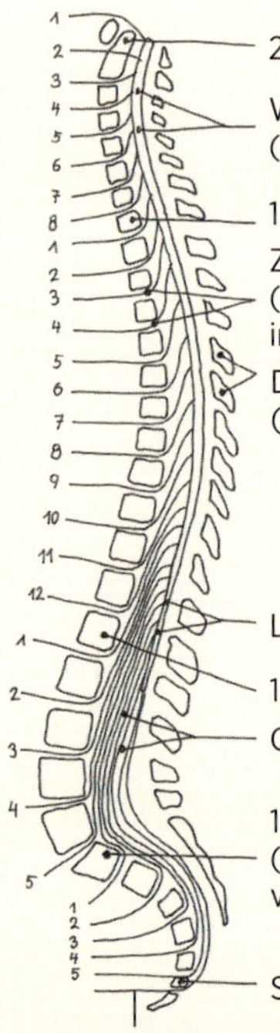

Abb. 174: **Spinalnerven**

Die Anzahl der Nervenpaare entspricht der Anzahl der Wirbel, da sie immer zwischen 2 Wirbeln die Wirbelsäule verlassen. Im Bereich der Halswirbelsäule entspringen 8 Spinalnervenpaare aus der Wirbelsäule, obwohl nur 7 Halswirbel vorhanden sind. Das kommt dadurch zustande, dass der 1. Zervikalnerv zwischen Schädelbasis und 1. Halswirbel herauszieht.

19.2.1 Aufbau des Rückenmarks (Rückenmarksquerschnitt)

Das Rückenmark besteht im Querschnitt aus einem schmetterlingsförmigen Zentrum aus grauer Substanz, welches außen von weißer Substanz umhüllt ist. Dreidimensional gesehen besteht das Rückenmark aus Säulen und Strängen, die in Längsrichtung angeordnet sind.

19.2.1.1 Graue Substanz

Das graue schmetterlingsförmige Zentrum lässt sich auf beiden Seiten in ein größeres plumpes Vorderhorn, ein kleineres schmales Hinterhorn sowie ein dazwischenliegendes Seitenhorn unterteilen. Es besteht aus Nervenzellkörpern und ihren Dendriten.

Im **Vorderhorn (Cornu anterius)** sind die **motorischen Neurone** angeordnet, ihre efferenten Axone ziehen über die Vorderwurzel in den Spinalnerv und zur quergestreiften Muskulatur. Diese sogenannten Wurzelzellen erhalten ihre Impulse aus den motorischen Hirnarealen (Gyrus praecentralis, Basalganglien). Entsprechend der zu versorgenden Muskelmasse hat das Vorderhorn im Halsbereich (Versorgung der Muskeln der oberen Extremität) sowie im Lumbal- und Sakralbereich (untere Extremität) die größte Ausdehnung.

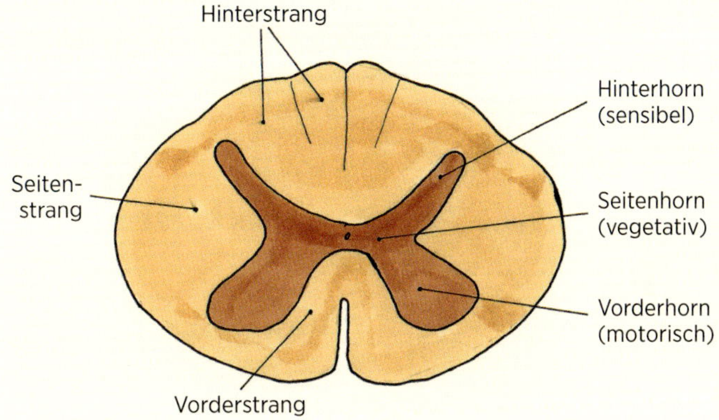

Abb. 175: **Rückenmarksquerschnitt**

Das **Hinterhorn (Cornu posterius)** enthält sensible Nervenzellen, die ihre Informationen von **sensiblen Afferenzen** über die hintere Wurzel der Spinalnerven erhalten. Aus der Peripherie ziehen die sensiblen Axone zum Rückenmark, die Zellkörper dieser bipolaren Nervenzellen liegen in den Spinalganglien an der spinalen Hinterwurzel. **Periphere Rezeptoren** nehmen die Empfindungen der Haut und des Bewegungsapparats auf, **Afferenzen** leiten diese zu den Nervenzellen im Hinterhorn des Rückenmarks und weiter in den Hirnstamm. Die afferenten Impulse ziehen dann weiter zum Thalamus, wo sie auf das nächste Neuron übertragen werden und gefiltert ins Bewusstsein gelangen..

Im **Seitenhorn (Cornu laterale)** befinden sich vegetative Neurone, das sind Nervenzellkörper des Sympathikus und des Parasympathikus, die sowohl motorische Impulse zur glatten Eingeweidemuskulatur entsenden als auch sensible Empfindungen aus den Eingeweiden erhalten. Ihre motorischen Fasern verlaufen mit der Vorderwurzel aus dem Rückenmark hinaus, die sensiblen Informationen ziehen mit der Hinterwurzel ins Rückenmark hinein.

Die vom Rückenmark austretenden **efferenten motorischen Fasern** der **Vorderwurzel** und die eintretenden **afferenten sensiblen Fasern** der **Hinterwurzel** vereinigen sich kurz vor dem Austritt aus der Wirbelsäule zum **Spinalnerv (Nervus spinalis)**. Im Spinalnerv sind die motorischen und sensiblen somatischen Nervenfasern aus Vorderhorn und Hinterhorn sowie die motorischen und sensiblen vegetativen Fasern aus dem Seitenhorn vereint.

19.2.1.2 Weiße Substanz

Außerhalb der grauen Substanz des Rückenmarks liegt die weiße Substanz, welche aus den myelinhaltigen Axonen der Nervenzellen, deren Körper in der grauen Substanz liegen, gebildet wird. Sie gliedert sich in Stränge in Längsrichtung und besteht aus afferenten „aufsteigenden“ sensiblen und efferenten „absteigenden“ motorischen Nervenfasern. Es werden nach der Lage ein Vorderstrang, ein Seitenstrang und ein Hinterstrang unterschieden.

Im **Vorderstrang** laufen motorische efferente Bahnen zur Bewegung der Skelettmuskulatur sowie zur Koordination der Körperhaltung und des Muskeltonus. Sensible afferente Bahnen leiten grobe Druckempfindungen vom Körper zum Gehirn. Im **Seitenstrang** verläuft der Großteil der Pyramidenbahn, welche die motorischen Impulse von der primären motorischen Hirnrinde der vorderen Zentralwindung nach unten leitet, um zur Skelettmuskulatur gelangen zu können. Zusätzlich befinden sich dort sensible Fasern für die Tiefensensibilität (Informationen über die Lage des Körpers) sowie für Schmerz- und Temperaturempfindungen. Im **Hinterstrang** werden sensible Informationen über Druck, Berührung und Vibration (epikritische Sensibilität) in Richtung Gehirn geleitet. Vorder- und Seitenstrang werden auch als Vorderseitenstrang zusammengefasst.

19.2.2 Physiologie des Rückenmarks

Rückenmarkreflexe

Im Rückenmark können Nervenzellen, die Regionen innerhalb des Rückenmarks verschalten (Eigenapparat), und Neurone, welche das Rückenmark mit dem Gehirn verbinden (Verbindungsapparat), unterschieden werden. Die Grundlage der Rückenmarkreflexe ist der Eigenapparat.

Eigenreflexe zeichnen sich dadurch aus, dass der den Reflex auslösende Reiz und die Reizantwort im selben Organ, also im Skelettmuskel, sitzen. Man bezeichnet sie als monosynaptische Reflexe. Der Reiz wird von der sensiblen Nervenzelle, welche diesen ins Rückenmark transportiert, auf derselben Höhe auf die motorische Nervenzelle, welche den Muskel erregt, übergeleitet. Bei den Eigenreflexen handelt es sich um Muskeldehnungsreflexe. Das lässt sich am besten am Beispiel des Patellarsehnenreflexes erklären. Klopft man mit dem Reflexhammer auf die Patellarsehne (die Ansatzsehne des M. quadriceps am Schienbein), wird der Muskel ein wenig gedehnt. Diese Information wird über afferente sensible Nerven zum Rückenmark geleitet und in der Folge auf die motorischen Neurone dieses Muskels (monosynaptisch – über nur eine Synapse) weitergeleitet. Dadurch wird der Muskel blitzartig kontrahiert, das Bein wird im Kniegelenk gestreckt.

Bei **Fremdreflexen** liegt der Reiz, welcher den Reflex auslöst, nicht in dem Organ, das auf den Reiz reagiert. Reflexsensoren befinden sich in der Haut und die Antwort auf den Reiz gibt wiederum ein Muskel. Steigt man zum Beispiel mit der nackten Fußsohle auf einen spitzen Stein, wird diese Information über sensible Bahnen zum Rückenmark geleitet und über mehrere Abschnitte (polysynaptisch) an die motorischen Neurone der Beinmuskeln gebracht. Diese reagieren nun mit einer Kontraktion und das Bein wird reflexartig angezogen. Der Auslöser dieses Reflexes liegt in der Haut, die Reizantwort gibt der Muskel. Die Fremdreflexe laufen als Schutz- oder Fluchtreflexe ab.

Viszerale Reflexe werden über das vegetative Nervensystem gesteuert und betreffen die Eingeweide. So wird zum Beispiel die Blasenentleerung und die Defäkation (Stuhlentleerung) über die Dehnung der glatten Muskulatur von Blase oder Mastdarm durch vermehrte Füllung gesteuert. Dehnungsreize werden an den Parasympathikus im Sakralmark weitergeleitet und die Kontraktion dieser Organe bei gleichzeitiger Entspannung der Schließmuskeln eingeleitet.

19.2.3 Pathophysiologie des Rückenmarks

Querschnittslähmung

Bei einer vollständigen Durchtrennung des Rückenmarks kommt es in der ersten Phase zu einer schlaffen Lähmung (Plegie) der Muskulatur unterhalb der Querschnittsläsion. Nach einigen Wochen kann sich eine spastische Lähmung mit einem erhöhten Muskeltonus und Kontraktionen entwickeln. Zusätzlich entstehen gesteigerte Reflexe und sogenannte Pyramidenbahnzeichen, wie der positive **Babinski-Reflex**[2]. Die Pyramiden-

2 Beim Babinski-Reflex wird beim Bestreichen der äußeren Fußseite die Großzehe nach oben gerichtet und die Zehen werden gespreizt.

bahn leitet die bewusste Motorik vom Gehirn zur Skelettmuskulatur, sie wird bei einer Querschnittsläsion durchtrennt.

Unter zentralen Lähmungen versteht man Schäden der motorischen Nerven, welche vom Gehirn zu den motorischen Vorderhornzellen ziehen. Zentrale Lähmungen sind spastische Lähmungen.

Neben der motorischen Lähmung kommt es auch zu einem Ausfall der sensiblen Empfindungen.

Lähmungen peripherer Nerven
Ist ein Nerv geschädigt, nachdem er in den motorischen Vorderhornzellen des Rückenmarks auf das 2. Neuron umgeschaltet hat, dann resultiert daraus eine schlaffe Lähmung. Diese treten auf, wenn periphere Nerven, die zur Muskulatur ziehen, verletzt sind.

Tab. 65: **Motorische Lähmungen**

Lähmung	Ursache/Symptome
Parese	Unvollständige Lähmung (Schwäche) der betroffenen Muskeln
Fazialisparese	Gesichtslähmung durch Schädigung des N. facialis Ursachen: Schlaganfall, Traumen, Entzündungen, idiopathisch (ohne bekannte Ursache), immunologisch
Plegie	Vollständige Lähmung der betroffenen Muskeln, spastisch bei Schädigung des 1. Neurons; schlaff bei Schädigung des 2. Neurons
Monoplegie Hemiplegie Paraplegie Tetraplegie	Lähmung einer Extremität Lähmung einer Körperhälfte Lähmung beider Arme oder Beine Lähmung aller 4 Extremitäten Ursachen: Schlaganfall, Querschnittsläsion, Tumore, Blutungen

19.3 Hirn- und Rückenmarkshäute (Meningen)

Gehirn und Rückenmark werden von den drei Hirnhäuten, Dura mater, Arachnoidea und Pia mater, umgeben. Sie bilden gemeinsam einen geschlossenen Sack, der mit der Gehirnflüssigkeit (Liquor cerebrospinalis), das Gehirn vor Erschütterungen schützt.

Die **harte Hirnhaut (Dura mater)** besteht aus zwei derben Bindegewebsschichten, wobei die äußere mit der Innenseite des Schädels fest verwachsen ist. An einigen Stellen weichen die beiden Blätter der Dura auseinander und bilden blutgefüllte Hohlräume, die venösen Blutleiter des Gehirns. Das innere Blatt der harten Hirnhaut formt **Duraduplikaturen** aus, die aus einer doppelten Duraschicht bestehen und dementsprechend derb sind. Sie liegen wie Trennwände zwischen einigen Hirnanteilen und stabilisieren diese. Eine dieser Duplikaturen ist die **Großhirnsichel (Falx cerebri)**, welche von der Dura zwischen die beiden Hemisphären bis zum Balken entsandt wird. An ihrem hinteren Ende gehen von der Großhirnsichel das **Kleinhirnzelt (Tentorium cerebelli)** und die **Kleinhirnsichel (Falx cerebelli)** ab. Das Kleinhirnzelt trennt in horizontaler Richtung das Großhirn vom darunterliegenden Kleinhirn. Die Kleinhirnsichel setzt den sagittalen Verlauf der Großhirnsichel fort und liegt zwischen den beiden Hemisphären des Kleinhirns.

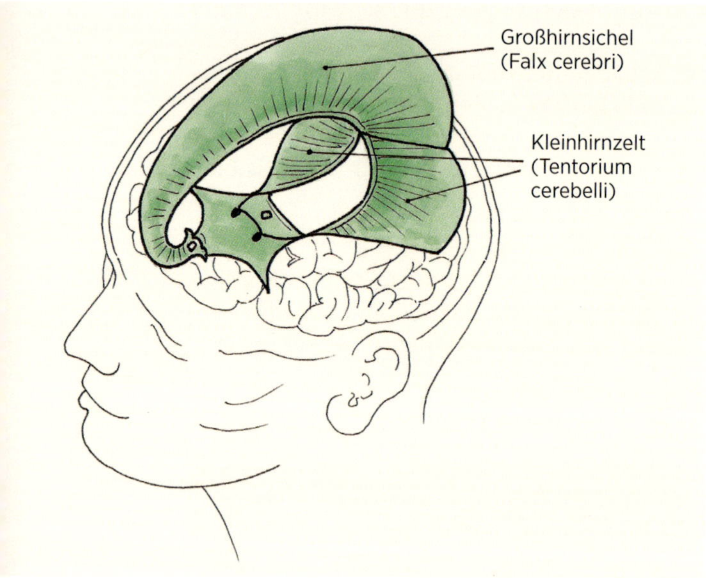

Abb. 176: **Duraduplikaturen**

Die **Spinnwebenhaut (Arachnoidea)** liegt der Dura mater innen auf. Zwischen Arachnoidea und Pia mater, der innersten Hirnhaut, befindet sich der liquorgefüllte **Subarachnoidalraum**, der von einem locker gewebten Bindegewebe, ähnlich einer Spinnwebe, durchzogen wird. Im Bereich des Gehirns ist er der einzige physiologische Raum zwischen den sonst eng aneinander liegenden Hirnhäuten, ausgenommen die venösen Blutleiter. Die Hirnflüssigkeit, welche sich im Subarachnoidalraum befindet, wird über zottenartige Ausstülpungen in die großen venösen Blutleiter der Dura mater abgeleitet. So können die Neubildung und der Abfluss des Liquors im Gleichgewicht bleiben. Steigt die Hirnflüssigkeit, erhöht sich der Hirndruck.

An die Innenseite der Arachnoidea schmiegt sich die **Pia mater**, die innerste Hirnhaut, an. Sie liegt der Oberfläche des Gehirns samt ihren Windungen (Gyri) und Furchen (Sulci) eng an.

Arachnoidea und Pia mater werden zur **weichen Hirnhaut (Leptomeninx)** zusammengefasst.

Die Hirnhäute gehen am Foramen magnum in die **Rückenmarkshäute** über, wobei das äußere Blatt der Dura mater den Rückenmarkskanal wie eine innere Knochenhaut auskleidet, das innere Blatt umgibt das Rückenmark wie ein Sack in seiner gesamten Ausdehnung. Zwischen den beiden Blättern befindet sich, aber nur im Bereich des Rückenmarks, ein **Epiduralraum**, der mit Binde- und Fettgewebe ausgefüllt ist.

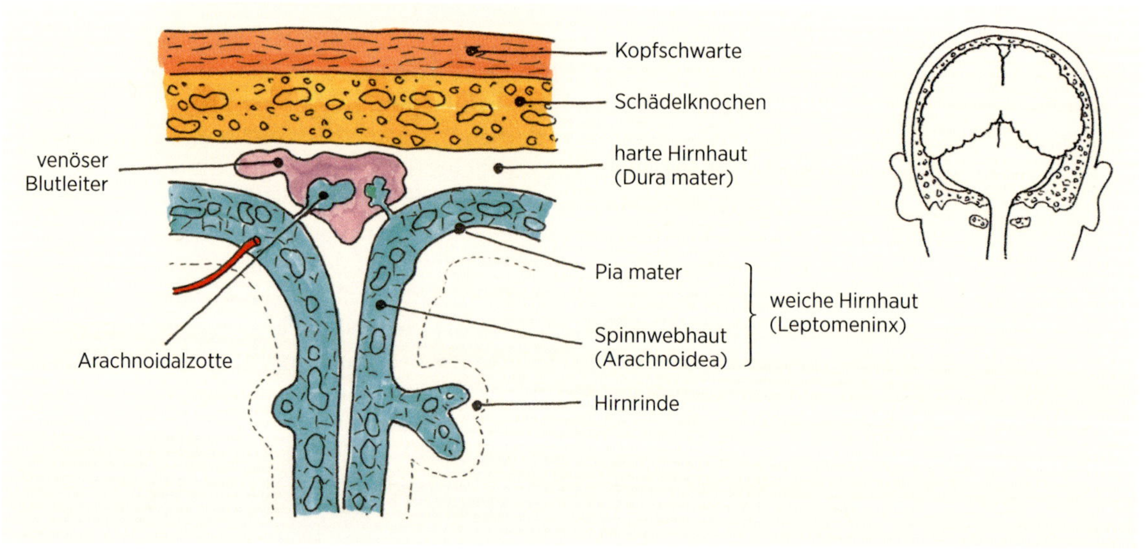

Abb. 177: **Querschnitt Hirnhäute**

19.4 Liquorräume

Im ZNS unterscheidet man innere und äußere Liquorräume, die mit Hirnflüssigkeit gefüllt sind und miteinander in Verbindung stehen.

19.4.1 Innere Liquorräume

Im Inneren des Gehirns sind vier miteinander verbundene Hohlräume ausgebildet, welche mit Hirnflüssigkeit gefüllt sind. Der Liquor wird vom **Plexus choroideus**, einem kapillarreichen Epithelgewebe (Ependym), in den Liquorräumen gebildet.

1. und 2. Ventrikel oder linker und rechter **Seitenventrikel** liegen in beiden Hemisphären des Großhirns und erstrecken sich mit einem Vorderhorn in den Vorderlappen, mit einem Hinterhorn in den Hinterhauptslappen und einem Unterhorn in den Schläfenlappen. Sie stehen durch eine Öffnung mit dem 3. Ventrikel in Verbindung.

Der **3. Ventrikel** liegt zwischen rechtem und linkem Thalamuskern im Zentrum des Zwischenhirns und ist über einen engen Kanal, den **Aquädukt**, mit dem 4. Ventrikel verbunden. Die Verbindung zwischen rechtem und linkem Thalamus, die Adhaesio interthalamica, durchbricht den 3. Ventrikel. Der Aquädukt durchzieht zentral das Mittelhirn.

Der **4. Ventrikel** befindet sich im sogenannten Rhombencephalon, zwischen den davorliegenden Hirnanteilen, Brücke und verlängertem Mark, sowie dem dorsal davon liegenden Kleinhirn. Der 4. Ventrikel setzt sich nach kaudal in den **Zentralkanal** des Rückenmarks fort, welcher das gesamte Rückenmark der Länge nach durchzieht.

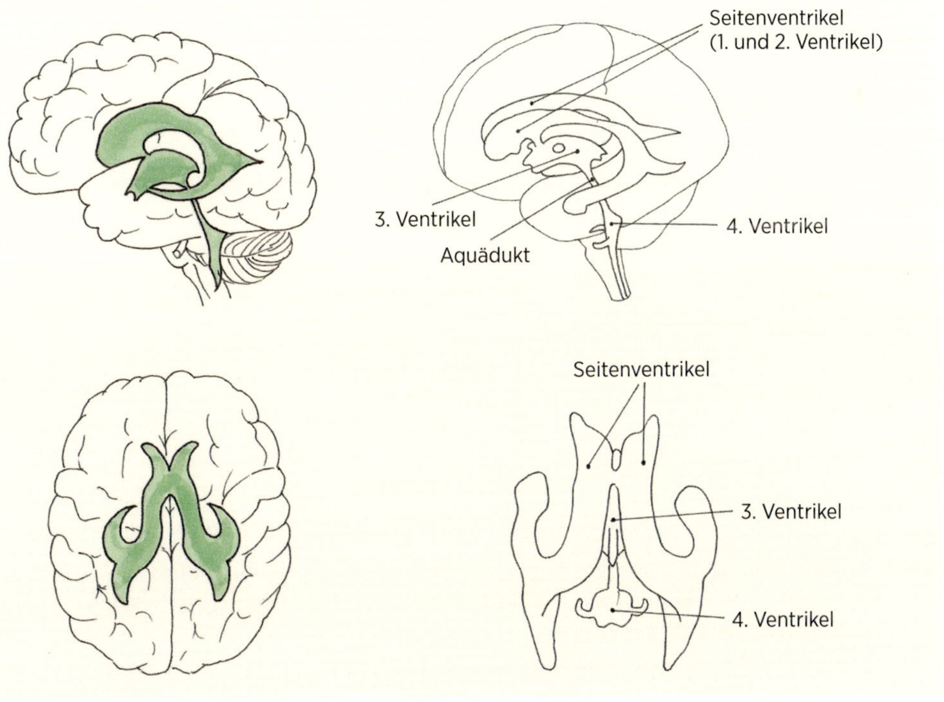

Abb. 178: **Liquorräume**

19.4.2 Äußere Liquorräume

Die äußeren Liquorräume beschränken sich auf den Subarachnoidalraum des Gehirns und des Rückenmarks. Es bestehen Verbindungen zwischen äußeren und inneren Liquorräumen. Die Hirnflüssigkeit wird von den Plexus choroidei in den Ventrikeln ständig neu gebildet und fließt über Arachnoidalzotten, welche die Dura mater durchbrechen, in die venösen Blutleiter der Dura und somit ins Blut ab. Um keine Druckverschiebungen in den Liquorräumen zu erzeugen, müssen sich die Produktion des Liquors und sein Abfluss in das Blutgefäßsystem die Waage halten.

19.5 Gefäßversorgung des Gehirns

Das Gehirn wird aus vier Arterien mit sauerstoffreichem Blut versorgt, welche an der Hirnbasis ringförmig miteinander in Verbindung stehen. Eine rechte und eine linke **A. carotis interna** gehen beidseits von der A. carotis communis ab und verlaufen von vorne zum Gehirn. Eine rechte und linke **A. vertebralis** entspringen aus der A. subclavia und ziehen geborgen in den Foramina vertebralia, den Öffnungen der Querfortsätze der Halswirbel, von hinten zum Gehirn. An der Schädelbasis vereinigen sich die beiden Vertebralarterien zur Basilararterie **(A. basilaris)**, welche gemeinsam mit der paarigen A. carotis interna einen Gefäßring, den **Circulus arteriosus Willisii**, an der Hirnbasis bildet.

Von diesem Gefäßring gehen eine rechte und eine linke **vordere Hirnarterie (A. cerebri anterior)** ab, welche zum Frontallappen und Teilen des Parietallappens ziehen. Die Mittellappen werden von einer rechten und linken mittleren Hirnarterie (A. cerebri media), die Hinterhauptslappen von den hinteren Hirnarterien (A. cerebri posterior) versorgt.

Von der Hirnrinde wird das verbrauchte Blut über die oberflächlichen Hirnvenen (Vv. cerebri superficiales) und aus dem Markbereich über die tiefen Hirnvenen (Vv. cerebri profundae) zu den venösen Blutsinus abtransportiert und weiter zur inneren Drosselvene (V. jugularis interna) befördert.

19.6 Pathophysiologie der Liquorräume und der Blutversorgung

Tab. 66: **Erkrankungen der Liquorräume und der Blutversorgung**

Erkrankung	Symptome
Intrakranielle Blutungen – Hirnblutungen	
Epiduralblutung	Durch Gefäßeinrisse, welche meist durch Traumen entstehen, kann es zu Blutungen in den Epiduralraum zwischen Dura mater und Schädelknochen kommen. Die Symptome reichen von Kopfschmerzen, Unruhe und Erbrechen bis zur Bewusstlosigkeit.
Subduralblutung	Blutet es zwischen Dura mater und Arachnoidea hinein, liegt eine Subduralblutung vor.
Subarachnoidalblutung	Meist durch das Zerreißen eines Gefäßaneurysmas hervorgerufene Blutung in den Subarachnoidalraum zwischen Arachnoidea und Pia mater. Typisch ist ein plötzlich auftretender heftiger Kopfschmerz mit Nackensteifigkeit.
Intrazerebrale Blutung	Platzt ein weiter innen liegendes Gefäß des Gehirns und wühlt sich diese Blutung in das Hirngewebe hinein, sprechen wir von einer intrazerebralen Blutung. Häufig liegt Bluthochdruck als Ursache vor. Die Symptome entsprechen denen eines Schlaganfalls.

Aneurysma	Unter einem Aneurysma versteht man eine Ausweitung eines Blutgefäßes, wodurch es zu einer Beschädigung der Gefäßwand mit der Gefahr einer Ruptur kommt. Aneurysmen können, besonders im Bereich des Gehirns, angeboren sein, sie können aber auch durch Verletzungen, Entzündungen oder lange bestehenden Bluthochdruck entstehen.
Durchblutungsstörungen des Gehirns	Durch Gefäßverkalkungen der Hirnarterien, Embolien oder Gefäßspasmen, zum Beispiel bei Migräne, kann es zu unterschiedlich ausgeprägten Durchblutungsstörungen des Gehirns kommen.
TIA (transitorische ischämische Attacke)	Durch eine vorübergehende Minderdurchblutung des Gehirns kommt es zu vorübergehenden neurologischen Symptomen ähnlich jenen eines Schlaganfalls, die aber nicht lange bestehen (maximal 24 Stunden) und wieder vollständig verschwinden.
PRIND (prolongiertes reversibles ischämisches neurologisches Defizit)	Die Ursache und die Symptome sind mit denen einer TIA vergleichbar, sie dauern aber länger als 24 Stunden an. Eine TIA und ein PRIND sind häufig Vorboten eines Schlaganfalls!
Insult (Schlaganfall)	Es kann sowohl durch eine Minderdurchblutung des Gehirns als auch durch eine Hirnblutung zum Untergang von Hirngewebe kommen. Je nach Hirnregion treten unterschiedliche Symptome wie halbseitige Gesichtslähmung (Fazialisparese), halbseitige Lähmungen der Arme und Beine (Hemiparese), Sprachstörungen, Sehstörungen, Schwindel, Übelkeit, Kopfschmerz und Bewusstseinseintrübungen auf.
Hydrocephalus	Unter Hydrocephalus versteht man verschiedene Krankheitsbilder, die durch ein Ungleichgewicht der Produktion und des Abflusses der Hirnflüssigkeit entstehen.
Vor Verschluss der Schädelnähte	Tritt der Hydrocephalus schon beim Fetus oder beim Säugling auf, kommt es zu einem oft enormen Schädelwachstum, da die Schädelnähte noch nicht verschlossen sind. Typisch ist das Verdrehen der Augäpfel nach oben, das sogenannte Sonnenuntergangsphänomen. Es kommt zu schweren Entwicklungsstörungen des Gehirns.
Nach Verschluss der Schädelnähte	Tritt der Hydrocephalus erst nach dem Verschluss der Schädelnähte auf, steigt der Druck im Schädel, was zu heftigen Kopfschmerzen, Übelkeit, Erbrechen und auch zum Tod führen kann. Besonders gefährlich wird der Druck auf die lebensnotwendigen Zentren im verlängerten Mark.
Normaldruckhydrocephalus	Dieser Hydrocephalus tritt häufiger im späteren Erwachsenenalter auf, es liegt ein ausgeweitetes Ventrikelsystem mit relativ normalem Liquordruck vor. Typische Symptome sind Gangstörungen, eine fortschreitende Demenz und Harninkontinenz.

Übungsfragen

1. Nenne die sichtbaren und die nicht sichtbaren Anteile des Gehirns.
2. Unterscheide graue und weiße Substanz.
3. Beschreibe Kommissurenbahnen, Projektionsbahnen und Assoziationsbahnen und nenne Beispiele.
4. Wo liegen die primären motorischen Rindenfelder und welche Funktionen erfüllen sie? Welche Aufgaben haben die sekundären motorischen Rindenfelder und wo sind diese lokalisiert?
5. Wo liegen die primären sensorischen Rindenfelder und welche Funktionen erfüllen sie? Welche Aufgaben haben die sekundären sensorischen Rindenfelder und wo sind diese lokalisiert?
6. Was versteht man unter dem Homunculus? Warum sind einige Anteile des Homunculus so groß, andere so klein?
7. Welche Funktion hat die Pyramidenbahn, wo hat sie ihren Ursprung, wie verläuft sie, wo schaltet sie im Rückenmark um und welche Reize leitet sie?
8. Welche Funktion hat das extrapyramidal motorische System, wo liegen die Basalganglien und welche Funktion haben sie? Unterscheide bewusste und unbewusste Motorik.
9. Beschreibe die Lage und die Anteile des Zwischenhirns. Wo liegt der Thalamus, was ist seine Funktion und welche wichtige Bahn schaltet nicht im Thalamus um?
10. Welche Funktionen haben das limbische System und die Formatio reticularis?
11. Beschreibe die Lage und die Anteile des Hirnstamms. Erkläre die Funktion des Mittelhirns, der Brücke und des verlängerten Marks.
12. Beschreibe die Lage und die Funktion des Kleinhirns.
13. Beschreibe die Lage und die Begrenzung des Rückenmarks.
14. Wo im Rückenmark liegen die graue und weiße Substanz und woraus bestehen sie?
15. Welche Neurone liegen im Vorder-, Hinter- und Seitenhorn?
16. Was findet man unterhalb von L2/3?
17. Wie viele Spinalnerven verlassen das Rückenmark?
18. Erkläre den Unterschied zwischen Eigenreflexen und Fremdreflexen.

20 Peripheres Nervensystem

Das periphere Nervensystem setzt sich aus jenen Anteilen zusammen, welche außerhalb des Schädels und der Wirbelsäule liegen; dazu zählen die 12 Hirnnervenpaare, die 31 Spinalnervenpaare, die Ganglien und die Sinneszellen.

Ganglien sind Nervenzellansammlungen im peripheren Nervensystem, entsprechend den Kernen im ZNS. Da die peripheren Nerven aus Nervenzellen unterschiedlicher Qualität aus dem Gehirn und dem Rückenmark entspringen, haben sie auch unterschiedliche Aufgaben. Viele Nerven leiten mehrere Qualitäten.

Qualitäten peripherer Nerven

Motorische Nerven leiten Impulse vom ZNS weg in die Peripherie, wo sie an Muskelfasern enden und diese erregen. So kann es zu einer Kontraktion der Muskulatur kommen. Sie sind efferent. Willkürlich-motorische oder **somatomotorische Nerven** enden an Skelettmuskelfasern. Unwillkürlich-motorische oder **viszeromotorische Nerven** enden an der glatten Eingeweidemuskulatur. Das vegetative Nervensystem lässt sich in den Sympathikus und den Parasympathikus unterteilen.

Sensible Nerven leiten ihre Impulse von Sinneszellen in der Körperperipherie zum ZNS hin, sie sind afferent. Kommen diese Impulse zum Beispiel aus unserer Haut, den Gelenken oder den Muskelspindeln der Skelettmuskulatur, bezeichnet man sie als willkürlich-sensibel oder **somatosensibel**. Entspringen die Empfindungen in unseren Eingeweiden, werden sie von unwillkürlich-sensiblen oder **viszerosensiblen Nerven** zum Gehirn geleitet.

Sensorische Nerven sind die sensiblen Nerven der großen Sinnesorgane. Sie sind natürlich afferent und ermöglichen das Sehen, Hören, Riechen und Schmecken. Man bezeichnet sie auch als speziell sensible Nerven.

Sensorisch und sensibel werden auch synonym verwendet, ich bevorzuge die Bezeichnung sensorisch für die großen Sinnesorgane.

20.1 Hirnnerven

Aus dem menschlichen Gehirn entspringen **12 Hirnnervenpaare**, welche durch Öffnungen des knöchernen Schädels nach außen treten, um zu ihren Erfolgsorganen zu ziehen. Diese häufig gemischten Nerven leiten unterschiedliche Qualitäten. Sie werden mit römischen Ziffern bezeichnet.

I. Hirnnerv – Riechnerv (N. olfactorius): Er tritt in zahlreichen Fasern von der Riechschleimhaut der Nase durch das Siebbein ins Gehirn und ist ein rein sensorischer Nerv.

II. Hirnnerv – Sehnerv (N. opticus): Der Sehnerv entsteht aus den Axonen der Stäbchen- und Zapfenzellen der Netzhaut, welche im Bereich des blinden Flecks die Netzhaut verlassen, sich zum Sehnerv vereinigen und durch die Augenhöhle nach hinten zum Gehirn ziehen. Die beiden Sehnerven sind in der Sehnervkreuzung miteinander verbunden, wobei die mittleren Fasern die Seite kreuzen, was für das räumliche Sehen wichtig ist. Der Sehnerv ist ein rein sensorischer Nerv.

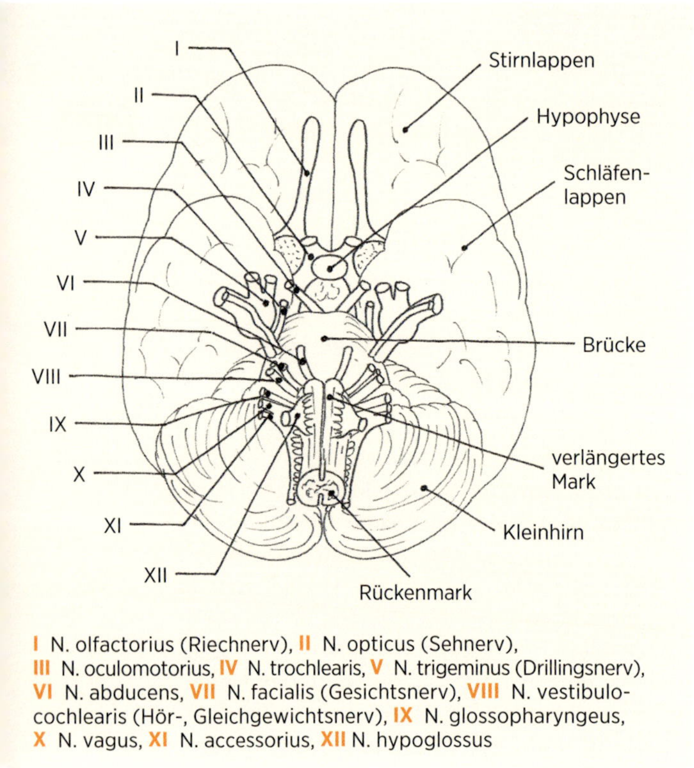

Abb. 179: **Hirnnerven**

III. Hirnnerv – Augenbewegungsnerv (N. oculomotorius): Der III. Hirnnerv ist ein gemischter Nerv, er führt motorische (somatomotorische) Fasern für einige Augenmuskeln zur Bewegung des Augapfels sowie viszeromotorische Fasern für die Muskeln, welche unwillkürlich die Pupille verengen und weit stellen oder die Brechkraft der Augenlinse verändern.

IV. Hirnnerv – Augenrollnerv (N. trochlearis): Er ist ein somatomotorischer Nerv für die Bewegung der Augäpfel.

V. Hirnnerv – Drillingsnerv (N. trigeminus): Der N. trigeminus teilt sich in drei Anteile, wovon ein Ast durch das Stirnbein, der zweite aus dem Oberkiefer und der dritte aus dem Unterkiefer austritt. Er versorgt die Haut des Gesichtes in diesen drei Bereichen, ist also ein somatosensibler Nerv. Da er auch die Kaumuskulatur versorgt, ist er auch somatomotorisch.

VI. Hirnnerv – Augenabziehnerv (N. abducens): Er versorgt gemeinsam mit dem III. (N. oculomotorius) und dem IV. (N. trochlearis) Hirnnerv die Augenmuskeln und ist somatomotorisch.

VII. Hirnnerv – Gesichtsnerv (N. facialis): Somatomotorische Fasern versorgen die mimische Muskulatur, sensorische Fasern sind für die Geschmacksempfindungen der vorderen zwei Drittel der Zunge verantwortlich und viszeromotorische Fasern versorgen die Tränendrüse. Drüsen besitzen glatte Muskeln, um ihr Sekret auspressen zu können.

VIII. Hirnnerv – Hör- und Gleichgewichtsnerv (N. vestibulocochlearis): Er ist ein rein sensorischer Nerv, welcher das Hören ermöglicht und das Gleichgewichtsorgan versorgt.

IX. Hirnnerv – Zungen-Rachen-Nerv (N. glossopharyngeus): Das hintere Zungendrittel wird von diesem Nerv sensorisch versorgt (Geschmack), somatomotorische Anteile innervieren die Schluckmuskulatur des Rachens, viszeromotorische Fasern die Speicheldrüsen.

X. Hirnnerv (N. vagus): Der N. vagus ist der größte parasympathische Nerv und hat entsprechend viszeromotorische und viszerosensible Qualitäten. Er versorgt das Herz und die Lungen sowie einen Großteil der Verdauungsorgane (Speiseröhre, Magen, Dünndarm, Teile des Dickdarms, Leber, Milz).

XI. Hirnnerv – Beinerv (N. accessorius): Er innerviert als somatomotorischer Nerv die Nackenmuskulatur und den Kopfnicker (M. sternocleidomastoideus).

XII. Hirnnerv – Unterzungennerv (N. hypoglossus): Er ist für die Zungenbewegungen verantwortlich und hat demnach somatomotorische Qualität.

20.2 Spinalnerven (Rückenmarksnerven)

Die Spinalnerven setzen sich aus einer vorderen efferenten und einer hinteren afferenten Wurzel, welche aus dem Rückenmark entspringen, zusammen. Die Vorderwurzel besteht aus den somatomotorischen Fasern aus dem Vorderhorn und den viszeromotorischen Fasern aus dem Seitenhorn. Die Hinterwurzel, an der das Spinalganglion sitzt, besteht aus somatosensiblen Fasern des Hinterhorns und aus viszerosensiblen Fasern des Seitenhorns. Dieses kurze Stück Spinalnerv, das durch das **Zwischenwirbelloch (Foramen intervertebrale)** auf beiden Seiten der Wirbelsäule austritt, enthält also diese vier Qualitäten. Wie bereits erwähnt, treten 31 solcher Spinalnervenpaare aus der Wirbelsäule aus, 8 Halsnerven-, 12 Brustnerven-, 5 Lendennerven-, 5 Kreuzbeinnerven- und 1 Steißbeinnervenpaar.

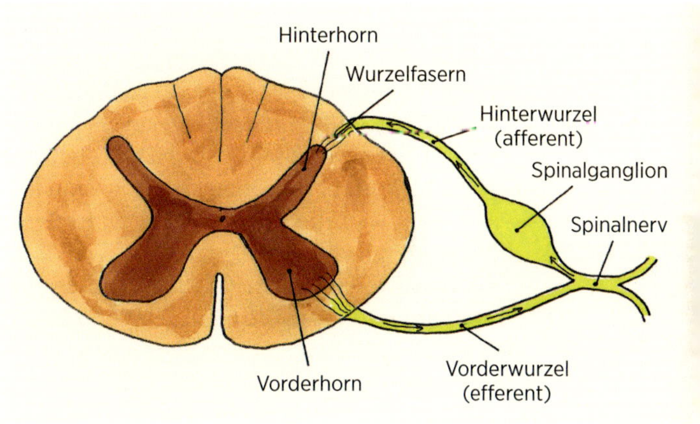

Abb. 180: **Spinalnerv**

Sobald die Spinalnerven das Rückenmark verlassen haben, teilen sie sich auf. Sie geben einen Ast nach hinten ab (**Ramus posterior**), der die Nacken- und Rückenmuskulatur motorisch und die Haut sensibel versorgt. Die vorderen Äste (**Rami anteriores**) bilden im Bereich der Extremitäten **Nervengeflechte (Plexus)** für die Versorgung der Arm- und Beinmuskulatur sowie der Haut von Extremitäten. Im Brustbereich ziehen diese vorderen Äste als **Zwischenrippennerven (Nn. intercostales)** nach vorne zur Brust- und Bauchmuskulatur sowie zur Haut. Die vegetativen Fasern (sympathisch und parasympathisch), welche aus dem Seitenhorn des Rückenmarks stammen, ziehen als **Ramus communicans** zu den Grenzstrangganglien des Sympathikus sowie zu den Ganglien des Parasympathikus in Richtung der inneren Organe.

Nervengeflechte (Plexus)

Wie erwähnt bilden die vorderen Äste, welche im Bereich der Extremitäten von den Spinalnerven entspringen, Nervengeflechte für die Versorgung von Armen und Beinen. Aus diesen gehen große Nerven ab. Sie beinhalten somatomotorische Anteile für die Skelettmuskeln und somatosensible Fasern für die sensible Versorgung der Haut, Muskelspindeln und Gelenke.

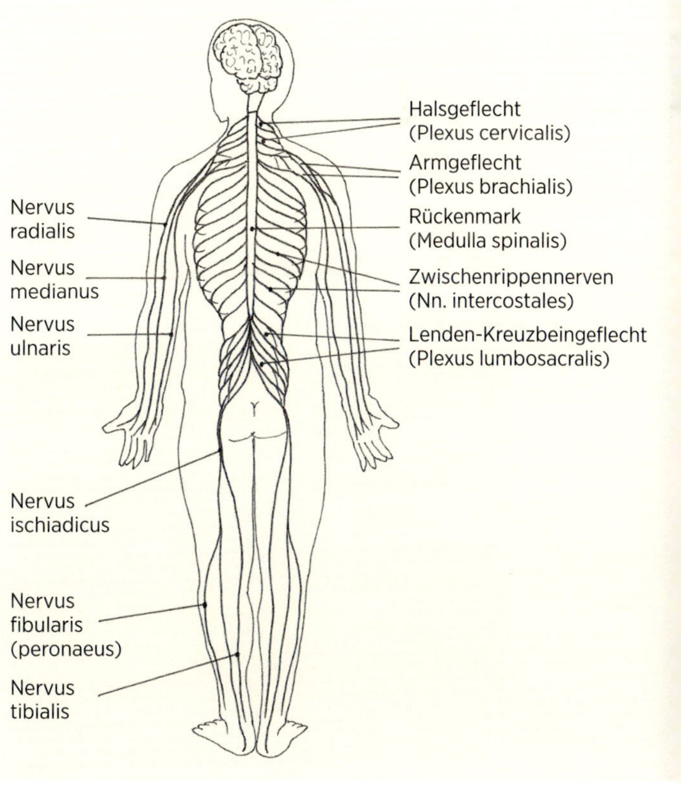

Abb. 181: **Plexus**

Halsgeflecht (Plexus cervicalis): Der Plexus cervicalis entsteht aus den vorderen Ästen der ersten fünf Halsnerven und gibt unter anderem den **N. phrenicus (Zwerchfellnerv)** zum Zwerchfell ab. Da das Zwerchfell (Diaphragma) ein quergestreifter Muskel ist, wird er von seinen somatomotorischen Fasern erregt, Empfindungen aus diesem Bereich werden afferent durch somatosensible Fasern zum Rückenmark geleitet. Zahlreiche Nerven aus dem Plexus cervicalis versorgen motorisch die autochthone Rückenmuskulatur des Nackens und sensibel die Haut im Bereich des Halses und des Nackens.

Armgeflecht (Plexus brachialis): Das Armgeflecht wird aus den vorderen Ästen der letzten Halsnerven und des 1. Brustnervs gebildet. Aus ihm entspringen zahlreiche Nerven für den Schultergürtel und die drei großen Nerven für Arm und Hand, welche wieder somatomotorisch die Muskeln und somatosensibel die Haut versorgen. Die drei großen Armnerven sind der **N. radialis**, welcher zur Daumenseite des Armes und der Hand zieht, der **N. ulnaris**, der die dem Kleinfinger zugewandte Seite versorgt, und in der Mitte der **N. medianus**. Der N. radialis innerviert mit seinem motorischen Anteil die Streckmuskulatur an Ober- und Unterarm, der N. medianus die Beugemuskulatur des Unterarms und die Muskeln des Daumenballens, der N. ulnaris einige Fingerbeuger, die Muskeln des Kleinfingerballens und zahlreiche kleine Handmuskeln.

Lenden-Kreuzgeflecht (Plexus lumbosacralis): Die ventralen Äste der Lendennerven (Lumbalnerven) und die oberen vier Kreuzbeinnerven (Sakralnerven) bilden zusammen den Plexus lumbosacralis, der motorisch und sensibel die untere Bauchwand, den Beckenboden und die äußeren Geschlechtsorgane versorgt. Zum Bein entsendet er zwei große Nerven, den **N. ischiadicus (Ischiasnerv)** zur Hinterseite und den **N. femoralis** zu dessen Vorderseite. Von diesen Nerven gehen die Nerven für die Bein- und Fußmuskeln sowie für die Haut in dieser Region ab.

Aus den unteren Abschnitten des Kreuzgeflechts zieht schließlich noch der **N. pudendus** zum Beckenboden, dem Mastdarm und den äußeren Geschlechtsorganen. Er innerviert die Beckenbodenmuskulatur motorisch und die Haut im Bereich des äußeren Genitales und des Dammes sensibel. Dieser untere Anteil des Plexus lumbosacralis trägt auch die Bezeichnung „Plexus pudendus". Nur der M. levator ani erhält eigene Nervenfasern aus dem Plexus lumbosacralis.

20.3 Pathophysiologie des peripheren Nervensystems

Tab. 67: **Nervenlähmungen**

Nervenlähmung	Ursachen/Symptome
Fazialisparese	Lähmung des VII. Hirnnervs
Zentrale Fazialisparese	Ursache sind Schlaganfall oder Hirntumoren, es kommt zu einer (halbseitigen) Lähmung der mimischen Gesichtsmuskulatur mit Ausnahme der Stirnmuskeln.
Periphere Fazialisparese	Ursache sind Entzündungen des Nervs. Es kommt zu einer (halbseitigen) vollständigen Lähmung der mimischen Gesichtsmuskeln.
Idiopathische Trigeminusneuralgie	Tritt meist ohne erkennbare Ursache auf (idiopathisch). Es kommt zu heftigen, meist kurz andauernden, wiederkehrenden Schmerzen im Gesichtsbereich.

Lähmungen der Armnerven	
Radialisparese	Bei einer Lähmung des N. radialis kommt es zur sogenannten **Fallhand**, die Hand und die Finger können nicht mehr gestreckt werden.
Ulnarisparese	Eine Lähmung des N. ulnaris führt zur **Krallenhand** mit einer Überstreckung der Fingergrundgelenke und einer Beugung in den distalen Fingergelenken.
Medianusparese	Bei einer Lähmung des N. medianus können der Daumen, der Zeigefinger und der Mittelfinger nicht vollständig gebeugt werden, es kommt zur **Schwurhand**.

Übungsfragen

1. Welche Anteile zählen zum peripheren Nervensystem?
2. Was sind Spinalnerven und wie viele verlassen das Rückenmark?
3. Welche Nervenfasern bilden die Vorderwurzel und die Hinterwurzel eines Spinalnervs?
4. Welche Qualitäten leitet ein Spinalnerv nach der Vereinigung der Wurzeln und vor seiner Aufteilung, nachdem er aus der Wirbelsäule ausgetreten ist?
5. Welche Anteile bilden die Plexus? Welche großen Nerven gehen aus dem Plexus cervicalis, Plexus brachialis und Plexus lumbosacralis ab? Aus welchen Abschnitten gehen die Intercostalnerven hervor?

21 Vegetatives Nervensystem

Das vegetative oder autonome Nervensystem ist nicht unserem Bewusstsein unterworfen und steuert lebenswichtige Organfunktionen. Es moduliert unter anderem Schlagkraft und Frequenz des Herzens, die Atmung, die Verdauung sowie Stoffwechselfunktionen.

Das vegetative Nervensystem lässt sich in zwei Anteile, Sympathikus und Parasympathikus, unterteilen. Diese haben auf einige Organe eine antagonistische, also entgegengesetzte, Wirkung. Es hat seinen Ursprung, also seine grauen Kerne, im Gehirn und im Rückenmark, die Nervenbahnen verlassen mit den Hirnnerven und den Spinalnerven das ZNS.

Viszeromotorische Impulse erreichen die glatte Muskulatur der Kopfdrüsen, der Brust-, Bauch- und Beckenorgane sowie die Muskulatur des Herzens. Viszerosensible Impulse vermitteln die Dehnung der Eingeweidemuskulatur, etwa des vollen Rektums oder der gefüllten Harnblase, Schmerzen innerer Organe, Geschmacksempfindungen der Zungenschleimhaut oder den Sauerstoffgehalt und den pH-Wert des Blutes an das zentrale Nervensystem.

Zellkörper der viszerosensiblen Nerven befinden sich ebenso wie die somatosensiblen Nerven im Spinalganglion der Hinterwurzel, sie leiten die Impulse zu den vegetativen Zentren im Rückenmark und im Hirnstamm.

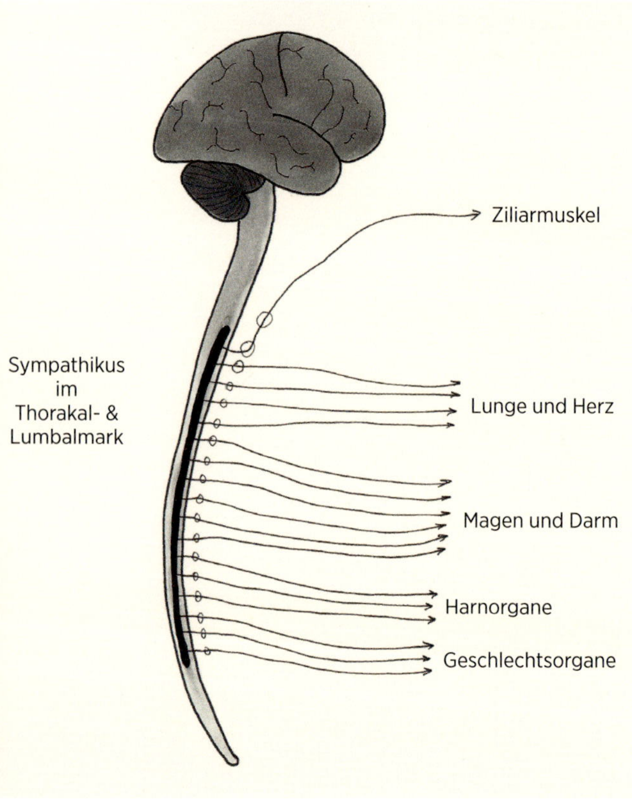

Abb. 182: **Sympathikus**

Die Zielorgane von Sympathikus und Parasympathikus sind die vegetativ gesteuerten Augenmuskeln, die Blutgefäße, die Organe des Brustraums einschließlich Herz, die Bauch- und Beckenorgane sowie die Drüsen.

Als übergeordnete vegetative Zentren steuern Hypothalamus und Hirnstamm zahlreiche Körperfunktionen, das limbische System verknüpft Emotionen mit dem vegetativen Nervensystem.

21.1 Sympathikus

Die zentralen Anteile des Sympathikus befinden sich im Rückenmark, wobei ihre Nervenzellen großteils im Seitenhorn des Brust- und Lendenmarks liegen. Ihre motorischen Axone verlassen über die Vorderwurzel der Spinalnerven das Rückenmark. Nach kurzem Verlauf spalten sich die sympathischen Fasern vom Spinalnerv wieder ab und ziehen im Brustbereich zu Nervenzellansammlungen, den **Paravertebralgan-**

glien, welche beidseits der Wirbelsäule ähnlich einer Strickleiter angeordnet sind und den **sympathischen Grenzstrang** bilden. Dort schalten die sympathischen Fasern auf das 2. Neuron um, bevor sie zu ihren Erfolgsorganen im Hals- und Brustbereich ziehen.

Die Axone im Bauch- und Beckenbereich verlaufen ohne Umschaltung im Grenzstrang weiter zu den sogenannten **prävertebralen Ganglien**, die in der Nähe der großen Baucharterien Nervengeflechte (Plexus) bilden. Im Bereich des Truncus coeliacus liegt der **Plexus coeliacus**, an den Mesenterialarterien der **Plexus mesentericus superior und inferior**. Erst dort schalten ihre Axone um und ziehen zu den Organen im Bauch- und Beckenbereich.

Das **Nebennierenmark** ist ebenfalls ein Anteil des peripheren Sympathikus. Wird der Sympathikus gereizt (Stress), werden die Überträgersubstanzen Adrenalin und Noradrenalin freigesetzt und an das Blut abgegeben.

21.2 Parasympathikus

Im Zentralnervensystem liegen die Neurone des Parasympathikus im Hirnstamm und im Rückenmark im Seitenhorn des Sakralmarks (Kreuzmark). Ihre Axone verlassen das Gehirn mit einigen Hirnnerven und das Rückenmark über die Spinalnerven. Im Gegensatz zum Sympathikus ziehen sie nicht in den Grenzstrang und schalten dort um, sondern erst in parasympathischen Ganglien, die entweder nahe am oder bereits im Erfolgsorgan liegen. So findet man parasympathische Nervengeflechte in der Nähe von Magen, Darm und Harnblase. Da der Parasympathikus in unmittelbarer Nähe seines Zielorgans auf das 2. Neuron umschaltet, sind die Organe selektiver steuerbar. So kann ganz gezielt der Blasenschließmuskel bei der Blasenentleerung oder nur der Analschließmuskel bei der Defäkation erschlaffen.

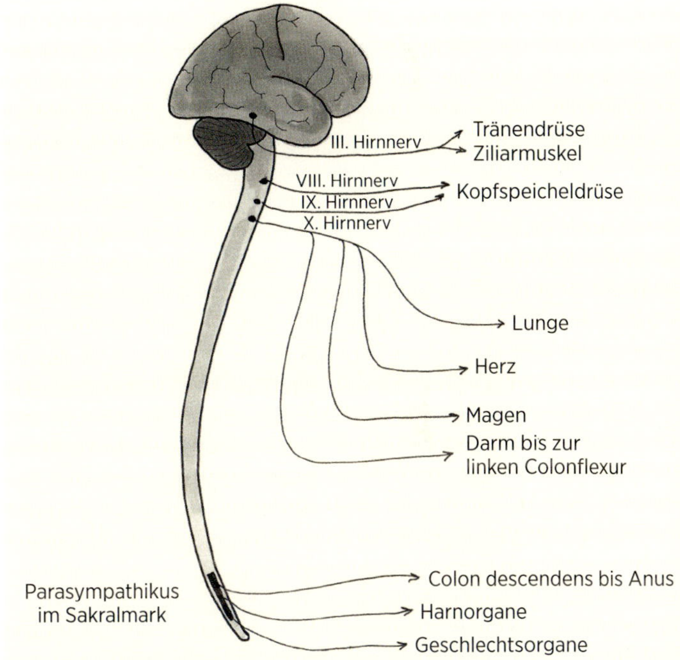

Abb. 183: **Parasympathikus**

Im Kapitel „Hirnnerven" wurde schon darauf hingewiesen, dass einige Hirnnerven parasympathische Fasern für den Kopf-, Hals- und Brustbereich und sogar für einen Großteil der Bauchorgane führen. Die Hirnnerven **III (N. oculomotorius)**, **VII (N. trigeminus)** und **IX (N. glossopharyngeus)** beinhalten parasympathische Fasern für die Pupillenmotorik und die Drüsen im Kopf- und Halsbereich. Der **N. vagus (X. Hirnnerv)** versorgt die Organe im Brustbereich und die Baucheingeweide bis zur linken Kolonflexur, den Übergang vom Colon transversum in das Colon descendens, mit parasympathischen Fasern.

Parasympathische Fasern aus dem Sakralmark ziehen mit den Spinalnerven (Vorderwurzel) in die Peripherie, schalten teils in den Nervengeflechten des Bauchraumes um und innervieren die übrigen Bauchorgane, das Colon descendens, das Rektum sowie die Beckenorgane. Afferente Fasern schließen sich der Hinterwurzel an und gelangen in das Seitenhorn.

21.3 Enterisches Nervensystem

In der Wand des gesamten Verdauungstraktes, vom Ösophagus bis zum Rektum, befinden sich zahlreiche vegetative Nervenzellen, welche unabhängig, also autonom, funktionieren. Sie bilden zwei Nervengeflechte, den Auerbach-Plexus oder Plexus myentericus zwischen der inneren Ring- und der äußeren Längsmuskelschicht des Darmrohres und den Meissner-Plexus oder Plexus submucosus, welcher sich unterhalb der Schleimhaut befindet. Beide Nervengeflechte steuern die Darmbewegungen und die Sekretions- und Resorptionsaufgaben der Magen- und Darmschleimhaut. Sympathikus und Parasympathikus haben einen modulierenden Einfluss, indem der Sympathikus die Verdauung hemmt, der Parasympathikus diese hingegen steigert.

21.4 Funktionen des Sympathikus und des Parasympathikus

Der **Sympathikus** ist jener Anteil des vegetativen Nervensystems, welcher bei Aktivität und in Stresssituationen aktiv ist. Daraus ergibt sich, dass er die Aufmerksamkeit erhöht und auf einige Organe, wie das Herz und die Atemorgane, eine anregende, auf andere eine dämpfende Wirkung hat. Die Funktion des **Parasympathikus** entfaltet sich in Ruhe, weshalb er die Verdauungsorgane aktiviert und dämpfend auf das Herz-Kreislauf-System einwirkt. Er senkt Antrieb und Aufmerksamkeit, führt zu einer Verengung der Pupillen, erhöht die Speichelproduktion, bewirkt eine Kontraktion (Engstellung) der Bronchien und veranlasst durch Absinken von Frequenz und Schlagkraft des Herzens einen Blutdruckabfall.

Tab. 68: **Funktionen des Sympathikus und Parasympathikus**

	Sympathikus	Parasympathikus
Herz-Kreislauf-System	Erhöht die Schlagkraft und die Herzfrequenz, steigert den Blutdruck	Vermindert die Schlagkraft und die Herzfrequenz, senkt den Blutdruck
Lunge	Erweitert die Bronchien	Verengt die Bronchien
Verdauungsorgane	Vermindert die Sekretion der Speicheldrüsen, dämpft die Verdauungsvorgänge	Erhöht die Sekretion der Speicheldrüsen, regt die Verdauungsvorgänge an, fördert die Darmperistaltik
Muskulatur	Steigert die Durchblutung	Vermindert die Durchblutung
Pupille	Erweitert die Pupille	Verengt die Pupille
Sexualorgane	Fördert die Ejakulation	Fördert die Erektion

Übungsfragen

1. Aus welchen Rückenmarksabschnitten entspringen der Sympathikus und der Parasympathikus? Wie verlassen sie das Rückenmark, wo schalten ihre Nervenfasern um?
2. Beschreibe die Wirkungen des Sympathikus und Parasympathikus.
3. Wie heißen der I., II., V., VII., VIII. und X. Hirnnerv? Welche Qualität leitet der N. vagus, welche Organe versorgt er?
4. Nenne die Reihenfolge der Hirnhäute. Welche Duplikaturen werden von der Dura mater gebildet?
5. Welche Liquorräume kennst du, wo liegen sie? Wo wird der Liquor erzeugt und wohin fließt er ab?
6. Was ist das Besondere an der Hirndurchblutung, welche Gefäße versorgen das Gehirn?

22 Schlaf-Wach-Rhythmus

Forschungen haben ergeben, dass der Hypothalamus dem Organismus unabhängig vom Tageslicht einen zirkadianen Rhythmus vorgibt, der etwa 25 Stunden dauert. Das heißt, dass wir einem inneren 25-Stunden-Rhythmus folgen, der durch das Tageslicht unserem 24-Stunden-Rhythmus angepasst wird. Zusätzlich zum Hypothalamus spielt die Zirbeldrüse (Epiphyse) des Zwischenhirns eine wichtige Rolle bei der Steuerung des Schlafes. Sie produziert bei Dunkelheit das Hormon Melatonin, welches den Schlaf fördert. Tageslicht blockiert hingegen die Ausschüttung dieses Hormons.

22.1 Schlafphasen

Leitet man Hirnströme während des Schlafes mittels **Elektroenzephalogramm (EEG)** sowie Augenbewegungen durch **Elektrookulografie (EOG)** ab und zeichnet diese auf, lassen sich in der Nacht vier Schlafphasen unterschiedlicher Dauer mit sich ändernder Schlaftiefe unterscheiden. Diese werden von Phasen mit schnellen Augenbewegungen, den sogenannten REM-Phasen (Rapid Eye Movement) unterbrochen. Die vier Phasen ohne schnelle Augenbewegungen werden unter dem Begriff **Non-REM-Schlaf** zusammengefasst.

Die REM-Schlafphasen dauern etwa 20 Minuten, das EEG gleicht eher dem eines wachen Menschen, die Muskulatur ist aber vollkommen entspannt und der Schlafende kaum weckbar. REM-Schlafphasen treten am häufigsten im Kindesalter auf und nehmen mit zunehmendem Alter deutlich ab. Während des REM-Schlafes träumt der Mensch. Mit zunehmendem Alter nimmt aber auch die Schlaflänge insgesamt ab. So benötigen Säuglinge etwa 16 Stunden Schlaf, ältere Menschen durchschnittlich nur mehr 6 Stunden.

22.2 Pathophysiologie des Schlafs – Schlafstörungen

Schlafstörungen sind ein häufiges und vielschichtiges Phänomen. Genauso vielfältig wie die Ursachen sind auch die Therapieansätze, die von Schlafhygiene (das Schaffen optimaler Schlafbedingungen) bis zu medikamentöser Therapie reichen. Zu den Schlafstörungen werden ebenso das Schnarchen, das Bettnässen oder die Gesundheit bedrohende Atemstörungen gezählt.

Schmerzen und psychische Probleme sind häufige Ursachen von Schlafstörungen. Diese müssen erkannt und von geschulten Ärztinnen behandelt werden.

Tab. 69: **Schlafstörungen**

Schlafstörung	**Symptome**	**Therapiemöglichkeiten**
Insomnie (Schlaflosigkeit)	Von Insomnie spricht man, wenn die Schlafstörungen mehrmals pro Woche auftreten und über einen längeren Zeitraum (länger als ein Monat) bestehen bleiben.	
Einschlafstörung	Deutlich verzögertes Einschlafen mehrmals pro Woche über einen längeren Zeitraum	Schlafhygiene (kühler Raum, Dunkelheit ...) Entspannungsübungen Pflanzliche Schlafmittel wie Baldrian, Melisse, Hopfen Benzodiazepine (Vorsicht: Suchtgefahr!) Antihistaminika Schlafmittel mit Melatonin
Durchschlafstörung	Das neuerliche Einschlafen nach einem Erwachen ist deutlich erschwert.	
Schlafstörungen im Alter	Im Alter treten häufig Schlafstörungen auf, Ursache könnte ein Melatoninmangel sein.	
Parasomnien (Schlafstörungen)		
Schlaftrunkenheit	Nach dem Aufwachen treten Benommenheit und Orientierungslosigkeit auf, kann bis zu 30 Minuten andauern	Keine spezifische Therapie bekannt
Schlafwandeln (Somnambulismus)	Schlafwandler gehen im Schlaf umher und verrichten unterschiedliche Tätigkeiten; tritt im Kindesalter häufiger auf als im Erwachsenenalter; familiär gehäuft	Keine spezifische Therapie bekannt
Pavor nocturnus (Aufschrecken aus dem Schlaf)	Nach einigen Stunden ruhigen Schlafs kommt es zum Aufschrecken, Aufschreien und zu Angstreaktionen. Ursache sind wahrscheinlich erlebte Angstsituationen, Überforderung.	Keine spezifische Therapie bekannt
Albtraum	Angstbesetzte oder sorgenvolle Träume während des REM-Schlafs, meist mit Erwachen	Keine spezifische Therapie bekannt
Bruxismus (Zähneknirschen)	Aneinanderreiben der Kauflächen der Zähne und Anspannung der Kaumuskulatur. Kann durch Stress bedingt sein, häufiger bei Raucherinnen.	Aufbissschiene, um ein Abnützen der Zahnflächen zu verhindern
Restless-Legs-Syndrom	Besonders in der Einschlafphase Kribbeln in den Beinen mit Bewegungsdrang. Als Ursache werden Dopaminmangel, Eisenmangel und hormonelle Störungen angenommen.	Dopamin (Parkinson-Medikamente), Eisensubstitution bei Eisenmangel
Enuresis nocturna (Bettnässen)	Wiederauftreten von Einnässen während der Nacht, nachdem die Blasenkontrolle bereits beherrscht wurde. Ursächlich kommen psychische Probleme, ein Mangel an antidiuretischem Hormon oder Stoffwechselerkrankungen wie Diabetes mellitus infrage. **Genaue Abklärung muss erforderlich!**	Psychotherapie bei Bedarf Medikamentöse Unterstützung, um die Harnmenge in der Nacht zu reduzieren (Desmopressin)
Narkolepsie (Schlummersucht)	Neurologische Erkrankung mit Schlafattacken während des Tages und ausgeprägter Tagesmüdigkeit	Für ausreichend Nachtschlaf sorgen Medikamentöse Behandlung
Jetlag	Der Organismus kann sich auf eine plötzliche Verkürzung des Tages wesentlich schlechter einstellen als auf eine Verlängerung. Dies macht sich vor allem bei Flügen vom Westen in den Osten bemerkbar. Es treten Schlafstörungen, Übelkeit und Konzentrationsstörungen auf.	Schonung Der Organismus benötigt pro Stunde Zeitverschiebung etwa einen Tag, um sich umzustellen.

Übungsfragen

1. Was bedeutet zirkadianer Rhythmus?
2. Welchen Rhythmus gibt der Hypothalamus vor?
3. Welche Rolle spielt das Hormon Melatonin?
4. Unterscheide REM-Schlaf von Non-REM-Schlaf.
5. Wodurch unterscheiden sich Einschlaf- von Durchschlafstörungen?
6. Was versteht man unter Bruxismus? Welche Menschen leiden häufiger darunter?
7. Welcher Neurotransmitter kann durch einen Mangel das Restless-Legs-Syndrom auslösen?
8. Warum tritt ein Jetlag besonders nach Flügen vom Westen in den Osten auf?
9. Welches Hormon kann bei Enuresis nocturna verabreicht werden?

23 Sinnesorgane

Sinneszellen (Sinnesrezeptoren) nehmen in der Peripherie Reize auf und leiten diese über sensible afferente Nerven in das zentrale Nervensystem, wo sie verarbeitet werden und ins Bewusstsein gelangen können. In unseren großen Sinnesorganen finden wir Ansammlungen spezifischer Sinnesrezeptoren, die durch Lichtreize (Photorezeptoren), durch Schallwellen (Druckrezeptoren) oder durch chemische Substanzen (Chemorezeptoren) erregt werden.

Zahlreiche Rezeptoren befinden sich aber auch in der Haut, in Muskeln, Sehnen, Gelenken, Organkapseln und anderen Geweben. Sie ermöglichen es uns, Druck, Temperatur, Schmerz oder die Stellung unserer Extremitäten im Raum wahrzunehmen.

23.1 Somatoviszerale Sensibilität

Zur somatoviszeralen Sensibilität zählt man Empfindungen, welche über den Körper aufgenommen werden können, wie den **Tastsinn** und das **Temperaturempfinden**, die **Tiefensensibilität**, die uns Informationen aus dem Bewegungsapparat übermittelt, und die **Schmerzempfindung**. Nicht zur somatoviszeralen Sensibilität werden die Sinneseindrücke der großen Sinnesorgane gezählt.

23.1.1 Tastsinn und Temperatursinn

In der Haut und auch in den Schleimhäuten befinden sich unterschiedliche Sinnesorgane, die es uns ermöglichen, Gegenstände oder Oberflächen zu erfühlen. Diese Sinnesqualitäten werden als **Tastsinn** zusammengefasst. Sie sind nicht gleichmäßig über die Körperoberfläche verteilt: so findet man an den Fingerspitzen und an den Lippen besonders viele Tastkörperchen. Die Empfindungen, die über den Tastsinn erkannt werden, sind **Druck, Berührung sowie Vibration**, Mechanorezeptoren sorgen hier für die Wahrnehmung. Diese Mechanorezeptoren haben unterschiedliche Formen sowie Lokalisationen und heißen **Merkel-Zellen, Ruffini-Körperchen, Vater-Pacini-Lamellenkörperchen und Meissner-Tastkörperchen**. Sie werden in Kapitel 24.3.2 im Detail besprochen.

Der **Temperatursinn** nimmt über **Kalt- und Warmrezeptoren** Temperaturveränderungen wahr. Befinden sich beide Rezeptoren in Ruhe, empfinden wir die Temperatur als angenehm.

Tastsinn und Temperatursinn werden auch als **Exterozeption** bezeichnet, da die wahrgenommenen Reize von außen kommen.

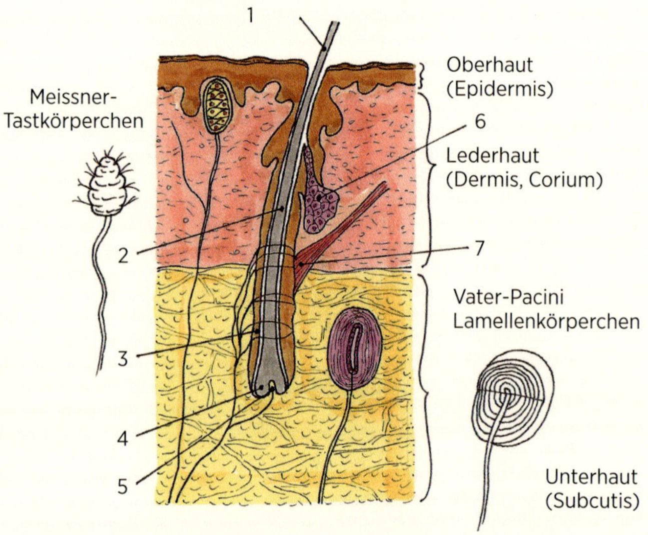

1 Haarschaft, 2 Haarwurzel, 3 Wurzelscheide, 4 Haarzwiebel, 5 Haarpapille, 6 Talgdrüse, 7 Haarmuskel (M. arrector pili)

Abb. 184: **Hautsinn**

23.1.2 Tiefensensibilität

Unter Tiefensensibilität versteht man die Wahrnehmungen aus den Muskeln und den Gelenken stammen. Sie geben über die Stellung der Extremitäten, die Bewegung und die Kontraktion der Muskulatur Auskunft. Die Tiefensensibilität setzt sich deshalb aus dem **Stellungssinn**, dem **Bewegungssinn** und dem **Kraftsinn** zusammen. Die Sinneszellen sind die **Muskelspindeln** zum Erkennen der Muskeldehnung, die **Golgi-Sehnenorgane**, welche die Muskelspannung messen, und **Gelenkssensoren**, die die Stellung der Gelenke wahrnehmen.

Die Reizwahrnehmung aus dem Bewegungsapparat wird auch als **Propriozeption** bezeichnet.

23.1.3 Viszerale Sensibilität

Unter Viszerosensibilität werden die Sinneseindrücke aus den inneren Organen, wie die Dehnung der Harnblase oder des Rektums, zusammengefasst. Wir sprechen bei der Eingeweidesensibilität auch von der **Enterozeption**.

23.1.4 Schmerzempfindung

Die Sensoren, die Schmerzreize aufnehmen, heißen **Nozizeptoren**. Es handelt sich eigentlich um freie Nervenenden, welche auf Substanzen reagieren, die bei Zerstörung des Gewebes freigesetzt werden. Nozizeptoren findet man in der Haut, den Schleimhäuten und zahlreichen Organen. Schmerzrezeptoren gewöhnen sich nicht an den Schmerzreiz, viel eher steigern sie im bereits geschädigten Gewebe ihre Aktivität, was als Schutzfunktion zu verstehen ist. So reagiert entzündetes Gewebe schon auf geringen Druck mit einer Schmerzreaktion. Die Schmerzempfindung heißt **Nozizeption.**

23.2 Sehsinn, Auge (Oculus)

Das Auge liegt in der knöchernen Augenhöhle. Sein optischer Apparat gleicht dem einer Kamera, welche imstande ist, ein scharfes Bild auf die Netzhaut zu projizieren. Die dort angesiedelten Sinneszellen, Stäbchen- und Zapfenzellen, sind Photorezeptoren; sie werden durch die einfallenden Lichtstrahlen gereizt. Ihre Impulse werden in den Sehnerv (N. opticus) weitergeleitet. Dieser tritt ins Gehirn ein und überträgt die Erregung an die Sehbahn, welche im Hinterhauptslappen an der Sehrinde endet.

23.2.1 Anatomischer Aufbau des Auges

Der Augapfel besteht aus drei Schichten, die sich wiederum aus unterschiedlichen Anteilen zusammensetzen. Zusätzliche Bestandteile des Auges sind die Linse, der Glaskörper sowie die vordere und hintere Augenkammer.

Die **äußere Augenhaut** setzt sich aus der weißlichen **Lederhaut (Sclera)** und der durchsichtigen **Hornhaut (Cornea)** zusammen. Die Sclera macht etwa 4/5 der äußeren Augenhaut aus, sie besteht aus Bindegewebe, schützt das Auge und dient dem Ansatz der Augenmuskeln, welche den Augapfel bewegen. Die transparente Cornea bildet den vorderen Teil des **Augapfels (Bulbus)**, sie ist deutlich stärker gewölbt als der übrige Augapfel und leistet etwa 2/3 der Brechkraft des Auges. Sie besitzt keinerlei Blutgefäße, damit ihre Transparenz gewährleistet ist und die Lichtstrahlen durchtreten können.

Der sichtbare vordere Anteil der Lederhaut wird von der zarten, gut durchbluteten **Bindehaut (Conjunctiva)** überzogen. Die Bindehaut bedeckt die Innenseiten des Ober- und des

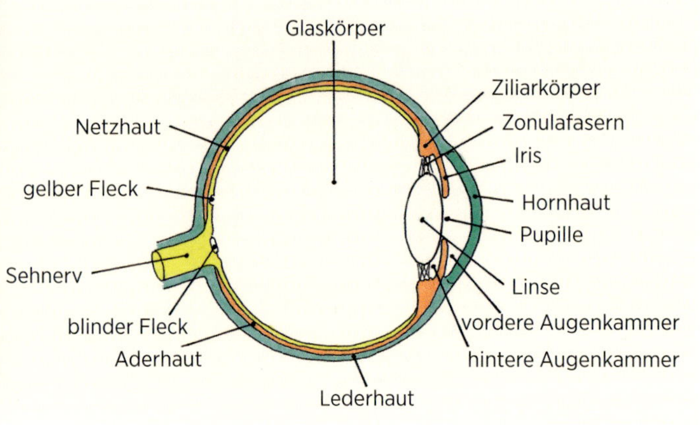

Abb. 185: **Auge**

Unterlides, setzt sich auf der Lederhaut fort und reicht bis zur Hornhautgrenze. Die Hornhaut ist also gänzlich frei von Bindehaut. Am Übergang von den Lidern zum Augapfel bildet sie einen oberen und einen unteren Bindehautsack.

Die **mittlere Augenhaut** besteht aus der **Aderhaut (Chorioidea)**, welche der Sclera von innen eng aufliegt und der Blutversorgung des Auges dient, dem **Strahlenkörper (Ziliarkörper)** mit dem Ziliarmuskel sowie aus der **Regenbogenhaut (Iris)**. Zwischen dem vorderen Ende der Aderhaut und der Iris liegt der kreisförmige Ziliarkörper mit seinem Ziliarmuskel. Vom Ziliarkörper ziehen die Zonulafasern zur Linsenkapsel; diese bewirken gemeinsam mit dem Ziliarmuskel die Formveränderung der Augenlinse und somit eine Änderung der Brechkraft der Linse und der Schärfeeinstellung des Auges. Der Ziliarmuskel besteht aus glatter Muskulatur und ist daher nicht unserem Willen unterworfen. Die Iris ist der farbige Anteil des Auges; die Menge an eingelagerten Pigmenten bestimmt die Augenfarbe. Durch ihre beiden Muskeln, den kreisrund in der Iris angeordneten **M. sphincter pupillae (Pupillenengsteller)** und den radiär verlaufenden **M. dilatator pupillae (Pupillenweitsteller)**, kann sie den Durchmesser der Pupille, das Sehloch, verändern und dient so der Regulation des Lichteinfalls in das Auge. Sie erfüllt dieselbe Funktion wie die Blende eines Fotoapparates.

Die **innere Augenhaut** wird von der **Netzhaut (Retina)** und dem zwischen Netzhaut und Aderhaut liegenden **Pigmentepithel** gebildet. Die Netzhaut besitzt die lichtempfindlichen unipolaren Sinneszellen des Auges, die **Stäbchenzellen** für das Dämmerungssehen und die **Zapfenzellen** für das Tag- und Farbsehen. Genau in der Verlängerung der Sehachse liegt an der Netzhaut die **Fovea centralis** oder die Stelle des schärfsten Sehens. Dort befinden sich zahlreiche dicht gedrängte Zapfenzellen, welche zur Peripherie hin abnehmen. In den Randzonen der Netzhaut findet man die Stäbchenzellen, welche nur Grautöne wahrnehmen und das Sehen bei schlechten Lichtverhältnissen (Dämmerung) ermöglichen. Der Bereich um die Fovea centralis erscheint durch die Färbung der Nervenzellen gelblich und heißt dementsprechend **gelber Fleck (Macula lutea)**. Medial der Fovea fällt ein zweites Areal an der Netzhaut auf, die **Papille** oder der **blinde Fleck**. Da hier der Sehnerv aus dem Auge austritt, befinden sich an dieser Stelle keine Sehzellen. Die lichtempfindlichen Anteile der Lichtrezeptoren (Stäbchen und Zapfen) sind dem Licht abgewandt und schauen in Richtung Pigmentepithel, welches zwischen Netzhaut und Aderhaut liegt und durch seine dunkle Färbung vor Blendung schützt.

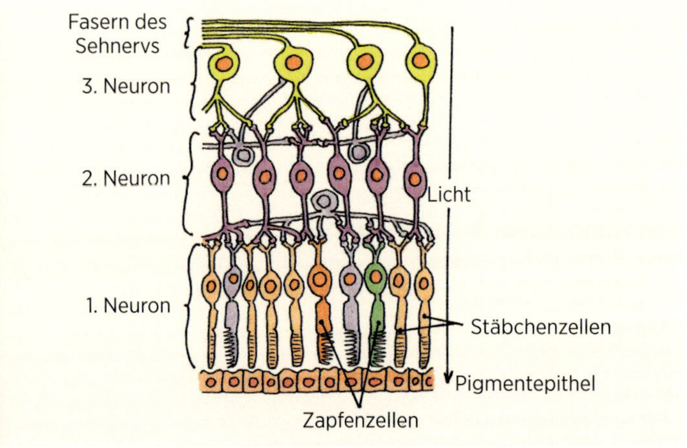

Abb. 186: **Netzhaut**

Der **Glaskörper (Corpus vitreum)** besteht aus einer bindegewebigen Hülle, welche mit einer glasklaren gallertigen Masse gefüllt ist. Er liegt wie eine pralle Kugel im Zentrum des Auges und unterstützt die Netzhaut, welche sich glatt an die Aderhaut schmiegt.

Unmittelbar hinter der Iris und der Pupille befindet sich die elastische **Linse (Lens)** in ihrer Linsenkapsel, welche durch die Zonulafasern mit dem Ziliarmuskel in Verbindung steht. Löst man die Linse eines jungen Menschen aus ihrer Umgebung, dann nimmt sie aufgrund ihrer elastischen Fasern eine kugelige Form an. In dieser Gestalt hat sie die höchste Brechkraft. Je flacher sie wird, umso geringer ist auch ihre Brechkraft. Eine runde Linse ist für das scharfe Sehen in der Nähe, eine flache in der Ferne notwendig. Die Linse eines betagten Menschen kann durch den Elastizitätsverlust nicht mehr rund gestellt werden, wodurch ältere Menschen Schwierigkeiten bei der Naheinstellung bekommen (Alterssichtigkeit, Presbyopie).

Zwischen Hornhaut einerseits und Iris und Linse andererseits findet man die größere **vordere Augenkammer**, welche über die Pupille mit der kleineren **hinteren Augenkammer** in Verbindung steht. Die hintere Augenkammer wird von Iris und Linse nach vorne und vom Glaskörper nach hinten begrenzt. Beide Augenkammern sind mit Kammerwasser gefüllt, welches vom Ziliarkörper gebildet wird und über den **Schlemm'schen Kanal** ins Venensystem des Auges abfließt. Das Kammerwasser dient der Ernährung gefäßloser Strukturen, wie Hornhaut, Linse und auch Glaskörper. Wird zu viel Kammerwasser gebildet oder ist sein Abfluss gestört, dann erhöht sich der Kammerdruck, wodurch es zur Schädigung des Sehnervs kommen kann. Dieses Krankheitsbild wird als Glaukom oder grüner Star bezeichnet.

23.2.2 Schutzeinrichtungen des Auges

Zu den Schutzeinrichtungen werden die Augenlider, die Bindehaut und die Tränendrüse gezählt.

Die Grundstruktur der **Augenlider** wird vor allem vom Ringmuskel des Auges (M. orbicularis oculi) und einer Bindegewebsplatte gebildet, sie werden außen von einer zarten Lidhaut, welche einem sehr lockeren subkutanen Fettgewebe aufsitzt, bedeckt. Die Innenseite ist von der **Bindehaut (Conjunctiva)** überzogen, die an der hinteren Lidkante auf die Augäpfel überschlägt und dort bis zur Hornhautkante reicht. Am vorderen Lidrand sitzen 2–3 Reihen von Wimpernhärchen, Talg- und Schweißdrüsen.

Oberhalb des lateralen Augenwinkels liegt die **Tränendrüse** (Glandula lacrimalis), welche die seröse Tränenflüssigkeit produziert. Am medialen Lidwinkel sitzen die Tränenpünktchen, die Öffnungen der **Tränenkanälchen**, die in den Tränensack und weiter in den Tränennasengang und somit in die Nasenhöhle münden.

Die Haut über der oberen knöchernen Begrenzung der Augenhöhle ist mit Härchen bedeckt. Zwischen den Augenbrauen befindet sich ein haarloses Areal, die Glabella. Die Funktion der Brauen ist das Ableiten des Stirnschweißes von den Augen, sie sind aber auch wesentlich an der Mimik des Gesichtes beteiligt.

23.2.3 Physiologie des Sehens – Akkomodation und Adaptation

Das Auge gleicht einer Kamera und dient der Projektion der Lichtstrahlen, welche von einem Gegenstand ausgehen, auf die lichtempfindliche **Netzhaut**. Dorthin wird ein verkleinertes, auf dem Kopf stehendes Bild projiziert, welches über den Sehnerv zur Sehrinde des Gehirns geleitet wird. In unserem Gehirn entsteht jedoch ein aufrechtes Bild.

Die in das Auge fallenden Lichtstrahlen durchdringen der Reihe nach die Hornhaut, die vordere Augenkammer, die Pupille, die Linse und den Glaskörper und werden von diesen Strukturen unterschiedlich stark gebrochen, um ein scharfes Bild auf der Netzhaut entstehen zu lassen. Die Pupille, welche nur das Sehloch in der Iris darstellt, wird durch die beiden Muskeln der Regenbogenhaut in ihrem Durchmesser reguliert. Je stärker der Lichteinfall in das Auge ist, umso mehr wird die Pupille verengt. Bei Dunkelheit ist die Pupille maximal weit gestellt. Sie verändert sich jedoch auch beim Fokussieren auf nahe oder ferne Gegenstände. Dieses Scharfstellen von Bildern nennt man **Akkomodation**.

Die Akkomodation, also das Anpassen der Brechkraft auf unterschiedlich weit entfernte Gegenstände, erfolgt durch Änderung der Wölbung der Linse. Die von einem Gegenstand ausgehenden und parallel ins Auge eintretenden Lichtstrahlen sollen dabei so gebrochen werden, dass sie sich genau auf der Netzhaut treffen. Die runde Linse hat die stärkste Brechkraft, je flacher die Linse wird, umso geringer wird diese. Durch zunehmende Kontraktion der Ziliarmuskeln verlängern und entspannen sich die Zonulafasern und die Linse wird rund. Genau das geschieht bei der **Nahakkomodation**, nahe Bilder werden scharf auf die Netzhaut projiziert. Die Nahakkomodation benötigen wir etwa beim Lesen oder beim Betrachten naher Gegenstände. Da der Ziliarmuskel zum Abrunden der Linse kontrahiert werden muss, strengt das Nahsehen das Auge an.

Je weiter Gegenstände vom Auge entfernt sind, umso flacher muss die Linse gestellt werden, um das betrachtete Bild scharf auf der Netzhaut abzubilden. Da bei der **Fernakkomodation** der Ziliarmuskel entspannt ist, strengt der Blick in die Ferne das Auge nicht an.

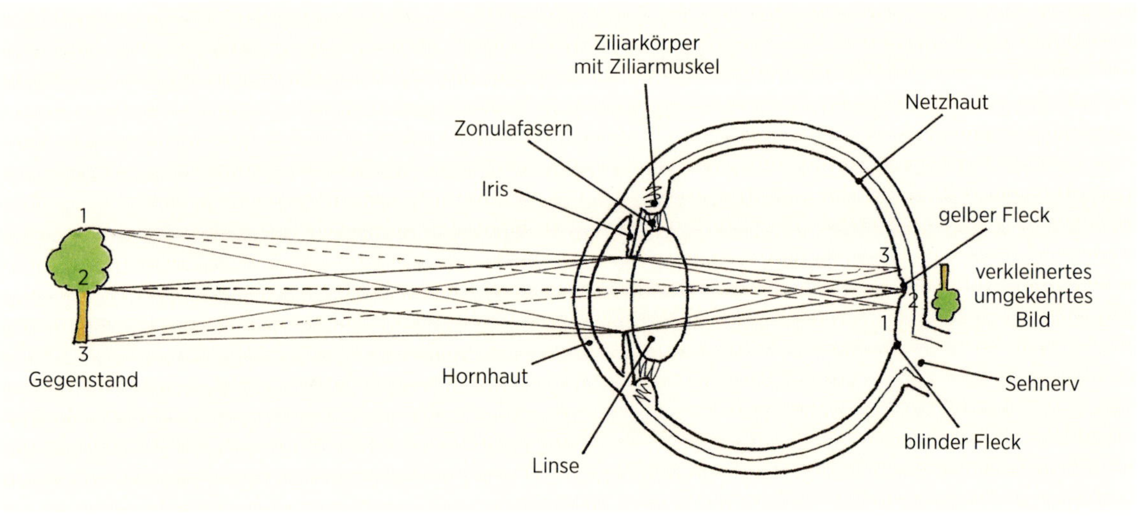

Abb. 187: **Sehfunktion**

Unter **Adaptation** versteht man die Fähigkeit des Auges, sich an die herrschenden Lichtverhältnisse anzupassen.

Verändern sich diese rasch, zum Beispiel beim Verlassen eines Hauses bei Sonnenlicht oder Betreten eines abgedunkelten Raumes, reagiert die Pupille, indem sie sich verengt oder weitet. Die Pupille stellt quasi ein Loch in der Iris dar, welches durch die beiden Irismuskeln, den M. dilatator pupillae (Pupillenerweiterer) und den M. sphincter pupillae (Pupillenverenger), in seinem Durchmesser verändert werden kann. Die Muskelfasern des Dilatators sind radiär angeordnet, die des Sphincters verlaufen zirkulär um die Pupille. Beide sind am Ziliarkörper fixiert und unterliegen dem vegetativen Nervensystem. So ändert sich die Pupillenweite auch durch Gemütsreaktionen, der Dilatator wird vom Sympathikus, der Sphincter vom Parasympathikus gesteuert. Die Weitstellung der Pupille heißt **Mydriasis**, die Engstellung **Miosis**.

Da die Pupillenreaktion nicht ausreicht, um das Auge an unterschiedliche Lichtbedingungen anzupassen, sind die Rezeptoren der Netzhaut imstande, eine Feinabstimmung vorzunehmen. Die Anpassung der Netzhaut erfolgt jedoch deutlich verzögert.

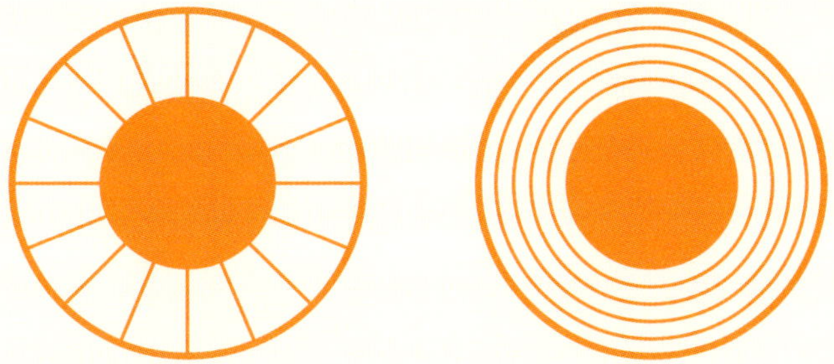

Abb. 188: **Muskeln der Iris**

Für die Adaptation der Netzhaut sind einerseits die Zapfenzellen, welche bei guten Lichtverhältnissen gereizt werden und auch für das Farbensehen verantwortlich sind, andererseits die Stäbchenzellen, denen das Dämmerungssehen bei ungünstigeren Lichtverhältnissen zukommt, verantwortlich.

Die Adaptation von dunkel nach hell, die sogenannte Helladaptation, ist ein Vorgang, der binnen weniger Sekunden abläuft. Die Pupille verengt sich und lässt nun weniger Licht auf die Netzhaut treffen, wo die besonders zentral angeordneten Zapfenzellen sehr schnell ein scharfes Bild ermöglichen. Das sogenannte Sehpurpur, das Rhodopsin, ist in den Stäbchenzellen vorhanden und zerfällt bei Lichteinfall. Von diesem Vorgang geht ein Reiz aus, der das Sehen möglich macht.

Die Dunkeladaptation nimmt wesentlich mehr Zeit in Anspruch. Für das Dämmerungssehen sind die Stäbchenzellen verantwortlich, welche in den Randbezirken der Netzhaut angesiedelt sind. Deshalb wird es in der Nacht schwierig, das Auge auf einen Gegenstand zu fixieren, um ihn scharf zu sehen. In der Dämmerung wird die Pupille weitgestellt, um den Lichteinfall zu optimieren, und das Rhodopsin muss von den Stäbchenzellen erst wieder aufgebaut werden, um das Sehen zu ermöglichen. Dies dauert wesentlich länger als sein Zerfall bei Helligkeit und ist erst nach etwa 45 Minuten vollständig abgeschlossen. Da die Zapfenzellen bei wenig Licht nicht aktiv sind, erkennt man in der Dämmerung auch keine Farben mehr. Um ausreichend Rhodopsin bilden zu können, ist Vitamin A aus der Nahrung nötig.

23.3 Hör- und Gleichgewichtssinn, Ohr (Auris)

Am Ohr werden drei Abschnitte unterschieden, das äußere Ohr, das Mittelohr und das Innenohr. Das eigentliche Hörorgan und auch das Gleichgewichtsorgan befinden sich im Innenohr, welches im Felsenbein, einem Bereich des Schläfenbeins, liegt.

23.3.1 Anatomischer Aufbau des Ohres

Das **äußere Ohr (Auris externa)** besteht aus der **Ohrmuschel (Auricula)**, dem **äußeren Gehörgang (Meatus acusticus externus)** und dem **Trommelfell (Membrana tympani)**, einer ovalen, leicht trichterförmigen, bindegewebigen Membran, welche den Gehörgang vollständig vom Mittelohr abtrennt.

Die Ohrmuschel dient der Schallaufnahme und ist wie die äußeren zwei Drittel des Gehörgangs aus elastischem Knorpel angelegt, welcher von der Haut und ihrem mehrschichtigen Plattenepithel bedeckt ist. Die Haut des äußeren Gehörgangs besitzt Ohrschmalzdrüsen (Cerumendrüsen), um Hautschüppchen und Schmutz mit dem Cerumen nach außen zu transportieren und das Trommelfell geschmeidig zu halten. Das innere Drittel des Gehörgangs, das Mittelohr und das Innenohr liegen knöchern im Felsenbein. Die Öffnung in den knöchernen Gehörgang liegt vor dem Warzenfortsatz des Schläfenbeins.

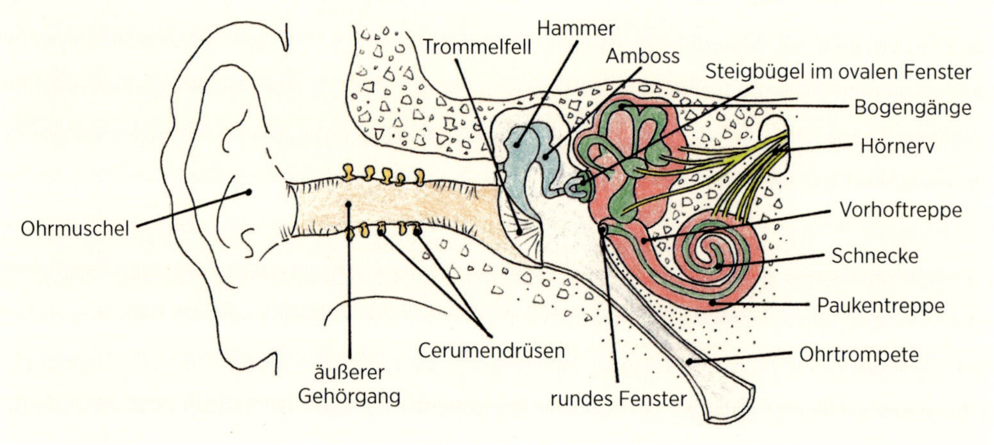

Abb. 189: **Ohr**

Das **Mittelohr** oder die **Paukenhöhle** ist ein luftgefüllter Raum, welcher gegen das äußere Ohr durch das Trommelfell und gegen das Innenohr durch das **ovale Fenster** begrenzt wird. Einzig durch die **Ohrtrompete (Tuba auditiva, Eustachische Röhre)** steht das Mittelohr mit dem Rachen und somit mit der Außenwelt in Verbindung. Sie dient dem Druckausgleich im Mittelohr. In der Paukenhöhle befinden sich die drei Gehörknöchelchen, **Hammer, Amboss und Steigbügel (Malleus, Incus, Stapes)**, welche gelenkig miteinander verbunden sind, um die Schallwellen vom Trommelfell an das Innenohr weiterzuleiten. Der Hammerstiel ist fest mit dem Trommelfell verwachsen, seine Schwingungen werden vom Hammerkopf auf den Amboss weitergegeben. Dieser besitzt wiederum eine gelenkige Verbindung zum Steigbügel. Die Steigbügelplatte verschließt das ovale Fenster, die Verbindung zum Innenohr.

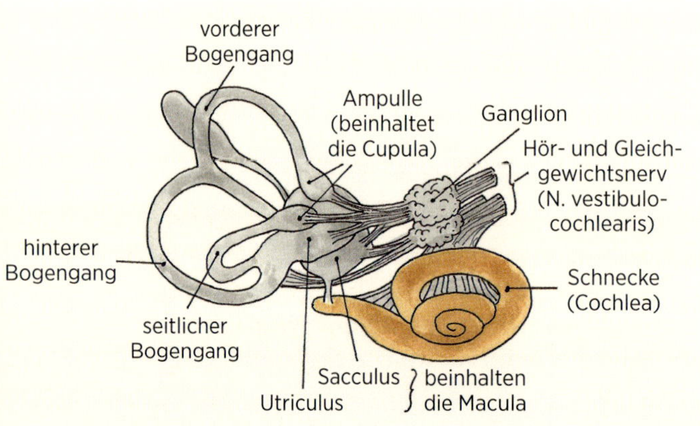

Abb. 190: **Innenohr**

Das **Innenohr** beherbergt schließlich sowohl das eigentliche Hör- als auch das Gleichgewichtsorgan. Beide Anteile sind knöchern ins Felsenbein eingelassen und auch häutig aus Bindegewebe angelegt. Sowohl das knöcherne als auch das häutige Innenohr sind mit einer Flüssigkeit gefüllt. Zwischen dem außen liegenden knöchernen und dem inneren häutigen Anteil befindet sich eine Flüssigkeit, die **Perilymphe**, der häutige Anteil ist mit **Endolymphe** gefüllt.

Der **Gehöranteil** wird von der häutigen **Schnecke (Cochlea)** gebildet. Sie ist ein schneckenartig gewundener, blind endender Schlauch aus zweieinhalb Windungen, welcher den perilymphatischen Raum der knöchernen Schnecke in eine **Paukentreppe (Scala tympani)** und eine **Vorhoftreppe (Scala vestibuli)** unterteilt. Die Vorhoftreppe steht über das ovale Fenster mit der Steigbügelplatte des Mittelohres in Verbindung und geht an der Schneckenspitze in die Paukentreppe über, welche an ihrem Ende durch das runde Fenster zum Mittelohr verschlossen wird. Das eigentliche Hörorgan mit den Sinneszellen, das **Corti-Organ**, befindet sich entlang der gesamten Ausdehnung innerhalb der häutigen Schnecke. Es besteht aus Stützzellen und dazwischen gelagerten Sinneszellen, die an ihrem freien Ende Sinneshärchen besitzen, welche in eine gallertige Deckmembran hineinragen. Vom gegenüberliegenden Pol der Sinneszellen gehen die Nervenfasern ab, die sich zum Hörnerv vereinigen.

Das ovale Fenster verbindet den Vorhof des Mittelohres mit der Vorhoftreppe des Innenohres und leitet die Schallwellen an die Endolymphe der Schnecke weiter. Nach Durchlaufen der Schnecke verebbt diese Welle wieder gegen das runde Fenster, welches zwischen der Paukentreppe des Innenohres und dem Mittelohr zu finden ist.

Der **Gleichgewichtsanteil** besteht aus den **Bogengängen**, die jeweils im rechten Winkel, allen drei Raumrichtungen entsprechend, aufeinander stehen, und zwei länglichen Hohlräumen, **Utriculus** und **Sacculus**. Alle Anteile des Gleichgewichtsorgans sind sowohl knöchern, mit Perilymphe, und häutig, mit Endolymphe gefüllt, angelegt. An der Basis jedes häutigen Bogengangs sitzt ein kleiner Hohlraum, die Ampulle, welche die **Cupula**, das Sinnesorgan für die räumliche Wahrnehmung, beherbergt. Die Cupula ist ein gallertiger Kegel, in den wiederum die Härchen der Sinneszellen eingelassen sind. Bewegungen der Endolymphe werden auf die Cupula übertragen, die Sinneshärchen werden durch die Bewegung des Gallertkegels geknickt und die Sinneszellen erregt. Für die Wahrnehmung linearer Bewegungen, also vor und zurück sowie nach oben und unten, sind zwei längliche Hohlräume, **Sacculus** und **Utriculus**, mit ihrem Sinnesorgan, der **Macula**, verantwortlich. Die Macula ähnelt der Cupula, sie hat aber eher ein flächenhaftes Aussehen. An ihrer Oberfläche befindet sich eine Statolithenmembran, die aus mehreren Lagen kleiner Kalkkristalle besteht. Sie soll die gallertige Macula beschweren und den Druck auf die Sinneszellen erhöhen. Auch die Macula bewegt sich mit der Endolymphe mit und knickt die in sie hineinragenden Sinneszellen. Die vertikal stehende **Macula sacculi** nimmt Beschleunigungen nach oben und unten (Aufzug), die horizontal stehende **Macula utriculi** lineare Bewegungen in der Ebene wahr.

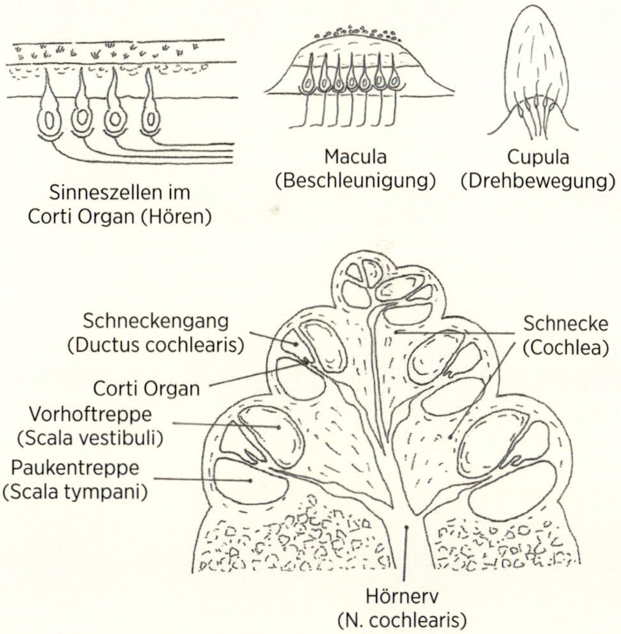

Abb. 191: **Sinneszellen, Querschnitt durch die Schnecke**

23.3.2 Physiologie des Hörens

Die Schallwellen werden durch die trichterförmige Ohrmuschel aufgefangen und über den äußeren Gehörgang zum Trommelfell weitergeleitet. Das Trommelfell, welches die Grenze zwischen äußerem Ohr und Mittelohr darstellt, wird durch die Schallwellen in Schwingungen versetzt. Da der Hammergriff fest mit dem Trommelfell verwachsen ist, gerät auch dieser in Schwingung, welche er über die gelenkigen Verbindungen zwischen den Gehörknöchelchen auf den Amboss und dieser weiter auf den Steigbügel überträgt. Die Steigbügelplatte ist in das ovale Fenster, die Verbindung zur Vorhoftreppe des Innenohres, eingelassen. Der Schallwellenwiderstand im luftgefüllten Mittelohr ist deutlich geringer als im flüssigkeitsgefüllten Innenohr. Es benötigt also mehr Kraft, um die Flüssigkeit in Schwingung zu versetzen. Da das Trommelfell einen wesentlich größeren Durchmesser hat als das ovale Fenster, wird ein größerer Druck über die Steigbügelplatte auf das ovale Fenster und damit auf die Flüssigkeit des Innenohres ausgeübt. Die Schallwellen versetzen nun die Perilymphe der Vorhoftreppe (Scala vestibuli) in Bewegung, welche sich bis zur Schneckenspitze und auf die Paukentreppe (Scala tympani) weiter ausbreitet, um schließlich am Ende der Paukentreppe am runden Fenster zu verebben. Diese Wanderwelle in der Perilymphe regt auch die Endolymphe in der häutigen Schnecke zum Schwingen an. So wird die gallertige Deckmembran des Corti-Organs mit der Flüssigkeit mitbewegt und die Sinneshärchen der Sinneszellen, welche in der Deckmembran stecken, werden abgeknickt. Dies erzeugt den Sinnesreiz des Hörens, welcher über die Nervenfasern des **Hörnervs (N. vestibulocochlearis)** zur primären Hörrinde im Schläfenlappen des Großhirns weitergeleitet wird.

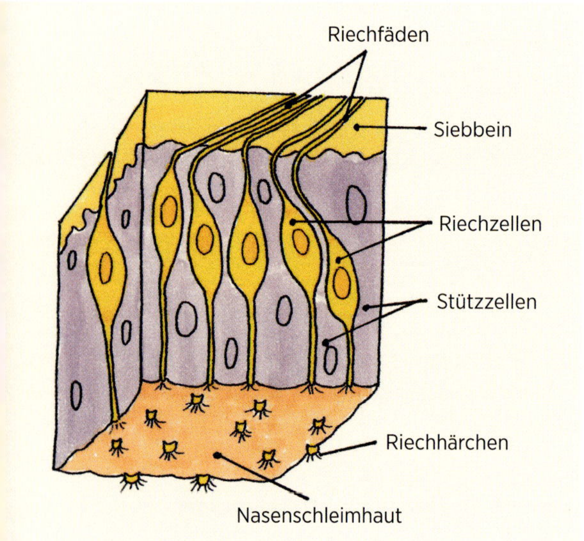

Abb. 192: **Riechzellen**

23.4 Geruchssinn

Als Riechorgan dient die Nase, welche in einer speziellen Riechschleimhaut entsprechende Sinneszellen besitzt, die als **Chemorezeptoren** Gerüche wahrnehmen können. Die Riechschleimhaut befindet sich im oberen Bereich der Nasenscheidewand sowie der oberen Nasenmuschel und erscheint deutlich gelber als die rosig gefärbte übrige Nasenschleimhaut. Die menschliche Nase kann ungefähr 10.000 unterschiedliche Gerüche wahrnehmen.

Die **Riechschleimhaut** besteht aus Basal- und Stützzellen, zwischen denen die **Riechzellen** hervorragen. An dem der Nasenhöhle zugewandten Pol sitzen an den Riechzellen kleine Öffnungen, welche von sehr feinen Riechhärchen umgeben sind. Diese befördern in der Luft gelöste Duftmoleküle in die Riechzellen, wodurch eine Erregung ausgelöst wird. Am gegenüberliegenden Pol der Riechzellen gehen feine Nervenfasern ab, welche sich zum **Riechnerv (N. olfactorius)** vereinigen und durch die Öffnungen des Siebbeins in den Riechkolben ziehen. Der Riechkolben liegt am Boden der vorderen Schädelgrube unterhalb des Stirnlappens des Großhirns, er hat etwa die Größe eines Streichholzkopfes. Im Riechkolben werden die Nervenimpulse auf die Riechbahn weitergegeben, welche zum Riechzentrum der Großhirnrinde zieht.

23.5 Geschmackssinn

Mit den Sinneszellen an der Zungenoberfläche nehmen wir die Geschmacksrichtungen süß, salzig, sauer, bitter und umami (würzig, wie gebratenes Fleisch) wahr. Für die Wahrnehmung eines bitteren Geschmacks sind am wenigsten gelöste Moleküle notwendig, das dient zum Schutz vor Ungenießbarem. Es befinden sich vier Arten von Papillen mit insgesamt etwa 9.000 Geschmacksknospen verteilt auf dem Zungenrücken.

Die **Fadenpapillen (Papillae filiformes)** sind über den ganzen Zungenrücken angesiedelt. Sie dienen nicht der Geschmackswahrnehmung, sondern übertragen mechanische Reize und sind für den ausgeprägten Tastsinn der Zunge verantwortlich. Die **Blattpapillen (Papillae foliatae)** liegen in zwei Reihen an jeder Zungenseite. **Pilzpapillen (Papillae fungiformes)** findet man am häufigsten am Zungenrand und auf der Zungenspitze, sie sind aber auf der gesamten Zungenoberfläche vorhanden. Sieben bis zwölf warzenförmige **Wallpapillen** liegen im hinteren Teil der Zunge.

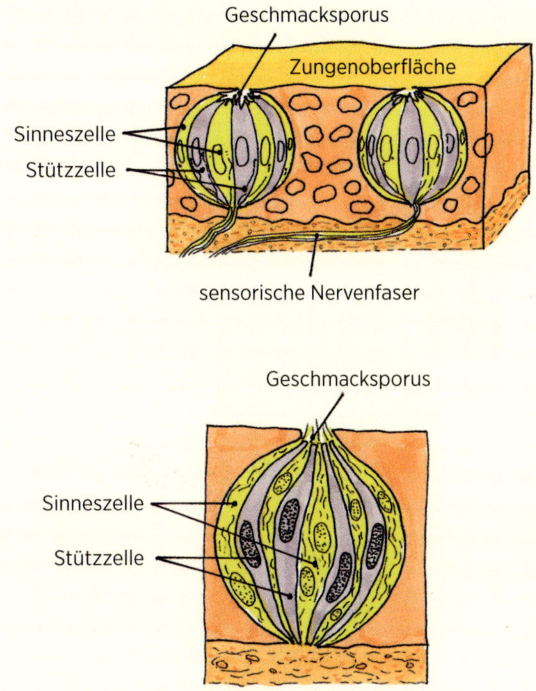

Abb. 193: **Geschmacksknospen**

Die **Geschmacksknospen** der Papillen sind kugelige Gebilde, die wiederum aus Stützzellen aufgebaut sind, zwischen denen die eigentlichen Sinneszellen liegen. Die im Speichel gelösten Geschmacksstoffe gelangen über eine Öffnung, den **Geschmacksporus**, in die Geschmacksknospe und lösen in den Sinneszellen einen Reiz aus. Die Rezeptorzellen wandeln „Geschmack" in elektrische Impulse um und leiten diese über den **N. facialis (VII)** aus den vorderen zwei Dritteln der Zunge und den **N. glossopharyngeus (IX)** sowie den **N. vagus (X)** aus dem hinteren Zungendrittel zum Gehirn.

23.6 Pathophysiologie der Sinnesorgane

Tab. 70: **Erkrankungen der Sinnesorgane**

Krankheitsbild	Ursache/Symptome
Fehlsichtigkeit	
Kurzsichtigkeit (Myopie)	Die Kurzsichtigkeit wird dadurch verursacht, dass der Augapfel zu lang ist, wodurch die Lichtstrahlen nicht auf die Netzhaut, sondern vor die Netzhaut projiziert werden. Dadurch entsteht ein unscharfes Bild.
Weitsichtigkeit (Hyperopie)	Die Weitsichtigkeit ist dadurch verursacht, dass der Augapfel zu kurz ist und sich die Lichtstrahlen hinter die Netzhaut projizieren. Auch hier entsteht ein unscharfes Bild.
Alterssichtigkeit (Presbyopie)	Durch den Elastizitätsverlust der Augenlinse im Alter kann die Linse bei der Nahakkomodation nicht mehr abgerundet werden und verliert an Brechkraft. Dadurch können nahe Bilder nicht mehr scharf auf die Netzhaut projiziert werden.

Altersschwerhörigkeit (Presbyakusis)	Durch zahlreiche schädigende Einflüsse kommt es zu einem zunehmenden Verlust des Hörens, insbesondere hoher Töne.
Verlust des Geruchssinns (Anosmie)	Durch Schädigung der Riechschleimhaut, durch Abriss der Riechfasern bei einem Schädel-Hirn-Trauma, aber auch bei Erkrankungen des Nervensystems wie Morbus Alzheimer kann es zum Verlust des Geruchssinns kommen. Bei M. Alzheimer ist häufig schon in frühen Stadien eine Degeneration des Riechkolbens nachweisbar. Der Verlust des Geruchssinns geht auch mit dem Verlust vieler Geschmackswahrnehmungen einher.

Die Kurzsichtigkeit kann mit einer Zerstreuungslinse, die Weitsichtigkeit und die Alterssichtigkeit können mit einer Sammellinse korrigiert werden.

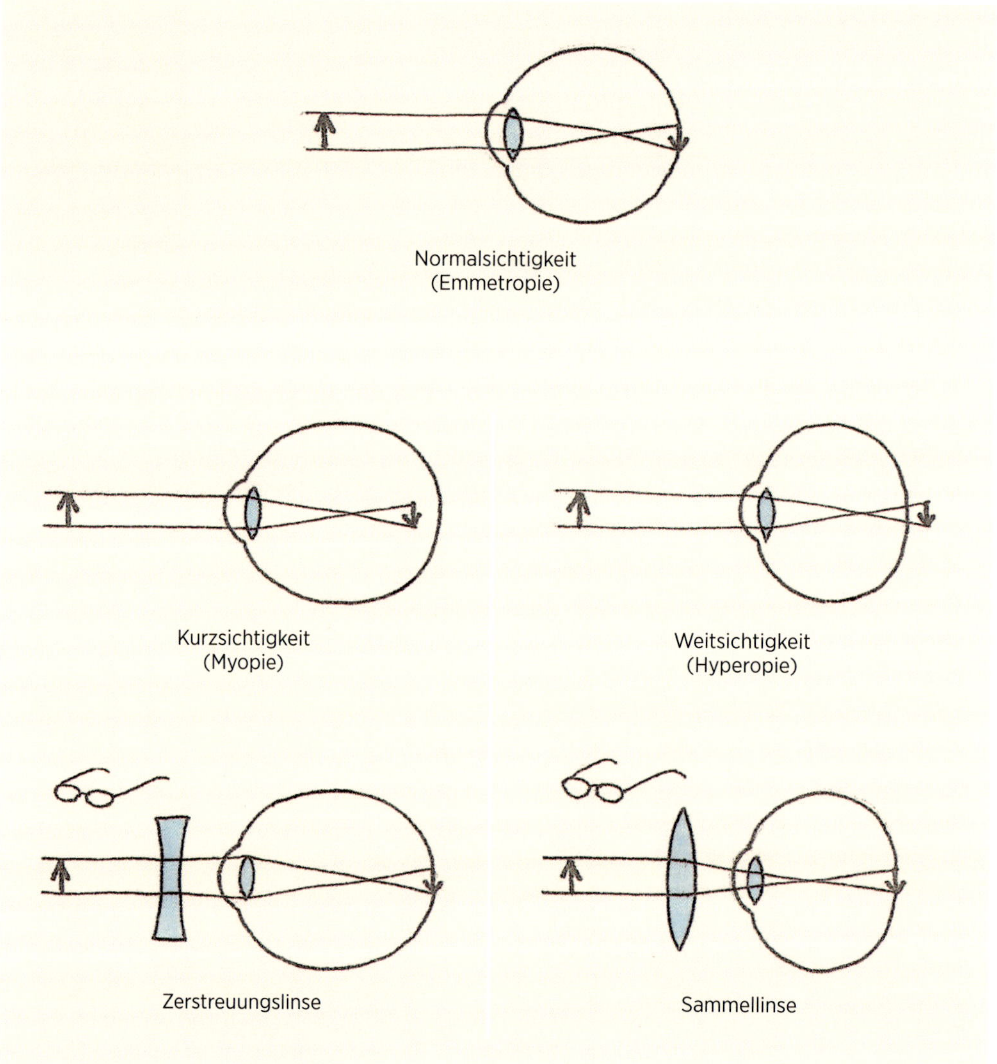

Abb. 194: **Korrektur der Fehlsichtigkeit**

Übungsfragen

1. Benenne die drei Schichten des Auges und unterscheide ihre Anteile.
2. Welche klaren Strukturen des Auges durchdringt der Lichtstrahl der Reihe nach, bis er auf die Netzhaut trifft?
3. Wie sind die Stäbchenzellen und Zapfenzellen auf der Netzhaut verteilt und welche Funktionen erfüllen sie?
4. Wodurch entstehen der gelbe Fleck und der blinde Fleck auf der Netzhaut?
5. Erkläre die Funktionen von Linse und Iris, gehe auf den Ziliarmuskel, den M. sphincter pupillae und M. dilatator pupillae ein.
6. Wie heißt der Sehnerv?
7. Was versteht man unter Myopie, Hyperopie, Presbyopie?
8. Benenne die drei Abschnitte des Ohres. In welchen Abschnitten befindet sich Luft oder Flüssigkeit?
9. Wodurch wird das Mittelohr nach außen begrenzt?
10. Beschreibe Lage und Funktion der Tuba auditiva (Ohrtrompete, Eustachische Röhre) und der Gehörknöchelchen in richtiger Reihenfolge. Womit sind Hammerstiel und Steigbügelplatte verbunden?
11. Erkläre die Funktion des Mittelohres.
12. In welchem Knochen liegt das Innenohr? Welcher Anteil ist Hörorgan, welche Anteile sind das Gleichgewichtsorgan?
13. Wie heißen die Sinnesorgane des Hörorgans (Corti-Organ) und des Gleichgewichtsorgans? Erkläre ihre Funktion.
14. Wie heißt der Hör- und Gleichgewichtsnerv?

24 Haut (Cutis)

Die **Haut (Cutis)** ist das größte Organ des Menschen und begrenzt den Organismus nach außen. Sie erfüllt gemeinsam mit ihren Anhangsgebilden, den Haaren, Nägeln, Talg- und Schweißdrüsen, zahlreiche Funktionen und lässt sich in drei Schichten, die Oberhaut (Epidermis), die Lederhaut (Corium) und die Unterhaut (Subcutis), unterteilen.

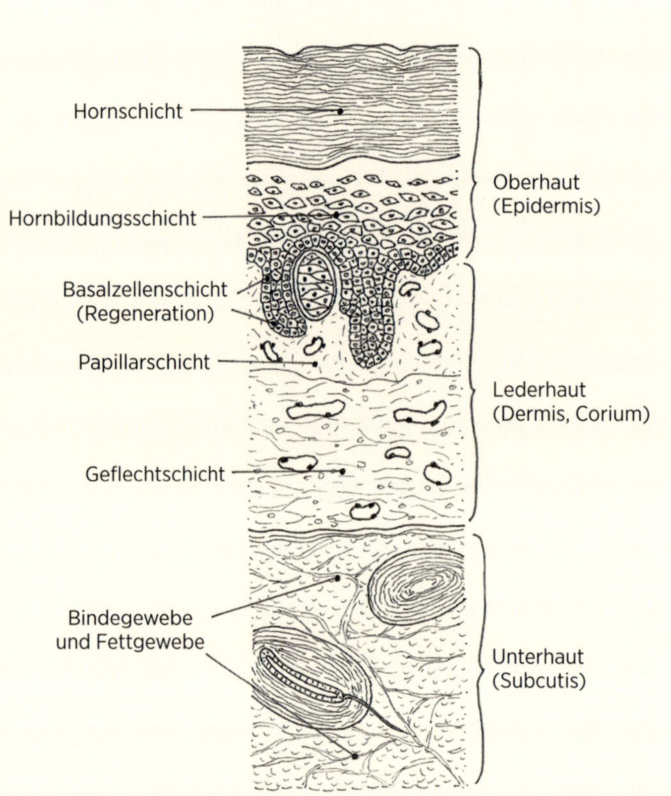

Abb. 195: **Schnitt durch die Haut**

24.1 Schichten der Haut

Die oberste Hautschicht, die **Oberhaut (Epidermis)**, besteht aus einem mehrschichtig verhornten Plattenepithel. Ihre unterste, basale Zellschicht zeigt zahlreiche Mitosen, sie ist für den Ersatz abgestoßener Hautzellen und für Heilungsvorgänge verantwortlich. Über der basalen Zelllage schichten sich dicht an dicht mehrere Lagen ungleichmäßig geformter Zellen, die zur Oberfläche hin schrumpfen und immer flacher werden. Die oberste Zellschicht besteht aus platten, verhornten, kernlosen Zellen, welche ständig in Form von Hautschüppchen abgeschilfert werden. An den Handflächen und den Fußsohlen ist die Hornschicht besonders dick und bildet individuell geformte Hautleisten. Sie können als Fingerabdruck zur Identifizierung eines Menschen herangezogen werden.

Die **Lederhaut (Corium, Dermis)** liegt direkt unterhalb der Oberhaut und besteht aus einer oberflächlich liegenden **Papillarschicht (Zapfenschicht, Stratum papillare)** aus lockerem kollagenem Bindegewebe, in welcher die Arterien, Venen und Nerven zur Versorgung der oberen Hautschichten liegen. Die darunterliegende **Geflechtschicht (Netzschicht, Stratum reticulare)** besteht aus kollagenen und elastischen Fasern, die in Zugrichtung der Lederhaut angeordnet sind.

Die **Unterhaut (Subcutis)** befindet sich unterhalb der Lederhaut und besteht aus lockerem Binde- sowie Fettgewebe, welches durch Bindegewebszüge zu Läppchen angeordnet wird. Diese Bindegewebssepten strahlen einerseits in die Netzschicht der Lederhaut, andererseits in die unter der Haut liegenden Faszien und sonstigen bindegewebigen Strukturen, wie Knochenhaut oder Sehnen, ein. Die Fettläppchen dienen als Energiereserve, Wasserspeicher und Druckkissen.

24.2 Hautanhangsgebilde

Zu den Hautanhangsgebilden zählen die Haare, die Nägel und die Talg- und Schweißdrüsen.

24.2.1 Haare (Pili)

Im Mutterleib ist der Körper des Fetus zum Schutz gegen das Fruchtwasser und zur Wärmeisolierung von zarten Flaumhaaren (Lanugohaaren) bedeckt. Bis zur Geburt sollten diese Härchen vollständig durch Wollhaare (Vellushaare) ersetzt sein. Ist dies nicht der Fall, ist der Säugling nicht vollständig reif geboren. Die unpigmentierten Vellushaare bleiben bis zur Pubertät erhalten, mit Ausnahme des Haupthaares, der Wimpern und der Augenbrauen, welche als Terminalhaare bezeichnet werden. Im Bereich der Achselhöhlen und der Schamgegend werden die Vellushaare bis zum Abschluss der Pubertät ebenfalls durch die stärker pigmentierten Terminalhaare ersetzt. Auch an anderen Körperstellen können durch den Einfluss der Hormone vermehrt Terminalhaare entstehen. Lediglich die Handflächen und die Fußsohlen sind gänzlich haarlos.

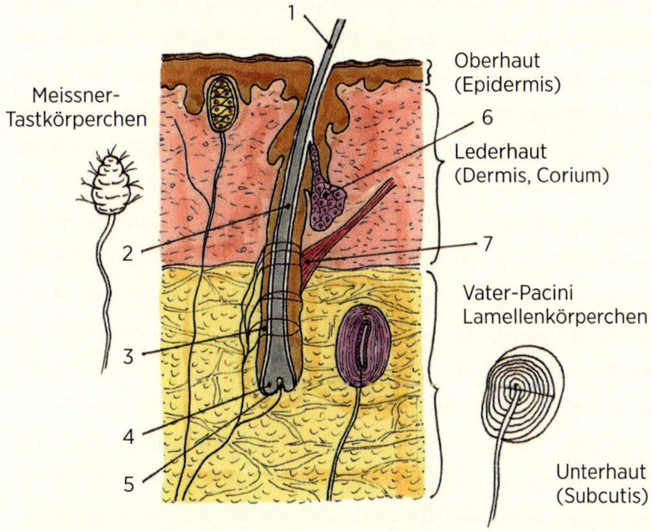

1 Haarschaft, 2 Haarwurzel, 3 Wurzelscheide, 4 Haarzwiebel, 5 Haarpapille, 6 Talgdrüse, 7 Haarmuskel (M. arrector pili)

Abb. 196: **Haar**

Beim Erwachsenen werden zwei Arten von Terminalhaaren im Bereich der äußeren Haut unterschieden, die **Kurz- oder Borstenhaare** und die **Langhaare**. Kurzhaare haben ein sehr begrenztes Längenwachstum, zu ihnen zählt man die Augenbrauen, die Wimpern und die Nasenhaare. Die Langhaare weisen als Kopf- und Barthaare ein mehrjähriges Wachstum auf, an anderen Körperstellen wie den Achseln oder dem Schambereich stagniert das Wachstum. Kurzhaare haben eine Lebensdauer von etwa 100 Tagen, Langhaare von 6 bis 8 Jahren.

An einem Haar können die Haarwurzel und der sichtbare Teil des Haares, der Haarschaft, unterschieden werden. Die nicht verhornte Haarwurzel liegt in der Lederhaut und verbreitert sich zum zwiebelförmigen Haarbulbus, im Zentrum der Haarwurzel liegt die Haarpapille, ein gefäßreiches Bindegewebe zur Versorgung der Haarwurzel. Die Haarwurzel selbst wird vom Haarfollikel, einer Einstülpung der Oberhaut, umhüllt. Im Bereich der Haarwurzel befinden sich neben den zahlreichen Blutgefäßen auch Nerven, welche die Bewegungen der Haare wahrnehmen. Der Haarschaft geht aus der Haarwurzel ab und bildet den verhornten Anteil des Haares, welcher aus der Haut herausragt. Die Haarfarbe wird durch die Menge des eingelagerten Melanins bestimmt, Haare ohne Melanin erscheinen weiß. An jedem Haarschaft münden eine Talgdrüse und ein glatter Muskel (M. arrector pili), welcher das Haar aufzustellen vermag.

24.2.2 Nägel (Ungues)

An den Enden der Finger und Zehen werden aus einer verhornten Verdickung der Epidermis die Finger- und Zehennägel gebildet. Die Nägel liegen dem gut durchbluteten Nagelbett auf, ihr Wachstum erfolgt von der Nagelmatrix der Nagelwurzel aus. Im Bereich der

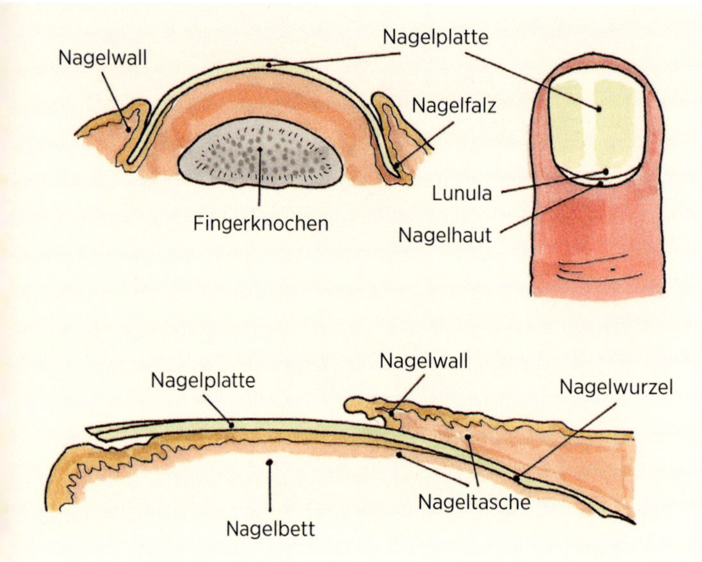

Abb. 197: **Nagel**

Nagelmatrix hebt sich ein helles halbmondförmiges Areal, die Lunula, ab. Die verhornte Nagelplatte wird seitlich vom häutigen Nagelfalz verborgen, welcher an der Basis des Nagels in das Nagelhäutchen übergeht.

24.2.3 Hautdrüsen

An der Haut findet man Talg- und Schweißdrüsen. Die **Talgdrüsen** liegen in der Lederhaut und münden mit ihrem Ausführungsgang in die Haarfollikel, um ihr fettiges Sekret abzugeben. Der Talg hält sowohl die Haare als auch die Haut geschmeidig und schützt vor Austrocknung. Im Bereich der Haut des äußeren Gehörganges befinden sich besondere Talgdrüsen, die Ohrenschmalzdrüsen (Cerumendrüsen), die durch ihr Sekret Schmutzpartikelchen und Hautschüppchen aus dem Gehörgang nach außen transportieren.

Über die gesamte Körperoberfläche sind **kleine Schweißdrüsen** verteilt, die ihr Sekret an die Hautoberfläche abgeben. Besonders zahlreich sind sie an den Hand- und Fußsohlen. Die kleinen Schweißdrüsen dienen der Temperaturregulation und ihre Sekrete sind Teil des Säureschutzmantels der Haut.

Große Schweißdrüsen (Duftdrüsen) findet man an ganz bestimmten Körperstellen, nämlich in der Achselhöhle, um die Brustwarzen, um den Anus und im Schambereich. Ihre Ausführungsgänge münden immer oberhalb der Talgdrüse in einen Haarschaft. Die Sekretion wird von psychischen Faktoren gesteuert, sie verleihen jedem Individuum seinen typischen Körpergeruch.

24.3 Funktionen der Haut

Die Haut bildet die äußere Grenze des Körpers und hat durch ihre verhornte oberflächliche Zellschicht eine mechanische und durch ihren Säureschutzmantel eine chemische Schutzfunktion. Da in der Haut zahlreiche Sinneszellen liegen, ist sie auch ein Sinnesorgan und kann Berührungen, Druck, Schmerz und Vibration wahrnehmen. Durch die wechselnde Durchblutung und die Schweißsekretion ist die Haut wesentlich an der Temperaturregulation und am Wasser- und Elektrolythaushalt des Organismus beteiligt. Nicht zuletzt dient sie auch der zwischenmenschlichen Kommunikation, da sie, ausgelöst durch Gefühlsregungen, erröten und erblassen kann.

24.3.1 Regulation des Wärmehaushaltes

Der Mensch besitzt eine konstante Körperkerntemperatur von etwa 37° C und ist bestrebt, diese Temperatur weder wesentlich zu über- noch zu unterschreiten. Lebewesen, die eine bestimmte Temperatur aufrechterhalten, sind homoiotherm, also gleichwarm. Zum Körperkern zählen die inneren Organe und das Gehirn.

Die Temperatur der Körperschale unterliegt jedoch den Schwankungen der Umgebungstemperatur und kann deutlich von der Kerntemperatur abweichen. Die Temperatur wird von peripheren Thermorezeptoren in der Haut gemessen; diese Informationen gelangen über das sensible Nervensystem in das Rückenmark und von dort zum Hypothalamus im Zwischenhirn. Dort befindet sich das Temperaturzentrum, welches über einen Regelkreis die Solltemperatur im Körperinneren aufrechtzuerhalten versucht.

Wärmeerzeugung
Fällt die Körpertemperatur unter ihren Sollwert ab, versucht der Organismus über aktive **willkürliche Muskelbewegungen**, wie Hüpfen oder Laufen, Wärme zu erzeugen. Gelingt dies nicht, beginnen die Muskeln ab einer sogenannten **Zitterschwelle** unwillkürlich zu zittern. Säuglinge und kleine Kinder besitzen noch einen gehörigen Anteil an braunem Fettgewebe, welches ihnen ermöglicht, Energie und damit Wärme bereitzustellen. Man spricht von der **zitterfreien Wärmegewinnung**, welche über das vegetative Nervensystem gesteuert wird.

Wärmeabgabe
Ist der Organismus überhitzt und die Kerntemperatur des Körpers zu hoch, beginnt dieser über unterschiedliche Mechanismen Wärme an die Umgebung abzugeben. Über die Blutgefäße wird das Blut an die Körperoberfläche transportiert. Die Hautgefäße werden unter Einwirkung des Sympathikus weit gestellt, so kann vermehrt Blut in einer bestimmten Zeiteinheit an der Körperoberfläche vorbeiströmen. Durch Erwärmung der umgebenden Luft und durch Zirkulation (Wind, Ventilator) wird Wärme an die Umgebung abgegeben und der Körper kühlt ab. Dieser Vorgang des Wärmetransportes an die Körperoberfläche und Wärmeabgabe an die Umgebung wird **Konvektion** genannt.

Wird die Temperatur von der Körperoberfläche durch direkten Kontakt an eine kühlere Flüssigkeit (Schwimmbad) oder einen Festkörper abgegeben, spricht man von **Konduktion.** Unter **Strahlung** versteht man hingegen die Wärmeabgabe zwischen zwei Festkörpern, ohne dass sie sich berühren. Für diesen Vorgang sind Infrarotstrahlen, welche auch vom Menschen ausgesendet werden, verantwortlich, und er ist nur sinnvoll, wenn ein kühleres Medium die abgestrahlte Wärme aufnehmen kann.

Am effektivsten ist aber die Wärmeabgabe der Körperoberfläche durch das Verdunsten von Flüssigkeit. Dafür ist die Haut mit zahlreichen Schweißdrüsen ausgestattet, welche Flüssigkeit an die Umgebung abgeben. Die **Verdunstung** ist jedoch nur möglich, wenn die Luftfeuchtigkeit nicht zu hoch ist und die vorbeiströmende Luft das abgegebene Körperwasser noch aufnehmen kann.

24.3.2 Die Haut als Sinnesorgan

In den unterschiedlichen Schichten der Haut befinden sich einige Sinnesrezeptoren, die im Folgenden besprochen werden sollen.

In der Oberhaut der Handflächen und der Fußsohlen liegen die **Merkel-Zellen**. Als Druckrezeptoren dienen sie vor allem dem Tastempfinden. In der behaarten Haut sind diese Zellen zu Merkel-Tastscheiben zusammengefügt.

In der Lederhaut findet man sowohl **Meissner-Tastkörperchen** als auch **Ruffini-Körperchen**. Die Meissner-Tastkörperchen sind besonders zahlreich in der Haut der Fingerbeeren und der Lippen vorhanden und sind wie die Merkel-Zellen Druckrezeptoren. Gemeinsam ermöglichen sie das Ertasten von Oberflächen, wodurch zum Beispiel das Lesen von Blindenschrift möglich wird. Bei den Ruffini-Körperchen handelt es sich um Dehnungsrezeptoren, welche vor allem Scherbewegungen der Haut wahrnehmen. In

Gelenkkapseln, wo sie auch zu finden sind, geben sie Informationen über die Stellung von Gelenken.

In der Unterhaut nehmen **Vater-Pacini-Lamellenkörperchen** Vibrationen sehr sensibel wahr. Auch diese kleinen Sinnesorgane kommen nicht ausschließlich in der Haut der Finger und Zehen, sondern auch in Muskelsehnen und inneren Organen vor.

Schmerzen werden vor allem durch das Reizen von freien sensiblen Nervenendigungen, auch Nozizeptoren genannt, in der Haut wahrgenommen. Sie reagieren auf mechanische, chemische und physikalische (thermische) Gewebsschädigungen. Aber auch die Druckrezeptoren können bei starker Reizung (starkem Druck) Schmerz empfinden.

24.4 Pathophysiologie der Haut

Die Haut als äußere Schutzhülle des Körpers ist vielen schädigenden Einflüssen ausgesetzt. Sowohl das Epithel als auch die darunterliegenden Bindegewebsschichten sind häufig krankhaft verändert. Aber auch die Anhangsgebilde, Haare, Talg- und Schweißdrüsen, zeigen oft pathologische Veränderungen.

Tab. 71: **Erkrankungen der Haut**

Erkrankung	Ursachen/Symptome
Vererbte Alopezie (Haarlosigkeit)	Angeborene Überempfindlichkeit der Haarwurzeln des Haupthaares gegen Testosteron; es kommt zu einer Verkürzung der Wachstumsphase des Haupthaares und letztlich zur Glatzenbildung.
Alopecia areata (kreisrunder Haarausfall)	Akut einsetzender kreisrunder Haarausfall, der reversibel sein kann, in manchen Fällen aber bestehen bleibt. Als Ursache wird eine Autoimmunerkrankung diskutiert, bei der sich das Immunsystem gegen die eigenen Haarwurzeln richtet.
Hypertrichose	Lokal begrenzte oder über den Körper verbreitete übermäßige Behaarung, welche nicht durch Hormone hervorgerufen wird.
Hirsutismus	Übermäßige Behaarung bei Frauen, wie Barthaare oder Brusthaare, die durch eine Überproduktion männlicher Geschlechtshormone bedingt sein kann, aber nicht muss.
Hyperhidrose	Übermäßiges Schwitzen, welches generalisiert am ganzen Körper oder nur an bestimmten Körperstellen, wie Handflächen, Fußsohlen oder unter den Achseln, auftreten kann. Es können zu viele Schweißdrüsen angelegt sein, es kommen aber auch zahlreiche Erkrankungen sowie die Aktivierung der Schweißdrüsen durch Stress infrage.
Hypohidrose	Verminderte Schweißproduktion meist im Rahmen anderer Erkrankungen
Anhidrose	Keine Schweißsekretion; kann ohne erkennbare Ursache oder als Begleiterscheinung anderer Erkrankungen oder Therapien auftreten.
Furunkel	Eitrige Entzündung der Haarfollikel, typische Erscheinung bei Akne
Karbunkel	Zahlreiche entzündete Haarfollikel, welche als ausgedehnte eitrige Entzündungen der Haut auftreten
Ekzem	Unter einem Ekzem versteht man eine Hautreaktion, welche durch Rötungen, Schuppungen, Bläschen, Pusteln und Jucken gekennzeichnet sein kann. Es kann durch zahlreiche Erreger, allergisch, toxisch, aber auch ohne erkennbare Ursache, wie bei Neurodermitis, auftreten.
Petechie	Unter einer Petechie versteht man eine punktförmige Blutung an der Haut oder an Schleimhäuten. Als Ursache liegt eine Gerinnungsstörung vor.
Purpura	Treten zahlreiche Petechien an Haut und/oder Schleimhäuten auf, spricht man von einer Purpura.

Veränderungen der Hautfarbe	
Blässe	Schlechte Durchblutung der Haut, Anämie (Blutarmut), Schock
Zyanose	Bläuliche Verfärbung der Haut durch Minderdurchblutung und Sauerstoffmangel
	Vergiftungen mit Kohlendioxid
Rötungen (Erythem)	Entzündungen der Haut Blutfülle Erröten der Haut durch emotionale Auslöser
Ikterus	Gelbfärbung der Haut durch Bilirubin im Rahmen von Lebererkrankungen oder durch Hämolyse (Zerfall der roten Blutkörperchen mit Freisetzen des Blutfarbstoffs Hämoglobin)

Störungen der Wärmeregulation

Die Körpertemperatur kann über ihren Sollwert von 37° C ansteigen. Einerseits kommt dieser Temperaturanstieg durch äußere Einflüsse zustande, es kann aber auch das Wärmezentrum im Hypothalamus den Sollwert erhöhen und so einen gewollten Temperaturanstieg bewirken. Dies ist beim Fieber der Fall.

Fieber

Der Hypothalamus kann als Reaktion auf schädigende Einflüsse (Noxen) den Sollwert der Körpertemperatur erhöhen, mit dem Ziel, die schädigende Noxe zu beseitigen. Das Fieber kann sowohl durch Bestandteile von Erregern, die in den Körper gelangt sind, als auch vom Organismus selbst durch sogenannte Pyrogene (fiebererzeugende Stoffe) hervorgerufen werden. Durch Muskelzittern (Schüttelfrost) steigt die Körpertemperatur bis zur gewollten Temperatur an. Wenn diese erreicht ist, kommt es zu einem Weitstellen der Hautgefäße sowie zu einer verstärkten Durchblutung der Körperschale, und das Fieber sinkt. Es ist sinnvoll, während des Fieberanstiegs den Patienten gut in Decken einzuhüllen und beim Fieberabfall die Wärmeabgabe durch Abdecken zu ermöglichen.

Überhitzung des Körpers durch Wärmeeinwirkung von außen

Beim **Hitzschlag** steigt die Körperkerntemperatur auf einen Wert, der vom zentralen Nervensystem nicht mehr toleriert werden kann. Ab einer Körpertemperatur von etwa 41° C kommt der Organismus in einen lebensbedrohlichen Zustand, der sich durch Verwirrtheit, Bewusstlosigkeit und Koma ankündigt. Temperaturen jenseits von 44° C werden meist nicht überlebt. Die Gefahr am Anstieg der Körpertemperatur ist die Zerstörung von Eiweißen (Denaturierung).

Beim **Hitzekollaps** steht die Gefäßreaktion mit einer Erweiterung der Blutgefäße und einem Blutdruckabfall im Vordergrund. Beim **Sonnenstich** kommt es durch die Überwärmung des Gehirns durch direkte Sonneneinstrahlung auf den Kopf zu Kopfschmerzen, Übelkeit und Bewusstseinsstörungen.

Übungsfragen

1. Welche Schichten lassen sich an der Haut unterscheiden?
2. Aus welchen Anteilen besteht ein Haar?
3. Woraus bestehen Nägel?
4. Welche Hautdrüsen lassen sich unterscheiden, was ist ihre jeweilige Funktion?
5. Was versteht man unter „zitterfreier“ Wärmegewinnung?
6. Welche Körperkerntemperatur ist physiologisch?
7. Unterscheide die Wärmeabgabe durch Konvektion, Konduktion und Verdunstung.
8. Welche Funktion hat der Temperaturanstieg beim Fieber?
9. Unterscheide Hitzschlag und Hitzekollaps.

25 Homöostase

Unter Homöostase versteht man das Bestreben des Organismus, vorgegebene Zustände im Körper konstant zu halten. So können physiologische Normbereiche wie Blutdruck, Körpertemperatur, pH-Wert usw. weitgehend eingehalten werden. Als Schaltzentrale dienen häufig Regionen verschiedener Hirnabschnitte, wie der Hypothalamus oder der Hirnstamm, ganz besonders das verlängerte Mark. So werden die Atemfrequenz und die Atemtiefe, die Herzfrequenz und der Blutdruck von Steuerzentren im verlängerten Mark, die Körpertemperatur, die Ausschüttung einiger Hormone und auch der Wasserhaushalt vom Hypothalamus gesteuert.

25.1 Regelkreis

Als Instrument zur Einhaltung vorgegebener Werte dienen Regelkreise, die meist im Sinne einer negativen Rückkoppelung die oben genannten Systeme konstant halten. Das Prinzip von Regelkreisen ist folgendes:

Regelkreise sind Systeme, die durch Rückkoppelung vorgegebene Größen konstant halten oder eben Abweichungen von diesen Größen korrigieren können. Sie bestehen aus einer Messeinrichtung, einem Regler, Stellgliedern und einer Regelstrecke. Der Sollwert ist der Zielwert, den das System, in unserem Fall der menschliche Organismus, vorgibt. Der Istwert ist der im Moment gemessene tatsächliche Wert. Weichen diese beiden Werte voneinander ab, ist das Regelsystem bestrebt, den Istwert wieder dem Sollwert anzugleichen. Als Ursache für ein Abweichen vom Sollwert kommen zahlreiche störende Einflüsse infrage, wie etwa die Einnahme von Medikamenten, Drogenkonsum, Erkrankungen einzelner Organe oder Umwelteinflüsse.

Als **Messeinrichtung (Fühler)** dienen dem menschlichen Organismus Sinnesrezeptoren, die zum Beispiel die Durchblutung der Nieren, den pH-Wert oder die Sauerstoffkonzentration des Blutes und dergleichen messen können und die diese Informationen an den jeweiligen Regler melden.

Der **Regler** vergleicht nun den gemessenen Istwert mit dem vorgegebenen Sollwert und setzt Maßnahmen, abweichende Werte zu korrigieren, indem er die Stelleinrichtung darüber informiert, was zu tun ist. Die **Stellglieder** wirken nun auf die Regelstrecke ein, damit der Istwert geändert wird mit dem Ziel den Sollwert zu erreichen. Die **Regelstrecke** kann also diejenigen Maßnahmen treffen, die benötigt werden, den Sollwert konstant zu halten.

Als **Störgrößen** bezeichnet man nun jene störenden Einflüsse, die zu einer Veränderung des Sollwertes führen.

Das Prinzip des Regelkreises kann am praktischen Beispiel der Regulation des Blutzuckerspiegels erläutert werden:

Funktionsweise des Blutzucker-Regelkreises

- Als **Sollwert** gilt der Normalwert des Nüchternblutzuckerspiegels, das ist jener Wert, der üblicherweise am Morgen vor dem Frühstück gemessen wird. Dieser liegt unter 100 mg/dl.
- Als **Istwert** wird die tatsächlich gemessene Glukosekonzentration im Blut bezeichnet.

- Sinneszellen der Langerhans-Inseln der Bauchspeicheldrüse registrieren den Glukosegehalt des Blutes und vergleichen diesen mit dem Sollwert; sie dienen somit als **Messeinrichtung** und als **Regler.**
- Als **Stellglieder** dienen die Hormone Insulin und Glukagon, die den Blutzuckerspiegel bei Abweichungen vom Sollwert wieder in den Normalbereich zurückführen. Insulin senkt einen zu hohen und Glukagon steigert den zu niedrigen Blutzuckerspiegel.

Unter negativer Rückkoppelung versteht man eine gegenläufige Reaktion, um den veränderten Wert wieder in den physiologischen Bereich zu korrigieren. Negativ deshalb, da ein Ansteigen des Istwertes eine Gegenreaktion erfordert, die den Wert wieder senkt und umgekehrt.

25.2 Beispiele für biologische Regelkreise

25.2.1 Blutdruckregulation

(siehe Kap. 10.2.1 Blutdruck und Blutdruckregulation)

Die physiologischen Blutdruckwerte liegen definitionsgemäß unter 120/80. Ein längerfristiges Überschreiten dieser Werte führt zu Organschäden, ein zu geringer Blutdruck gefährdet die Sauerstoffversorgung der Organe. Kurzfristig unterliegt der Blutdruck natürlich Schwankungen, die beim gesunden Menschen durch unterschiedliche Maßnahmen korrigiert werden.

- **bei Blutdruckabfall**
  Fällt der Blutdruck zum Beispiel beim morgendlichen Aufstehen durch den Lagewechsel ab, reagiert das Nervensystem im Sinne eines Regelkreises mit der Aktivierung des Sympathikus. Dadurch werden die Blutgefäße verengt und die Herzfrequenz gesteigert. Beide Mechanismen führen zum schnellen Ansteigen des Blutdrucks.

  Eine längerfristige Blutdrucksteigerung wird über die Ausschüttung von Hormonen erreicht. Im Kapitel Kreislauf- und Gefäßsystem wurde das Renin-Angiotensin-Aldosteron-System (S. 155f.) besprochen. Hierbei handelt es sich um einen Regelkreis, der dem Erhalt eines physiologischen Blutdruckwertes dient. Nur bei einem ausreichenden systemischen Blutdruck ist die Durchblutung der Nierengefäße gewährleistet. Denn nur so kann der Filtrationsdruck im Glomerulus hoch genug sein, um den Primärharn in die Bowman-Kapsel zu pressen. Ist der Blutdruck zu niedrig, wird aus dem juxtaglomerulären Apparat der Niere das Hormon Renin abgegeben. Renin aktiviert im Blut das Angiotensin, welches einerseits die Blutgefäße verengt, andererseits die Nebenniere zur Ausschüttung von Aldosteron anregt. Aldosteron vermindert die Flüssigkeitsausscheidung über die Niere, wodurch das Blutvolumen ansteigt.

  Sowohl die Verengung der Blutgefäße, als auch die vermehrte Flüssigkeit in den Blutgefäßen lassen den Blutdruck wieder ansteigen.

- **bei zu hohem Blutdruck**
  Auch in diesem Fall kann kurz- und längerfristig eingegriffen werden, indem Maßnahmen vom Körper gesetzt werden, die den Blutdruck senken.

  Analog zur Steigerung des Blutdrucks durch eine Aktivierung des Sympathikus reagiert der Organismus bei überhöhtem Blutdruck mit einer Reduktion der Aktivität des Sympathikus. Die Gefäße werden erweitert, die Herzfrequenz wird langsamer, der Blutdruck sinkt.

Auch bei hohem Blutdruck wird ein hormonähnlicher Stoff ausgeschüttet, welcher imstande ist, den Blutdruck zu senken. Da es bei erhöhtem Blutdruck zu einer vermehrten Dehnung des Herzmuskels kommt, wird dies als Signal gewertet, um das atriale natriuretische Peptid (ANP) in den Herzmuskelzellen zu bilden. Es erhöht die Flüssigkeitsausscheidung über die Niere, führt zu einer Erweiterung der Blutgefäße und hemmt das Durstgefühl. Sowohl die Gefäßerweiterung als auch die Verminderung der Flüssigkeit in den Gefäßen lassen den Blutdruck sinken.

25.2.2 Regulation des Blutzuckerspiegels

(siehe Kap. 14.11 Bauchspeicheldrüse)

Dauerhaft erhöhte Blutzuckerwerte sind das Leitsymptom des Diabetes mellitus. Auch beim Gesunden kommt es zu Blutzuckerschwankungen, die jedoch durch Hormone der Bauchspeicheldrüse korrigiert werden können. Der Nüchternblutzucker sollte den Wert 100mg/dl nicht überschreiten.

- **Senken eines zu hohen Blutzuckerspiegels**
  Kohlenhydratreiche Mahlzeiten erhöhen den Blutzuckerspiegel. Dies ist das Signal für die Bauchspeicheldrüse, das Hormon Insulin aus ihren B-Zellen freizusetzen. Insulin bewirkt, dass die Glukose aus dem Blut in die Zellen transportiert werden kann, um daraus Energie zu gewinnen. Ist trotz dieses Vorganges noch ausreichend Glukose im Blut vorhanden, wird unter Mithilfe des Insulins der Zucker in Form von Glykogen in der Leber und in der Muskulatur gespeichert. Der Blutzuckerspiegel sinkt.
- **Anheben eines zu niederen Blutzuckerspiegels**
  Wird im Verhältnis zum Verbrauch dem Körper zu wenig Nahrung zugeführt, sinkt der Blutzuckerspiegel ab. Der Organismus ist bestrebt, den Blutglukosewert wieder anzuheben. Auch in diesem Regelkreis ist das Schlüsselorgan die Bauchspeicheldrüse. In diesem Fall schüttet sie das Hormon Glukagon aus, welches den Speicherzucker, also das Glykogen, in Leber und Muskeln mobilisiert. Dieses gelangt so wieder in den Blutkreislauf, der Blutzuckerspiegel steigt.

25.2.3 Regulation der Schilddrüsenhormone

(siehe Kap. 15.6. Physiologie des Hormonsystems)

Für das Wohlbefinden des Menschen und zum Aufrechterhalten zahlreicher Stoffwechselvorgänge ist der Körper bestrebt, die Schilddrüsenhormone in physiologischen Bereichen zu halten. Um dies zu bewerkstellen, bedarf es eines komplexen Regelkreises, nämlich des Hypothalamus-Hypophysen-Systems.

Bei einem Mangel an den Schilddrüsenhormonen T3 und T4 im Blut wird diese Information an den Hypothalamus und an den Hypophysenvorderlappen übermittelt. Um die Schilddrüse zu aktivieren und in der Folge den Hormonspiegel zu steigern, schüttet der Hypophysenvorderlappen das Hormon TSH (Thyroidea stimulierendes Hormon) aus. Die Stimulierung des Hypophysenvorderlappens erfolgt wiederum durch die Freisetzung von TRH (Thyreotropin Releasing Hormon) aus dem Hypothalamus.

Sind zu viele Schilddrüsenhormone im Blut vorhanden, wird die Schilddrüse durch eine Reduktion der Hormone TRH und TSH an der Ausschüttung weiterer Hormone gehindert.

25.2.4 Temperaturregulation

Der menschliche Organismus besitzt die Fähigkeit, die Körpertemperatur sowohl zu erhöhen als auch bei Bedarf zu senken.

- **bei Überhitzen**
  Bei einem Überschreiten des physiologischen Temperaturbereiches hat der Mensch mehrere Mechanismen, diese wieder zu senken. Die Körperkerntemperatur sollte in etwa 37 Grad Celsius betragen, ein deutliches Überschreiten führt zu Veränderungen der Eiweiße und zu einer Beeinflussung von Enzymreaktionen. Auch in diesem Fall wird wieder im Sinne einer negativen Rückkoppelung, nämlich dem Absenken der Temperatur, ein Regelkreis aktiviert. Die Steuerzentrale befindet sich im Hypothalamus; Thermorezeptoren der Haut und im Körperinneren senden die entsprechenden Signale über den Istwert dorthin.

  So werden bei zu hoher Körpertemperatur die peripheren Blutgefäße weit gestellt, was zu einer besseren Durchblutung der Haut führt. Über die Haut kann nun Körperwärme an die Umgebung abgegeben werden. Zusätzlich werden die Schweißdrüsen zu vermehrter Sekretion angeregt. Durch das Verdunsten des Schweißes entsteht Verdunstungskälte, die Haut kühlt ab.

  Als durchaus gewollte Temperaturerhöhung ist das Fieber zu bewerten. Fiebererzeugende Stoffe, sogenannte Pyrogene, verschieben den Sollwert nach oben, wodurch die oben genannten Maßnahmen die Körpertemperatur steigen lassen.

- **bei Unterkühlung**
  Bei zu geringer Körpertemperatur werden hingegen die peripheren Gefäße verengt, wodurch verhindert werden soll, dass der Körperkern bedrohlich abkühlt. Zusätzlich werden die feinen Härchen zur sogenannten Gänsehaut aufgerichtet, wodurch der Wärmeverlust vermindert werden soll. Die Skelettmuskulatur wird aktiviert und beginnt zu zittern. So wird zusätzlich Wärme erzeugt. Nicht zuletzt kommt es zu einer Freisetzung von Schilddrüsenhormonen, wodurch der Grundumsatz steigt.

25.2.5 Regulation des pH-Wertes

(siehe Kap.3.5. Säure-Basen-Haushalt)

Auch der Säure-Basenhaushalt unterliegt einem Regelkreis, um den Blut-pH-Wert in einem Bereich zwischen 7,35 und 7,45 aufrecht zu erhalten. Das Blut ist also schwach basisch. Die wesentlichen Akteure dieses Systems sind der Kohlensäure-Bikarbonatpuffer, die Lungen und die Nieren.

Hintergrund ist die Tatsache, dass einerseits das Bikarbonat und die Kohlensäure Protonen untereinander austauschen können und so den pH-Wert beeinflussen. Andererseits können die unterschiedlichen Zerfallsprodukte der Kohlensäure über die Atmung oder die Nieren aus dem Körper abgegeben werden.

Kohlensäure H_2CO_3 kann einerseits in $H_2O + CO_2$, andererseits in $H^+ + HCO_3$ zerfallen. CO_2, das Kohlendioxid, und H^+-Ionen sind saure Bestandteile, HCO_3^-, das Bikarbonat ist basisch.

- **bei Azidose**
  Es gibt vielfältige Möglichkeiten, die zu einer Übersäuerung des Organismus führen können. Bei der diabetischen Ketoazidose kann der betroffene Patient wegen eines vorliegenden Insulinmangels den Blutzucker nicht zur Energiegewinnung nützen. In der Folge werden Fette abgebaut, um den Energiemangel zu kompensieren. Bei diesem Prozess werden saure Ketonkörper gebildet, das Blut wird zu sauer.

Auch Vergiftungen oder hohe Dosen säurehaltiger Medikamente, Funktionsstörungen der Nieren oder starke Durchfälle mit Verlust von Basen, können zur Azidose führen.

Der pH-Wert wird von Chemorezeptoren in den Blutgefäßen und im verlängerten Mark gemessen und mit dem Sollwert von etwa 7,4 verglichen. Sinkt der pH-Wert unter 7,35 ab, liegt eine Azidose vor. Nun gilt es, den Blut-pH-Wert wieder ansteigen zu lassen, indem vermehrt CO_2 über die Lungen abgeatmet wird. Die Atmung wird beschleunigt. Zusätzlich werden über die Niere Wasserstoffionen vermehrt ausgeschieden und basische Bikarbonat-Ionen zurückgehalten.

- **bei Alkalose**

Von einer Alkalose spricht man, wenn der Blut-pH-Wert 7,45 übersteigt. Eine Verschiebung des pH-Wertes in Richtung basisch kann durch eine zu schnelle Atmung (Hyperventilation) mit einem vermehrten Abatmen des sauren CO_2 oder durch einen Verlust von Säuren durch Erbrechen von saurem Mageninhalt auftreten.

In diesem Fall versucht der Körper, die Atemfrequenz zu verringern und den CO_2-Gehalt des Blutes wieder zu steigern. Auch hier kompensieren die Nieren den Säureverlust, indem sie vermehrt Wasserstoffionen rückresorbieren und im Gegenzug vermehrt basisches Bikarbonat ausscheiden.

25.2.6 Atemregulation

(siehe Kap. 11.7.3 Atemregulation)

Auch die Atmung unterliegt einem Regelkreis, je nach Bedarf beschleunigen oder reduzieren wir die Atemfrequenz oder verändern die Atemtiefe.

Selbstverständlich liegen auch hier wieder messbare Parameter vor, deren Anteile im Blut bestimmte vorgegebene Werte erreichen müssen. Als Fühler dienen periphere Chemorezeptoren im Bereich der Halsschlagader (Glomus caroticum) und der Aorta (Glomus aorticum), die sowohl den Sauerstoffgehalt (O_2-Partialdruck), als auch den Kohlendioxidgehalt (CO_2-Partialdruck) des Blutes messen. Da es einen engen Zusammenhang zwischen CO_2-Konzentration und pH-Wert gibt, spielt bei der Atemregulation auch dieser Wert eine entscheidende Rolle. Ein hoher pH-Wert, also basische Verhältnisse, deuten auf einen niedrigen CO_2-Partialdruck hin, ein niedriger pH-Wert (sauer) auf einen hohen CO_2-Wert. Die gemessenen Werte werden zu zentralen Chemorezeptoren des Atemzentrums im verlängerten Mark weitergeleitet und bei Abweichungen von den entsprechenden Sollwerten Gegenregulationsmaßnahmen eingeleitet.

Ursächlich können Belüftungsstörungen der Lunge durch eine Verengung der Atemwege, Durchblutungsstörungen der Lunge und Störungen des Gasaustausches zwischen den luftgefüllten Lungenbläschen und den sie umgebenden Blutkapillaren zu einem Absinken des Blutsauerstoffes und Ansteigen des Kohlendioxids im Blut führen.

Ein niedriger O_2-Partialdruck, ein hoher CO_2-Partialdruck und daher auch ein niedriger pH-Wert führen zu einer Beschleunigung der Atmung. Es muss mehr Sauerstoff zugeführt und mehr Kohlendioxid abgeatmet werden. Wobei nicht unerwähnt werden darf, dass der eigentliche Atemanreiz das Ansteigen des CO_2 -Partialdruckes ist!

Im Gegensatz dazu bewirkt ein hoher O_2-Partialdruck, ein niedriger CO_2-Partialdruck und ein erhöhter pH-Wert wieder eine Entschleunigung der Atemtätigkeit.

Teil IV
Ernährung

26 Ernährung

26.1 Qualitative und quantitative Zusammensetzung der Nahrung

Nährstoffe im eigentlichen Sinn sind **Kohlenhydrate, Eiweiße** und **Fette**. Aus ihnen kann Energie in Form von ATP (Adenosintriphosphat) bereitgestellt werden. Mit unserer Nahrung müssen wir allerdings noch zahlreiche andere Stoffe zuführen, die vom Organismus nicht ausreichend gebildet werden können. Dazu gehören Vitamine, Spurenelemente und einige Salze. Zusätzlich besteht unsere Nahrung zu einem relativ großen Anteil aus Wasser und nicht verwertbaren Ballaststoffen.

Die Nährstoffe in der Nahrung eines normalgewichtigen Erwachsenen sollten sich aus etwa 50–60 % Kohlenhydraten, 10–15 % Eiweiß und 25–30 % Fett zusammensetzen. Fett hat den höchsten Energiegehalt, es können 39 kJ/g (9,3 kcal pro Gramm) gewonnen werden. Kohlenhydrate und Eiweiß weisen einen etwa gleichwertigen Energiegehalt von 17,1 kJ/g (4,1 kcal pro Gramm) auf.

26.1.1 Kohlenhydrate

Kohlenhydrate sind die wichtigste Energiequelle für den menschlichen Organismus, etwa die Hälfte unserer Nahrung sollte aus Kohlenhydraten bestehen. Am schnellsten verfügbar sind Einfachzucker (Monosaccharide) wie **Glukose**, die als Traubenzucker natürlich vorkommt, und **Fruktose**, der Fruchtzucker. Zweifachzucker (Disaccharide) wie **Saccharose** kennen wir als Haushaltszucker, **Laktose** als Milchzucker.

In einer gesunden Ernährung sollten jedoch nicht die kleinen Zuckermoleküle überwiegen, sondern vielmehr große Mehrfachzucker (Polysaccharide) enthalten sein, die langsam im Dünndarm verdaut werden und deren Bestandteile nur verzögert und kontinuierlich an das Blut abgegeben werden. Blutzuckerspitzen, die durch übermäßigen Konsum kleiner Zuckermoleküle entstehen, wirken sich ungünstig auf den Stoffwechsel aus. Die dadurch provozierte Ausschüttung von Insulin erzeugt nach kurzer Zeit ein neuerliches Hungergefühl.

Resorption der Kohlenhydrate

Die Aufschlüsselung der Kohlenhydrate beginnt schon im Mund durch Amylasen (Ptyalin) im Speichel der Mundspeicheldrüsen. Im Magen wird durch den sauren Magensaft die Funktion der Amylasen blockiert und die Kohlenhydrate werden nicht weiter verdaut. Im Dünndarm ändert sich der pH-Wert durch den basischen Pankreassaft wieder, und Amylase und Maltase aus der Bauchspeicheldrüse, die über ihren Ausführungsgang in den Zwölffingerdarm abgegeben werden, setzen die Kohlenhydratverdauung fort. Dabei entstehen vor allem Glukose, Galaktose und Fruktose. Glukose und Galaktose werden durch aktive Resorptionsprozesse über die Darmzotten in das Pfortaderblut aufgenommen, die Resorption der Fruktose erfolgt passiv aufgrund von Konzentrationsunterschieden. Glukose gelangt unter Mithilfe des Hormons Insulin in die Körperzellen, welche unter Sauerstoffverbrauch (aerob) mithilfe des **Zitronensäurezyklus (Citratzyklus)** Energie in Form von **ATP** gewinnen. Dieser Vorgang wird als **Glykolyse** bezeichnet. Überschüssige Glukose wird bis zu einem bestimmten Anteil in den Leberzellen und Skelettmuskelzellen als **Glykogen** gespeichert, ein Zuviel an Kohlenhydraten wird im Körper auch in Fettgewebe umgewandelt.

26.1.2 Eiweiße (Proteine)

Der menschliche Körper besteht neben Wasser zum überwiegenden Teil aus Eiweißen. Eiweiße bestehen aus 20 unterschiedlichen Aminosäuren, wovon acht mit der Nahrung zugeführt werden müssen, da sie nicht vom Körper gebildet werden. Diese nennt man essenzielle Aminosäuren.

Proteine können sowohl tierischer als auch pflanzlicher Herkunft sein. Tierische Eiweiße kommen in Fleisch, Wurst, Geflügel, Fisch, Meeresfrüchten, Eiern und Milchprodukten vor. Pflanzliche Eiweiße findet man vor allem in Hülsenfrüchten, Sojaprodukten, Vollkorngetreide und Nüssen.

Resorption der Eiweiße
Die Verdauung von Eiweißen beginnt im Magen, wo die Salzsäure zunächst die grobe Eiweißstruktur knackt. Diesen Vorgang bezeichnet man als Denaturierung. Nun beginnt mithilfe von Pepsin die Zerteilung der Proteine in kleinere Peptide. Im Duodenum wird dessen Aktivität durch die Änderung des pH-Wertes vom sauren Magensaft zum eher basischen Dünndarmmilieu gestoppt, es werden jedoch Enzyme aus dem Bauchspeichel aktiv. Zu diesen Enzymen aus dem Pankreas zählen Trypsin, Chymotrypsin, Elastase, Aminopeptidasen und Carboxypeptidasen. Mehr als die Hälfte der Di- und Tripeptide (kleine Eiweißbruchstücke) und Aminosäuren werden bereits im Duodenum durch die Schleimhaut ins Blut aufgenommen, der Rest erfolgt im Ileum. Die Eiweiße werden zur weiteren Verarbeitung über die Pfortader in die Leber transportiert.

26.1.3 Fette

Etwa 25 % der Nährstoffe eines gesunden Menschen, aber auf keinen Fall über 30 %, sollten aus Fetten (Lipiden) bestehen. Wegen des enorm hohen Nährwertes stellen Fette doppelt so viele Kalorien zur Verfügung wie Eiweiße und Kohlenhydrate. Fette dienen dem Körper aber auch als Zellwandbausteine, als Ausgangsprodukte der Steroidhormone und der Gallensäuren und sind Bestandteile der myelinhaltigen Nervenscheiden; sie sind auch für die Resorption der fettlöslichen Vitamine A, D, E und K unentbehrlich.

Nach der chemischen Zusammensetzung unterscheidet man ungesättigte von gesättigten Fettsäuren.

Ungesättigte Fettsäuren besitzen chemisch mehrere Doppelbindungen und sind daher sehr reaktiv, wodurch sie als Ausgangsstoffe für zahlreiche lebenswichtige Substanzen dienen. Mehrfach ungesättigte Fettsäuren haben mehrere Doppelbindungen, sie sind essenziell, müssen also mit der Nahrung zugeführt werden. Ungesättigte Fettsäuren sind Ausgangssubstanzen von Zellstrukturen, den Steroidhormonen und den Gallensäuren. Sie kommen hauptsächlich in pflanzlichen Ölen, Samen, Avocados, Hülsenfrüchten, Getreide sowie in einigen Seefischen wie Lachs, Hering oder Makrele vor.

Gesättigte Fettsäuren besitzen keine Doppelbindungen, sie nehmen nicht an chemischen Reaktionen im Organismus teil. Man findet sie vor allem als LDL-Cholesterin, welches sich bevorzugt in Arterienwänden ablagert und in der Folge zur Arteriosklerose führt. Gesättigte Fettsäuren kommen überwiegend in tierischen Lebensmitteln wie Butter, Schlagobers, Mayonnaise, fettem Fleisch und Wurst, Käse, aber auch in pflanzlichen Palm- und Kokosfetten vor. Die mit der Nahrung zugeführten Fette bestehen zu etwa 90 % aus Triglyceriden und zu 10 % aus Cholesterin.

Resorption der Fette
Bereits in den Sekreten der Mundspeicheldrüsen kommt die sogenannte **Zungengrundlipase** vor, die im Magen gemeinsam mit der Magenlipase aus den Hauptzellen die Fett-

verdauung einleitet. Im Duodenum kommen die Pankreaslipase, die Phospholipase A und die Cholesterinesterase aus der Bauchspeicheldrüse hinzu. Gallensäuren aus der Leber emulgieren die Fette zu kleinsten Fetttröpfchen, den Mizellen, die über die Dünndarmschleimhaut aufgenommen werden. Kurzkettige Fettsäuren gelangen so direkt in die Blutgefäße der Darmzotten und dadurch ins Pfortaderblut, langkettige Fettsäuren werden zu Transportvesikeln, Chylomikronen, verpackt und erreichen über das zentrale Lymphgefäß der Darmzotten die Lymphe und erst über den Brustmilchgang das Blut. Überschüssige Fette aus der Nahrung werden im Fettgewebe gespeichert.

26.1.4 Vitamine

Vitamine sind essenzielle Nahrungsbestandteile, die nur in geringen Mengen benötigt werden, jedoch unerlässlich für zahlreiche Stoffwechselvorgänge sind. Man unterscheidet fettlösliche Vitamine von wasserlöslichen, wobei die fettlöslichen für ihre Aufnahme durch die Darmschleimhaut eben Fette als Transportvehikel benötigen und bei zu fettarmer Ernährung dem Organismus fehlen. Die fettlöslichen Vitamine werden aber auch im Fettgewebe gespeichert und führen daher viel eher zu Überdosierungen als die nicht fettlöslichen, deren Überschuss bis zu einer gewissen Menge mit dem Harn ausgeschieden wird.

Tab. 72: **Fettlösliche Vitamine**

Name	Funktion	Vorkommen
Vitamin A (Retinol)	Reguliert Erneuerung der Epithelien Bestandteil des Sehpurpurs	Gelbes Gemüse, Eigelb, Leber
Vitamin D (Calciferol)	Mineralisation des Knochens	Unter UV-Licht im Körper synthetisiert, Fischöle
Vitamin E (Tocopherol)	„Radikalenfänger“, erhöht Abwehrkräfte	Grünes Gemüse, Pflanzenöle, Nüsse
Vitamin K (Menachinon)	Blutgerinnung	Grünes Gemüse, von Darmbakterien synthetisiert

Tab. 73: **Die wichtigsten wasserlöslichen Vitamine**

Name	Funktion	Vorkommen
Vitamin B_1 (Thiamin)	Energiegewinnung aus Kohlenhydraten Funktion des Nervensystems	Getreide, Fisch, Schweinefleisch, Hülsenfrüchte
Vitamin B_2 (Riboflavin)	Schutzfunktion für Epithelien	Getreide, Milch, Fleisch
Vitamin B_3 (Niacin)	Reguliert Cholesterinstoffwechsel	Milch, Eier, Fleisch, Fisch
Vitamin B_5 (Pantothensäure)	Abbau von Fetten, Kohlenhydraten, Aminosäuren	Getreide, Hülsenfrüchte, Milch, Fleisch, Fisch
Vitamin B_6 (Pyridoxin)	Energiegewinnung aus Kohlenhydraten	Getreide, Hülsenfrüchte, Milch, Fleisch, Fisch
Vitamin B_7 (Biotin)	Synthese von Fettsäuren und Glukose	Soja, Nüsse, Leber
Vitamin B_9 (Folsäure)	Zellteilung und Zellwachstum	Getreide, Hülsenfrüchte, Gemüse, Eier
Vitamin B_{12} (Cobalamin)	Eiweißsynthese	Milch, Eier, Fleisch, Fisch
Vitamin C (Ascorbinsäure)	Zellschutz, stärkt Immunsystem	Obst und Gemüse

26.1.5 Ballaststoffe

Ballaststoffe sind weitgehend unverdauliche pflanzliche Nahrungsbestandteile wie Zellulose und Pektin. Ballaststoffreiche Ernährung führt zu einem schnelleren Sättigungsgefühl und reduziert die Aufnahme von Fetten durch die Darmschleimhaut. Ballaststoffe beschleunigen auch die Peristaltik und somit die Darmpassage des Stuhls, was einen positiven Effekt auf die Gesundheit der Darmschleimhaut hat.

26.1.6 Mineralstoffe

Mineralstoffe werden nur in kleinsten Mengen über die Nahrung aufgenommen, sie erfüllen aber wichtige Aufgaben im Organismus. Nach dem mengenmäßigen Vorkommen unterscheidet man Mengenelemente und Spurenelemente, wobei die Spurenelemente die quantitativ kleinere Masse ausmachen.

Zu den **Mengenelementen** zählen Kalzium, Chlor, Natrium, Kalium, Magnesium, Phosphor und Schwefel, zu den **Spurenelementen** Eisen, Jod, Fluor, Zink, Selen, Kupfer, Mangan, Chrom und Molybdän. Einige wichtige Elemente sind in der nachstehenden Tabelle dargestellt.

Tab. 74: **Mengen- und Spurenelemente**

Mengenelement	**Funktion**	**Vorkommen**
Kalzium	Knochenhärtung, Blutgerinnung, Reizleitung	Milchprodukte
Natrium	Aufrechterhalten des Blutvolumens	Kochsalz (NaCl)
Kalium	Reizleitung	Obst (Bananen), Fleisch
Magnesium	Muskelkontraktion, Aktivierung von Enzymen	Getreide, Hülsenfrüchte, Nüsse
Spurenelement	**Funktion**	**Vorkommen**
Eisen	Bestandteil des Hämoglobins (Erythrozyt) und des Myoglobins (Muskelzelle)	Fleisch, Getreide
Iod	Bestandteil der Schilddrüsenhormone Thyroxin und Trijodthyronin	Meeresfische, jodiertes Kochsalz
Fluor	Härtung des Zahnschmelzes	Seefische, Tee
Selen	Immunstärkende Wirkung	Fleisch, Getreide, Nüsse

26.2 Stoffwechsel und Ernährung

26.2.1 Stoffwechsel – Metabolismus

Unter Stoffwechsel versteht man Umbauvorgänge im Organismus mit dem Ziel, zugeführte Nährstoffe zu verwerten, um Körpersubstanz aufzubauen und Energie zu gewinnen.

Beim katabolen **Stoffwechsel (Katabolismus)** werden die aufgenommenen Nahrungsbestandteile durch Enzyme in kleine Moleküle, die über den Darm resorbiert und über das Blut den Körperzellen zugeführt werden können, aufgespalten. In den Zellen wird so Energie in Form von **Adenosintriphosphat (ATP)** gewonnen. Katabole Stoffwechselvorgänge laufen also vor allem bei der Verdauung ab, es können aber auch körpereigene Substanzen abgebaut werden, wie das während Hungerphasen und im Verlauf zehrender Erkrankungen der Fall sein kann.

Der **anabole Stoffwechsel (Anabolismus)** verwertet die durch katabole Stoffwechselvorgänge gewonnene Energie, um neue Substanzen, wie zum Beispiel große Eiweißmoleküle, aufzubauen. Bei diesen Vorgängen wird also Energie verbraucht. Anabole Stoffwechselvorgänge sind die Grundlage für Wachstums- und Heilungsvorgänge sowie für den Ersatz verlorengegangener Zellen (Zellmauserung). Katabole und anabole Vorgänge laufen immer gemeinsam ab.

26.2.2 Energiebilanz

Unter **Energieumsatz** versteht man die Menge an Energie, die wir unter bestimmten Umweltbedingungen, wie der Umgebungstemperatur, und bei bestimmten Tätigkeiten verbrauchen. Wir unterscheiden einen Grundumsatz und einen Leistungsumsatz. **Energie** wird in Kalorien oder Joule berechnet.

Eine Kalorie ist jene Wärmemenge, die benötigt wird, um 1 g Wasser von 14,5 auf 15,5° C zu erwärmen.

1 Kalorie (cal) = 4,184 Joule (J) oder: 1 J = 0,239 cal

Grundumsatz

Unter Grundumsatz (GU) versteht man diejenige Energiemenge, die der Körper pro Tag bei völliger Ruhe, bei Indifferenztemperatur (27–32 °C), nackt und nüchtern (d. h. 12 Stunden nach der letzten Nahrungsaufnahme) zur Aufrechterhaltung seiner Körperfunktionen benötigt. Er wird in kJ/Tag oder kcal/Tag (24 Stunden) angegeben.

Der GU ist während der Wachstumsphase des Menschen am höchsten und sinkt etwa ab dem 40. Lebensjahr stetig ab. Er ist jedoch bei Männern wegen der größeren Muskelmasse in der Regel höher als bei Frauen.

Der Grundumsatz berechnet sich nach folgender Formel: 1 kcal × Normalgewicht × 24 (Stunden)

Als groben Richtwert für das Normalgewicht kann man den **Broca-Index** heranziehen: Körpergröße – 100

Beispiel: GU für einen 180 cm großen Mann:
Normalgewicht nach Broca-Index: 180 - 100 = 80 kg
GU: 1 kcal × 80 × 24 Stunden = 1.920 kcal/24 Stunden

Leistungsumsatz

Als Leistungsumsatz wird diejenige Energiemenge definiert, die der Organismus über den Grundumsatz hinaus für bestimmte Arbeitstätigkeiten umsetzt. Er wird in kJ/Tag oder kcal/Tag angegeben. Für den täglichen Gesamtenergiebedarf gilt Grundumsatz × PAL, wobei PAL für engl. „Physical Activity Level“ („Pegel der körperlichen Tätigkeit“) steht und von der jeweiligen Tätigkeit abhängig ist.

Tab. 75: **PAL: Multiplikationsfaktoren für Leistungsumsatz**

Tätigkeit	Beispiele	Faktor
Nur Sitzen und Liegen	Kranke	1,2
Sitzende Tätigkeit und wenig Freizeitaktivität	Bürotätigkeit	1,4–1,5
Sitzende kombiniert mit stehender und gehender Aktivität	Studierende, Kraftfahrerinnen, Fließbandarbeiter	1,6–1,7
Überwiegend gehende und stehende Tätigkeit	Verkäufer, Handwerkerinnen	1,8–1,9
Körperlich anstrengende Tätigkeit	Bauarbeiter, Leistungssportlerinnen	2,0–2,4

Nehmen wir an, der 180 cm große Herr aus dem Beispiel oben ist Kraftfahrer, dann gilt für ihn folgender **Gesamtenergiebedarf:** 1.920 kcal × 1,6 = 3.072 kcal/24 Stunden.

Ernährungszustand

Der Ernährungszustand eines Menschen kann sehr einfach durch den **Body-Mass-Index (BMI)** festgestellt werden. Er wird folgendermaßen berechnet:

$$\text{BMI: } \frac{\text{Körpergewicht (kg)}}{\text{Körpergröße (m)} \times \text{Körpergröße (m)}}$$

also Körpergewicht in kg/Körpergröße in m zum Quadrat.

Tab. 76: **Klassifizierung des BMI**

Untergewicht	stark	BMI < 16
	mäßig	16–17
	leicht	17–18,5
Normalgewicht		18,5–25
Präadipositas		25–30
Adipositas	Grad I	30–35
	Grad II	35–40
	Grad III	ab 40

Da jedoch das Bauchfett als jenes Fett angesehen wird, welches einen besonders schädigenden Einfluss auf den Organismus ausübt, wird auch statt des BMI die sogenannte Waist-to-Height-Ratio, also das Verhältnis des Bauchumfanges zur Körpergröße, zur Bestimmung des Normalgewichtes herangezogen.

Die Formel für die WtHR lautet:
WtHR = u/l, wobei u für den Taillenumfang und l für die Körpergröße stehen.
Menschen unter 40 sollten einen Wert von 0,5, Menschen über 60 einen Wert von 0,6 nicht überschreiten.

26.2.3 Grundlagen der Ernährung

Gesunde Ernährung sollte ein ausgewogenes Verhältnis aller Nahrungsbestandteile enthalten. Zur besseren Orientierung wurde die **Ernährungspyramide** eingeführt, die mehrmals modifiziert wurde und nicht in allen Ländern identisch ist.

Die Pyramide besteht aus sechs Lebensmittelgruppen und einer Getränkegruppe. Je weiter unten ein Lebensmittel zu finden ist, desto mehr sollte davon konsumiert werden, Nahrungsmittel an der Spitze der Pyramide sollten dementsprechend seltener auf dem Speiseplan zu finden sein. So sollten täglich 6 Einheiten nichtalkoholische Getränke (ungesüßter Kräutertee, Wasser, verdünnte Fruchtsäfte, ...) von jeweils etwa 250 ml, aber nur maximal eine Portion Süßes/Salziges konsumiert werden.

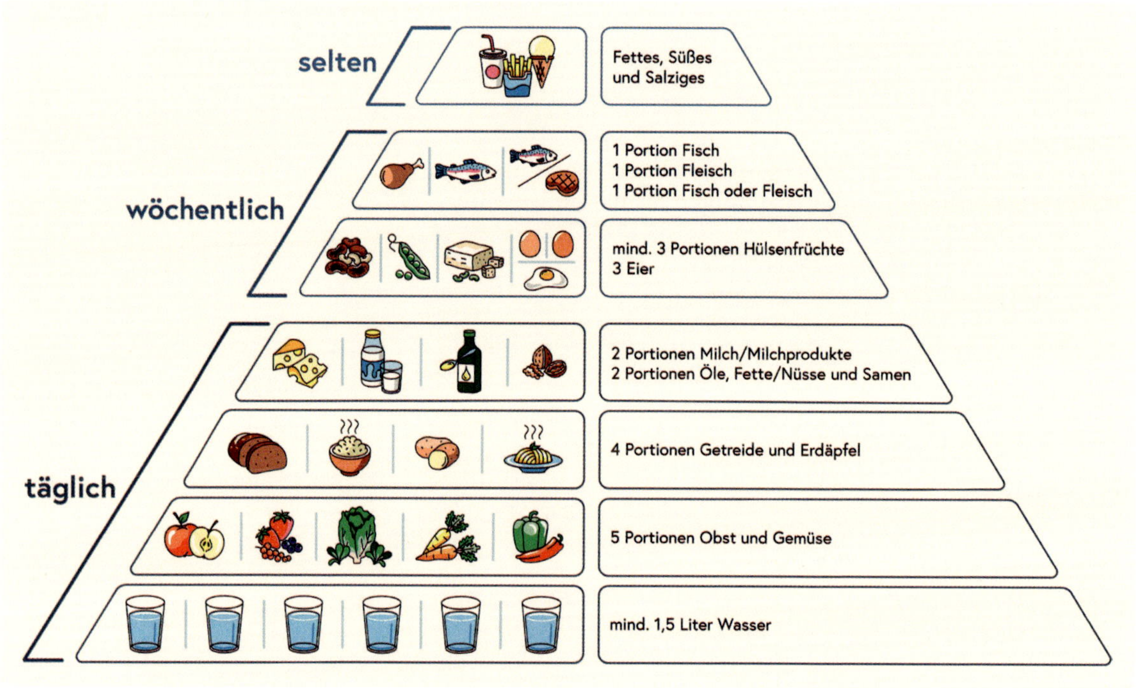

Abb. 198: **Die österreichische Ernährungspyramide (mit Fisch und Fleisch)** (Quelle: Bundesministerium für Arbeit, Soziales, Gesundheit, Pflege und Konsumentenschutz, 2025)

Das österreichische Bundesministerium für Gesundheit veröffentlichte im März 2010 eine Ernährungspyramide mit folgenden Empfehlungen:

- täglich mind. 1,5 Liter Wasser und alkoholfreie bzw. energiearme Getränke
- täglich 3 Portionen Gemüse oder Hülsenfrüchte und 2 Portionen Obst
- täglich 4 Portionen Getreide, Brot, Nudeln, Reis oder Erdäpfel (5 Portionen für sportlich Aktive und Kinder) – vorzugsweise Vollkorn
- täglich 3 Portionen fettarme Milch und Milchprodukte
- pro Woche 1–2 Portionen Fisch, maximal 3 Portionen fettarmes Fleisch oder fettarme Wurstware sowie maximal 3 Eier
- täglich 1–2 Esslöffel pflanzliche Öle, Nüsse oder Samen; Streich-, Back- und Bratfette sowie fettreiche Milchprodukte sparsam
- Fett-, zucker- und salzreiche Lebensmittel sowie energiereiche Getränke selten

26.3 Diäten

In diesem Kapitel soll auf angezeigte Diäten bei einigen (Stoffwechsel-)Erkrankungen eingegangen werden.

26.3.1 Ernährung bei Hyperlipoproteinämie

Unter Hyperlipoproteinämie versteht man eine Erhöhung des Cholesterins und/oder der Triglyceride im Blut. Diese Erkrankung kann primär genetisch, ohne das Vorliegen einer anderen Stoffwechselerkrankung als Ursache, oder sekundär in Begleitung anderer Erkrankungen auftreten. Ursachen dafür können Übergewicht, vermehrter Alkoholkonsum, Medikamente wie Betablocker oder die Pille sein.

Als Folge lagern sich die Blutfette in den Gefäßen ab, es kommt zur Arteriosklerose mit der Gefahr eines Schlaganfalls, Herzinfarktes oder zu anderen Organschädigungen wie Fettleber oder Nierenschäden.

Empfohlene Diät bei Hypercholesterinämie:

- wenn nötig Gewichtsreduktion
- Fettreduktion, insbesondere der gesättigten Fettsäuren (tierische Fette wie Butter, Schlagobers, fettes Fleisch, Wurstwaren) und der gehärteten Fette (Transfette)
- Verwendung von ungesättigten Fettsäuren wie Pflanzenölen
- vermehrte Zufuhr von Omega-3-Fettsäuren (Leinöl, Rapsöl, fette Seefische wie Hering, Makrele, Lachs)
- ballaststoffreiche Lebensmittel wie Vollkornprodukte, Obst und Gemüse sind zu empfehlen

Empfohlene Diät bei Hypertriglyceridämie: Zusätzlich den Genuss schnell verdaulicher Kohlenhydrate wie Zucker und Mehlspeisen meiden und Alkohol reduzieren.

26.3.2 Diät bei Diabetes mellitus

Bei Diabetes mellitus kommt es zu einem vollständigen (Typ I) oder teilweisen (Typ II) Erliegen der Insulinproduktion durch die Bauchspeicheldrüse. Dadurch kann die lebensnotwendige Glukose aus dem Blut nicht mehr in die Körperzellen transportiert werden; die Zellen „hungern" und der Blutzuckerspiegel steigt an.

Ursache:
Diabetes mellitus Typ I: Zerstörung der B-Zellen des Pankreas durch Autoantikörper (Autoimmunkrankheit)

Diabetes mellitus Typ II: Insulinresistenz der Körperzellen und Erschöpfung der B-Zellen durch zu hohe Zufuhr an Nahrung

Folgen:

- Schädigung der Kapillaren (**diabetische Mikroangiopathie**) und in der Folge Netzhautschäden (**Retinopathie**) und Nierenschädigung (**Nephropathie**)
- Schädigung der größeren Arterien (**diabetische Makroangiopathie**) und in der Folge Schlaganfall, Herzinfarkt, Durchblutungsstörungen (**diabetischer Fuß**)
- Schädigung der peripheren Nerven (**diabetische Neuropathie**)

- Bei einem Anstieg des Blutzuckerspiegels durch Insulinmangel kann es zum **hyperglykämischen (diabetischen) Koma** kommen. Ein **hypoglykämisches Koma** ist das Resultat zu geringer Kohlenhydratzufuhr oder vermehrter körperlicher Aktivität bei gleichzeitiger Gabe von Insulin oder oralen Antidiabetika. Der Blutzucker sinkt zu stark ab.

Empfohlene diätetische Maßnahmen bei Typ-I-Diabetes:

- Insulin s.c. (subcutan = unter die Haut gespritzt)
- Normalgewicht anstreben
- Zuckeraufnahme mit Insulingaben abstimmen
- komplexe Kohlenhydrate auf mehrere Portionen über den Tag verteilen
- Zufuhr mehrfach ungesättigter Fette bevorzugen
- Bei funktioneller, das heißt an die Nahrungsaufnahme angepasster, Insulintherapie (FIT) gestaltet sich die Nahrungsaufnahme flexibler. Zur Berechnung der Insulinmenge werden die Broteinheiten (BE) der zuzuführenden Nahrung herangezogen.

Empfohlene diätetische Maßnahmen bei Typ-II-Diabetes:

- Normalgewicht anstreben
- Kohlenhydrate in der Nahrung berechnen und auf 5–6 Mahlzeiten verteilen; KH werden in **Broteinheiten (BE)** angegeben, 1 BE entspricht etwa 12 g Kohlenhydrate. Berechnet werden Lebensmittel wie Zucker, Honig, Reis, Teigwaren, Kartoffeln, Obst, Milch, Joghurt und Nüsse.
- überwiegend ungesättigte pflanzliche Fette verwenden
- Alkohol reduzieren

> Ziel ist es, einen normalen und konstanten Blutzuckerspiegel zu halten.

26.3.3 Diät bei metabolischem Syndrom

Unter einem metabolischen Syndrom versteht man eine ausgeprägte Adipositas am Körperstamm (Bauch), kombiniert mit einer Insulinresistenz (Diabetes mellitus Typ II), einer Hyperlipidämie mit erniedrigtem HDL und einer Hypertonie.

Es besteht ein sehr hohes Risiko von Herz-Kreislauf-Erkrankungen, auch liegen zahlreiche Risikofaktoren einer Arteriosklerose vor.

Empfohlene Diät:

- Gewichtsreduktion
- Kochsalzreduktion (Blutdruck senken)
- Vermeidung von Zucker und Alkohol
- Zufuhr ungesättigter Fettsäuren

26.3.4 Diät bei Gicht

Unter Gicht versteht man eine Erkrankung des Purinstoffwechsels. Purin entsteht beim Abbau der Nukleinsäuren DNA und RNA, es wird weiter zu Harnsäure abgebaut. Auch bei der Gicht unterscheidet man eine primäre, genetisch vererbte Form von einer sekundären Form. Bei der primären Gicht kommt es zum Anstieg der Harnsäure durch verminderte Harnsäureausscheidung über die Nieren oder durch eine vermehrte

Produktion von Harnsäure im Organismus. Eine sekundäre Gicht kann durch einen vermehrten Zellabbau bei Tumoren, durch Adipositas, durch übermäßige Zufuhr von purinreicher Nahrung in Form von Fleisch und Innereien oder durch übermäßigen Alkoholkonsum ausgelöst werden.

Bei Gicht kommt es zu einem Anstieg der Harnsäure im Blut und in der Folge zu schmerzhaften entzündlichen Ablagerungen von Harnsäurekristallen in Gelenken und Organen, wobei besonders die Großzehengrundgelenke, die Nieren und auch der Herzmuskel betroffen sein können.

Empfohlene Diät:

- Langsame Gewichtsreduktion bei Adipositas, da bei Fastenkuren der Harnsäurespiegel im Blut ansteigt.
- purinarme, gut durchgegarte Kost wie Milch, Eier, gekochtes Gemüse
- purinreiche Lebensmittel wie Fleisch, Wurst, Innereien, Fisch, Hülsenfrüchte meiden
- Vermeidung von Alkohol
- reichlich Flüssigkeit trinken, um die Harnsäure auszuschwemmen (2 l/Tag)

26.3.5 Diät bei Diarrhö

Durchfälle treten als häufiges Symptom bei Erkrankungen des Verdauungssystems unterschiedlichster Ursache auf. Häufig sind Bakterien, Viren oder Parasiten die Auslöser, es können aber auch Nahrungsmittelunverträglichkeiten, Medikamente oder Stress zu Durchfällen führen. In der Folge kommt es zu einer verminderten Aufnahme von Wasser, Elektrolyten und Nährstoffen. Besonders der Verlust von Flüssigkeit und Salzen kann zu einer schweren Beeinträchtigung der Gesundheit führen.

Empfohlene Diät:

- im akuten Stadium vor allem Ersatz von Flüssigkeit und Elektrolyten durch Zufuhr isotoner (0,9 %-iger) Kochsalzlösung oder klarer Suppen
- Rossi-Lösung: 1/3 Schwarztee, 1/3 physiologische Kochsalzlösung, 1/3 gepresster Orangensaft
- danach Gabe stopfender Lebensmittel wie Zwieback, geschabte Äpfel, zerdrückte Bananen, Reisschleimsuppe, Karottensuppe
- bei Bedarf krampflösende Tees wie Fenchel, Käsepappel, Kümmel
- langsame Aufbaukost mit fettarmer, leicht verdaulicher Nahrung wie Nudeln, Topfen, Weißbrot, Huhn

26.4 Grundlagen der Säuglingsernährung

In den ersten 4–6 Monaten ist ausschließlich Muttermilch die beste Ernährung für den Säugling, einige Kinder benötigen jedoch schon vor dem 6. Lebensmonat Beikost. Es sollte aber, wenn möglich, weiter gestillt werden. Erst ab dem 5.–7. Lebensmonat, frühestens nach dem 4. Lebensmonat, wird die Einführung von Beikost empfohlen, ab dem 10. Lebensmonat kann allmählich zur gemischten Familienkost übergegangen werden.

Mütter, die ihre Kinder nicht ausreichend selbst stillen können, sollten zu speziell für dieses Lebensalter industriell vorgefertigter Säuglingsnahrung greifen. Als **Anfangsnahrung** wird der Ersatz der Muttermilch bezeichnet, **Folgenahrung** ist zusätzlich zur Beikost zu verabreichen.

Auch die Beikost, wie etwa Breie oder Nahrung in Gläschen, ist im Handel als vorgefertigte Nahrung erhältlich. Die Grenzwerte an Nitraten und anderen schädlichen Inhaltsstoffen werden streng kontrolliert. Nitrate können das Hämoglobin der roten Blutzellen verändern, wodurch zu wenig Sauerstoff gebunden wird und es im schlimmsten Fall zur inneren Erstickung des Kindes kommen kann.

Wasser, das zur Zubereitung von Säuglingsnahrung verwendet wird, darf nicht mehr als 50 mg Nitrat/Liter enthalten, es muss keimfrei und abgekocht sein. Säuglingsnahrung sollte nicht gesüßt werden und der Gebrauch von Honig ist wegen der Gefahr einer Infektion mit Clostridium botulinum, welches ein starkes Nervengift erzeugt, zu vermeiden. Die Sporen des Erregers kommen im Honig vor und werden wegen der geringen Säure des kindlichen Magensaftes nicht abgetötet.

Übungsfragen

1. Zu welchen Anteilen sollten Kohlenhydrate, Eiweiße und Fette in der Ernährung vorkommen?
2. Welches Enzym spaltet Kohlenhydrate schon in der Mundhöhle?
3. Welches Hormon transportiert Glukose in die Zelle?
4. Wie heißt die Energie, die im Zitronensäurezyklus gebildet wird?
5. Nenne eine andere Bezeichnung für Eiweiße.
6. Welche Enzyme sind für die Eiweißverdauung notwendig?
7. Welche Funktionen erfüllen Fette im Organismus?
8. Unterscheide gesättigte von ungesättigten Fettsäuren.
9. Wie gelangen langkettige Fettsäuren ins Blut?
10. Welche Vitamine sind fettlöslich?
11. Welche Funktion hat das Vitamin B12?
12. Nenne Nahrungsmittel, die reich an Vitamin C sind.
13. Nenne drei Mengenelemente.
14. Welche Funktion hat Jod im menschlichen Organismus?
15. Wie viel Joule hat 1 Kalorie?
16. Wie berechnet sich der Grundumsatz?
17. Welche diätetischen Maßnahmen werden bei Diabetes mellitus Typ II empfohlen?

Literaturverzeichnis

Adolf Faller, Michael Schünke, Mitarbeit Gabriele Schünke (2012): Der Körper des Menschen – Einführung in Bau und Funktion. Thieme.

Jochen Fanghänel, Franz Pera, Friedrich Anderhuber, Robert Nitsch (Hrsg.) (2017): Waldeyer Anatomie des Menschen. 17. Auflage. De Gruyter.

Rosemarie Gehart (2010): Anatomie lernen durch Malen. Urban & Fischer.

https://www.dasgehirn.info/grundlagen/anatomie

Jens Huppelsberg, Kerstin Walter (2013): Kurzlehrbuch Physiologie. 4. Auflage. De Gruyter.

Joachim Kirsch, Christian Albrecht May, Dietrich Lorke, Andreas Winkelmann, Wolfgang Schwab, Gudrun Hermann, Richard Funk (2017): Taschenlehrbuch Anatomie. 2. Auflage. Thieme.

Rainer Klinke, Hans-Christian Pape, Stefan Silbernagl (2005): Physiologie. 5. Auflage. Thieme.

Nicole Menche (2017): Biologie, Anatomie, Physiologie. 6. Auflage. Urban & Fischer.

Karl Schander (2010): Basiswissen Anatomie. contmedia.

Michael Schuler, Werner Waldmann (2016): Der menschliche Körper, Gesundheitsatlas Anatomie. Komet.

Michael Schünke, Erik Schulte, Udo Schumacher (2014): Prometheus LernAtlas der Anatomie; Allgemeine Anatomie und Bewegungssystem. 4. Auflage. Thieme.

Michael Schünke, Erik Schulte, Udo Schumacher (2015): Prometheus LernAtlas der Anatomie; Innere Organe. 4. Auflage. Thieme.

Michael Schünke, Erik Schulte, Udo Schumacher (2015): Prometheus LernAtlas der Anatomie; Kopf, Hals und Neuroanatomie. 4. Auflage. Thieme.

Ulrike Seib (2003): Arbeitsbuch Ernährung und Diätik für Pflege- und Gesundheitsfachberufe. 3. Auflage. Urban & Fischer.

Erwin-Josef Speckmann, Werner Wittkowski (2015): Handbuch Anatomie – Bau und Funktion des menschlichen Körpers. Ullmann.

Tabellenverzeichnis

Abbildungsverzeichnis

Stichwortverzeichnis

C

D

E

F

G

H

M

N

PLAKATE für Gesundheitsberufe

Anatomie – Biologie – Physiologie

von Marianne Pataki

facultas 2023
6 Seiten/3 Blätter
A3, gefaltet, mit Umschlag
ISBN 978-3-7089-2417-5
EUR 16,90 (A)
EUR 16,40 (D)
sFr 20,90 UVP

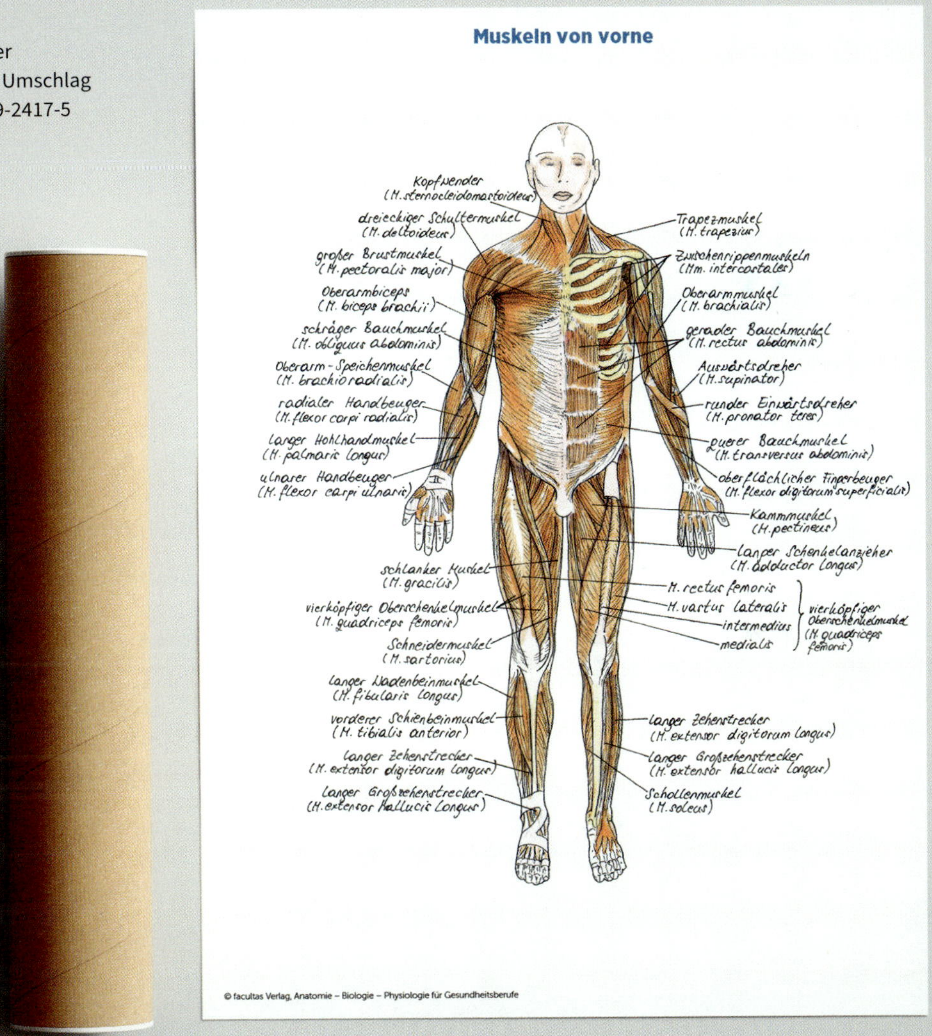

Die Plakate eignen sich für das Erlernen der menschlichen Anatomie in der Pflegeausbildung. Das Skelett des Menschen, der Schädel, die Arterien und Venen sowie die Muskeln von vorne und hinten sind zweisprachig auf Deutsch und Latein beschriftet. Farbig und mit viel Liebe zum Detail erstellt sind diese Plakate eine ideale Ergänzung für den Anatomieunterricht.

facultas